ハヤカワ epi 文庫
〈epi 41〉

充たされざる者

カズオ・イシグロ
古賀林 幸訳

epi

早川書房

6082

THE UNCONSOLED
by
Kazuo Ishiguro

Translated by
Kogabayashi Sachi
Published 2007 in Japan by
HAYAKAWA PUBLISHING, INC.
This book is published in Japan by
arrangement with
ROGERS, COLERIDGE AND WHITE LTD.
through THE ENGLISH AGENCY (JAPAN) LTD.

ローナとナオミに

充たされざる者

I

1

タクシーの運転手は、わたしを出迎える者が誰もいないのでとまどったようだった。フロントデスクにさえ、一人のホテルマンもいない。運転手は人気のないロビーをあちこち見て回った。おそらく観葉植物の鉢かひじかけ椅子の陰にでも、ホテルの人間がいないかと思ったのだろう。結局、彼はわたしのスーツケースをエレベーターの前に置くと、何か言いわけめいたことをつぶやきながら、別れの言葉を口にして立ち去った。

ロビーはかなり広々としていて、まわりにはコーヒー・テーブルがゆったりとした間隔で置いてある。しかし天井は低く、はっきりと垂れ下がった部分があって、閉所恐怖症になりそうな雰囲気だ。外は晴天だというのに、ホテルのなかは薄暗い。フロントデスクのそばの壁に一筋だけ明るい光が差しこみ、黒っぽい羽目板と、ドイツ語、フランス語、英語の雑誌をのせた棚のあたりを照らしている。フロントデスクに小さな銀の鈴があった。

歩み寄ってちょうどそれを振ろうとしたとき、どこか後方にあったドアが開いて、制服姿の若い男が現れた。

「いらっしゃいませ」男は気乗りしない様子で挨拶《あいさつ》をすると、フロントデスクの向こうに回ってチェックインの手続きを始めた。席をはずしていたことにもごもご詫びは言ったものの、応対ぶりはまだしばらくぞんざいだった。しかしわたしが名前を告げるや、はっとして居ずまいを正した。

「ライダーさま。これはこれは気がつきませんで、たいへん失礼をいたしました。ホフマンが……手前どもの支配人ですが、ぜひじきじきにお出迎えしたいと申しておりましたのですが、あいにくとただいま重要な会議に出ておりますもので」

「そんなことはまったくかまわない。あとでお目にかかるのを楽しみにしているよ」

フロントマンはチェックインの書類を手早く処理しながら、支配人がわたしを直接出迎えられなかったことをどんなにか悔しがるでしょうと、ずっとつぶやいていた。彼は二度ほど、支配人は〈木曜の夕べ〉の準備でいつになく多忙を極め、ホテルにいる時間が普段よりずっと少ないのですと説明した。わたしは〈木曜の夕べ〉がどんなものなのか詳しく尋ねるだけの気力もなく、ただうなずいた。

「ああ、それはそうと、ブロッキーさまはきょう、すばらしくおやりになっています」と、フロントマンは顔を輝かせて言った。「実にすばらしく。けさは四時間ぶっつづけで、あのオーケストラとリハーサルをなさいました。ほら、いまも、お聴きになってください！　まだ夢中で練習なさっておられますでしょう。ご自分で納得がいかれるまで」

彼はロビーの奥のほうを指さした。そのとき初めて、わたしはこの建物のどこからかピアノの音が響いてくるのに気づいた。外を行き交う車のくぐもった騒音にまじって、かろうじて聴き取れるほどの大きさだ。わたしは顔を上げて、耳をそばだてた。誰かが同じ短いフレーズ——マレリーの《垂直性》の第二楽章の一節——を、何度も何度も繰り返し、ゆっくりと、没頭して弾いている。

「もちろん、支配人がおりましたら」フロントマンは言った。「きっとブロッキーさまをこちらにお連れしてお引き合わせするところでしょうが、わたくしごときが……」そこで彼は笑い声を上げた。「わたくしごときがお声をかけてよいものかどうか。何しろ、もしも心底から没頭していらっしゃるなら……」

「もちろん、もちろん。それはまた別の機会に」

「支配人さえおりましたら……」彼は語尾をにごしてまた笑った。それから身を乗りだすと、声をひそめて言った。「実を申しますと、お客さまのなかには、こともあろうに何とご不満を訴えてくる方がございましてね。今回のようにブロッキーさまがピアノをお弾きになるたびに、談話室を貸し切りにすることに。まったくもって、何をお考えになっているのか！　実はきのうも、おふたかたがそれぞれホフマンに苦情を持ちこまれましてね。

でもご安心ください。ですぎたお客さまにはただちにお引き取りを願いました」

「そうでしょうとも。ところで、ブロッキーさんと？」わたしはその名前について考えてみたが、何も頭に浮かんでこなかった。それからフロントマンがけげんな表情で見ていることに気づき、あわててこう言い添えた。「ええ、ええ。またそのうちに、ブロッキーさんにお目にかかるのを楽しみにしているよ」

「支配人さえおりましたら」

「お気づかいは無用。さて、これで手続きがすんだのなら、部屋に案内してもらいたいんだが……」

「もちろんです。長旅のあとですから、さぞやお疲れのことでしょう。キーはこちらでございます。そこにおりますグスタフが、お部屋までご案内いたします」

後ろを振り返ると、年配のポーターがロビーの端で待機していた。ドアの開いたエレベーターの前に立ち、何か考えごとにふけっている様子で、なかをぼうっと見つめている。わたしが歩み寄ると、彼は驚いてぴくりとした。それからわたしのスーツケースを取り上げ、あとから急いでエレベーターに入ってきた。

エレベーターが昇りはじめてからも、老ポーターはずっと二個のスーツケースを持ったままで、力んでいるせいか顔が真っ赤になってきた。スーツケースは二つともとても重かった。わたしは彼が目の前で気絶するのではないかと心配になった。

「ねえきみ、それを置いたほうがいいんじゃないか」

「お心づかい、ありがとうございます」ポーターは答えたが、意外なことにその声には、彼が必死で踏ん張っている気配はみじんもなかった。「もう何十年も昔のことになりますが、初めてこの職業に就きましたときには、いつもスーツケースを床に置いておりました。どうしても持たなければならないときにだけ、そうしておりましたのです。つまり、移動しているときにだけ。実を申しますと、こちらで働くようになって十五年は、そのような方法を取っておりました。この町の後輩のポーターは、まだたいていそのようにしておりますす。しかしわたくしは、もうそうはいたしません。それに、さほどの時間ではございませんから」

二人ともしばらく黙ってエレベーターに乗っていた。それから、わたしが口を開いた。

「ではこのホテルで働くようになって、長いんだね」

「もう二十七年になります。その間にいろんなことを見てまいりました。でも、もちろん、ホテルのほうはわたくしがまいるずっと以前からございます。十八世紀には、フリードリヒ大王が一夜の宿を取ったと言われておりますし、当時でさえ、すでに建ってから久しいホテルでございました。ええ、さようですとも。ここでは創立以来、歴史に残る重要な出来事がいろいろと起こっております。お客さまがまたいつかお疲れでないときに、喜んでそんな話をお聞かせいたしましょう」

「ところで、さっき言ったように、なぜ荷物を床に置くのはまずいと思っているんだね？」

「はい、そこが興味深い点なのです。ご想像がつくでしょうが、このような町にはホテルがいくつもございましてね。つまりこの町のおおぜいの市民は、何かのおりに一度はポーターになろうとしたことがあるわけです。ところがここの住人の多くは、どうやら制服を着さえすれば、それだけでポーターの仕事ができると考えているらしい。それが、とりわけこの町に広まってしまった誤解なのです。地元の神話とでも呼べばよろしいでしょうか。正直なところ、わたくしもただ無分別に、そう考えていた時期がございました。それからあるとき――と申しましても、もう何年も前のことになるのですが――家内と一緒に短い休暇旅行に出かけたのです。スイスのルツェルンへ。家内はもう亡くなりましたが、あれのことを考えるときには必ずあの短い休暇のことを思い出します。湖畔の、とても美しいところでございます。いや、お客さまならきっとご存じでしょうな。朝食のあと、二人して楽しくボートに乗りました。さて、先ほどの話に戻りますと、その休暇のときに、わたくしはあの町の住人のポーターにたいする考えが、この町とは違っていることに気づきました。何と申しましょうか、あちらでは、ポーターにずっと高い敬意が払われていたのです。なかでも優秀なポーターはちょっとした有名人でして、トップクラスのホテルから引く手あまた、争奪戦の対象でございました。目からうろこが落ちる思いだったと、申しあげねばなりません。ところがこの町では、さよう、もう長いあいだ、先に申しましたような考えが支配的でございます。実際、はたしてそれがなくなる時代が来るのかと思われるほどでして。いえ、この町の者がポーターに失礼な態度を取ると言っているわけではございません。それどころか、わたくしはいつも丁重に、思いやりをもって接していただいております。それでもでございますよ、お客さま。誰でも思いたったときに、やろうとさえ思えばこの仕事ができるという考えが、ここにはつねにございます。それはたぶん、この町の誰もが何かのおりに、どこかへ荷物を運んだことがあるからでしょう。一度は経験があるものですから、ホテルのポーターになるのはその延長にすぎないと、考えているのです。わたくしは長年のあいだに、まさにこのエレベーターのなかで、こうおっしゃる方がたと何人も出会いました。『わたしもいつかいまの仕事を辞めて、ポーターをやるかもしれないね』と。それから、ある日――あのルツェルンでの短い休暇から少したったころでしたが――有力な市会議員のお一人が、まあだいたい、こんな意味のことを口にされました。『いつかわたしもそれをやりたいものだ』と、その方はスーツケースを指さしながらおっしゃるのです。『わたしの理想の人生だよ。世間の気苦労などに、ひとつもわずらわされない！』と。たぶん気をつかって、そう言ってくださったのでしょう。きっとわたくしがうらやましい存在だと、おっしゃりたかったのです。そのときは、いまよりずっと若かったのでございますが、スーツケースを持たずに、まさにこのエレベーターの床に置いておりました。それに当時のわたくしは、少しばかりそんなふうに見えたのかもしれません。ええ、あの方のお言葉どおり、気苦労ひとつないような人間に。しかし間違いなく、あれは最後のひと押しでした。いいえ、その方のおっしゃったことに腹を立てたわけではございません。でもそう告げられたときに、それまでしばらく考えておりましたことにはたと合点がいく気がしたのです。先ほど申しあげたように、わたくしはルツェルンへの小旅行から目を開かれて帰ってきたばかりでした。それで、そうだ、この町のポーターたちもそろそろいまのような姿勢を改めるときではなかろうかと考えました。何しろルツェルンでまったく違ったありさまを目《ま》のあたりにして、さよう、この町の現状では不満足だと感じておりましたものですから、そのことを真剣に考えまして、自ら実行しようと思ういくつかの変更を決意したのです。もちろんあのときでさえ、それがどれほど困難なものになるか、自分でもほぼ分かってはおりました。もう大昔のことですが、それでもわたくしの世代のポーターにはもう遅すぎると、認識していたように思います。万事は手のほどこしようがないほどでしたから。ですけれど、たとえ自分が努力した結果ごくわずかしか事情が変わらないとしても、少なくともあとに続く者たちに道を開くことになるのではないかと考えました。それであの市会議員のお言葉を聞いた日以来、自分なりのやり方を実行に移し、それを守ってきたわけでございます。そしてうれしいことに、この町のほかのポーターのなかにも、ついてくる者が出てまいりましてね。と申しましても、まったく同じやり方を採用したというわけではありません。しかし彼らのやり方も、まあ、わたくしの意にかなうものでございました」

「なるほど。そのやり方の一つが、スーツケースを床に置かずに、ずっと持っているということなんだね」

「さようでございます。よくぞご理解くださいました。もちろん、ここで申しあげておかなければなりませんが、わたくしが自らこうした決まりをつくりましたときには、ずっと若くて体力もございましたし、年とともに体力が弱っていくことなど考えもしなかったのです。おかしな話ですが、そんなものなのです。ほかのポーターたちも、同じことを口にしてきました。それでも全員が、以前に自分たちが決めたことを守ろうと努めております。長年のあいだに、志を同じくする十二人は、かなり親しい仲間になりました。これまでずっと事態を改善しようとしてきた者たちの、残党でございます。いまになってわたくしが何かを撤回したりすれば、ほかの者をがっかりさせてしまうでしょうし、仲間の誰かが古くからの決まりのどれかを破れば、わたくしも同じように感じるでしょう。この町でなにがしかの進歩がみられたことに、疑いはございませんから。たしかに、まだまだ改善すべき点はございます。しかし仲間たちは、そうしたことについてたびたび話し合ってきたのです——毎週日曜の午後に、旧市街のハンガリアン・カフェで集まりを持っておりますから、よろしければお顔を見せてください。大歓迎でございますよ——それはともかく、こうした問題についてよく話し合った結果、いまやこの町でのポーターにたいする接し方がかなり改善したという点では、間違いなく全員の意見が一致するところでございます。あとからポーターになった若手は、もちろんそれを当然のことと考えております。しかしハンガリアン・カフェのグループは、たとえささやかであれ、自分たちがこの変化をもたらしたのだと自負しているのです。ほんとうに、ぜひお顔を見せてください。喜んで仲間たちにご紹介いたしましょう。昔と違ってまったく堅苦しい会ではございませんし、かなり以前から、特別な事情があるときはゲストを連れてきてもよいことになっております。それに午後に柔らかな日差しがあるいまの季節は、とても心地ようございます。わたくしどものテーブルは日よけの陰にありまして、旧広場が見渡せます。とても快適ですから、きっとお気に召すことでしょう。しかし先ほどの話に戻りますと、この件についてはハンガリアン・カフェでもしょっちゅう議論してまいったのです。つまり、何年も前にそれぞれがつくった決まりのことです。年を取ったときにどうなるかなど、仲間の誰ひとり考えておりませんでした。自分の仕事に専念するあまり、一日一日のことしか考える余裕がなかったのでございましょう。それとも、この町に深く根づいた態度を変えるのにどれだけ長くかかるかを、見くびっていたのかもしれません。ところがお客さま、いまやわたくしもこんな年齢になりまして、年を追うごとに仕事がきつくなってまいります」

そこでポーターは息をついだ。肉体的には苦しいに違いないのに、すっかり自分の考えに夢中になっているようだ。彼はまた口を開いた。

「正直に申しあげましょう。それでこそ公正というものです。自分で初めてこの決まりをつくりました若いころは、いつもスーツケースを三個まで持っておりました。どんなに大きくとも、重くとも。お客さまが四個目をお持ちの場合は、それを床に置いておりましたが、三個までなら必ず何とかなったものでございます。ところが、実は四年前に体調を崩しまして以来、それがままならなくなりましてね。それでハンガリアン・カフェで話し合いましたところ、さよう、最後には全員一致で、わたくしは自分の決まりをそれほど厳格に守らずともよいという結論に達したのでございます。同僚が申しますには、結局のところ肝心なのは、ポーターの仕事の本質について、お客さまに何か心に刻んでいただくことだと。スーツケースが二個だろうが三個だろうが、実質的に変わりはなかろう、二個に減らしたとて何の不都合もない、そう言うのです。わたくしはその言葉を甘んじて受けましたが、ほんとうはそうでないことは分かっております。お客さま方が見る目つきは、とうてい同じではございません。二個の荷物を持ったポーターと三個の荷物を持ったポーターとでは、まったくの素人目にも、かなり違って映るものでございます。それは十分に承知しておりますし、正直なところそれを認めるのは苦しいことです。しかしながら先ほどの件に戻りますと、いまなぜお客さまのスーツケースを床におろしたくないのか、お分かりになっていただけたかと存じます。スーツケースは二個だけですし、少なくともまだ何年かは、二個でしたら十分に運べるでしょう」

「ほう、それは実に立派なお考えだ」わたしは答えた。「たしかに、かなりの感銘を受けたよ」

「ご理解いただきたいのですが、変わらなければならなかったのは、わたくし一人ではございません。こうした問題についてはいつもハンガリアン・カフェで話し合っておりますし、実際、一人ひとりがなにがしかの変更を余儀なくされたのです。しかし誤解のないように申しますと、互いの基準をゆるめようとしているのだとはお考えにならないでください。そんなことをすれば長年の努力も水の泡となり、たちまち笑いものにされましょう。日曜の午後、例のテーブルに集まっているのを見た通りがかりの人々から、きっと嘲《あざけ》りを受けましょう。ええ、さようですとも。仲間たちはそれぞれの決まりをとても厳格に守っておりますし、この点はきっとミス・ヒルデも請け合ってくださるでしょうが、この町の市民全体が、いつもの日曜の集まりを尊重してくれるようになりましたのです。もう一度申しあげますが、ぜひともお顔を見せてください。カフェも広場も、こんな晴れた日の午後でしたらまことに快適ですから。加えてカフェの主人がときどきジプシーのバイオリニストを呼んで、広場で演奏させることもございます。主人自ら、わたくしどもには最大の敬意を払ってくれます。カフェは広くはございませんが、ゆったりとテーブルに座れるよう、いつも配慮してくれるのです。ほかのテーブルがたいへん混雑しているときでさえ、他の客に押しやられたり、邪魔されたりしないように。とりわけ賑わっている日の午後でさえ、全員がいつものテーブルに揃って座り、腕をせいいっぱい伸ばして振り回したとしても隣の者に触れることがないように。カフェの主人は、それほどわたくしどもを尊重してくれているのです。ミス・ヒルデも、きっといま申しあげたことを裏づけてくださるでしょう」

「すまないが、さっきから話に出てくるミス・ヒルデとは、どなたなんですか？」

そう言い終わるや、ポーターがわたしの肩ごしに後ろのほうを見つめているのに気がついた。振り返ってみると、驚いたことにこのエレベーターに乗っていたのは、わたしたち二人だけではなかった。きりりとビジネススーツを着こなした小柄な若い女性が、わたしの後方のエレベーターの隅に体を押しこめるようにして立っていたのだ。わたしがやっと気づいたのが分かると、その女性はほほ笑んで一歩前に足を踏みだした。

「失礼をいたしました」彼女はわたしに告げた。「盗み聞きしていたとお思いにならないでいただきたいのですけど、そうせずにはいられませんでしたの。グスタフがあなたにお話ししていたことを聞いていますと、彼はこの町の市民にたいして、少しばかり公正さを欠いていると申しあげなければなりませんわ。つまり、ホテルのポーターを評価していないという話です。もちろん、わたしたちはポーターを尊敬していますし、なかでもこのグスタフは特別ですのよ。誰からも好かれているんです。彼がさっきお話ししたことにさえ、矛盾がありますわ。市民の評価がそれほど低ければ、どうしてポーターたちがハンガリアン・カフェであれほど厚遇されるでしょう？　ほんとうに、ねえグスタフ、わたしたち全員がライダーさまから誤解されるような話をするなんて、ひどすぎないこと？」

　この口調には明らかに愛情がこもっていたが、ポーターは心から恥じているようだった。彼は重いスーツケースを脚にぶつけながらわたしたちから少し離れると、おどおどと視線をそらした。

「ほら、あのとおり」若い女性はほほ笑みながら言った。「でも、彼は最高に有能なポーターの一人ですのよ。わたしたち、みんな彼のことが大好きなんです。とても謙虚だから、他人には決して自分のことを自慢しない。だけどこの町のほかのポーターは、一人残らず彼を尊敬しています。いいえ、みんな畏敬の念を持っていると言ってもオーバーではないくらい。日曜の午後に例のグループがいつものテーブルを囲んでいるのを見かけても、グスタフがまだ来ていなければ、誰も話を始めようともしませんの。彼抜きで会を始めるなんて、失礼だと思っているんです。十人か十一人のポーターが、コーヒーを前にただ黙って座って待っているのを、よく見かけます。せいぜいが、教会にでもいるようにひそひそ声で言葉を交わすだけ。でもグスタフが現れたとたん、みんなリラックスして会話を始めるんです。グスタフがやってくるのを見るだけでも、ハンガリアン・カフェへ行くだけの価値がありますわよ。その前と後では、がらりと変わってしまうんですから。それまでむっつりした顔でテーブルの前に座っていた老ポーターたちが、グスタフが現れるや、大声で叫んだり笑ったりしはじめて。ふざけて互いにこづき合ったり、背中をぱんとたたいたり。踊りだすときだってありますのよ！　そう、テーブルの上で。特別な『ポーターのダンス』だったわね、グスタフ？　ええ、それはもう、みなさん心から楽しんで。でもグスタフがやってくるまで、そんな気配はみじんもありませんの。もちろん、彼は自分からは、絶対にそんなことを話しませんわ。とても謙虚ですから。この町の者は、みんな彼が大好きですのよ」

若い女性が話しているあいだ、グスタフはずっとそっぽを向いていたに違いない。というのも、わたしがまたグスタフに目をやったとき、彼はこちらに背を向けて、じっとエレベーターの反対側の隅を見つめていたのだ。スーツケースの重さでひざは沈み、肩も震えている。頭を深く前に倒し、後ろにいるわたしたちから表情はほとんど見えないので、それが恥ずかしさのためなのか、それともただ肉体的な限界のためなのかは分からなかった。

「ごめんなさい、ライダーさま」若い女性が言った。「自己紹介がまだでしたわね。わたくし、ヒルデ・シュトラットマンです。あなたがご滞在中、すべてが順調に運ぶようにお取りはからいする役目をおおせつかっております。やっとこの町にいらしてくださって、とてもうれしいですわ。わたしたちみんな、少し心配になってきたところでしたの。けさは全員ができるだけ遅くまでお待ちしていたのですけれど、大事な予定がある者が多かったものですから、そのうちに一人また一人と、出かけなければなりませんでした。それでこのわたくしが、市民芸術協会のしがないスタッフにすぎませんのに、全員になりかわり、お越しいただいてほんとうに光栄ですとお伝えすることになったのです」

「わたしもこの町に来られてたいへんうれしいです。しかしけさの件についてですが、さっきあなたがおっしゃった……」

「いえ、けさのことはどうぞお気になさらないでください、ライダーさま。誰にも何の不都合もございませんでしたから。肝心なのは、あなたがいまここにいらっしゃるということです。ライダーさま、わたくしがグスタフに賛成できますのは、旧市街のことですわ。ほんとうにとてもすてきなところですし、この町におみえになった方には、ぜひお出かけくださいといつも申しあげているのです。すばらしい雰囲気で、歩道にテーブルを出したカフェや、工芸品店や、レストランがたくさんありますの。ここから少し歩けばよいだけですから、スケジュールがおあきになりしだい、お出かけになるとよろしいと思います」

「もちろん、そうしましょう。ところでシュトラットマンさん、わたしのスケジュールと言えば……」わたしはそこでわざと間を置いて、この若い女性が、あらうっかりしていましたとあわてて声を上げ、アタッシュケースを開けてスケジュール表かフォルダーを取りだすのを期待した。ところが彼女はすぐに口をはさんだものの、こう告げたのだった。

「たしかにハード・スケジュールです。でも、決してご無理なものではないと思いますわ。どうしても欠かせないことだけに絞るよう、努力いたしましたから。当然ですが、いろんな団体とか地元のメディアとか、ありとあらゆるところから申し込みが殺到しました。ライダーさまはこの町に、たいへんな崇拝者をお持ちですわね。あなたが現在、世界最高の現役のピアニストであるばかりか、たぶん今世紀最大のピアニストだと崇めている者が、おおぜいおります。でも最後には、なんとか必要最小限にスケジュールを切り詰めることができたと思いますわ。きっとさほどご不満なものはございませんでしょう」

ちょうどそのときエレベーターのドアが開いて、老ポーターが廊下へ足を踏みだした。スーツケースのせいで足を引きずるようにして絨毯《じゅうたん》の上を進むので、あとに続くミス・シュトラットマンとわたしは、彼を追いこさないよう、ゆっくりと歩かなければならなかった。

「憤慨した方がいらっしゃらなければよいのですが」と、わたしは歩きながら彼女に言った。「つまり、スケジュールの都合上、お会いする時間が取れなかった方のことです」

「まあ、とんでもない。どうかご心配なさらないで。市民はみんな、あなたがなぜこの町にいらしたのかよく承知しておりますし、誰もあなたのお邪魔をしたなどと言われたくありませんのよ。実はですね、ライダーさま。かなり重要な二度のレセプションをのぞけば、あとはどれも多かれ少なかれ〈木曜の夕べ〉に関係したことですの。もちろん、もうご自分のご予定には目を通されたことでしょうが」

この最後の言いまわしには、わたしが心から正直に答えられないような何かがあった。それでわたしは、こうつぶやいた。「ええ、もちろんです」

「たしかにハード・スケジュールです。でもご要望に従って、できるかぎりたくさんの方と直接お会いになれるように組んだのです。こう申すのもなんですが、とても賢明なやり方でしたわ」

前を歩いていた老ポーターが、ドアの前で立ちどまった。彼はやっとスーツケースをおろして、鍵をがちゃがちゃやりはじめた。わたしたちが近づくと、グスタフはまたスーツケースを持ち上げ、「こちらです。どうぞ」と言いながら、よろよろと部屋に入っていった。続いてなかに入ろうとしたとき、ミス・シュトラットマンがわたしの腕に手をかけた。

「お時間は取らせません。ただこの時点で、あなたのスケジュールにご不満な点がないかどうか、確認しておきたいのです」

ドアがばたんと閉まり、わたしたちは外の廊下に立ったまま残された。

「そうですね、シュトラットマンさん」わたしは答えた。「全体的に、わたしとしては……とてもバランスの取れたスケジュールだと思います」

「まさにあなたのご要望を念頭に置いて、市民相互支援グループとの会合を設定しました。このグループは、自分たちがこの現在の危機に苦しんでいるという認識のもとに、いろんな職業分野の一般市民で組織された団体なんです。どんな苦労を切り抜けてきたのか、きっと直接お聞きになれますでしょう」

「ああ、そうですね。たしかに、それは大いに役に立ちそうだ」

「それにお気づきになるでしょうけど、クリストフさまにお会いになりたいというご要望も尊重いたしました。何しろこんな状況ですから、そうした会談をお望みになった理由は十分に理解できます。クリストフさまのほうも、お察しがつきましょうがお喜びです。あちらとしましても、あなたにお目にかかりたい理由が当然おありですからね。つまり、クリストフさまとそのお仲間は、あの方たちなりの見方をあなたに分かっていただくために、最善の努力をするということです。もちろん、どれもこれもばかげたことばかりでしょうけど、この町で起きてきたことの全体像を把握なさるには、とても有益だとお思いになるはずです。ライダーさま、ひどくお疲れのようですわ。もうこれ以上、お時間は取らせません。これがわたくしの名刺です。問題なり質問なりがございましたら、どうぞご遠慮なくお電話ください」

わたしはミス・シュトラットマンに礼を述べ、彼女が廊下を戻っていくのを見送った。部屋に入っていったとき、まだいまの会話はどういう意味なのかと、あれこれ考えをめぐらせていたせいで、グスタフがベッドのそばに立っているのにすぐには気づかなかった。

「ああ、いらっしゃいましたか」

ホテルに着いてから黒っぽい羽目板ばかり目にしてきたせいか、この部屋の明るく近代的な雰囲気に驚いた。正面には、床から天井までほとんど全面ガラスの窓が取ってあり、縦型のブラインドの隙間から太陽の光が気持ちよく差しこんでいる。スーツケースは、洋服箪笥《だんす》のわきに並べて置いてある。

「さて、少しばかりお時間を」グスタフが言った。「これからお部屋のご説明をいたします。そうすれば、ここでのご滞在が可能なかぎり快適になりますでしょう」

グスタフについて部屋を回っているあいだ、彼はスイッチや他の設備を次々に指さした。ひとしきりそれが終わると、今度はバスルームへわたしを連れていって説明を続けた。すんでのところで、いつもポーターに部屋を案内されるときのように説明はいらないと口にするところだったが、真摯に自分の仕事に取り組んでいるグスタフの姿勢、彼が毎日何度となく繰り返している行為にどこか自分らしさを出そうとしているところに心を打たれるものがあり、口をはさむのを思いとどまった。それから彼が部屋のあちらこちらを手で示しながら説明を続けていたとき、ふと頭に浮かんできたことがあった。これほどプロ意識に徹し、わたしに快適なホテル生活を送らせたいという切なる願いをにじませながらも、グスタフの脳裏から一日じゅうずっと離れなかったことが、いま再び彼の心のなかで頭をもたげてきていたのだ。つまり、自分の娘とその幼い息子のことを、また心配していたのだった。

数ヵ月前にその話が出たとき、グスタフはただ単純に、大きな楽しみが得られるとしか考えていなかった。毎週一度、午後に何時間か、孫と旧市街を散歩する。そうすればゾフィーは子供から手が離れ、一人で自由な時間を楽しむことができる。現にこの取り決めはたちまちうまい具合に運び、数週間もしないうちに、祖父と孫はどちらにとってもとても楽しい午後を過ごすようになった。その日が雨でなければ、二人は最初にブランコの公園に行き、ボリスはそこで毎週、こんなすごいことができるようになったんだよと、上達ぶりをおじいちゃんに見せることができる。雨ならば、まず船の博物館へ出かける。それから旧市街の小道をぶらぶら歩きながら、いろんなみやげもの店をウィンドーショッピングしたり、旧広場で足をとめて、パントマイムやアクロバットといった大道芸を見物したりする。老ポーターはこの界隈《かいわい》では有名人だから、二人が少し歩くと必ず誰かが挨拶し、いいお孫さんですねと、数えきれないほど言葉をかけられる。そのあと二人は古い橋まで行って、船が下を通りすぎるのを眺める。この散歩は最後にごひいきのカフェ行きとなり、そこでケーキかアイスクリームを注文して、ゾフィーが迎えにくるのを待つのだった。

最初のうち、グスタフはこのちょっとした散歩に大いに満足していた。しかし娘や孫と接する機会が増えるにつれて、以前なら見て見ぬふりをしていたことがどうしても気になり、もはや万事がうまくいっているかのように振る舞うことができなくなってしまった。一つには、ゾフィーの全般的な気分の問題があった。最初の数週間、彼女は機嫌よく二人を残して、いそいそと繁華街へ出かけてはショッピングしたり、友人と会ったりしていた。なのに最近では、自分一人では何もやることがないとでもいうように、うなだれて立ち去っていく。もっと悪いことに、ゾフィーの悩みが何なのかは分からないが、それがボリスにも影を落としはじめた兆《きざ》しが、はっきりとうかがわれた。もちろん、孫はまだたいてい元気いっぱいだった。しかし老ポーターは、とりわけ家庭生活のことが話題にのぼると、幼い孫の顔にときどき暗い影がよぎるのに気づいていた。それから二週間前にある場面に遭遇し、老ポーターはそれを頭から振り払うことができなかった。

グスタフがボリスと一緒に旧市街に数えきれないほどあるカフェの前を歩いていると、娘が店のなかに座っているのが目に入った。日よけがガラス窓に影をつくり、奥まではっきりと見通すことができた。ゾフィーは一人でコーヒーカップを前に、すっかり気落ちした表情で座っていた。その顔つきもさることながら、あの娘には旧市街からよそへ出かけるだけの気力もないのだと分かったとき、グスタフはたいへんなショックを受けた。しばらくのあいだ、ボリスの注意をそらせることにさえ考えが及ばないほどだった。そう気づいたときはもう手遅れで、グスタフの視線を追っていたボリスも、あの母親の姿をはっきりと見てしまった。幼い少年はすぐに視線をそらし、二人はそのことにひとことも触れないまま、散歩を続けた。何分かすると、ボリスはいつもの快活さを取り戻した。しかしあの光景はグスタフの心をひどくかき乱し、以来、何度も心に浮かんでくるのだった。実のところ、彼がロビーで何か考えにふけっている様子に見えたのは、あの出来事を思い出していたからだったし、いままたわたしの部屋を案内しながら気にかけていたのも、そのことだった。

わたしはこの老人に好感を抱き、同情がわいてくるのを感じた。彼はずいぶん長いあいだ思い悩んでいたらしく、しかもいまやその悩みは、とんでもなく大きく膨らみそうな気配だった。その一件をこちらから切りだしてみようかとも思った。だが、それからグスタフがちょうどお定まりの説明を終えたとき、飛行機をおりてからずっと現れては消えていたあの疲労感が、またわたしを襲ってきた。それで彼の問題についてはまたいつか話してみることにし、かなりのチップをはずんで彼を帰した。

グスタフが部屋から出てドアを閉めるや、わたしは服を着たままベッドに倒れこみ、しばらくぼうっと天井を見つめていた。最初、頭のなかは、まだグスタフと彼のいろんな悩みのことでいっぱいだった。でもそれからさらにベッドに横になっているうちに、さっきミス・シュトラットマンと交わした会話のことを思い返していた。どうやらこの町は、わたしに単なるリサイタル以上のものを期待しているようだ。なのにこの旅行についての基本的な事柄をいくら思い出そうとしても、ほとんど何も浮かんでこない。ミス・シュトラットマンにもっと正直に話さなかった自分の愚かしさが、ひしひしと感じられた。スケジュール表を受け取っていないなら、それは彼女の過失であって、わたしの責任ではないはずだ。なのに、ただ理由《わけ》もなく身構えてしまったのだ。

ブロッキーという名前のことも、また考えた。今度ははっきりと、さほど遠くない過去に彼のことをどこかで耳にしたか、読んだかしたような気がした。それから急に、さっきまで乗っていた飛行機での長旅の記憶がよみがえってきた。わたしは明かりを消した客室に座り、まわりの乗客が眠っているなかで、薄暗い読書灯を頼りに今回の旅行のスケジュールを調べていた。そのうち隣の席の男が目を覚まし、数分後には何か陽気な言葉をかけてきた。いや実のところ、彼はわたしのほうに身を乗りだして、ワールドカップに出場したサッカー選手についてちょっとしたクイズを出したのだ。スケジュールを念入りに調べるのを邪魔されたくなかったものだから、わたしはかなりつっけんどんに相手を遠ざけた。いま、その一連の出来事がはっきりと記憶によみがえってきた。そればかりか、スケジュールをタイプした厚いグレーの紙の手触りも、読書灯に照らされた鈍い黄色い光のスポットも、ゴーッと鳴り響いていた飛行機のエンジン音も思い出すことができた。しかしどう頭をひねってみても、あのスケジュール表に何が書いてあったのかは、まったく浮かんでこない。

それから何分かするとまたあの疲労感に襲われ、これ以上自分のことをあれこれ心配してもしかたがないと、少し眠ることにした。実際、これまでの経験から、少し休めば記憶がずっと鮮明になるのは、よく分かっていた。目が覚めたらミス・シュトラットマンを訪ね、行き違いについて説明してからスケジュール表をもらおう。詳しい説明がいるような点があればそうしてもらえばよいのだ。

ちょうどうとうとしはじめたとき、急に何かにまたはっと目を開かされ、天井を見上げた。しばらくまじまじと天井を観察したあと、ベッドから上半身を起こして、あたりを見回してみた。一秒ごとに、ますますここに見覚えがある気がしてきた。わたしがいまいるこの部屋は、その昔、イングランドとウェールズの境にあったおばの家で両親と一緒に二年間暮らしていたとき、自分が寝室として使っていた部屋ではないか。わたしはもう一度、部屋じゅうを見回してから、またベッドに仰向けになって再び天井を見上げた。それはしっくいとペンキを塗り替えたばかりで、少し拡張され、コーニスは取りのぞかれ、照明設備のまわりの装飾もすっかり別のものになっている。しかしまぎれもなく、わたしがあのころ、きしきし鳴る狭いベッドからしょっちゅう見上げていた天井なのだった。

今度は寝返りを打って、ベッドのそばの床を見下ろした。いまこのホテルでは、足をおろすあたりに黒っぽいラグが敷いてある。しかしあのころは、同じ床のあたりにすり切れた緑色のマットが置いてあり、週に何回も、その上でプラモデルの兵隊――全部で百人以上いて、ビスケットの缶二つに入れてあった――にていねいに隊列を組ませて遊んだものだった。わたしは床に手を伸ばし、指でホテルのラグを撫でてみた。そうしていると、ある日の午後の記憶がよみがえってきた。プラモデルの兵隊の世界にすっかり夢中になっていたとき、階下で猛烈な口論が始まった。その怒鳴り声があまりの剣幕だったものだから、六つか七つの子供心にも、これは並の喧嘩ではないことが感じられた。それでもわたしは何でもないのだと自分に言い聞かせ、緑色のマットにほおをくっつけて、作戦計画を続行させた。あの緑色のマットの真ん中近くにけばだった破れがあり、それにいつもいらだたしい思いをしていた。でもあの日の午後、階下の怒り狂った声を聞きながら、わたしは初めて、このマットのほつれた部分を兵隊たちが前進する戦場の茂みにすればよいのだと、思いついた。この発見——空想の世界からいつも引き戻されそうになった欠点も、その世界にうまく取りこむことができると気づいたこと——に逆にわくわくし、以来あの「茂み」は、作戦計画を練る数々の戦闘で、勝敗の帰趨《きすう》にかかわる重要な要素となったのだ。

天井をじっと見上げているあいだに、そんな記憶がどっとよみがえってきた。もちろん、部屋のなかのどこがどう改造され、どう取りのぞかれたかは、はっきりと分かっていた。なのにこれほど長い年月をへたいま、また自分の少年時代の聖域に舞い戻ってきたのだと思うと、深い安堵感を覚えた。わたしは目を閉じて、しばらくまたあの懐かしい家具や調度品に囲まれている気分にひたった。右の部屋の隅には、取っ手の壊れた背の高い白い洋服簞笥。枕もとの壁には、おばが描いたソールズベリー大聖堂の絵。ベッドわきのキャビネットの二つの小さな引き出しには、わたしの小さな宝物や秘密の数々がつまっている。

そうこうしているうちに、きょう一日の緊張のすべて——飛行機での長旅、スケジュールをめぐる混乱、グスタフの抱える問題——がすっかり消え去っていくように思え、わたしは深い疲労の眠りに落ちていった。

2

ベッドわきの電話の音に目が覚めた。ベルはかなり長いあいだ鳴っていたようだった。受話器を取ると、声が聞こえてきた。

「もしもし、ライダーさま？」

「ああ、そうだ」

「ライダーさまですね。ホフマンです、ホテルの支配人の」

「やあ、どうも」

「ライダーさま、やっといらしていただいて、たいへんうれしく思います。町の者はみな大歓迎でございますよ」

「ありがとう」

「ほんとうによくいらっしゃいました。どうかご到着が遅れたことは、お気になさらないでください。ミス・シュトラットマンからお聞きになったことと思いますが、お待ちしておりました者はみな、よく理解しております。何しろ長い旅でしたし、あれやこれやのお約束で世界じゅうを飛び回っておいでなんですから——はは！——そのような事態も、ときにいたしかたないことでございます」

「しかし……」

「いいえ、ほんとうに、その件についてこれ以上お話しになる必要はございません。申しあげておりますように、紳士淑女のみなさんはとても理解がおありでした。ですからもう、そのことは忘れましょう。大切なのは、あなたがいまここにいらっしゃるということです。それだけでもライダーさま、どれだけ感謝しておりますことか」

「はあ、ありがとう、ホフマンさん」

「ところで、いまとりたててお忙しくなければ、遅ればせながらじきじきにご挨拶に参上したいのですが。わたし個人としましても、この町と手前どものホテルへの歓迎の意を表しとうございます」

「それはご親切に」わたしは答えた。「しかしちょうどこれから、少々昼寝をしようかと思っていたところで……」

「少々お昼寝を？」その声には一瞬いらだちが感じられたが、すぐにもとの愛想のよい口ぶりに戻った。「ああ、ごもっとも、ごもっともでございます。さぞやお疲れでございましょう。あれほどの長旅だったのですから。でしたらご挨拶は、またライダーさまのご都合のよいときにいたしましょう」

「お会いするのが楽しみです、ホフマンさん。もう少ししたら、必ずおりていきますから」

「くれぐれもご都合のよろしいときに。わたしのほうは、ずっとこちらで――つまりこのロビーで――お待ちしております。どれだけ長くかかってもかまいません。ですから、どうぞごゆっくりとお時間をお取りください」

わたしは一瞬この言葉を考えてから言った。「しかしホフマンさん、ほかにもたくさんご用がおありでしょうに」

「たしかに、いまは非常に立て込んでおります。しかしライダーさまのためでしたら、どれだけかかろうと喜んでお待ちいたしております」

「どうかホフマンさん、わたしのために貴重なお時間を無駄になさらないでください。ほどなく下へおりて、お目にかかりにうかがいます」

「ライダーさま、とんでもございません。実のところ、ここであなたさまをお待ちするのは光栄なことなのです。ですから申しあげておりますように、ほんとうにいつでもご都合のよろしいときに。おみえになるまで、わたしは必ずここに立っておりますから」

わたしはもう一度礼を言って受話器を置いた。ベッドに起き上がってあたりを見回すと、光線の具合から、もう夕方になっているようだ。いっそう疲労感を覚えたが、こうなればロビーへおりていくしかないだろう。わたしはベッドから離れ、スーツケースの一つを開けて、脱がずに寝ていた上着よりもしわの少ない上着を取りだした。それに着替えているあいだに無性にコーヒーが飲みたくなり、どこか急《せ》かされる思いで、まもなく部屋を出た。

エレベーターからおりると、ロビーはわたしが到着したときよりずっと活気があった。客たちはひじかけ椅子でくつろいで、新聞をめくったり、コーヒーを前におしゃべりしたりしている。フロントデスクの近くでは、何人かの日本人が大はしゃぎで挨拶を交わしている。わたしはこの変化にかすかにたじろぎ、ホテルの支配人がすぐそばへやってくるまで、彼に気づかなかった。

支配人は五十がらみで、電話の声から想像していたより背が高く、太っていた。彼はにっこりと笑いながら手を差しだした。息をきらせ、額にうっすらと汗をかいている。

支配人は握手をしながら、わたしがこの町に、そしてなかでも彼のホテルに滞在することになったのは光栄のいたりですと、何度も繰り返した。それから身を乗りだすと、秘密でも打ち明けるような口調で言った。「ご安心いただきたいのですが、〈木曜の夕べ〉の手筈《てはず》は万全でございます。何もご懸念には及びません」

わたしは彼がもっと何か話すのを待っていたが、ただ笑みを浮かべているだけなので答えた。「はあ、それはありがたいことですね」

「ええ、ほんとうに、何もご懸念には及びません」

一瞬ばつの悪い沈黙が流れた。一呼吸置いたあと、ホフマンは何か別のことを切りだそうとしたようだったがそれを押しとどめ、ははと笑うと、わたしの肩を軽くたたいた。その所作は、やけになれなれしいものに思えた。やっと彼が言った。「ライダーさま、こちらでのご滞在を快適にできることがございましたら、何なりとすぐわたしにお申しつけください」

「それはご親切に」

また一瞬の間があいて、支配人はもう一度笑い、小さく頭を振りながら、わたしの肩をたたいた。

「ホフマンさん」わたしは言った。「何か特別に話したいことがあったのではありませんか？」

「いえ、取り立ててはございません、ライダーさま。ただご挨拶をして、すべてにご満足いただけるよう確認したかっただけでございます」そう告げたあと、彼は急に声を張り上げた。「おお、そうでした。いまあなたがおっしゃいましたので、ええ、お話ししたいことがございました。しかし、ごくつまらないことなのです」そして彼は再び頭を振りながら笑った。「実は家内のアルバムのことでして」

「奥さまのアルバム？」

「家内はとても教養がありましてね、ライダーさま。ですからもちろん、あなたを心から崇拝しております。現にライダーさまの演奏活動を熱心に追いかけておりまして、ここ何年か、記事の切り抜きを集めているのです」

「ほんとうに？　それはうれしいかぎりだ」

「ライダーさまの記事ばかり集めたアルバムが二冊になりました。日付順に張ってあり、何年も前の分からございます。そこで要点を申しあげると、いつかライダーさまにこのアルバムをご覧に入れたいというのが、家内の長年の夢だったのです。あなたがこの町においでになることを知ったとき、当然ながらその夢が現実味を帯びてきました。ですが家内は、この町であなたがお忙しいのを存じておりまして、自分のためにわざわざお時間を取っていただくことはないと申しましてね。でも、わたしには家内が内心何を望んでいるのか分かります。ですからとりあえずお話だけでもしてみると約束したのです。たとえ一分でも、アルバムに目を通してくださるお時間がございましたら、家内がどれほど喜びますことか」

「奥さまに感謝しているとお伝えください、ホフマンさん。喜んでアルバムを見せていただきましょう」

「ライダーさま、何とご親切に！　ほんとうにご親切に！　実は、そのアルバムをこのホテルに持ってきてあるのです。ですが、とてもそんなお暇はございませんでしょうね」

「たしかにかなりのハード・スケジュールです。でも、奥さまのアルバムを見るくらいの時間は取れるでしょう」

「ライダーさま、何とご親切に！　でも、念のために申しておきますが、ご負担になるようなことはしたくありません。ですから、こうしてはいかがでしょう。あなたがアルバムをご覧になれるとおっしゃってくださるまで、わたしはお待ちしています。そのときまで、決してお邪魔はいたしません。昼でも夜でも、いまならご都合がよいとお思いになったときに、いつでもわたしのところへいらしてください。普段は簡単につかまりますし、夜遅くまでこのホテル内におります。何をしておりましても手をとめて、アルバムを取ってまいります。そのようなお約束にしておけば、こちらとしてもずっと気が楽でございます。実際、あなたのスケジュールにさらにご負担をおかけすると思うと、心苦しゅうございますから」

「お心づかいに感謝します、ホフマンさん」

「いや、ふと思ったのですが、ライダーさま。これから何日か、わたしは多忙をきわめているように映るかもしれませんが、この件で時間が取れないほど忙しいということはありえません。ですからどうしても手が離せないように見えましても、どうか気がねなくお声をかけてください」

「よく分かりました。必ずそうしましょう」

「何か合図のようなものを決めておくとよろしいでしょうか。わたしがお客さまでごった返した部屋の反対側にいるのを見つけられるかもしれませんから。そんな騒々しい人ごみをかき分けて近くまでいらっしゃるのは、ご面倒でございましょう。それに、どちらにしろわたしを見かけた場所まで来られたころには、もう別のところへ移動しているかもしれませんし。ですから何か合図を決めておきましょう。おおぜいの方の頭ごしにも、簡単に分かるようなものを」

「ええ、それはまさに名案のようです」

「すばらしい。ライダーさまがこんなに気さくで親切なお人柄だと分かって、心強いかぎりです。過去にここにお泊まりになった何人かのお歴々も、そうでしたなら……さて、あとはどんな合図にするかですが、考えますに……こんなものでいかがでしょうか？」

彼は片手を挙げ、手のひらを外に向け指を広げて、窓をふくような動作ですと説明した。「これはただの一例でございます」と言いながら、彼はすばやく手をおろし身体の後ろへ回した。「むろん、ほかの合図がお気に召すかもしれませんが」

「いや、それで結構ですよ。アルバムを拝見する都合がつけば、すぐにその合図を送りましょう。わざわざ切り抜きを集めてくださって、奥さまはほんとうにご親切な方です」

「家内もきっと心から喜びますでしょう。もちろん、あとでもっといい合図を思いつかれたら、お部屋からでもお電話ください。あるいは、スタッフにご伝言を」

「ご親切にはほんとうに感謝しますが、おっしゃった合図はとても上品に思えます。ところでホフマンさん、うまいコーヒーはどこで飲めるでしょうか。何杯でもお代わりできる気分なのですが」

支配人はややわざとらしい笑い声を上げた。「ご気分はよく分かります。ではアトリウムへご案内いたしましょう。どうぞこちらへ」

彼はロビーのはずれへと歩きだし、重厚なスイング・ドアを押し開けた。わたしたちは両側の壁に黒っぽい羽目板を張った長い陰気な廊下に出た。自然の光はほとんど入らないため、まだ昼間だというのに、壁に並んだ薄暗いランプが灯ったままになっている。ホフマンは先に立ってさっさと歩き、二、三歩ごとに肩ごしにわたしを振り返っては、ほほ笑んだ。廊下を半分ほど来たところで、荘重な雰囲気のドアの前を通りすぎた。わたしがそれを眺めているのに気づいたらしく、ホフマンが言った。

「ああ、さよう。いつもでしたら、コーヒーはこの談話室でお出ししているのです。すばらしい部屋でございますよ、ライダーさま。とても居心地がよろしくて。それにいまは、わたしがつい最近フィレンツェへまいりましたときに見つけた手づくりのテーブルを、いくつか入れておりましてね。きっとお気に召すことでしょう。しかしただいまは、ご存じのようにブロツキーさまのために貸し切りにしてございますので」

「ああ、そうでしたね。わたしが先だって着いたときに、ここにいらっしゃった」

「いまもまだ、おいでになります。なかへご案内してお引き合わせしたいところなのですが、ただいまのところはご遠慮しておいたほうがよろしいかと。ブロッキーさまは……まあ、言うならば、まだその段階ではないようにお見受けいたしますので。ははは！　しかしご心配には及びません。お引き合わせする機会はまだまだございましょう」

「ブロッキーさんは、いまもあの部屋に？」

わたしはさっきのドアのほうをちらりと振り返った。それで少し歩調が遅くなったためか、支配人はわたしの腕をわしづかみにすると、強く引っ張って先を急がせた。

「さようでございます。ええ、いまは黙ってあの部屋に座っておいでです。でも、きっともうすぐ、またお始めになりますよ。けさはオーケストラと四時間みっちりとリハーサルなさいましてね。どこから見ましても、万事がきわめて順調に運んでおります。ですから、どうぞご心配なさいませんように」

廊下は、突きあたって曲がったあと、急に明るくなった。実際、廊下のこの部分には片側にずっと窓があり、日光が床にたっぷりと差しこんでいる。しばらく歩いたところで、ホフマンはやっとわたしの腕を放した。歩調をゆるめながら、支配人は狼狽《ろうばい》を隠すように笑い声を上げた。

「もうすぐアトリウムでございます。本来はバーなのですが、居心地はよろしいですし、コーヒーでも何でもお好みのものをお出ししております。どうぞこちらへ」

わたしたちは廊下をはずれてアーチをくぐった。

「こちらの別館は三年前に完成したのです」ホフマンはわたしを案内しながら言った。「アトリウムと呼んでおりまして、手前どもにはかなり自慢の建築でございます。アントニオ・ザノットーに設計を依頼いたしましてね」

わたしたちは広々とした明るいホールに入った。高いガラス天井のおかげで、まるで中庭へでも出た気分になる。床は白い総タイル貼り、中央には館内を圧するような噴水があって、ニンフらしい大理石の像がいくつもからみ合うなかから、かなりの勢いで水が噴き上がっている。実際、これでは水圧が高すぎるのではないかと思えるほどで、アトリウムのどこもかしこも、空中に漂う細かな霧の向こうにかすんで見えた。それでもすばやく見渡して、アトリウムの角かどに独立したバーがあり、それぞれにハイスツールやイージーチェアやテーブルが並べられているのを、確かめた。白い制服姿のウエイターがせわしなく行き交い、館内のあちこちにかなりの客が座っているようだ。しかしとにかく広々としたところなので、客の姿はほとんど見えない。

支配人が得意げな表情でわたしの顔つきを探りながら、この場所をほめる言葉を待っていた。しかしその瞬間、無性にコーヒーを飲みたい衝動にかられ、彼を無視して、さっさといちばん近いバーへ向かった。

スツールに腰かけ、カウンターに両ひじをついたとき、やっと支配人が追いついてきた。彼は指を鳴らしてバーテンダーを呼ぶと——どちらにしても、彼はわたしに応対しようと近づいていたのだが――「ライダーさまにコーヒーをポットでお出ししてくれ、ケニヤン！」と命じた。それから、支配人はわたしのほうに向き直って言った。「ご一緒できれば、それ以上の喜びはございませんのですがね、ライダーさま。ゆっくりと音楽や芸術のことなどおしゃべりできれば。しかしあいにくと、早急に片づけなければならない用件がいくつもございますので、よろしければこれにて失礼させていただきたいのですが？」ご厚意に重ねがさね感謝しますと告げたにもかかわらず、彼はさらに何分か、うだうだと別れの言葉を続けたあと、やっと腕時計を見て驚きの声を上げ、あわてて立ち去っていった。

一人になるや、わたしはたちまちもの思いにふけっていたのだろう。バーテンダーが戻ってきたのも気づかなかったのだから。しかし、戻ってきたに違いない。その証拠に、わたしはすぐに目の前にあるコーヒーを飲みはじめ、カウンターの後ろの壁に張ってある鏡をじっと見つめていた。そこには自分の顔ばかりでなく、わたしが背にして座っている館内の様子が映っていた。しばらくしてふと気づくと、なぜか何年も前に観戦しにいったサッカーの試合――ドイツ対オランダ戦――の大事な場面を思い返していた。わたしはスツールに座り直し――姿勢が前かがみになりすぎていた――その年のオランダ・チームの選手の名前を思い出そうとした。レップ、クロル、ハーン、ニースケンス。何分か考えていると、ほぼ全選手の名前が浮かんできたが、最後の二人だけはどうしても思い出せない。

記憶をたどろうとしているあいだに、最初はとても心地よく感じていた背後の噴水の音が、しだいにわずらわしくなってきた。あの音さえとまってくれれば記憶の扉が開いて、ついに名前が浮かんでくるのだが……。

まだ選手の名前を思い出そうとしていたとき、背後から声が聞こえた。

「失礼ですが、ライダーさまですね？」

振り返ってみると、そこに二十代前半のういういしい顔の青年が立っていた。わたしが挨拶を返すや、彼は意気ごんでバーに近づいてきた。

「お邪魔でなければいいんですが」青年は言った。「さっきお見かけしたとき、どうしてもお会いして、この町に来ていただいたことがどんなにうれしいか、お伝えしたいと思ったのです。実は、ぼくもピアニストなんです。いえ、まったくのアマチュアですが。それに、そのう、ずっとあなたを心から尊敬していました。父がとうとう来訪のお返事をいただいたとき、すごく興奮したんです」

「お父上が？」

「失礼しました。ぼくはシュテファン・ホフマン、支配人の息子です」

「ああ、なるほど。よろしく」

「ほんの少しだけご一緒してもいいですか？」青年はわたしの隣のスツールに腰をおろした。「父だって、ぼくに負けず劣らず興奮しているんです。あの父のことですから、どん

なにもかもお話ししなかったかもしれませんが、ほんとうです。何より
も大事なことなんです」
「ほう」
「ええ、大げさに言ってるわけじゃありません。父がまだあなたのご返事を待っていたこ
ろのことです。あなたのお名前を聞くたびに、父は奇妙に黙りこくってしまったものです。
そのあと重圧が大きくのしかかってくると、いつもぶつぶつと、そのことばかりつぶやき
だす始末で。『あとどれくらいかかるんだろう？　返事が来るまでに？　断られるかもし
れんな。そんな気がする』ってね。あのころ、ぼくは必死で父を元気づけなければなりま
せんでした。とにかく、あなたがいまここにいらっしゃることが、父にとってどんなに大
きな意味を持つことか。とんでもない完璧主義者なんです！〈木曜の夕べ〉のような催
しを組織するとなると、すべてが、何から何まですべてが、きちんと運ばなければ気がす
まないたちなんです。頭のなかで細かなことを一つ残らず、何度も何度も検討するんです
よ。たしかに少々やりすぎるきらいもあります、熱心さのあまりにね。でもぼくが思うに、
もしあのような一面がなければ父は父じゃないし、いまやっていることの半分も成果を上
げられないでしょうね」
「おっしゃるとおり。お父上は立派な方とお見受けするよ」
「ぶしつけですがライダーさま」青年は言った。「お願いしたいことがあるんです。いや、

お頼みしたいと言ったほうが正確かな。ご無理でしたら、そうおっしゃってください。ぼくは気にしませんから」

シュテファン・ホフマンは勇気を奮い立たせるように、そこでちょっと間を置いた。わたしはまた一口コーヒーを飲んで、鏡に並んで映っている彼とわたしの姿を見つめた。

「そのう、これは〈木曜の夕べ〉にも関係しているんですけど」彼は続けた。「父はそのとき、ぼくにピアノを弾いてくれないかと言うんです。練習したし準備はできていますから、演奏のことが心配だとか何とかってわけじゃないんですが……」そう言いながらも、彼の自信に満ちた表情がほんの一瞬だけ陰り、青年の不安がかいま見えた。しかし彼はたちまち平静さを取り戻して、そっけなく肩をすくめた。「〈木曜の夕べ〉が大事だってことだけじゃありません。ぼくは父をがっかりさせたくないんです。要するに、ほんの数分で結構ですから、ぼくのピアノを聴いていただけないでしょうか。作品はジャン＝ルイ・ラ・ロシュの《ダリア》にしました。何しろぼくはアマチュアだから、かなり大目に見ていただかなければなりません。でも一回通しで弾いてみて、どうすればもう少し磨きがけられるか、助言をいただけたらと思ったんです」

わたしはしばらくこのことを考えた。「つまり、きみは〈木曜の夕べ〉に出演するんだね」

「もちろん、ごくささやかな参加にすぎません。そのほかに行われる、そう」――そこで彼は笑った――「いろんな催しと比べれば。それでも、ぼくは自分の役目をできるかぎり立派に果たしたいんです」

「ああ、よく分かるよ。そうだね、わたしにできることなら、喜んでお手伝いしよう」

青年はぱっと顔を輝かせた。「ライダーさま、どうお礼を申しあげればいいのか！　ぼくにとっては何よりのお言葉で……」

「ただし、問題はあるんだよ。きみにも想像がつくだろうが、この町でのスケジュールはとても厳しいものでね。だからたとえ数分でも、都合のつく時間を見つけなければならないんだ」

「もちろんです。いつでもご都合のよいときに、ライダーさま。いやあ、ほんとにうれしいなあ。正直なところ、きっとにべもなく断られると思っていたんですよ」

ポケットベルが青年の服のどこかで鳴りはじめた。シュテファンはびくっとして、上着の内ポケットに手を入れた。

「申しわけありません」彼は謝った。「でも、緊急の連絡なんです。ほんとうは、とっくにあるところへ行ってるはずだった。でもライダーさま、あなたがここに座っていらっしゃるのを見ると、お声をかけずにはいられませんでした。またすぐこの話が続けられるといいのですが、とりあえずこれで失礼を」

彼はスツールからおりたが、一瞬、また別の話を始めたいようなそぶりを見せた。そのときまたポケットベルが鳴りだし、彼はとまどった笑みを浮かべて、足早に去っていった。

わたしは座り直し、カウンターの後ろの鏡に映った自分の姿を眺めながら、再びコーヒーを飲みはじめた。しかし、あの青年が近づいてくるまでくつろいだ気分で楽しんでいた回想に、もう一度戻ることはできなかった。それどころか、自分がどうやらこの町で多大な期待をかけられているようなのに、いまのところ事態が満足のいく状態にはほど遠いのを感じて、また困惑していた。こうなればミス・シュトラットマンに会いにいき、今度こそ要点をはっきりと説明してもらうしかないだろう。わたしはこのコーヒーを飲み終えたら、すぐにも彼女を訪ねようと決心した。それが体裁が悪いと思う理由はまったくないし、ただ単純に、さっき会ったときの行き違いを説明するだけでいいのだから。こう言ってみたらどうだろう。「シュトラットマンさん、先刻はとても疲れていたので、スケジュールのことを尋ねられたとき、誤解してしまったんです。あなたはその場でスケジュール表を取りだせば、いますぐ検討する時間があるかと、わたしに尋ねていると思ったんですが」でなければ攻撃的に出るとか、非難がましい口ぶりでこう言うのも、いいかもしれない。

「シュトラットマンさん、言わせていただくなら、わたしは少し心配になっている、ええ、そして少しがっかりしているんです。あなたや町の方たちがわたしへの対応に関してこの程度の責任で満足なさっているのであれば、わたしは当然、運営面でもっとしっかり支援してくれと言う権利があると思いますが」

そばで何かが動く気配に顔を上げると、あの老ポーターのグスタフがスツールのわきに立っていた。彼のほうを向くと、グスタフはにっこりと笑った。

「こんにちは。たまたまここでお見かけしたものですから。ご滞在を楽しんでいらっしゃるとよろしいのですが」

「ああ、楽しんでいるよ。だがあいにくと、きみに勧められた旧市街を見物にいく機会は、まだなくてね」

「それは残念でございます。旧市街はこの町でもほんとうによいところですし、ここからとても近うございますから。それにちょうどいまの気候は、まさに理想的なのです。空気は少しひんやりとしていますが、日差しは強く、まだ戸外で座っていられるくらいあたたかいのです。とはいえ、上着か軽いコートをお召しになられるとよろしいでしょう。旧市街を散策なさるには最適の日和です」

「そうだね」わたしは答えた。「少し新鮮な空気を吸うのが、いまのわたしにまさに必要なことかもしれない」

「心からお勧めいたします。お客さまが短い時間なりとも旧市街を散歩なさらずにこの町を離れることになりましたら、たいへん残念でございますから」

「なら、そうしてみよう。いまから出かけてみるよ」

「旧広場のハンガリアン・カフェでお過ごしになる時間がございましたら、まず後悔はなさいませんでしょう。ポット入りのコーヒーとアップル・シュトルーデルをご注文なさるとよろしいかと存じます。それはそうと、ちょうど考えていたのですが……」そこでポーターは一瞬口ごもると、こう続けた。「ちょっとしたお願いをしてもよろしいでしょうか。いつもでしたらお客さまにお願いすることなど断じてないのですが、ライダーさまに関しては、かなりお近づきになったような気がいたしますものですから」

「できることなら、喜んでうかがおう」

ポーターはしばらく黙ってそこに立っていた。

「たいしたことではございません」彼はようやく口を開いた。「ちょうどいま、わたくしの娘がハンガリアン・カフェにおりましてね。孫のボリスも一緒です。娘はなかなか感じのよい女性ですので、きっと心から同情してくださると思うのです。たいていの方と同じように。決して美人とは申せませんが、まあ、魅力的な容姿をしております。とても気立てのよい人間でしてね。ところが、ささいな欠点があるのです。おそらく育った環境のせいなのでしょうが、誰にそれが分かりましょう？　いずれにしろ、これまでずっとそうでした。つまり、ときどき何かにすっかり打ちのめされてしまうのです。たとえ自分の力で十分に対処できるようなときでも。何か小さな問題が出てくると、ちょっとした単純な解決策を講じればすむものを、そういたしませんで、ただじくじくと思い悩んでいるのです。そうこうしているうちに、お分かりでしょうが、小さな問題がどんどん大きくなっていきます。そのうち、娘にとって状況はひどく深刻なものになり、絶望的な気分に陥ってしまいます。すべては、いらぬ心配なのです。いま娘が何を悩んでいるのかはっきりとは分かりませんが、乗り越えられないようなものではありますまい。わたくしはこれまでも、しょっちゅうそんな様子を見てまいりました。しかし、いまでは、ボリスもそれに気づきはじめておりましてね。実際、ゾフィーが早くなんとかしませんと、子供が真剣に悩むのではないかと心配なのです。それにあの子は、いまはとても明るく、あけっ広げで、信頼感に満ちております。もちろん、孫がこんな具合に一生を送ることなど不可能な話ですし、たぶんそれが望ましくもないことは、分かっております。とはいえ、いまはまだあの年頃ですから、せめてあと何年かは、世界が太陽と笑いに満ちた場所だと信じさせておいてやりたいのです」そう言うと彼はまた黙りこみ、しばらく深いもの思いにふけったが、やがて顔を上げて続けた。「いま何が起きているのか、ゾフィーがはっきり見きわめさえすれば、事態をしっかり把握できますでしょう。娘は心底まじめで、最愛の人間のために最善を尽くしたいと願っております。しかしゾフィーの場合は、さよう、いったんこのような状態に入りこんでしまいますと、自分なりの視点を取り戻すのに、実際、ちょっとした助けがいるのです。誰かと楽しく話してみる――それがいま娘に必要なことです。少しのあいだ娘のかたわらに座って、物事をはっきりと見させてくれる方が必要なのです。ほんとうの問題を見きわめ、それを乗り越えるにはどうすればよいかを知る手助けをしてもらう。

それだけでよいのです。楽しく話をして、視点を取り戻せるような何かを与えてやれば、あとは娘が自分で解決するでしょう。その気になれば、娘はとても分別ある人間になれるのです。そこで肝心の話ですが、ライダーさまがもしいまから旧市街へお出かけになるようでしたら、ゾフィーに少し言葉をかけてやっていただけないものでしょうか。もちろん、ご迷惑かもしれないのは分かっておりますが、いずれにしろそちらの方角へ行かれるのですから、お願いしてみようかと思いましてね。長々とお話しくださる必要はございません。ほんの短い会話で十分でございます。娘が何を悩んでいるのかつきとめ、バランス感覚を取り戻せるよう、何か言葉を返していただくだけで」

ポーターはそこで口をつぐみ、懇願するようにわたしを見た。しばらくして、わたしはため息まじりに答えた。

「力になってあげたいよ。しかしいまの話を聞くかぎり、ゾフィーさんの悩みが何であれ、それは家族の問題と深く関係しているのではないだろうか。お分かりのように、そうした問題はとても複雑なものだから、わたしのような部外者がたとえ率直に話をして一つのことを究明したとしても、それがまた別の問題にかかわっていることに気づくだけかもしれない。そうして次から次へと問題が出てくる。忌憚《きたん》なく言って、全体が複雑にからみあった家族の問題をじっくりと話し合うなら、きみ自身こそ、その役目に最もふさわしいのではないのかな。ゾフィーさんの父親として、また男の子の祖父として、結局のところ、わたしにはない当然の資格を持っているんだから」

　ポーターはたちまちこの言葉の重みを感じたらしく、あんなことを言うのではなかったと、かなり後悔した。明らかに、わたしは痛いところをついていた。彼はかすかにわたしから体をそらせ、噴水ごしにぼうっとアトリウムを眺めていたが、ついにまた口を開いた。

「おっしゃることはよく理解できます。資格という点では、たしかにわたくしが娘の話し相手になるべきでしょう。それは分かっております。しかし正直に申しますと――はて、どうご説明すればよろしいでしょうか――とにかく、正直に話させてください。実のところ、ゾフィーとは、もう何年も口をきいておりませんのです。娘が子供のころ以来、実質的にほとんど。ですから、わたくしがその務めを果たすのはかなりむずかしいということを、ご理解いただきたいのです」

　ポーターは自分の足もとを見つめ、まるで審判でも受けるように、わたしの次の言葉を待っていた。

「申しわけないが」わたしはややあって答えた。「いまの話がよく分からないんだ。娘さんと、そんなに長いあいだ会っていないということですか？」

「いえ、いえ。娘とは定期的に会い、そのたびにわたくしがボリスを預かっております。ただ口をきいていない、ということなのです。例を挙げれば、よく分かっていただけるでしょうか。たとえば、ボリスとわたくしが旧市街をいつものように散歩したあと、娘を待っているときがそうです。二人でクランクルさんのコーヒーハウスに座っているとしましょう。ボリスはすこぶる上機嫌で、大声で話し、あんなことこんなことに笑っているかもしれません。しかし母親がドアから入ってくるのを見たとたん、黙りこくってしまうのです。別に不機嫌になるわけではございません。ただ、自分を抑える、ということです。あの子は作法を重んじますのでね。するとゾフィーがわたくしどものテーブルに近づいてきて、彼に話しかけます。楽しかったかとか、どこへ行ったのとか、おじいちゃんは寒くて震えていなかったかとか。ええ、さよう、娘はいつもわたくしのことを尋ねてくれます。この地区を歩き回って具合が悪くならなかったかなどと、心配してくれるのです。しかし、申しあげているように、ゾフィーとわたくしが直接口をきくことはございません。娘は自分で別れの挨拶をするかわりに、『おじいちゃんにさよならを言いなさい』とボリスに告げて、二人して帰っていくのです。もう何年もそんな具合だったものですから、いまさらそれを変える理由もないように思われましてね。とはいえこんな状況のもとで、わたくしはどうしたものか途方に暮れています。思いますに、ただ楽しく話す機会さえあればよいのです。そしてライダーさまのような方が、まさにそれにはうってつけではないかと。ほんのふたこと、みことで結構でございます。娘が現実に何が問題なのかに気づくお手伝いをしていただければ。それさえやっていただければ、あとはきっと娘が自分で解決しますでしょう」

「いいだろう」わたしはこの話をもう一度考えてみた。「いいだろう。できることをやってみるよ。でも、さっき言ったことを忘れないでくれたまえ。つまりこうした問題は、部外者にとっては複雑すぎる場合がままあるんだ。でもまあ、できることをやってみよう」

「恩にきます。娘はいまハンガリアン・カフェにおります。見つけるのにご苦労はなさいませんでしょう。黒い髪を長く伸ばして、顔つきはどことなくわたくしに似ております。それでも確信が持てないようでしたら、いつでもカフェの主人か従業員の誰かに教えてもらえばよろしいかと」

「いいだろう。いまからすぐ出かけることにするよ」

「おそれいります。いずれにしろ、もし何かの理由で娘と話がおできにならずとも、きっとあの地区の散歩をお楽しみになれるはずです」

わたしはスツールからおりて言った。「それでは、あとでどうなったか報告する」

「ありがとうございます」

3

ホテルから旧市街への道のりは徒歩で十五分ほどだったが、ひどく興ざめだった。町並みの大半は頭上にそびえ立つガラス張りの高層オフィスビル、おまけに通りは夕方の往来で騒がしかった。しかし川まで来て旧市街へと続く太鼓橋を渡りはじめたとき、これからまったく雰囲気の違う街へ足を踏み入れようとしているのが予感できた。対岸には、色とりどりの日よけやカフェのパラソルが見え、ウエイターやくるくる走り回る子供たちの動きも目に入る。近づいてくるわたしの足音に気づいたのか、岸壁で小さな犬が激しく吠えていた。

数分後にはもう旧市街に入っていた。丸石を敷きつめた狭い舗道は、のんびりと歩く人たちであふれている。わたしは目的もなくしばらくそのあたりをぶらついて、何軒もの小さなみやげもの屋や、ケーキ屋や、パン屋の前を通った。いくつかカフェの前も通りすぎ、一瞬、ポーターの言った店が見つからなければどうしようかと不安になった。しかしこの地区の中心にある大きな広場に出るや、ハンガリアン・カフェが目に飛びこんできた。広場の向かい側の一角を占領するように、縞模様の日よけの下の小さな戸口からあふれでたテーブルが並んでいる。

わたしはしばらく立ちどまり、息を整えながら、あたりの様子をとっくりと観察した。太陽は、広場の向こうに沈もうとしている。グスタフが言ったように、ときおり肌寒い風が吹き抜けて、カフェのまわりのパラソルをばたつかせていく。それでも、テーブルの大半はふさがっていた。客の多くは旅行者のようだが、仕事を早く終えてコーヒーと新聞を前にくつろいでいる地元の人たちもかなりいた。実際、わたしが広場を横切っているときにも、書類かばんを持った会社員が何人もあちこちで集まって、楽しげに立ち話をしていた。

テーブルの並んだところへ着くと、わたしはしばらくそのまわりをうろつきながら、ポーターの娘らしい女性がいないか探してみた。学生二人が、映画について議論していた。ある旅行者は《ニューズウィーク》を読んでいたし、年配のご婦人は足もとに集まってきた鳩にパンくずを投げていた。だが、小さな男の子を連れた長い黒髪の若い女性は、どこにも見あたらなかった。店に入ってみると、なかは狭く、かなり暗くて、テーブルが五つか六つあるだけだった。これならたしかにポーターが言うとおり、寒い季節にはたいへんな混み具合になるだろう。しかしいまは、奥まったテーブルにベレー帽の老人が座っているだけだ。例の頼まれごとはあきらめるしかない。わたしはまた外に戻って、コーヒーでも注文しようとウェイターの姿を探した。そのとき、わたしの名前を呼ぶ声がした。振り返ると、近くのテーブルから、小さな男の子を連れた女性が手を振っていた。二人はポーターの言葉どおりだったが、どうしてさっきは気づかなかったのか、不思議でならなかった。そのうえ二人がまるでわたしを待っていたようだったので、少々まごつき、やや間を置いて手を振り返してから、二人のほうへ歩いていった。

ポーターは「若い女性」と言っていたが、ゾフィーはそろそろ中年に差しかかったといってもよく、おそらく四十歳くらいだろう。とはいえ、容貌は想像していたより魅力的だった。かなりの長身で、ほっそりとしていて、長い黒髪がジプシーのような雰囲気を漂わせている。そばにいる男の子のほうはどちらかといえばぽっちゃりしていて、いまは不機嫌な表情で母親を見つめている。

「それで」ゾフィーは笑顔でわたしを見上げながら言った。「おかけになりませんの？」

「ええ、ええ」と答えながら、わたしは自分がもじもじしながら立っていたことに気づいた。「いや、あなた方がよろしければの話ですが」わたしは男の子にほほ笑みかけたが、彼はいやだという顔で見返しただけだった。

「もちろん、かまいませんわ。そうでしょ、ボリス？　ボリス、ライダーさまにご挨拶なさい」

「やあ、ボリス」わたしは腰をおろしながら声をかけた。

それでも男の子は、いやだよという顔でわたしを見つづけたあと、母親に言った。「どうして座っていいなんて言ったのさ？　いまぼくが説明してたところだろ」

「こちらはライダーさまよ、ボリス」ゾフィーは諭した。「特別なお友達なの。だからもちろん、あたしたちと一緒に座っていいのよ、そうなさりたいなら」

「だって、ぼくはボイジャーがどうやって飛んでくか説明してたんだよ。聞いてなかったんだね。話をきちんと聞かなきゃだめじゃないか」

「ごめんなさいね、ボリス」ゾフィーはわたしにすばやくほほ笑みかけながら答えた。

「一生懸命に聞こうとしてたんだけど、科学のお話はぜんぜん頭に入ってこないの。さあ、ライダーさまにご挨拶したら？」

ボリスはちらりとわたしを見てから、むくれた顔で「こんにちは」と言うと、すぐに視線をそらせた。

「わたしのせいで喧嘩なさらないでください」わたしは言った。「ねえ、ボリス。きみがさっき説明していたことを続けてくれないか。実はね、おじさんはその航空機のことにとても興味があるんだ」

「航空機じゃない」ボリスは腹立たしそうに答えた。「惑星間を飛行するロケットだよ。でもおじさんだって、ママと同じくらいに分かりっこないさ」

「おや、どうして分かる？　おじさんはとても科学に強いかもしれないよ。そんなにすぐに人を決めつけちゃいけないなあ、ボリス」

　彼は大きなため息をつくと、相変わらずわたしから視線をそらしたままで言った。「おじさんだって、ママと同じさ。きっと集中力がないんだろう」

「まあ、ボリスったら」ゾフィーが言った。「もう少しお行儀よくなさい。ライダーさまはとても特別なお友達なのよ」

「それだけじゃない」わたしは言い添えた。「きみのおじいちゃんとも友達なんだよ」

　この言葉に、ボリスは初めて興味をもってわたしを見た。

「ああ、そうだとも。とても親しい友達になったのさ、きみのおじいちゃんとおじさんとはね。おじいちゃんのホテルに泊まっているんだ」

　ボリスはわたしを慎重に探るように眺めた。

「ボリス」ゾフィーが諭した。「ライダーさまにきちんとご挨拶したら？　まだお行儀のよいところをちっともお見せしていないわよ。礼儀知らずの子供だって思われたまま、お別れしたくないでしょう？」

　ボリスはまたしばらくわたしのことを観察していたが、急にテーブルの上に突っぷすと、両腕で頭を抱えこんだ。それと同時に、テーブルの下で足をばたつかせはじめたらしく、彼が靴で金属の脚を蹴る音が聞こえてきた。

「ごめんなさい」ゾフィーは言った。「この子ったら、きょうは機嫌が悪くって」

「実はですね」わたしはおだやかに切りだした。「あなたにお話ししたいことがあったのです。しかし、そのう……」わたしはボリスのことを目で合図した。ゾフィーはわたしを見てから、子供に向かって告げた。

「ボリス、ママはしばらくライダーさまとお話があるの。白鳥を見てきたらどう？　少しのあいだだけだから」

ボリスは寝ているかのように頭を両腕でおおっているが、相変わらず足はリズミカルにテーブルの脚を蹴っている。ゾフィーはそっとボリスの肩をゆさぶった。

「さあ、行ってきたら」彼女は促した。「黒鳥も一羽いるわよ。あの柵のところへ行って、見てきたら。ちょうどシスターたちがいるでしょ。自分の目でしっかり確かめられるわよ。しばらくしたら戻ってきて、見てきたことを話してちょうだい」

ボリスはしばらく何の反応も示さなかったが、やっと身を起こし、またうんざりしたようにため息をつくと、椅子からすべりおりた。そして理由はまったく分からないが、へべれけに酔った誰かのまねをしながら、千鳥足でテーブルから離れていった。

少年が十分遠ざかったとき、わたしはゾフィーのほうに向き直った。そのとたん、どう切りだせばよいのだろうという不安が込み上げてきて、しばらくどぎまぎしながら座っていた。ともあれ、ゾフィーのほうがほほ笑んで、最初に口を開いた。

「いいニュースなの。メイヤーさんから、さっき家のことで電話があったのよ。きょう入った物件なんですって。とてもよさそうだから、一日じゅうそのことを考えていたの。なぜだか、これかもしれないって気がするわ。あたしたちがずっと探していたものだって。メイヤーさんに、あすの朝いちばんにそこを訪ねて、よく拝見させていただきますってお話ししたんだけど。ほんとに、理想的に思えるの。村から三十分ほど歩いた丘の上の一軒家で、三階建てよ。メイヤーさんの話では、森を見晴らす眺めが、これまで何年も見たことがないほどすばらしいんですって。あなたがいまとてもお忙しいのは分かってるけど、話に聞くようにほんとにすてきなところだと分かったら、お電話しますから見にいきませんか？　ボリスも一緒に。あたしたちがまさに探していた家かもしれないわ。長くかかるとは思っていたけど、とうとう見つかったって気がするの」

「ほう、それはよかった」

「朝の始発のバスで出かけてみようと思うの。さっさと行動しなくちゃね。すぐに買い手がつくでしょうから」

彼女は目の前で、その家についてさらに詳しい説明を始めた。わたしは黙って話を聞いていたが、どう答えてよいのか分からないというのは、その理由の一つにすぎなかった。いや実際、二人で座っているあいだに、だんだんゾフィーの顔に見覚えがあるような気がしてきて、いまではおぼろげながら、少し前にちょうど森のなかのそんな家を買う話をしていたことまで、記憶にある気がするのだった。その間、きっと上の空で聞いている表情になっていたのだろう。とうとう彼女は話をやめて、それまでと少し違った、ためらいがちな口調で言った。

「この前の電話のこと、ごめんなさい。まだそれで不機嫌になってるんじゃないでしょうね」

「不機嫌になっている？　いや、とんでもない」

「ずっと気にしてたのよ。あんなこと言わなければよかったのにって。本気にしないでね。だって、こんなときに家にいてくれだなんて、無理な話ですもの。あんな家に？　おまけにあのいまの台所ときたら！　それにあたし、自分たちの家探しにこんなに長いことかかってしまって。でも、いまはあす見にいく家に、とても期待をかけてるの」

彼女はまた家のことを話しだした。それを聞きながら、わたしは彼女がいま言及した電話での会話を思い出そうとした。しばらくすると、この同じ声を――それとも、もう少しとげとげしい、怒った声だったか――つい最近、電話口の向こうで聞いたような記憶が、かすかによみがえってきた。最後には、自分が受話器に向かってその女性に怒鳴っていたある言葉も、思い出したと思った。「きみの住む世界は何て狭いんだ！」と。それでも相手がまだ言い返してくるので、わたしは軽蔑したように「何て世界が狭いんだ！　何て狭い世界に住んでるんだ！」と繰り返していた。しかしいらだたしいことに、そのときの会話は、それ以上、何も思い出せなかった。

記憶を呼び起こそうとするあまり、たぶんゾフィーをまじまじと見つめていたのだろう。彼女はわたしの視線を意識してか、こう尋ねた。

「あたし、少し太った？」

「いや、いや」わたしは笑って目をそらせた。「とても奇麗ですよ」

彼女の父親に頼まれた話をまだひとことも話していないのに気づき、その件をどう切りだせばよいか、もう一度考えようとした。しかしそのとき、誰かに後ろから椅子をがたがた揺すぶられた。ボリスが戻ってきたのだ。

この少年は、わたしたちのテーブルのまわりを走りながら、捨ててあった紙の箱をサッカーボールのように蹴っていた。見られているのに気づいたボリスは、紙箱を両足でもてあそんでいたと思うと、わたしの椅子の脚のあいだから思いっきり蹴り飛ばした。

「九番です！」彼は万歳をして叫んだ。「九番のすばらしいゴールです！」

「ボリス」わたしは言った。「その紙箱をごみ入れに捨ててきたほうがいいんじゃないか？」

「ぼくたち、いつになったら出かけるの？」彼はわたしのほうを向いて尋ねた。「遅くなるよ。もうすぐ暗くなっちゃうよ」

彼の後方を眺めると、ボリスの言うとおり夕日が広場の向こうに沈もうとしていて、テーブルにも空席が目立つようになっていた。

「すまないね、ボリス。きみは何がしたかったんだい？」

「早くして！」ボリスはわたしの腕を引っぱった。「これじゃあ、あそこに着けないよ！」

「ボリスはどこへ行きたがってるんです？」わたしは静かに母親に尋ねた。

「もちろん、ブランコの公園よ」ゾフィーはため息をついて立ち上がった。「どれだけ上達したか、あなたに見せたがってるの」

　わたしも席を立つしかないようだ。次の瞬間、わたしたち三人は広場を横切ろうと歩きだしていた。

「それで」わたしは隣に並んで歩いているボリスに話しかけた。「きみはいくつか技を見せてくれるんだね」

「さっき行ってたときはね」彼はわたしの腕にしがみつきながら言った。「ぼくより大きな男の子がいたけど、そいつは魚雷だってできなかったんだよ！　ママは、その子がぼくより二つは年上だろうって。ぼくが魚雷のやり方を五回も教えてやったのに、すごく怖がってたんだ。何度もいちばん上まで行くんだけど、それでもできないんだよ！」

「そうか。だけどもちろん、きみは怖くないんだね。その魚雷っていうのが」

「もちろん、怖くなんかないさ！　簡単だよ！　とっても簡単！」

「それはすごい」

「あの子はすっごく怖がってたよ！　おかしかったなあ！」

　わたしたちは広場を離れて、旧市街の狭い石畳の通りを歩いていた。ボリスは道をよく知っているらしく、待ちきれない様子で、何度も小走りに数歩先を行った。それからまたわたしの隣に並ぶと、こう尋ねた。

「おじいちゃんを知ってるの？」

「ああ、話しただろう。いい友達だって」

「おじいちゃんはとっても強いんだ。この町でいちばん強い男の一人なんだよ」

「へえ、そうなのかい？」

「喧嘩が強いのさ。昔、兵隊だったから。いまは年取ってるけど、まだたいていの人より喧嘩が強いよ。街のチンピラは、ときどきそれを知らずに痛い目にあわされるんだ」ボリスは歩きながら、急にパンチをくりだしてみせた。「あっという間に、おじいちゃんが地面にたたきのめしてる」

「ほんとに？　それは面白いね、ボリス」

　三人で狭い石畳の通りを歩きつづけていたちょうどそのとき、わたしはこの前ゾフィーとやり合っていた口論の一部を、さらに思い出した。それはたぶん一週間ほど前のことで、わたしはどこかのホテルの部屋にいて、電話の向こうで叫ぶ彼女の声を聞いていたのだった。

「あの人たちは、あなたにあとどれだけこんなふうに続けろって言うの？　あたしたち二人とも、もうそんなに若くはないのよ！　あなた、もうお役目は果たしたじゃないの！　これからは全部、誰かほかの人にやってもらってちょうだいよ！」

「いいかい」わたしはまだ冷静な声で彼女に告げていた。「そうは言っても、事実わたしを必要としている人がいるんだ。どこかへ着くと、たいていひどい問題が待ちかまえている。根が深くて、一見手もつけられないような問題がね。そして町の人たちは、わたしがやってきたことにとても感謝する」

「だけどあとどれだけ、こんなふうに人のためにしてあげられるっていうの？　あたしたちにとっては、つまりあたしとあなたとボリスにとっては、あっという間に時間が過ぎていくのよ。あなたが気づきもしないうちに、ボリスは大人になってるでしょう。あなたにこんなことを続けてくれなんて言う権利は、誰にもないはずよ。それにこのいろんな人たちは、どうして自分で自分の問題を解決できないの？　そのほうが自分のためでしょうに！」

「きみはなんにも分かっちゃいない！」わたしはそこで怒って口をはさんだ。「自分で何を言ってるのかも分かっちゃいないんだ！　わたしが訪ねる先々でも、そこの人たちが何一つ分かっちゃいないときがある。そもそも現代音楽が何なのかも分かっていないし、そのまま放っておけば、ますます深刻な問題にはまりこんでいくのは、目に見えている。わたしが待ち望まれているのが、どうしてきみには分からないんだ？　わたしはここに必要な人間なんだよ！　きみは自分で何を言ってるのかも分かっちゃいない！」そのあと、わたしはこう怒鳴ったのだった。「何て世界が狭いんだ！　何て狭い世界に住んでるんだ！」

わたしたちは柵に囲まれた小さな公園に来ていた。人影は見えず、かなりもの悲しい雰囲気だ。それでもボリスは熱心にわたしたちを引っぱって、小さなゲートを通らせた。「ほら、こんなの簡単だよ！」と言うと、彼はジャングルジムに向かって走りだした。

ゾフィーとわたしは暮れていく光のなかにしばらくたたずみ、ボリスが上へ上へとのぼっていくのを眺めていた。それから彼女が静かに言った。

「ねえ、とても奇妙な話だけど、メイヤーさんから電話であの家の居間の説明を聞いているとき、あたしが幼いころに住んでいたアパートの光景が、ずっと頭に浮かんでいたの。彼が話しているあいだじゅう、その光景を思い出していたわ。わが家の懐かしい居間と、あのころの母と父の様子を。でも、きっと大違いでしょうね。ほんとに、そっくりだなんて思ってはいないわ。あすその家に行けば、まるっきり違うのが分かるでしょう。それでも期待を抱かせてくれる。そう、何かのいい兆しみたいにね」彼女は小さく笑うと、わたしの肩に手をかけた。「ひどく沈んだ顔をしてるわ」

「わたしが？　これは失礼。みんなこの旅のせいなんです。たぶん、少し疲れているんでしょう」

　ボリスはジャングルジムの頂上までのぼっていたが、もう日がほとんど暮れていたので、その姿は空に浮かぶシルエットにしか見えなかった。彼はわたしたちに向かって一声叫ぶと、てっぺんの鉄棒を握ってくるりと体を回転させた。

「あれができるのが、大の自慢なの」とゾフィーは言うと、こう呼びかけた。「ボリス、もうとっても暗いわ。おりてきなさい」

「簡単だよ。暗いほうが簡単だよ」

「早くおりてきなさい」

「みんなこの旅のせいなんです」わたしは言った。「ホテルの部屋からまたホテルの部屋へ。知り合いに会うこともない。ほんとうに疲れますよ。いまだって、この町でたいへんな重圧がかかっている。この町の人たちのことです。明らかに、彼らはわたしに多大な期待をかけているらしい。つまり、明らかに……」

「ねえ」ゾフィーがわたしの腕に手をかけながら、やさしくさえぎった。「いまはそんなこと忘れましょうよ。またあとで話す時間は、たっぷりあるわ。みんなくたくた。一緒にアパートへ帰りましょ。ここから歩いてほんの数分、中世の礼拝堂の先なの。きっとみんなでおいしい夕食を取って、足を投げだしてゆったりとくつろげるわ」

　彼女がやさしく、耳もとに唇を寄せてささやいたので、その息づかいまでが感じられた。

わたしはまたあの疲労感に襲われ、彼女のあたたかいアパートでくつろぐという提案が——たぶんゾフィーが夕食をつくっているあいだに、ボリスと絨毯の上でごろごろできるだろう——急にとても断りがたい誘いに思えてきた。あまりの魅力に、わたしはほんの一瞬目をつむり、夢見心地でほほ笑んでさえいたかもしれない。ともあれ、ボリスが戻ってきたことで、わたしはこの夢想から引きずり戻された。

「暗いなかだって簡単だよ」

そのとき、ボリスが寒そうに、少し震えているのに気づいた。さっきまでのエネルギーはすっかり消えている。きっといまやって見せたばかりの鉄棒で使い果たしてしまったのだろう。

「いまからみんなでアパートへ帰ろう」わたしは言った。「そこで何かおいしいものを食べるんだ」

「いらっしゃい」ゾフィーが歩きだした。「時間がどんどん過ぎていくわ」

細かな雨が降りはじめ、太陽はもう完全に沈んで、空気はずっと肌寒くなっていた。ボリスはまたわたしと手をつなぎ、ゾフィーの後を追って、公園から人気のない裏通りへと出ていった。

4

もう明らかに旧市街を出ていた。両側にそそり立つ薄汚れたレンガの壁には一つも窓がなく、まるで倉庫の裏側のようだ。通りを歩いているあいだ、ゾフィーがいっこうに足取りをゆるめないので、ボリスはついてきかねていた。なのに「歩くのが速すぎるかい？」と尋ねると、怒った目つきでわたしを見返した。

「もっとずっと速くたって歩けるよ！」そう叫ぶと、彼はわたしの手を引っぱって小走りになった。でもまたすぐに、がっかりした表情で歩調を落とした。しばらくすると、わたしがゆっくりと歩いているにもかかわらず、ボリスが苦しい息づかいをしているのが聞こえてきた。そのうち彼はひとりごとをつぶやきだした。最初は、きっと自分で自分を元気づけようとしているのだろうと思って、さほど注意を払わなかった。しかしやがて、彼がこうつぶやくのが聞こえた。

「九番……九番だ……」

わたしは好奇心にかられてボリスを見やった。雨に濡れて寒そうだ。だったら彼と会話をしていたほうがいいだろう。

「その九番ていうのは、サッカーの選手かい?」わたしは尋ねた。

「世界一のサッカー選手だよ」

「九番か。そう、当然だな」

先を歩いていたゾフィーが角を曲がって姿を消すと、わたしの手を握っていたボリスの手に力がこもった。そのときようやく、この子の母親にどれだけ後れを取ってしまったかに気づいた。それでこちらも足を速めたが、あの角までたどり着くにはまだまだ時間がかかりそうだった。わたしたちがやっとその角を曲がったとき、困ったことにゾフィーとの距離はいっそう遠くなっていた。

わたしたちはまたしばらく薄汚れたレンガ壁の前を歩いた。湿気でいくつか大きなしみができている。舗道はでこぼこで、街灯に照らされた行く手に、水たまりが光っている。

「心配はいらないよ」わたしはボリスに話しかけた。「もうすぐだからね」

ボリスは息をきらせながら、相変わらずときどき「九番……九番……」とひとりごとをつぶやいている。

ボリスが口にする「九番」という言葉は、最初からわたしのなかでどこか遠い鐘の音のように鳴り響いていたのだが、いまそのつぶやきを聞いているうちに、「九番」が本物のサッカー選手ではなく、彼の持っているサッカーゲームのミニチュアの選手だったことを思い出した。一つずつ石膏で型抜きし、台に立たせたその選手たちは、指ではじくと、小さなプラスチックのボールをドリブルしたりパスやシュートしたりできる。ゲームは本来、二人がそれぞれ自分のチームを動かして遊ぶようにできているのだが、ボリスはいつも一人きりで、何時間も腹ばいになって、大逆転やいらいらする報復の続く試合を展開させていた。全部で六つのチームと、本物のネットのついたミニチュアのゴールポストと、広げてフィールドにする緑のフェルトの布があり、ボリスは、アヤックスとかACミランといった「実在の」チームのように見えれば楽しいだろうというメーカーの考えを嫌って、各チームに自分で名前をつけていた。しかし一人ひとりの選手には名前をつけずに――ただし、各選手の長所と欠点には詳しかったが――ユニフォームの番号だけで呼んでいた。おそらくサッカーのシャツの番号がどれだけ重要かを知らなかったせいか、それとも彼独特の、ひとくせある発想のためなのか、その番号は、ボリスが選手をどのポジションにつかせるかとは無関係だった。だから、あるチームの十番は伝説的なセンターバックかもしれないし、二番は有望な若いミッドフィールダーかもしれない。

「九番」はボリスのいちばん好きなチームのメンバーで、抜群に有能な選手だった。しかしずば抜けてすぐれた技を持っているにもかかわらず、九番はたいへんな気分屋なのだ。チームでのポジションはミッドフィールダーだが、長い試合中に機嫌をそこねて、見るからにチームが負けそうなのもどこ吹く風と、どこか目立たない位置にいたりする。一時間以上も、そんなだらけた態度を取ることがあるので、彼のチームは四点も五点も六点もゴールを決められて、解説者は――そう、実際に解説者がいるのだ――不思議そうな声で、「九番はまだ本調子ではありません。いったいどうしたことでしょうか」などと言う。それから、たぶん試合時間が残り二十分ほどになったころ、九番はやっと本領をかいま見せ、ファインプレーを披露して自分のチームにゴールをもたらす。「それでこそ九番です」と、解説者が叫ぶ。「やっと九番は実力を発揮しました！」そこから九番は徐々に調子を上げ、たてつづけにゴールを決めて、対戦チームはどんな犠牲を払っても九番にボールを渡すまいと躍起になる。それでも、遅かれ早かれ彼はボールを奪って、ゴールポストの前に何人敵が立ちふさがっていようと、何とか点を入れる方法を見つけだす。彼がボールを受け取ると必ず得点に結びつくので、解説者はもう決まったものだと観念し、静かな称賛を込めて、「ゴールです」と言う。しかもそのタイミングは、ボールがゴールネットを揺らしたときではなく、九番がボールを受け取ったときなのだ――たとえそれが自陣の奥深くでも。観客のほうも――もちろん観客もいるのだ――九番がボールを受け取るや勝ちどきを上げはじめ、その大歓声は、九番が優雅に敵をかわして突進し、キーパーをかすめてボールをゴールに蹴りこんで、感謝するチームメートから祝福を受けようと振り返るときまで、ずっととぎれなく続く。

そんなことを思い出していたとき、ついこのあいだ九番に何か問題が持ち上がっていたことが、ぼんやりと頭に浮かんできた。そこでわたしは、つぶやきつづけるボリスをさえぎって、こう尋ねた。

「このところ九番はどうしてる？　好調なのかな？」

ボリスは何歩か黙って歩いたあと、「箱を置いてきちゃったんだ」と答えた。

「箱を？」

「九番は台がとれたの。よくあることだよ。直すのは簡単さ。ぼくは九番を特別な箱に入れて、ママがちゃんとした接着剤を買ってきたら直そうと思ってた。それで箱に入れておいたんだ。どこにやったか忘れないように、特別な箱にさ。でも、それを置いてきちゃった」

「へえ。つまり、前に住んでいたところにかい？」

「ママが荷造りするとき、入れ忘れたの。でも、ぼくたちもうすぐ取りにいけるって、ママは言ったよ。前のアパートへ行けば、そこにあるんだ。ぼくは彼を直せる。いまはちゃんとした接着剤があるからね。ちょっぴり貯金してたんだ」

「なるほど」

「ママは、大丈夫、みんなちゃんとしてあげるからって言うんだ。新しい人たちが間違って九番を捨てないように。ママはもうすぐ取りにいけるって言ったよ」

わたしはボリスが暗に何かを伝えようとしている気がしてならず、彼が口をつぐんだときにこう言ってみた。

「ボリス、きみがよければ、おじさんが連れていってあげてもいいよ。そうだとも、二人で一緒に行ってもいい。前のアパートへ戻って、九番を取ってこよう。すぐにでも。おじさんに時間があれば、たぶんあしたにだってさ。そうすれば、きみが言うように接着剤があるだろう。あっという間に、九番は絶好調でカムバックだ。だから心配はいらないよ。近いうちにそうしよう」

ゾフィーの姿が、また視界から消えた。今度は突然だったので、どこかの戸口から家のなかに入ったに違いない。ボリスに手を引っぱられながら、わたしたちは彼女が姿を消した地点へと急いだ。

ゾフィーは建物にはさまれた細い路地に入っていったようだ。その入口は、壁の裂け目かと見まがうくらいに小さかった。路地は急な下り坂になっていて、とても狭く、両側のざらざらした壁でどちらかのひじをこすらずには、とうてい通れそうにもなかった。暗がりには二本の街灯があるだけで、一つは真ん中あたりに、もう一つは坂をおりきったところに立っている。

ボリスと手をつないでおりはじめると、またすぐ彼の息がきれてきた。そのうちゾフィーがもう坂をおりきったのが見えた。彼女はようやくわたしたちが難儀しているのに気づいたらしく、街灯の下に立ったまま、かすかに心配そうな表情でこちらを見上げて待っていた。やっと彼女に追いついたとき、わたしは怒りを込めて言った。

「なかなか追いつけずに困っていたのが、分からなかったのか？　わたしにとってもボリスにとっても、くたくたになる一日だったんだぞ」

ゾフィーはおぼろげにほほ笑み、ボリスの肩に腕を回すと、彼を抱き寄せた。「心配しなくていいのよ」彼女は息子にやさしく語りかけた。「ここはいやなところだし、寒くて雨も降ってるんですものね。でも大丈夫。アパートはもうすぐよ。なかはとっても暖かいの。必ずそうするわ。お望みなら、みんなTシャツ一枚で歩き回っても平気なくらい、暖かくね。それに、大きな新しいひじかけ椅子がいくつもあるでしょ。そこに丸まって寝られるわ。あなたのようなちっちゃな男の子は、あの椅子のなかで迷子になっちゃうかもしれないわね。ご本も読めるし、どれかビデオを見てもいいし。そう、戸棚からゲーム盤を出してきてもいいわよ。あなたのために、全部出してあげる。そうしたらライダーさんと、好きなので遊べるわ。大きな赤いクッションを絨毯の上に置いて、床にゲームを広げてね。そのあいだにママがお夕食をつくって、隅のテーブルの準備をするわ。そう、一品のお料理をたっぷりじゃなくて、少しずついろんなものを取り揃えましょうか。小さなミートボールに、小さなチーズフランに、小さなケーキも少し。心配しなくていいのよ。あなたの好きなものは全部覚えているんだから、それをみんなテーブルに並べましょうね。そうしたら座って、食べはじめるの。そのあと三人でボードゲームができるわ。もちろん、いつでもゲームを終わりにしたくなったら、やめていいのよ。ライダーさんとサッカーのお話をしたくなるかもしれないし。そのあと、ああ疲れたって思ったら、ベッドに行っていいのよ。あなたの今度のお部屋がすごく狭いのは分かっているけど、とても居心地はいいでしょ。自分でもそう言ってたじゃない。今夜はきっとぐっすり眠れるわね。そのころには、もうこの寒くていやな散歩のことなんか、すっかり忘れているでしょう。ほんとのところ、ドアから一歩入ったとたんに、こんなこと全部忘れちゃって、居心地のいい、ほかほかの暖房にほっとするわよ。だから元気をなくさないでちょうだいね。ここから先は、あとほんの少しなんだから」

ゾフィーはそう話しかけながらずっとボリスを抱きしめていたが、急に彼を放すと、まったくるりと向きを変えて歩きだした。彼女があまりに唐突にそうしたことに、わたしは驚いた――何しろわたし自身、彼女の言葉に、まるで子守歌でも聞いているような気分になって、一瞬目を閉じていたほどだったのだ。ボリスもこれにはとまどったようだ。わたしが彼の手を取ったときには、ゾフィーはもうまた何歩か先を歩いていた。

今度こそ彼女に離されまいと思ったが、そのとたん、背後から聞こえてくる足音が気になって、一瞬後ろを振り返り、急坂になった路地を見上げずにはいられなかった。ちょうどそのとき、坂をおりたところの街灯の光のなかに人影が現れ、その人物が自分の知り合いだったことに気づいた。名前はジェフリー・ソーンダーズといい、イングランドの学校時代の同級生だった。卒業以来一度も会っていなかったので、当然ながら、わたしは彼がとても老けたことに驚いた。わびしい街灯に照らされた冷たい霧雨のなかだという点を割り引いても、その姿はひどくみすぼらしい。着ているレインコートはボタンが取れているらしく、身ごろをかき合わせて歩いている。彼に挨拶したものかどうか迷ったが、ちょうどボリスとわたしがまた歩きだしたとき、ジェフリー・ソーンダーズが隣に並んできた。

「やあ、久しぶりだな」彼は言った。「おまえだと思っていたんだ。ひどい夜になっちまった」

「ああ、みじめだね」わたしは答えた。「昼間はあんなに快適だったのに」

わたしたちは路地から人影のない暗い道路に出ていた。強い風が吹きつけ、街から遠く離れてしまったように思われた。

「おまえの息子か？」ジェフリー・ソーンダーズはボリスのことをあごで指しながら尋ねた。わたしがまだ答えられないうちに、彼が続けた。「いい子だな。上出来だ。とても利口そうじゃないか。おれは一度も結婚しなかったよ。ずっとしようと思っていたんだが、いつの間にかときがたっちまって、いまじゃ絶対にしないと思うね。正直に言うと、理由はそれだけじゃない。だが、ここでおれの過去の悲運をおまえにぼやいてもしょうがない。それでもいいことも少しはあったしね。上出来だ。いい子じゃないか」

ジェフリー・ソーンダーズは身をかがめて、ボリスに挨拶をした。ボリスはさほどとまどいもしなければ上の空というわけでもなく、何の反応も示さなかった。

道路は下り坂に差しかかっていた。暗がりのなかを歩いていると、学生時代にジェフリー・ソーンダーズが同級生のあいだでどれほど人気者だったか、思い出した。学業でもスポーツでもつねにトップで、怠け者の他の学生を戒めるためにしょっちゅう引き合いに出される模範生だったし、いずれは総代になるだろうと、みんなが信じていた。しかし思い返せば、そうはならなかった。何か重大な出来事があって、中等学校の五年生のときに急に退学しなければならなくなったのだ。

「新聞で、おまえが来るのを読んだんだよ」彼はわたしに告げていた。「連絡があるかと思っていた。ほら、いつひょっこり訪ねるからと、知らせてくれるだろうってね。それでパン屋に行って、ケーキを買っておいたんだ。紅茶と一緒に、何か出せるように。なにせ独り者だから、おれのねぐらはかなりわびしいかもしれんが、たまには人が訪ねてくることもあるし、もてなしには自信があるのさ。だからおまえが来ると分かったときに、おれはすぐさま飛びだして、紅茶用のケーキをあれこれ取り合わせて買ってきた。それがおとといのことだ。きのうは、まだそいつを出せると思っていた。砂糖衣は少々かたくなってはいたがね。ところがきょうになってもまだ電話がないもんだから、全部捨てちまったよ。自尊心ってやつだろうな。つまり、おまえがこれほど出世したってのに、おれはこの狭い下宿屋で、しけたケーキを客に出すほどみじめな暮らしをしているなんて思われたまま、おまえを帰したくなかったんだよ。だからまたパン屋へ行って、新しいケーキを買ってきた。それに部屋も少し片づけたよ。なのに、おまえから電話はなかった。まあ、責められた義理じゃないがね」彼はそこでまた身を乗りだして、ボリスをのぞきこんだ。「そっちは大丈夫かい？　すっかり息があがってるようだが」

ボリスはほんとうにまた苦しそうに歩いていたが、彼の言葉は耳に入らなかったようだ。

「のろいおちびさんのために、もっとゆっくり歩いたほうがよさそうだな」ジェフリー・ソーンダーズは言った。「昔の恋が実らなかっただけなんだ。この町の者の大半は、おれを同性愛者だと思ってる。下宿屋に一人住まいをしてるってだけでね。最初はそれを気にもしていたが、もう何ともない。結構だね、同性愛者だと勘違いされても。だからどうだっていうんだ？　現に、おれの欲求は女性で満たされているんだから。そう、金で買えるたぐいのね。おれにはちょうどおあつらえ向きだし、なかにはかなりまともな女もいるんだよ。それでも、しばらくすれば相手を軽蔑するようになるし、相手からも軽蔑されるようになる。仕方がないのさ。この町の娼婦なら、おれはたいていは知ってるぜ。全部が全部と寝たわけじゃない。とんでもない！　だが向こうさんはおれのことを知ってるし、おれも向こうさんを知ってるってわけだ。会釈する程度の仲の娼婦は、たくさんいるよ。おれがみじめな生活を送ってると思うかもしれんな。だが、違う。要は物事をどう見るかの問題だ。ときどき友達が訪ねてくる。紅茶でもてなすくらいは、十分できるぜ。かなりうまいし、最後にゃおれのところへきて楽しかったと、よく言われるんだよ」

道路はしばらく急な下り坂だったが、いまは平坦になって、どうやらこのあたりは荒れはてた農場のようだ。月明かりに照らされた三人の姿が、納屋や離れ家の暗い影のなかにぼうっと現れた。ゾフィーはまだ先を歩いていたが、もうかなり遠ざかり、姿がちらりと見えたと思っても、またすぐ壊れた建物の向こうに消えてしまう。

幸いジェフリー・ソーンダーズは土地勘があったので、暗い夜道でもほとんど迷うことなく案内をしてくれた。彼の後ろにぴったりくっついて歩いていると、イングランドでの学校時代の記憶がよみがえってきた。それは身のひきしまるような冬の朝のことで、空は曇り、地面には霜がおりていた。十四、五歳のわたしは、ジェフリー・ソーンダーズと一緒にウースターシャーの片田舎のパブの外に立っていた。彼とペアを組んで、クロスカントリーの監視係をやっていたのだ。走者が霧のなかから現れたら、近くの野原を抜けていく正しいコースを指示すればよいだけだった。その朝、わたしはいつになく取り乱していて、二人で霧のなかに目を凝らしつつ黙って十五分ほど立っていたあと、こらえきれずに突然わっと泣きだしてしまった。そのころジェフリー・ソーンダーズとはとくに親しい仲ではなかったが、ほかのみんなと同じように、いつも彼にはよく思われたいと思っていた。それでわたしはひどく屈辱的な気持ちになった。ようやく自分の感情を抑えることができたとき、まず頭に浮かんだのが、彼に軽蔑され、無視されるに違いないということだった。

でもそのあと、ジェフリー・ソーンダーズがわたしに話しかけてきた。最初はわたしのほうを見なかったが、そのうちにだんだんこちらを向いて。あの霧の日の朝、彼が何を言ったのかは覚えていない。しかしその言葉が強烈な印象を残したことだけは、はっきりと記憶に残っている。一つには、自分が情けなくて仕方なかったわたしに、彼が驚くほど思いやり深く接してくれたことが、心の底からうれしかった。そして、凍てつくような寒さのなかで、この学校一の人気者に、別の一面——つまりとても傷つきやすいところがあるのに初めて気づいたのも、このときだった。きっとそれが原因で、彼は自分への期待にそむく結果になったのだろう。暗い夜道を一緒に歩きながら、わたしはもう一度、あの朝、彼が何と言ったのか思い出そうとしてみた。だが、いっこうに何も浮かんではこなかった。

道が平坦になり、ボリスは少し息づかいが楽になったらしく、またぶつぶつとひとりごとをつぶやきだした。もうすぐ目的地へ着くという安堵感からだろうか、彼は道端の小石を蹴るだけの元気を取り戻し、大きな声で「九番!」と叫んだ。石はでこぼこの地面をはね飛んで、暗闇のどこかの水たまりに落ちた。

「そうそう、その調子だ」ジェフリー・ソーンダーズはボリスに言った。「それがきみのポジションかい？　九番が？」

ボリスが答えないので、わたしがあわてて説明した。「いや。いちばん好きなサッカー選手のことなんだ」

「ほう。おれもサッカーはよく見るよ。テレビでだが」彼はまたボリスのほうへ身をかがめた。「どこのチームの九番なんだい？」

「いや、ただいちばん好きな選手というだけなんだ」わたしがまた答えた。

「センターフォワードなら」ジェフリー・ソーンダーズは続けた。「おれはあのオランダ人の、ミランでプレーしているやつがひいきだね。なかなかの選手だ」

九番についてもっと詳しく説明しようと思ったちょうどそのとき、全員がはたと立ちどまった。わたしたちは草の生えた広大な野原との境界に立っていた。どれくらい広いのかは確かめられないが、月明かりで見える範囲より、はるかに遠くまで続いているようだ。そこにたたずんでいると、突風が草原を吹き渡って、闇のなかへと消えていった。

「迷ってしまったようだな」わたしはジェフリー・ソーンダーズに言った。「きみは自分の道が分かっているのか？」

「ああ、もちろん。ここからそう遠くないところに住んでいる。だがあいにく、いまはうちに寄ってくれとは言えんのだ。くたくたで、早く眠りたいんでね。でもあしたなら、喜んで歓迎するよ。九時以降ならいつでもいい」

わたしは闇のなかに消えている野原を見渡した。

「正直なところ、ちょっと困ったことになった。さっきまで後を追っていた、あの女性のアパートへ行くところだったんだ。どうやらはぐれてしまったようだが、彼女の住所も聞いていない。中世の礼拝堂の近くだという話だったが」

「中世の礼拝堂？　それなら街の中心部だぞ」

「ふむ、この先へ行けばたどり着くのか？」わたしは野原のかなたを指さした。

「いやいや、そっちには何もない。空虚以外の何ものもないよ。住んでいるのはブロッキーだけだ」

「ブロッキーか」わたしは言った。「なるほど。きょう、ホテルで練習しているのを聴いた。この町じゃ、誰もかれもがこのブロッキーって男を知っているようだね」

ジェフリー・ソーンダーズは、何をばかなことを言っているんだという目つきで、わたしを一瞥した。

「そう、やっこさんがこの町に住み着いて、もうずいぶんになるからな。みんなが知らないわけがないだろう？」

「ああ、ああ、もっともだ」

「あのいかれたじいさんがオーケストラを指揮しようとするなんて、ちょっと信じられん。だが、おれはお手並み拝見といくよ。どうせこれ以上ひどくはなりようがないんだから。それに、もしみんなが、ブロッキーこそが頼みの綱だと言いだすなら、反論のしようもあるまい？」

わたしはこの問いにどう答えたらよいのか分からなかった。どちらにしても、ジェフリー・ソーンダーズは急に野原に背を向けて言った。

「違うよ、街は逆の方向だ。よければ、おれが道を教えてやろう」

「恩にきる」わたしは肌寒い風に吹かれるなかで礼を言った。

「さあて」そこでジェフリー・ソーンダーズはしばらく考えこんでから切りだした。「実のところ、いちばんいいのはバスに乗ることだ。ここから歩くとなれば、ゆうに半時間はかかる。その女は、アパートはすぐ近くだなどと言ったかもしれんが。そう、あの連中ときたら、いつでもそうなんだ。手練手管の一つなのさ。信じちゃいかんよ。でも、バスに乗れば何てことはない。停留所を教えてやろう」

「恩にきる」わたしはもう一度言った。「ボリスが寒そうだ。そのバス停というのが、近ければいいんだが」

「ああ、すぐ近くさ。ついてこいよ」

ジェフリー・ソーンダーズは向きを変え、先に立って、また荒れはてた農場のほうへと歩きだした。しかしさっきと同じ道を引き返すわけではないようだ。案の定、しばらくすると、わたしたちは裕福とは思えない郊外の住宅地の狭い通りを歩いていた。道の両側に、小さなテラスハウスが並んでいる。明かりが灯っている窓もあったが、大半の住民はもう寝てしまったようだ。

「心配しなくていいよ」わたしはやさしくボリスに言った。彼はもうくたびれ果てているようだ。「もうすぐアパートに着くからね。それまでに、ママがみんなのためにすっかり用意を整えてくれているだろう」

わたしたちはさらに家並みが続く通りを歩いた。ボリスが、またひとりごとをつぶやきはじめた。

「九番……九番だ……」

「なあ、そいつはどこの九番なんだい？」ジェフリー・ソーンダーズがボリスのほうを向いて尋ねた。「あのオランダ人のことなんだろう？」

「九番は史上最高の名選手だよ」ボリスは答えた。

「そうとも。だけど、どこの九番なんだい？」今度のジェフリー・ソーンダーズの声には、少しいらだちが感じられた。「何て名前だ？　どこのチームにいるんだ？」

「ボリスは、ただそう呼ぶのが好きなんだ……」

「残りの十分で、十七ゴールを決めたこともあるんだよ！」

「そんなばかな」ジェフリー・ソーンダーズは、心底むっとしたようだった。「本気で話してると思っていたよ。でたらめだったんだな」

「ほんとだってば！」ボリスは叫んだ。「世界記録だったんだよ！」

「そうだとも！」わたしは口をはさんだ。「世界記録だ！」それから少し冷静さを取り戻して、笑ってみせた。「つまり、そうなるはずだってことさ」わたしはジェフリー・ソーンダーズに愛想よく笑いかけたが、彼は取り合おうともしなかった。

「だから誰のことなんだい？　あのオランダ人選手か？　どっちにしてもだ、おちびさん、ゴールを決めるだけがすべてじゃないってことが分かってなきゃいけないね。ディフェンダーもおなじくらい重要なんだ。真の名選手には、ディフェンダーが多いんだぞ」

「九番は史上最高の名選手だよ！」ボリスがまた言った。「調子がいいときは、どんなディフェンダーもとめられないんだ！」

「そのとおり！」わたしも言った。「九番は、まぎれもなく世界一の名選手だ。ミッドフィールダーでもフォワードでも、何でもこなすのさ。うそじゃない」

「何をでたらめばかり言ってるんだ。おまえたちどっちも、自分の言ってることが分かっちゃいないよ」

「完璧に分かっている」わたしはジェフリー・ソーンダーズにかなり腹が立ってきた。「実際、いまの話は衆目の認めるところだ。九番が調子がいいとき、ほんとうに絶好調のときは、彼がボールを受け取ったとたんに、解説者が『ゴール』と叫ぶ。彼がフィールドのどこにいようと……」

「いやはや」ジェフリー・ソーンダーズは怒って背を向けた。「息子の頭にそんなでたらめを吹きこむとは、救いようがないな」

「いいか……」わたしは彼の耳もとに顔をすり寄せ、怒りに震える声でささやいた。「いいか、どうして分からないんだ……」

「でたらめじゃないか。おまえは息子の頭に、でたらめばかり吹きこんでいる……」

「しかしあの子は幼い、まだほんの子供なんだぞ。どうして分からないんだ……」

「でたらめを吹きこまなきゃならん理由はない。それに、あの子はそんなに幼くは見えないね。おれに言わせれば、あのくらいの年頃になれば、そろそろ何にでもそれなりの貢献をしてしかるべきだ。能力相応の仕事をはじめなきゃ。壁紙を貼るとかタイルを貼るとかってことを、学ぼうとすべきじゃないか。こんな現実ばなれしたサッカー選手のたわごとじゃなく……」

「いいか、このばか野郎。ちょっと黙れ！　黙らんか！」

「そのくらいの年頃になれば、自分でできる仕事をはじめなきゃ……」

「わたしの息子だ。その時がくれば、わたしが自分で……」

「壁紙を貼るとかタイルを貼るとか、そんなたぐいのことをな。おれが思うには、そういうことこそ……」

「いいか、おまえに何が分かる？　おまえに何が分かる、みじめなわびしい独り者のおまえに？　いったい何が分かる？」

わたしは彼の肩を突き飛ばした。ジェフリー・ソーンダーズは急にしゅんとなった。それから彼はよろよろとすり足で何歩かわたしたちの前に出ると、少しうなだれて、相変わらずレインコートの前身ごろをかき合わせたまま歩きつづけた。

「心配しなくていいよ」わたしはボリスにやさしく言った。「もうすぐだからね」

ボリスは何も答えずに、前をよろよろと歩いているジェフリー・ソーンダーズの姿を、じっと見つめていた。

歩いているあいだに、かつての級友への怒りはおさまっていった。バス停まで連れていってもらうには、彼だけが頼りだということも忘れてはいなかった。しばらくして、彼がまだ口をきいてくれるかどうか不安になりながら、そばに寄ってみると、驚いたことにジェフリー・ソーンダーズは、おだやかな口調でひとりごとをつぶやいていた。

「そうさ、そうとも。おまえが紅茶を飲みに来たときに、そんなことをすべて話そう。何から何まで打ち明けて、学生時代や級友の話をしながら、一、二時間、懐かしい思い出にひたろうぜ。おれは部屋を片づけておく。二人して暖炉の両わきの、ひじかけ椅子に座るといい。そうとも、実際、そこはイングランドで借りるような部屋に見えるんだ。少なくとも、何年か前なら借りたかもしれんような部屋に。だから、おれはここに決めたのさ。故郷を思い出したからな。とにかく、おれたちは暖炉の両わきに座って、とっくりと話ができる。教師のことや同級生のこと、まだ連絡がある共通の友人たちの近況を報告し合ってな。さあ、着いたぞ」

わたしたちは小さな村の広場らしいところに出ていた。いくつか小さな店があったが――

―たぶんここで、この地区の住民が日用品を買うのだろう――どこもみんな閉まっていて、夜間用の防犯シャッターがおりている。広場の中央には、交通島よりやや大きめの芝生の植わった緑地帯がある。ジェフリー・ソーンダーズは、数軒の店の前にぽつんと立っている街灯を指さした。

「おまえと息子はあそこで待っていろ。標識はないが、心配はいらん。公認のバス停だ。さて、おれはここで帰らせてもらうよ」

ボリスとわたしは、彼が指さしたあたりに目を凝らした。雨はやんでいたが、街灯の足もとを霧が漂っている。まわりはしーんと静まり返っていた。

「ほんとうにバスはくるんだね？」わたしは尋ねた。

「ああ、くるとも。もっとも、こんな夜の時間帯だから、しばらく待つことになるかもしれん。だが、必ずくるよ。しんぼう強く待てばいいだけだ。立っているのは少し寒いかもしれんが、信用してくれ、バスを待つだけの価値はある。暗闇のなかからぬっと現れてくるんだ。明るい明かりをいっぱいつけて。乗ってしまえばとても暖かいし、快適だ。それに乗客は、いつだってとびきり陽気な連中さ。笑ったり、冗談を言ったり、あったかい飲み物やスナックを回してくれたり。おまえと息子を歓迎してくれるよ。運転手に、中世の礼拝堂の前でおろしてくれと頼めばいい。バスなら、あっという間に着いちまうから」

ジェフリー・ソーンダーズはわたしたちにおやすみを言うと、踵《きびす》を返して立ち去った。

ボリスとわたしは彼が二軒の家にはさまれた路地に消えていくのを見送ってから、バス停へと歩きだした。

5

わたしたちは街灯の下に何分か立っていた。物音一つ聞こえない。そのうち、わたしはボリスを抱き寄せて言った。「寒くなってきただろう」

ボリスは身をすり寄せてきたが何も答えず、そっと様子をうかがうと、何か考えこんでいるようにじっと暗い道路を見つめていた。どこか遠くで犬が吠えだし、また静かになった。しばらくそんなふうにして立っていた。

「ボリス、すまないね。おじさんがもっとうまくやればよかったんだ。すまないね」

ボリスは黙っていたが、やがて言った。「心配しないで。バスはもうすぐくるよ」

小さな広場の向かい側の数軒並んだ店の前を、霧が漂っていく。

「バスがくるかどうか自信がないよ、ボリス」わたしはとうとう打ち明けた。

「大丈夫だよ。しんぼう強く待たなきゃ」

さらにしばらく待ったあと、わたしはまた言った。

「ボリス、バスがくるかどうか、まったく自信がないよ」

男の子はわたしのほうを向いて、やれやれというようにため息をついた。「心配するのはやめたら。あの人が言ったでしょ？　待てばいいだけだって」

「ボリス、期待どおりにならないこともあるんだよ。たとえ誰かがそう言っても」

ボリスはまたため息をついた。「だって、あの人が言ったじゃないか。どっちにしても、ママはぼくたちを待ってくれてるよ」

次に何と言おうか考えようとしたとき、咳ばらいが聞こえ、ボリスとわたしは驚いた。振り返ると、ちょうど街灯が照らす光の向こうで、とまっている車から誰かが身を乗りだしていた。

「こんばんは、ライダーさま。すみません、たまたま通りかかってお見かけしたものですから。どうかなさったのですか？」

車のほうへ数歩近づくと、それはホテルの支配人の息子シュテファンだった。

「いや」わたしは答えた。「何でもないんだ、ありがとう。わたしたちは……そのう、バスを待っていたところなんだ」

「それなら、ぼくがお送りしましょう。ちょうどあるところへ行く途中だったんです。父から、ちょっとやっかいな用件を頼まれましてね。そこではお寒いでしょう。車に乗られたらいかがです？」

青年は車からおりてきて、右側の前と後ろのドアを開けた。わたしは礼を言いながら、ボリスに手を貸して彼を後部座席に乗せ、自分も前の座席にすべりこんだ。そのとたん、車は動きだした。

「こちらが息子さんなんですね」シュテファンは人影のない通りを走りながら言った。「会えてとてもうれしいのですが、いまはお疲れ気味のようですね。それなら、休ませてあげましょう。握手はまたいつかそのうちに」

肩ごしに振り返ると、ボリスはひじかけに頭をのせて、いまにも眠りそうだ。

「それでライダーさま」シュテファンは続けた。「ホテルへ戻るおつもりだったんでしょうか」

「ほんとうはボリスと、ある人のアパートへ行こうとしていたんだ。市街の中心部にある、中世の礼拝堂の近くの」

「中世の礼拝堂？　ふむ」

「それでは都合が悪いかな？」

「いえ、そうでもありません。全然かまいませんよ」シュテファンは小さな角を曲がって、狭い暗い通りに入った。「ただ、さっきお話ししたように、ぼくもあるところへ行く途中なんです。約束があるものですから。さて、どうしましょうか……」

「その約束は急ぐのかい？」

「ええ、実はライダーさま。まあ、そうなんです。ブロッキーさまに関係することなので。

実を言うと、かなり重要なんです。うーん。どうでしょう、ぼくがその用件をすませているあいだ、ほんの数分だけあなたとボリスが待っていてくだされば、そのあとどこへでもお送りできるのですが」

「当然だ。まずは、きみの用をすませてくれたまえ。でも、あまり遅くならなければありがたい。何しろ、ボリスは夕食がまだなんだ」

「できるだけ手短にすませますよ、ライダーさま。いますぐお連れできればよいのですけど、やはり約束に遅れるわけにもいきません。さっきも申しあげたように、どちらかと言えばやっかいな、ちょっとした使いなんですが……」

「もちろん、いちばんにそれをすませて当然だ。わたしたちが待つぶんには、いっこうにかまわない」

「できるだけ手短にすませます。だけど正直なところ、あまり手早く切りあげる方法はないんです。実際、これはいつもなら父が自分で対処するか、でなければ名士のどなたかにお願いしているたぐいのことでしてね。でも、そうだなあ、ミス・コリンズはいつもぼくには弱いから……」そう言うと、青年は急にとまどって一瞬口をつぐんだが、すぐにまた言葉を続けた。「長くならないよう努力してみます」

このあたりはさっきよりも健全な雰囲気だ。きっと街の中心部に近いのだろう。街灯はずっと明るく、わたしたちが走っている道路に沿って、路面電車が通っている。夜なので閉まってはいるものの、ちらほらカフェやレストランも目に入る。しかしおおむねこの地区は、堂々としたアパートが建ち並ぶ住宅街だ。窓の明かりはすっかり消えていて、静寂をかき乱すのはわたしたちの車だけのようだ。シュテファン・ホフマンは何分か黙って車を運転したあと、どう切りだせばいいだろうとずっと考えていたかのように、急に口を開いた。

「そのう、たいへん差しでがましいようですが、ほんとうにホテルにお戻りにならなくていいんですか？　いえね、ただ、ホテルでジャーナリストたちがあなたを待っていたりするものですから」

「ジャーナリストが？」わたしは窓から外の夜の町を見た。「ああ、そう、ジャーナリストね」

「どうか生意気なやつだと思わないでください。ホテルを出てくるときに、たまたま見かけたんです。ロビーに座って、ひざの上にフォルダーや書類かばんをのせたまま、これからあなたにお会いすると思って、とても緊張している様子でしたよ。もちろん、これはぼくなんかが口を出すことじゃないし、すべてきちんとご予定を組まれていることとは思いますが」

「ああ、そう」わたしはおだやかに答え、相変わらず窓の外を見つめていた。

シュテファンは口をつぐんだ。きっとこの件で、これ以上問いつめてはいけないと思ったのだろう。しかしわたしは、彼が言ったジャーナリストたちのことを考えつづけていた。そのうちに、何やらそんな約束があったような気がしてきた。たしかに、この青年から聞いたフォルダーや書類かばんを持って座っている人たちの姿に、はっと思いあたるふしがある。でも結局は、そんな約束が日程にあったかどうか、しかとは思い出せなかったので、この件をそのまま放っておくことにした。

「さあ、ここです」シュテファンが隣で言った。「すみませんが、しばらく失礼します。どうかお楽にしていてください。できるだけ早く切りあげてきます」

わたしたちの車は、大きな白いアパートの前にとまっていた。中層の建物で、各階についている黒い錬鉄製のバルコニーが、スペイン風の雰囲気を漂わせている。

シュテファンが車をおりたあと、わたしは彼が玄関まで階段を上がっていくのを眺めていた。彼は呼び鈴のボタンが並んだところで少し前かがみになってその一つを押すと、不安げにそこに立って待っていた。しばらくすると、玄関ホールの明かりがついた。

ドアを開けたのは、年配の銀髪の女性だった。ほっそりして弱々しそうだったが、ほほ笑んでシュテファンをなかに招き入れた身のこなしには、そこはかとない気品があった。シュテファンは閉めたドアの奥に消えたが、わたしが座席の背にもたれかかると、玄関わきの小さな窓に、はっきりと照らしだされた二人の姿をまだ見ることができた。シュテファンはドアマットで靴をぬぐいながら、こう告げていた。

「すみません、こんなに急にお訪ねして」

「何度も申しましたでしょ、シュテファン」老婦人は答えた。「必要なときは、いつでもご相談に乗りますわ」

「ええ、実はですね、ミス・コリンズ。そのう……いつものことじゃないんです。きょうは別の用件、かなり重要な問題のことで、お話しにうかがったんです。本来は父が来るはずだったんですが、忙しくて手が離せないものですから……」

「まあ」女性は笑みを浮かべてシュテファンをさえぎった。「お父さまに頼まれた別の用件ですって。いやなお仕事は、まだみんなあなたに押しつけようとなさるのね」

その声にはからかうような調子があったが、シュテファンは気づかないようだった。

「違いますよ」彼はむきになって答えた。「それどころか、今回の使命はとりわけやっかいでむずかしい性質のものなんです。父がぼくにそれを任せてくれたので、ぼくは喜んで……」

「でしたら、わたくしはいまや使命になったのね！　おまけにやっかいでむずかしい性質の！」

「いいえ、違います。つまり……」シュテファンはうろたえて口ごもった。

老婦人は、シュテファンをからかうのはこれぐらいで十分だと思ったようだ。「よろしいわ。なかへ入って、シェリーでも飲みながらそのことをまじめにお話ししましょう」

「ご親切にありがとう、ミス・コリンズ。でも、実はあまり長居はできないんです。外の車で待っている人がいるものですから」彼はわたしたちのほうを指さしたが、老婦人はもうドアを開けて自分のアパートへと歩きだしていた。

わたしは彼女がシュテファンを表に面したこぢんまりと整った応接間へ案内し、それからまた次のドアを開けて、両側の壁に額入りの小さな水彩画のかかった薄暗い廊下へと連れだすのを見ていた。廊下のつきあたりに、ミス・コリンズの住まいの居間があった。建物の奥の、広いL字形の部屋だ。照明は控えめで心地よく、一見したところ、その部屋は古風ながら、とても豪華で優雅なものに思えた。しかしもう少しじっくり観察してみると、家具はたいてい使い古しのおんぼろで、最初アンティークだと思ったものは、がらくたに近いようだ。かつての豪華さがしのばれる長椅子やひじかけ椅子が、壊れたまま部屋のあちこちに置いてあり、天井から床まで届くベルベットのカーテンは、ところどころすり切れて筋のように薄くなったり、ほつれたりしている。シュテファンは無造作に椅子に腰をおろした。その様子から彼がこの部屋に慣れているのが分かったが、ミス・コリンズが飲み物の戸棚を開けて準備をしているあいだも、相変わらず緊張した表情のままだった。彼女がやっとグラスを手渡してそばに座ると、青年は唐突に切りだした。「ブロッキーさまのことなんです」

「ああ。そうじゃないかと思っていましたわ」

「ミス・コリンズ、実は、ぼくたちにお力を貸していただけないでしょうか。いや、むしろ彼に……」シュテファンは笑って言葉をにごすと、視線をそらした。「レオに手を貸せとおっしゃるの？」ミス・コリンズは考えこむように小首をかしげてから尋ねた。

「いえ、何もあなたがおいやだとか……そのう、苦痛だとか思われることをお願いしているわけじゃありません。父はあなたのお気持ちをよく理解しています」そこで彼はまた短く笑った。「ただ、あなたのお力が重要なカギになるかもしれないと思うのです。この段階での、ブロツキーさまの……回復に」

「はあ」ミス・コリンズはうなずいて、しばらくそのことを考えているようだった。それから彼女は言った。「それはお父さまがレオの扱いに手こずってらっしゃるってことなの、シュテファン？」

彼女の口調にうかがえるからかいは、わたしにはさっきよりいっそう明らかに思えたが、シュテファンは今度もそれに気づかなかった。

「違いますよ」彼はむっとして答えた。「それどころか父は奇跡を起こして、信じられないほどの進歩を遂げさせたんです！　楽ではありませんでしたが、父は驚異的な忍耐力を発揮しました。そのやり方に慣れているぼくたちでさえ、驚くほどの」

「それでも忍耐が足りなかったのでしょう」

「とんでもない。あなたは分かっていらっしゃいませんよ、ミス・コリンズ！　これっぽっちも！　父はホテルで激務をこなしたあと、へとへとになって帰ってくることもありました。疲労困憊《こんぱい》のあまり、二階の寝室へ直行というありさまで。母がおりてきて文句を言うので二人の寝室へ上がってみると、父がベッドにひっくり返っていびきをかいてるじゃないですか。長年の大切な了解事項で、父は寝るときに仰向けではなく、横向きになることになっていました。そうしないと、いつもとんでもない大いびきをかくんです。だからそんな父を見たときの母の腹立ちも、想像がつくでしょう。もちろん、普段ならぼくは父を起こしたりしないで放っておくんですが、このときは起こすしかなかった。でないと、母が寝室に戻ろうとしないんです。母は怒った顔で廊下を行ったり来たりしながら、ぼくが父を起こし、服を脱がせ、バスローブに着替えさせ、浴室に連れていくまで、寝室に入ってきませんでした。でも、ぼくがいま言いたいのは、そう、父がそれほど疲れていても、ときどき電話が鳴って、スタッフの誰かからブロッキーさまがいらだって酒が飲みたいとおっしゃっている、というような報告を受けると、どこからか気力をかき集めてくるってことなんです。父はしゃんと体を立て直し、目にあの輝きを取り戻すと、また服を着て夜のなかに飛びだしていったきり、何時間も帰ってきません。父の話だと、ブロッキーさまはいい状態を取り戻し、いまは持てるかぎりの力を振り絞って、約束を守ろうとしていらっしゃいます」

「それは見上げたものね。でも、ほんとうのところ、どの程度まで？」

「それはもう、ミス・コリンズ、目を見張るほどの回復ぶりです。最近ブロッキーさまをお見かけした者は、誰もがそう言ってます。あのまなざしの奥で、とてもたくさんのことが起きているんです。それに、おっしゃることも日増しに意味が明瞭になってきました。でも何よりも、その才能、ブロッキーさまの偉大な才能、それがまぎれもなく戻ってきているんです。みなさんの話からすると、リハーサルはとても順調に進んでいます。オーケストラは、完全に圧倒されていました。そしてブロッキーさまは、コンサートホールでリハーサルしていないときは、お一人で熱心に練習をなさっています。いまホテルのなかを歩いていると、彼の弾くピアノのフレーズがときどき聞こえてくるでしょう。その音を耳にすると父はとても元気づけられ、どれだけ睡眠時間を削ってもいいと思うようです」

そこで青年は口をつぐんで、ミス・コリンズを見た。彼女はしばらくぼんやりと、自分も遠いピアノの調べを聴くかのように首をかしげていたが、すぐにやさしい笑みを取り戻して、もう一度シュテファンを見つめた。

「わたくしが聞いた話だと、お父さまはあのホテルの談話室に彼を座らせて、そう、ピアノの前にマネキンみたいに座らせて、レオのほうはじっと何時間もスツールの上で、鍵盤《けんばん》には指一本触れずに、ただ右左に体を揺らせているだけのようですけど」

「ミス・コリンズ、それはひどい！　たぶん最初のころはそんなこともあったでしょうが、いまは全然違います。どちらにしろ、たとえまだ黙って座っているときがあるにしても、まったく進歩がないわけじゃないってことだけは確かです。どうやら沈黙は、体の奥底からエネルギーが呼び覚まされ、とても深い考えが生まれているあかしのようなのです。現にこのあいだも、とりわけ長い沈黙が続いたあとで父が談話室に入っていくと、ブロッキーさまがピアノの鍵盤をじっと見つめていました。それからやがて父の顔を見上げて、おっしゃったんです。『バイオリンは荒々しく。荒々しい響きでなければ』と、そうおっしゃったんです。たしかに沈黙されるときはありますが、頭のなかは音楽の世界にひたりきっています。〈木曜の夕べ〉にぼくたちの前で何を披露してくださるか、考えるだけでもわくわくしますよ。ただし、いまこの段階でつまずかないかぎり」

「ですけど、さっきおっしゃってたじゃないの、シュテファン。わたしに何か力を貸してほしいって」

青年はだんだん興奮状態になっていたが、この言葉にはっとわれに返った。

「ええ、そうです。今夜こちらにうかがったのも、そのことをお話しするためだったんですから。申しあげているように、ブロッキーさまは見る見る以前の力を取り戻しておいでです。そして、ええ、当然ですがあの偉大な才能とともに、いまはそのほかのいろんなこともよみがえってきました。ぼくたちのように往年のご活躍をよく知らない者にとっては、それはある種まったく思いがけないことです。このところ、ブロッキーさまはとてもはっきりした、上品な態度を、よく取られています。とにかく、要はあらゆることと一緒に、記憶が戻りはじめたのです。そう、ぶしつけに言いますと、あなたのことを話されるんですよ。四六時中あなたのことを考えていて、話題にするのです。きのうの夜も、これはほんの一例ですが――言いにくいことですが思いきってお話ししましょう――きのうの夜はさめざめと泣きはじめ、どうしても涙を抑えられませんでした。ひたすら泣きつづけ、あなたへの気持ちをすっかり吐露《とろ》なさいましてね。同じようなことはこれで三度か四度目でしたが、きのうの夜はとりわけ激しかったのです。もう真夜中に近いというのに、ブロッキーさまが談話室に引きこもったままなので、父がドアの前で耳をすましていると、すすり泣きが聞こえてきました。それで父はなかに入りました。部屋は真っ暗で、ブロッキーさまがピアノの上につっぷして泣いておられました。ええ、上のスイートルームが空いていましたから、父がそこにお連れして、厨房からブロッキーさまの好物のスープをいろいろと持ってこさせ――召しあがるのは、おおむねスープだけなので――それからオレンジジュースやソフトドリンクをぜひにとお勧めしましたが、正直な話、きのうの夜はまさにぎりぎりの状態でした。次から次に、ジュースを何箱もがぶ飲みされて。もし父がその場にいなければ、こんな土壇場にきているというのに、きっと神経がまいっていたでしょう。その間、ずっとあなたのことをお話しになっていたんですよ。だから要するに――おっと、長居はできなかったんです。車のなかで待っている人がいるので――要するに、彼にわが町の将来が大きくかかっているんですから、ぼくたちはあれこれ手を尽くして、ブロッキーさまが最後までやり遂げられるようにしなければなりません。カウフマン先生も父と同意見です、ぼくたちはいま、最後の関門に差しかかっている、と。これで事態がどれだけ不安定な状態にあるか、分かっていただけたでしょう」

ミス・コリンズは相変わらずぼんやりとした笑みを浮かべたままシュテファンを見ていたが、まだ何も答えなかった。しばらくして、青年が言った。

「ミス・コリンズ、ぼくの話が古い傷口をこじあけたかもしれないのは分かっています。あなたとブロッキーさまは、もう何年も口をきいていないと……」

「いえ、それは違いますわ。今年の初めに、わたくしが市民公園を散歩しておりましたときに、あの人から卑猥な言葉を浴びせられましたのよ」

シュテファンはミス・コリンズの口調にどう応じればいいのか分からず、とまどいながら笑った。それから彼は熱っぽく言葉を続けた。「ミス・コリンズ、ブロッキーさまと長時間接してくださいとお願いしているわけじゃありません。とんでもない。過去のことは忘れておしまいになりたいでしょう。父もほかの者も、みんなそれは分かっています。ぼくたちがお願いしているのは、ささやかなこと一つだけ——とても大きな違いをもたらして、彼を大いに元気づけ、重要な意味を持つかもしれないことだけなんです。少なくともそれをお願いする程度なら、あなたのお気に障ることはないだろうと、ぼくたちは期待していました」

「パーティーには出ますと申しあげたはずよ」

「ええ、ええ、もちろんです。父から聞きました。とても感謝して……」

「きちんと了解ずみのはずですけれど、そのときもわたくしは、あの人とは直接には……」

「それも十二分に承知しています。ええ、パーティーのことは。でも実のところ、ミス・コリンズ、ぼくたちがお願いしたかったのは、それとは別のことでしてね。ぜひお考えになっていただきたいのです。名士の方がたが――フォン・ヴィンターシュタインさまもそのお一人ですが――あす、ブロッキーさまを動物園にお連れするんです。これほど長くお住まいになっているのに、まだ一度もお訪ねになったことがないらしいので。もちろんペットの犬のほうは入れませんが、ブロッキーさまがやっと二時間ばかり、世話係に預けてもいいと了承されましてね。この種の外出は、きっと気分を落ち着かせる助けになるでしょう。とくにキリンを見れば、リラックスできるかもしれません。そこでです。名士の方がたは、あなたに動物園行きのグループに加わっていただけないかと言うんです。ひとことふたこと、ブロッキーさまにお声をかけていただければ、なおありがたいと。みなさんとご一緒に行く必要はありません。その場で合流して、ほんの数分、ブロッキーさまと明るい会話を交わし、少し励ましの言葉でもかけてくだされば、ぐっと違ってくるでしょう。

何分かすれば、あとはご自由です。ミス・コリンズ、どうかお考えになっていていただけませんか。それが事態を大きく左右するかもしれないのです」

シュテファンが話しているあいだに、ミス・コリンズは席を立ち、ゆっくりと暖炉のそばに行っていた。彼女はいま、心を鎮めるかのように片手をマントルピースにのせたまま、押し黙ってそこに立っている。彼女がもう一度振り返ってシュテファンを見たとき、わたしにはその目がうるんでいるのが分かった。

「わたくしの問題がお分かりでしょう、シュテファン。たしかに一度はあの人と結婚していたかもしれません。でももう何年も、あの人と会えば必ず、罵声を浴びせられてきましたのよ。だから、どんな会話をすれば彼がいちばん楽しいのかも、わたくしには分かりませんの」

「ミス・コリンズ、ブロツキーさまは、いまはもうすっかり別人だと断言できます。最近はとても礼儀正しく、上品な物腰で……でもたしかに、あなたは昔を思い出されることでしょう。ですから、お考えになってみてくださるだけで結構です。何しろ重大な運命の分かれ目ですから」

ミス・コリンズは考えこむようにシェリーを一口飲んだ。彼女が何か答えようとしたちょうどそのとき、ボリスが後ろの座席でもぞもぞ動く音がした。振り返ると、この子が少し前から目を覚ましていたのが分かった。窓の外の静まり返った人影のない通りを見つめているが、その様子はどこか悲しげだ。わたしは何か言葉をかけようとした。彼は自分が見られているのに気づいたのだろう。じっとそのままの姿勢で、静かにこう尋ねた。

「お風呂場を直せる？」

「風呂場を直せるかって？」

ボリスは深いため息をつくと、外の闇をしばらく見つめてから言った。「ぼく、タイル貼りはやったことがなかったんだ。だからあんなに失敗ばかりしちゃったんだよ。誰かが教えてくれてれば、できたのに」

「ああ、きっとできたよ。新しいアパートの風呂場のことかい？」

「誰かが教えてくれてれば、ちゃんとできたのに。そしたらママも、満足してたんだ。気に入ってたはずなんだ」

「ほう。じゃあ、いまは気に入っていないんだね」

ボリスは、わたしをばかにした目つきで見ると、皮肉たっぷりに言った。「気に入ってれば、どうして泣いたりするのさ？」

「まったくそのとおりだ。そうか、ママは風呂場のことで泣いているのか。どこがいやなんだろうね」

ボリスは窓のほうを向いた。車に差しこむいろんな光に照らされて、いまにもわっと泣きだしそうなのを必死でこらえている。それから何とかあくびを装って心の動揺を隠すと、両こぶしで顔をこすった。

「このことは、そのうちみんな解決しよう」わたしは言った。

「誰かが教えてくれてれば、ぼくはちゃんとやれたはずなんだ。そうすればママも泣かずにすんだのに」

「ああ、きっととても上手にできただろう。でも、もうすぐみんな解決するからね」

わたしは座席で前に向き直り、フロントガラスからじっと外を眺めた。この通りに、明かりのついた窓はほとんどない。しばらくして、わたしは言った。「ボリス、これからよく考えなくちゃならない。聞いてるかい？」

後ろの座席から返事はなかった。

「ボリス」わたしは続けた。「どうするか決めなきゃならないんだ。さっきはママのところへ行こうとしていたね。でも、もうとても遅くなってしまった。ボリス、聞いてるかい？」

ちらりと後ろを振り返ると、彼はまだぼうっと暗闇を見つめていた。二人ともまたしばらく黙って座っていたが、やがてわたしが言った。

「実はね、もうとても遅いんだ。ホテルに戻ったら、おじいちゃんに会える。きみに会えば、きっと喜ぶよ。きみは自分の部屋を取ってもいいし、もしよければ、おじさんの部屋にもう一つベッドを入れてもらおう。何かおいしい食事を持ってこさせて、そのあと眠るといい。あすの朝起きて朝食を取ったら、どうするか決めよう」

後ろから返事はなかった。

「おじさんがもっとうまくやればよかったんだ。すまないね……今夜はどうも頭がぼうっとしていた。ずっとひどく忙しかったもんだから。でも、いいかい、明日は埋め合わせをすると約束するよ。あしたになれば、いろんなことができる。きみがよければ、前のアパートへ九番を取りに行ってもいい。どう思う？」

ボリスはまだ何も答えなかった。

「二人とも、きょうは疲れたね。ボリス、きみはどう思う？」

「ホテルへ行ったほうがいい」

「それがいちばんだと思うよ。じゃあ、これで決まりだ。あのおにいさんが戻ってきたら、予定変更だと言おうね」

6

ちょうどそのとき何かが動く気配にアパートを振り返ると、玄関のドアが開いていた。ミス・コリンズがシュテファンを送りだそうとしているところで、二人は友好的に別れてはいたが、どちらの様子からも、話がぎこちないムードで終わったことが感じられた。ドアはすぐに閉まり、シュテファンが急ぎ足で車に戻ってきた。

「長びいてしまってすみません」彼は運転席に乗りこみながら詫びた。「ボリスが大丈夫だといいんですが」そしてハンドルに手をかけ、途方に暮れたようにため息をつくと、無理やり笑顔をつくって言った。「さあ、行きましょうか」

「実は、きみがいないあいだに、ボリスとよく話したんだ。やはりホテルへ戻ることにするよ」

「僭越《せんえつ》ですが、ライダーさま、ぼくもそのほうがいいと思います。じゃあ、ホテルへ戻るんですね。いいですとも」彼は腕時計に目をやった。「時間はそうかかりません。ジャーナリストたちも、文句を言う筋合いなどないでしょう。まったくありませんとも」

シュテファンはエンジンをかけ、わたしたちは出発した。誰もいない通りを走っているあいだにまた雨が降りだし、シュテファンはワイパーのスイッチを入れた。ややあって、彼が言った。

「ライダーさま、厚かましいようですが、前に話していた件でもう一度念を押しておきたいんです。ほら、きょうの午後、アトリウムでお会いしたときの話です」

「ああ、あれか」わたしは答えた。「そう、木曜の夜の、きみのリサイタルのことを話していたんだね」

「ご親切にお時間が取れるかもしれないとおっしゃってくださいました。ぼくのラ・ロシュを聴くために。もちろん、こんなこと、とうてい無理なお願いかもしれませんが……そのう、うかがってみるだけならいいんじゃないかと思って。実は今夜、また少し練習をすることにしているんです、ホテルに戻ってから。それで、あなたがジャーナリストとの会見を終えられたら、もちろんたいへんご迷惑なのは分かっていますが、数分で結構ですからぼくのピアノを聴いて、ご感想をうかがえないかと……」彼は笑って語尾をにごした。

この青年にとって、それがかなり重要な問題なのは分かっていたし、彼の頼みに応じてやりたい気になった。しかししばらく考えたあと、わたしは答えた。

「申しわけないんだが、今夜はとても疲れていて、できるだけ早くベッドに入りたいんだ。でも大丈夫、きっとすぐにその機会はあるだろう。そうだ、こうしてはどうかな？　いつ時間が取れるか確かではないんだが、分かりしだいフロントに電話して、きみを呼びにいってもらう。きみがホテルにいなければ、次に時間があいたときに、電話してみる。そうすれば、近々互いに都合のいい時間が見つかるだろう。でも今夜は、ほんとうにすまないんだが、ぐっすり眠りたいんだよ」

「ごもっともです、ライダーさま。よく分かります。もちろん、おっしゃるようにしましょう。ほんとうにご親切に、ありがとうございます。じゃあ、電話をお待ちしていますから」

シュテファンは失礼のないように答えてはいたが、ひどくがっかりした様子で、もしかしたらわたしの返事を婉曲な断りとさえ受け取ったかもしれない。明らかに今度の演奏のことで不安になっていて、どんなにささいなつまずきがあっても、取り乱して失神しかねないふうだった。わたしは彼に少し同情を覚え、安心させるようにもう一度言った。

「大丈夫、きっとすぐに機会はあるだろう」

夜の街を走っているあいだ、雨はまだずっと降りつづいていた。青年は長いこと黙ったままだったので、わたしに怒っているのではないかと思った。しかしそのあと、移ろう光のなかでその横顔を見たとき、彼が数年前の出来事を思い出しているのが分かった。それはこれまでにもたびたび——たいていは夜眠れずに横になっていたり、一人で車を運転しているときに——思い出していたことで、いまはわたしが助けになってくれないのではないかという不安から、また彼の心に浮かんできたのだった。

　母親の誕生日だった。その夜、彼は慣れ親しんだ実家の車回しに車をとめたまま——ドイツに留学していた大学時代のことだ——数時間、思い悩みながら身をすくめていた。しかし父親が彼をなかに入れようとドアを開け、興奮した口ぶりでささやいた。「母さんは機嫌がいいんだ。とても機嫌がいいんだ」それから父親は、家のなかを振り返って叫んだ。「シュテファンが帰ってきたよ、おまえ。少し遅くなったが、帰ってきた」それからまた彼に向かってささやいた。「とても機嫌がいいんだ。ほんとうに久しぶりに」

　居間に入ると、母親がカクテルグラスを手にソファでくつろいでいた。新しいドレスを着た姿を見て、シュテファンは自分の母親がとても上品な女性だったことに改めて気づいた。母親がソファに座ったままなので、かがんで彼女のほおにキスをしたが、向かいのひじかけ椅子に座るようにと勧める母のあたたかい仕草に、やはりひどくとまどってしまった。彼の後ろにいた父親は、こんなふうにこの晩が始まったことに大いにご満悦らしく、小さな笑い声を立てると、自分がつけていたエプロンを指して、そそくさと台所へ戻っていった。

　母親と二人きりになったとき、シュテファンが最初に感じたのはまぎれもない恐怖——自分の言動が彼女の機嫌をそこね、父親がせっかく何時間も、いや、たぶん何日もかけてここまでにした努力を水の泡にしてしまうのではないかという恐れだった。それで大学の様子を尋ねる母親に短くぎこちない返事をしていたのだが、母親がにこやかな態度をずっと崩さないので、答えはだんだんと長くなっていった。そのうちに、彼はある教授のことを、「まともな精神状態になったわが国の外相」のようだと形容した。その表現は、彼がとりわけ名言だと自負して学生仲間に何度となく口にし、かなり受けていたものだった。それまでの会話がうまくいっていなければ、母親の前であえてこんな言葉を使ったりはしなかっただろう。しかしそう言ったあと、内心どきどきしていた彼の前で、母親はたちまち楽しそうにぱっと顔を輝かせた。にもかかわらず、父親が居間に戻ってきて夕食の支度ができたと告げると、シュテファンはほっと胸をなでおろした。

三人は食堂へ行った。そこには、ホテル支配人の父親が自らオードブルを並べてあった。食事は静かに始まった。それから父親が――少し唐突だと、シュテファンは思ったのだが――ホテルに泊まったイタリア人グループの面白いエピソードを話しはじめた。それが終わると、今度はシュテファンに何か面白い話を聞かせてくれと促した。シュテファンが少しおどおどしながら話しだすと、父親は息子を引き立てるように大げさに笑った。そんなふうにシュテファンと父はたて続けに交替で面白い話を披露し、互いにあたたかい反応を示して、相手を力づけた。この戦法は、うまくいった。というのも、シュテファンにはにわかに信じがたいことだったが、とうとう母親までがひとしきり長い笑い声を上げるようになったのだ。加えて食事のほうも、ホテル支配人の性格どおりに何から何まで細心の注意を払って用意され、驚くほど見事な出来栄えだった。ワインは明らかにとても上等なものだったし、メインの料理――ガチョウに野生のベリーを添えたすばらしい一品――を半分ほど食べ終えたころには、この夜のムードはまさに楽しさ以外にないと言ってよいほど盛り上がっていた。それから支配人が、ワインと笑いでほんのり赤みのさした顔で身を乗りだして言った。

「シュテファン、もう一度、おまえが泊まったユースホステルの話を聞かせてくれないか。ほら、あのブルゴーニュの森のなかでの話だよ」

一瞬、シュテファンは恐怖に凍りついた。いままですべてをこれほど完璧に進めてきた父が、どうしてそんな明らかな判断ミスをしようというんだろう？　父が指しているのは、ユースホステルのトイレの規則についてのあれやこれやが中心となる話で、とてもいま母親の前で話せるような代物ではない。なのにためらっているシュテファンを尻目に、父親は「そうだ、そうだとも。わたしを信頼しろ、これはきっとうまくいくから。母さんはあの話が気に入って、大喜びするに違いない」と言わんばかりに、ウインクをしたのだ。シュテファンは内心大いに疑問だったが、父親に寄せる絶大な信頼からその話を切りだした。しかしまだほんの冒頭で、いままでこれほど奇跡的にうまく運んでいる晩がもうすぐ台なしになってしまうという思いが、頭をよぎった。それでも父の高笑いに励まされて話を続けているうちに、驚いたことに、母のあっけらかんとした笑い声が聞こえてきた。顔を上げてテーブルの向かいを見ると、母は頭を振りながら笑い転げていた。彼の話がもうすぐ終わろうとするころ、大笑いのなかで、母が愛情のこもった視線で父を見たことに気づいた。ほんの一瞬だったが、見間違いであるはずはなかった。父のほうも、涙を浮かべて笑い転げてはいたがそれを見逃さず、息子に向かって、今度は勝ち誇ったようにまたウィンクをした。その瞬間、シュテファンは何かとても強い感情が胸に込み上げてくるのを感じた。しかしそれが何なのかを突きとめる前に、父親が言った。

「さあ、シュテファン。デザートの前にしばらく休憩が必要だ。母さんの誕生日祝いに何か弾いてくれないか？」父親はそう言いながら、壁ぎわのアップライト・ピアノを指さした。

その仕草——あの食堂のアップライト・ピアノを指す何気ない手の動き——は、シュテファンがこれまでに何度となく思い出してきたものだった。そしてそのたびに、あの瞬間に感じたぞっと身震いするような恐怖が、よみがえってくるのだ。最初、彼はまさかという面持ちで父親を見ていたが、父はピアノを指したまま、ただ満足そうにほほ笑んでいるだけだった。

「さあ、シュテファン、何か母さんが気に入りそうな曲を頼むよ。バッハか、それとも現代音楽はどうかな。カザンとか、マレリーあたり」

シュテファンはむりやり母親のほうに視線を向け、その顔を見た。とみにしわの増えた顔は笑ったおかげで表情がなごみ、彼を見てほほ笑んでいた。それから彼女はシュテファンではなく、夫のほうを向いて言った。「そうねえ、あなた。マレリーがぴったりだと思うわ。それならすてき」

「さあ、シュテファン」父は陽気に促した。「何と言っても、きょうは母さんの誕生日なんだぞ。母さんをがっかりさせないでおくれ」

シュテファンの心に、両親が結託して何かたくらんでいるのではないかという考えが一瞬ひらめいたが、次の瞬間、彼はそれを打ち消した。もちろん、彼を見つめる二人の様子――その視線には誇らしげな期待がこもっていた――からすると、両親は、彼のピアノの演奏をめぐってこれまでつらい思いをしてきたことなど、すっかり忘れてしまったかのようだ。どちらにしても、彼が言おうとしていた断りの言葉は口のなかで消え、シュテファンはまるで自分ではない気がしながら立ち上がっていた。

ピアノは壁ぎわに置いてあった。シュテファンがその前に座ったとき、横目づかいに、両親がテーブルにひじをつき、かすかに寄り添うようにして座っている姿を見ることができた。一呼吸置いてから、彼は実際に体をひねって、正面から二人をちらりと見た――両親が素朴な幸せで結ばれているかのように睦まじく座っているところを、最後に目に焼きつけておきたいと意識しながら。それから、この晩が絶対にもうすぐ台なしになるという予感で胸がいっぱいになって、またピアノに向かった。奇妙なことに、彼は今晩こんな結末を迎えたことに何の驚きも覚えず、むしろ実はずっと長いあいだそれを待ち望んできたし、いまやっとこうなったことに安堵感すら覚えていた。

シュテファンは数秒間ピアノの前にじっと座ったまま、必死でワインの酔いをふり払い、いまから弾こうとする曲を心に浮かべようとした。ぼうっとした頭に、一瞬、これまで一度もやったことがないほど見事に弾き終えて両親のほほ笑みと喝采を受け、深い愛情のこもったまなざしを交わせるかもしれないという思いがよぎった――何といっても、今晩は意外な展開の連続だったのだ。しかしマレリーの《外擺線《エピサイクロイド》》の冒頭の一小節を弾きはじめるや、そんな結果には絶対になりえないことを悟った。

それでも、彼は弾きつづけた。ずいぶん長いあいだ――第一楽章の大半を弾き終えるまで――視野の隅にいる二人は、身じろぎもせず座っていた。それから母親が椅子に少し背をもたせかけ、あごに手をあてがうところが見えた。さらに数小節を弾くと、父親がシュテファンから視線をそらし、両手をひざの上にのせて、目の前のテーブルのしみを眺めるような振りをして下を向くのが見えた。

そのあいだもまだまだ曲は続き、シュテファンは何度か途中で手をとめようか迷ったが、ここでやめてしまうのは何よりもおぞましいことに思え、彼は弾きつづけた。やっと曲が終わったとき、しばらくじっと鍵盤を見つめ、彼を待ち受けている光景を振り返る勇気を奮い起こした。

両親はどちらも、彼を見てはいなかった。父親はテーブルに額がつきそうなくらい低くうなだれ、母親のほうもシュテファンにおなじみの、そしてこの晩、まったく予想外にそのときまですっかり消えていた例の冷やかな表情を浮かべて、部屋のあらぬ方向を眺めていたのだ。

シュテファンは一瞬のうちに、この光景の意味を悟った。彼は立ち上がり、急ぎ足でテーブルに戻った。そうすれば席を立ってからの時間が消えてしまうとでも思っているかのように。三人はしばらくじっと押し黙って座っていたが、とうとう母親が立ち上がって言った。

「とってもすてきな晩だったわ。二人とも、ありがとう。でも、もう疲れたから、二階で休まなくちゃ」

最初、父親はその言葉が耳に入らなかったようだった。しかし母親がドアのほうへ歩きだすと、彼は顔を上げて、とても静かな口調で言った。「ケーキがあるんだよ、おまえ。ケーキだ。これは……かなり特別なんだ」

「ありがとう。でも、ほんとに、もうたくさんいただいたわ。そろそろ休みたいの」

「もちろんだ、もちろんだとも」父親はあきらめ顔で、またテーブルに目を落とした。しかしシュテファンの母親がドアから出ていこうとしたとき、父親が急に背筋を伸ばして、大声で呼びかけた。「なあおまえ、せめてケーキを見るくらい、いいだろう。見るだけなら。さっきも言ったように、何しろこれは特別なんだよ」

母親はためらった末に答えた。「いいわ。じゃあ早く見せてちょうだい。そうしたらほんとうに休むから。たぶんワインのせいでしょうけど、ひどくぐったりしてしまったの」

その言葉を聞くや父親はさっと立ち上がり、次の瞬間、先に立って母親を食堂から連れだした。

シュテファンは両親が台所へ向かう足音を聞き、それから一分もしないうちに、二人が廊下へ戻って階段を上がっていく足音がした。しばらくのあいだ、シュテファンはテーブルの前に座っていた。いろんな小さな物音が二階から響いてきたが、声は聞こえてこなかった。とうとう、彼はこれから徹夜で車を走らせ、自分のアパートへ帰るのがいちばんだと考えた。自分が朝食の席にいれば、父親が母親の機嫌を直させるという、この時間のかかる難業をむしろ邪魔することになるのが、目に見えている。

彼は気づかれずにこっそり家から抜けだそうと食堂を出た。だが、廊下でちょうど階段をおりてきた父親と出くわした。父は唇に指をあてて言った。

「小さな声で話しておくれ。母さんがベッドに入ったところだ」

シュテファンがこれからハイデルベルクへ帰るつもりだと告げると、父は答えた。「それはとても残念だな。母さんもわたしも、おまえがもう少し長くいられると思っていたんだ。でも、あすの朝、講義があるんだね。母さんには、わたしから話しておこう。きっと分かってくれるさ」

「母さんが、今晩楽しんでくれたならいいけど」シュテファンは言った。

父親はその言葉にほほ笑んだが、その前に一瞬、深い悲しみの表情が父の顔をよぎったのを、シュテファンは見逃さなかった。

「ああ、もちろん楽しんだよ。そうだとも。おまえが勉強から離れてこうしてわざわざ帰ってきてくれて、うれしかったはずだ。あと二、三日はいられると思っていただろうが、心配はいらない。わたしから話しておこう」

閑散とした幹線道路を走りながら、シュテファンはその晩の出来事を一つ残らず思い返していた――それからあと何年も、幾度となく思い出すことになったように。思い起こすたびに彼が感じた苦悩は年月とともに薄らいでいったが、〈木曜の夕べ〉が日一日と近づいてきたいま、また昔の恐怖がよみがえり、わたしたちが車を走らせていたこの雨の夜、彼の心は数年前のあのつらい晩にまた逆戻りしていたのだった。

わたしはこの青年が気の毒になり、沈黙を破った。

「これはわたしには関係のないことだし、失礼に聞こえなければいいんだが、きみのピアノの演奏を、ご両親は正当に評価していないんじゃないかな。ひとこと助言をするなら、きみはできるかぎり自分の演奏を楽しんで、ご両親に何と言われようと、それに満足と意義を見いだすといい」

青年は、この言葉をしばらく考えてから答えた。

「ありがとうございます、ライダーさま。ぼくの立場をいろいろとお考えになってくださって。でも実際――そのう、ぶしつけなようですが――あなたはよくお分かりになっていないでしょう。もちろん、あの夜のぼくの母の行動は、他人には少し、そう、少し無神経に映るでしょうね。でも、それでは母が誤解されてしまいますし、あなたにそんな印象を持たれたままお帰りになられては、はなはだ不本意なんです。とにかく、この出来事の背景をすっかり分かっていただかないと。たとえば、ぼくは四つのときに、ティルコフスキー夫人にピアノを習いはじめました。あなたにとって、これはたいして意味のないことかもしれませんが、ティルコフスキー夫人はこの町でとても尊敬されていて、そんじょそこらのピアノ教師とは違うんです。夫人がピアノを教えるのは、いわゆるお金のためではありません――もちろん、みなさんと同じようにレッスン料は取りますけど。夫人はこの仕事にとても真剣に取り組んでいて、弟子にするのは、この町の芸術に関心の高いインテリの子弟だけなんです。たとえば、シュールレアリストの画家のパウロ・ロザリオはいっときこの町に住んでいて、ティルコフスキー夫人は彼の二人のおじょうさんを教えました。ディーゲルマン教授のお子さんたちや、伯爵夫人のめいごさんたちも。夫人は弟子を厳選するので、お分かりでしょうが、ぼくのようなものが師事できたのは、とても幸運でした。とくに当時は、この町での父の地位はいまほどではありませんでしたからね。でも両親は、あのころもいまと同じくらい、芸術に関心が高かったと思います。ぼくが子供のころから、二人は芸術家や音楽家のこと、そしてそういう人たちを支援するのがどれほど大切か話していたのを覚えています。いま母はたいてい家に引っこんでいますが、あのころはもっとずっと社交的だったんです。音楽家やオーケストラが町にくると、決まって何かの支援をしていました。演奏会に行くだけでなく、いつもあとで楽屋を訪ねて、すばらしかったとじかに伝えるんです。たとえ演奏がひどいときでも、あとで楽屋を訪ねて、ちょっとした励ましの言葉をかけたり、やさしい助言をしたりしていました。実際、母はよく音楽家を誘ったり、町の案内を申しでたりしていたものです。たいていの方はスケジュールがつまっていて、母の誘いを受けてくださるような時間はありませんでしたが、どんな音楽家も、そうした言葉に心あたたまる思いがするのはたしかですよ。父のほうはいつも多忙をきわめていましたが、それでもできるだけのことをやっていました。もちろん、この町を訪れた有名人のレセプションがあるときは、どんなに忙しくても必ず母を連れて出席して、客を歓迎するという役目を果たしたものです。ですからライダーさま、ぼくが物心ついたときから、両親は社会のなかで芸術の果たす重要さが分かる文化人でして、だからこそティルコフスキー夫人も、とうとうぼくを弟子にしてくれたのでしょう。いまにして思えば、あれは当時のぼくの両親にとって、とりわけ、駆けずりまわって尽力してくれた母にとって、ほんとうに誇らしい勝利だったに違いありません。それでぼくは、ロザリオさんやディーゲルマン教授のお子さんたちと一緒に、ティルコフスキー夫人からレッスンを受けていたのです！　両親はさぞ自慢だったことでしょう。そして最初の数年間、ぼくはみるみる上達しました。ほんとうなんです。目覚ましい上達を遂げたので、あるときなどティルコフスキー夫人はぼくのことを、これまでの弟子のなかでもとびきり有望な一人だとおっしゃったほどでした。すべてはきわめて順調でした。そう……ぼくが十歳になるまでは」

そこで青年は急に口をつぐんだ。たぶん一人で勝手にしゃべりすぎたと後悔したのだろう。しかしわたしは、彼が半面この打ち明け話を続けたがっているのが分かったので、こう尋ねた。

「十歳のときに何が起きたのかね？」

「はあ、それをお話しするのは、それもよりによってライダーさまの前でお話しするのはお恥ずかしいかぎりなんですが、十歳のときに練習をしなくなったんです。ぼくは全然おさらいをしないで、ティルコフスキー夫人のところへ行きました。そのうえ、どうして練習してこなかったのかと尋ねられても、何も答えませんでした。まったくばつが悪くて、誰か他人のことを話しているような気がしますし、何か奇跡でも起きて、ほんとうに他人の話ならどんなにいいかと思うほどです。でも、それが事実でしてね。ぼくはそんなふうに振る舞ったんです。何週間かそんなことが続いたあと、ティルコフスキー夫人は両親に、もしもこのままの状態が続くなら、もうぼくにレッスンはできないと告げるしかなかった。

これはあとで分かったことですが、母は少しかっとなって、ティルコフスキー夫人をどやしつけました。ともかく、すべてがかなりひどいかたちで終わったわけです」

「そのあと、きみは別の先生に？」

「ええ、ミス・ヘンツェに。ヘンツェ先生も決して悪くはありませんでしたが、ティルコフスキー夫人には及びもつきません。ぼくは相変わらず練習をしなかったけれど、ヘンツェ先生はあまり厳しくなかったんです。それから十二歳のときに、すべてが変わりました。どうなったのかは説明しにくいんです。ちょっと変に聞こえるでしょう。ある日の午後、ぼくは自宅の居間に座っていました。とてもよいお天気で、ぼくがサッカーの雑誌を読んでいるとき、父がぶらりと部屋に入ってきたんです。覚えているのは、父がグレーのチョッキ姿でシャツの袖をまくりあげ、部屋の真ん中に立って、窓から外の庭を眺めていた場面です。ぼくは母が庭にいるのを知っていました。あのころ果樹の下に置いてあったベンチに座って。そしてぼくは、父が外へ出て母の隣に腰かけるのを待っていました。でも、父はずっとそこに立ちつづけているんです。背を向けていたので、顔は見えませんでしたが、ぼくが顔を上げると、父は母のいる庭をじっと見つめていました。そして三度目か四度目にぼくが顔を上げて、父がまだ庭に出ていないのが分かったとき、急にひらめいたことがありました。そのとき初めて気づいたんです。両親が、もう何カ月もろくに口をきいていないってことに。とても奇妙でしたよ、突然、二人がほとんど口をきいていないのに気づいたんですから。もっと前に気づかなかったのが不思議ですが、そうだったんですよ、あの瞬間まで。でもそれから、ぼくにはとてもはっきりと見えてきました。すべてがどっと押し寄せるように、いろんなことがよみがえってきたんです――以前、父と母が何か言葉を交わした気がしていたのに、ほんとはそうじゃなかったときのことが。ひとことも口をきかなかったわけじゃありません。でも、このよそよそしさが二人のあいだに入りこんでいたのに、ぼくはあの瞬間まで見すごしていた。ほんとうにライダーさま、それが分かったときは、とても奇妙な気分でした。そしてほとんど同時に、もう一つ、恐ろしいことに思いあたったんです――この変化は、ぼくがティルコフスキー先生に破門されたときから始まったんだと。もうずいぶんと時間がたっていたので、確信は持てませんでした。しかし、そのことについて考えてみると、こうなったのはあれがきっかけだったんだと確信しました。いまは、そのあと父が庭に出ていったかどうかも覚えていません。ぼくは何も言わずに、ただサッカーの雑誌を読んでいる振りをしていました。それからしばらくして自分の部屋に上がり、ベッドに寝そべって、もう一度すべてを思い返しました。また熱心に練習を始めたのは、それからなんです。とてもまじめに練習したので、めきめき上達したんでしょうね。何カ月かたったとき、母がティルコフスキー夫人に、ぼくをまた弟子にしてくれないかと頼みにいったんです。いまから思えば、母にとってはたいへんな屈辱だったでしょう。何しろ以前、どやしつけた相手ですからね。母は、ティルコフスキー夫人を拝み倒したに違いないのです。とにかく、結果的にはティルコフスキー夫人にまた師事できることになり、今度はぼくもいつも懸命に、練習に練習を重ねました。とはいえ、ぼくはあの大事な二年間を棒に振ってしまったんですよ。十歳から十二歳までがどんなに大事か、あなたなら誰よりもよくご存じでしょう。うそじゃありませんよ、ライダーさま。ぼくは懸命にその二年間を取り戻そうと、できるかぎりのことをやりました。だけど、もう遅すぎたんです。いまでも、ぼくはよく立ちどまって自問するんです。『いったいおまえは何を考えていたんだ？』って。ああ、あの年月を取り戻せるなら、何だってやりますよ！　でもね、ぼくの両親は、あの二年間のブランクがどんなにマイナスだったか、ほんとうに分かってはいなかった。二人とも、ぼくがまたティルコフスキー先生について一生懸命にやるかぎり、たいした違いはないと思っていたんでしょう。ティルコフスキー先生は一度ならず両親にそのことを説明しようとしたんですが、二人ともぼくへの愛情と誇りが強すぎて、現実を見られなかったんだと思います。両親はぼくが着実に上達していて、正真正銘の天分に恵まれているものだと、何年も、ずっと信じていました。それからぼくが十七歳になったとき、両親は初めて、大きなショックを受けたんです。そのころには、ピアノ・コンクールが開かれていました。市民芸術協会の主催で、ユルゲン・フレミング賞というのが、この町の有望な若いピアニストに与えられるのです。昔はかなり評判も高かったのですよ、いまは資金不足で中止されていますが。十七歳のとき、両親はぼくがそれに参加するといいと考えました。実際、母はぼくが出場にこぎつけるための、すべての予備審査に、せっせと通いつめました。そのときです。両親が初めて、ぼくの出来がどんなに悪いかに気づいたのは。二人はぼくの演奏をとても注意深く聴いて——たぶん、ほんとうに聴くのは、あのときが初めてだったでしょう——ぼくが出場すれば、自分と家族の名誉を汚すだけだと分かったんです。どちらにしても、ぼくはとても出たかったんですが、両親は、それではぼくの自信をひどく傷つけると考えました。さっきも言ったように、両親はあのとき初めて、ぼくの演奏がどんなに下手か気づきました。それまではぼくへの高い期待と、たぶん愛情のせいで、客観的に聴くことができなかったんでしょう。あのときやっと、二人はあの二年間のブランクがどれだけマイナスだったかを痛感しました。そう、それ以来、当然ですが、両親はとても失望しました。とりわけ母は、すべてが無意味だったと考えてしまったようでした。それまでの自分の努力も、あのティルコフスキー先生との年月も、ぼくを再び弟子にしてくれと頼みにいった時間も、そのすべてが無駄だったと考えてしまった。それですっかり元気をなくして、あまり外に出かけなくなり、コンサートやパーティーにも顔を出さなくなりました。しかし父のほうは、相変わらずなにがしかの希望を持ってくれています。まったく父らしいんです。いつも最後の最後まで希望を失わないところがね。いまでもときどき、一年に一度くらい、ぼくにピアノを聴かせてくれと言いますし、そのたびに、父がぼくへの期待でいっぱいになるのが分かります。『今度こそ、今度こそ違うぞ』と思っている。でもこれまでのところ、ぼくが演奏を終えて顔を上げるたびに、父はがっかりしてうなだれているんです。もちろん、それを隠そうとせいいっぱい努力はしていますが、やはりぼくには痛いほど分かります。でも、父は決して希望を捨てず、ぼくにとっては、それが大きな励みでした」

わたしたちの車は、両側に高いオフィスビルのそびえ立つ広い大通りをひた走っていた。ときどき整然と並んでとまっている車の列を見ることはあっても、何キロものあいだ、走っているのはわたしたちだけだった。

「じゃあ、お父さんの考えだったんだね」わたしは尋ねた。「きみが〈木曜の夕べ〉に出演するというのは」

「ええ。ぼくを信じて！　父がそれを最初に言いだしたのは、半年前でした。ぼくの演奏をもう二年近く聴いていないんですが、心底ぼくを信じてくれていて。もちろん断るチャンスはいくらでもくれたんです。でも、父があれほど落胆ばかりしながら、まだぼくに強い信頼を寄せてくれていることに心を動かされ、いいよ、やるよと言ったんです」

「とても勇敢だった。その決心が正しかったことを、心から願っているよ」

「実はね、ライダーさま。ぼくがやると答えたのは、そう、自分でそう答えたのは事実ですが、最近、いわば突破口的な出来事があったと思うからなんです。たぶんぼくが話すことを分かっていただけると思いますが、なかなか説明はしにくいんです。ぼくの心のなかで何かが、つまりダムか何かのように、ぼくの進歩をいつも妨げてきたものが、突然決壊して、まったく新しい感情があふれ出すようになったというか。うまく説明できないんだけど、事実、この前、父が聴いたときより、自分がかなりうまくなった気がするんです。ですから、〈木曜の夕べ〉で演奏したいかどうかと父に尋ねられたとき、たしかに不安ではあったけれど、やりたいと答えました。やらなければ、あれほどぼくを信頼してくれている父に悪いじゃありませんか。だからって、不安じゃないわけではありません。自分の弾く曲を必死で練習してきましたが、実のところ、少し心配なのは認めましょう。でも、両親を驚かせるチャンスが十分あるのが、分かっているんです。どちらにしても、ぼくはずっとこんな幻想を抱いてきました。ぼくの演奏が、最低の出来だったときでさえね。ぼくは何ヵ月かどこかにこもって、ひたすら練習に練習を重ねる。何ヵ月も、両親とも会わずに。そしてある日、ふらっと家に帰ってくる。たぶん日曜日の午後あたり、とにかく、父も自宅にいるときに。ぼくは帰ってくるなり、ほとんどものも言わずにピアノの前に直行し、ふたを開けて弾きはじめる。コートも脱がずにね。ただ弾いて弾いて、弾きまくるんです。バッハ、ショパン、ベートーベン。それから現代音楽も。グレベル、カザン、マレリー。ただひたすら、弾きつづける。両親は、ぼくのあとから食堂に入ってきて、驚いた顔で見つめます。それは二人のとほうもない夢さえしのいでいる。でもそれから、二人が予想だにしなかったことに、ぼくはそこで弾いているあいだにも、ますます高みにのぼっていく。崇高で繊細なアダージョ。びっくりするほど激しい、勇壮華麗なパッセージ。ぼくはますます高みにのぼり、両親は部屋の真ん中につっ立っています。父はまだ茫然と、それまで読んでいた新聞を手にしたままで、二人とも完全にあっけにとられている。最後に、ぼくは驚異的なフィナーレを弾き終え、とうとう二人を振り返って……そう、そのあとはどうなるのか分からないんです。でも、これはぼくが十三か十四のときから、ずっと抱いてきた幻想です。〈木曜の夕べ〉はそんなふうにはならないかもしれないけど、かなりそれに近いかもしれません。さっき言ったように、何かが変わって、ぼくはあともう少しでその域に達するという確信があるんです。ああ、ライダーさま、そろそろ着きますよ。ジャーナリストとの会見には、余裕で間に合うでしょう」

街の中心部はひっそりと静まり返って、走っている車も見かけなかった。しかし、わたしたちは、たしかにホテルの玄関に入っていくところだった。

「よろしければ」シュテファンは続けた。「あなたとボリスをここでおろしましょう。ぼくは車を裏に回してこなければなりません」

後部座席のボリスは疲れているようだったが、まだ起きていた。わたしたちは車をおり、わたしはボリスにシュテファンへのお礼を言わせてから、彼を連れてホテルへ入っていった。

7

ロビーの照明は落ち、ホテル全体がひっそりとなっていた。到着したときに応対した若いフロントマンがまた勤務についていたが、デスクの奥の椅子でぐっすり眠りこんでいたようだ。わたしたちが近づくと、彼は顔を上げてこちらに気づき、何とか眠気を振り払おうとした。

「お帰りなさいませ」彼はいかにも陽気に答えたが、次の瞬間、また疲れが襲ってきたようだ。

「やあ。もう一つ部屋を取りたいんだ。ボリスのために」わたしは男の子の肩に手をかけて告げた。「できるだけわたしの部屋の近くに頼むよ」

「少々お待ちください、ライダーさま」

「実はここのポーターのグスタフだがね、彼がボリスのおじいさんなんだ。ちょうどホテルにいないものだろうか」

「ええ、もちろん、グスタフでしたら、このホテルで暮らしております。屋根裏に小さな部屋があるのです。ですが、いまの時間では眠っているところかと」

「起こしてもかまわないだろう。きっとボリスにすぐ会いたいと思うから」

フロントマンは心配そうに腕時計を見た。「はあ、お客さまがそうおっしゃるのでしたら」彼はためらいがちに答えると、受話器を取った。しばらくすると、相手が出た気配がした。

「グスタフ？　グスタフ、すみません。ウォルターです。ええ、ええ、起こしてすみません。ええ、分かっています、すみませんね。でも、聞いてください。ライダーさまがちょうどお戻りになったんです。あなたのお孫さんとご一緒に」

それからしばらくフロントマンは聞き役にまわって何度かうなずいていたが、やがて受話器を置くと、わたしに笑顔を向けた。

「いますぐまいります。あとはすべて自分が面倒を見ると申しております」

「それはよかった」

「ライダーさま、たいへんお疲れのご様子ですね」

「ああ、そのとおり。ひどく疲れる一日だった。でも、まだ一つ約束があったと思うんだが。ジャーナリストたちがここでわたしを待っているはずじゃなかったかな」

「ああ、それでしたら、一時間ほど前にとうとう帰りました。また別の機会にしようと言いましてね。ライダーさまにご迷惑がかからないよう、ミス・シュトラットマンとじかに交渉してくださいと申しておきました。ライダーさま、ほんとうにお疲れのご様子です。ですからそんなことはご心配なさらずに、すぐお休みになられたほうがよろしいですよ」

「ああ、そうだね。ふむ。じゃあ、ジャーナリストは帰ったのか。早々とやってきたと思うと、帰っていく」

「ええ、まったくうるさい連中です。でも、先ほど申しあげたようにライダーさま、もうベッドでお休みになられたほうがよろしいですよ。ご心配なさらずに。万事つつがなく処理いたしますので」

わたしは若いフロントマンの慰めの言葉がうれしかったし、実際、何時間ぶりかで、ゆったりとした気分になってきた。フロントデスクにひじをついて、わたしは一、二秒、立ったままうとうとしはじめた。しかし完全に眠ってはいなかった。そのあいだ、ボリスがわきでわたしの体に強く頭を押しつけているのも、目の前でフロントマンがさっきと同じ安心させるような口調で話しつづけているのも、はっきりと意識していた。

「グスタフはすぐにまいります」フロントマンは言っていた。「そうすればおぼっちゃまが居心地よく過ごせるよう、気を配りますでしょう。ほんとうに、何もご心配はいりません。ミス・シュトラットマンも、このホテルの者には昔からのなじみですが、実にてきぱきした女性です。これまで何度も要人のお世話をしておりますし、どなたも口を揃えて、あの女性には心から感服したとおっしゃいます。間違いなど、なさるわけがない方なのです。ですからジャーナリストのことは、安心して彼女に任せてよろしいかと。きっと何も問題はないでしょう。ボリスさまには、ライダーさまの真向かいのお部屋をご用意いたしましょう。朝の眺めがすばらしいので、きっと喜ばれますよ。ですからライダーさま、どうぞもうお部屋へ戻ってお休みになってください。きょうはこれ以上できることは何もございません。あえて申しあげますと、みなさんでお部屋へお上がりになったら、ボリスさまはグスタフにお任せになるとよろしいでしょう。グスタフはもうすぐこちらにまいります。いま制服に着替えておりますので、少し時間がかかっているのです。ほどなく、ぱりっとした姿でまいります。現れましたら、グスタフがあなたにお会いするときは、一分《いちぶ》のすきもない、完璧な制服姿です。早く身支度を整えております。ちょうどいまは、小さなベッドの端に腰かけて、靴紐を結ぼうとしているところでしょう。そして準備ができしだい、飛ぶように立ち上がります。ただし、たるきに頭をぶつけないよう、気をつけなければなりませんが。それから手早く髪に櫛を入れ、さっと廊下に飛びだすでしょう。ええ、彼はただいままいりますから、ライダーさまはすぐお部屋に戻られて、少しくつろがれる。そうすればぐっすりとお眠りになれますよ。寝酒など召しあがってはいかがでしょうか。ミニバーにご用意してある特製カクテルのどれかを。とてもおいしいのです。あるいは、何か温かいお飲み物をルームサービスでお取りになってもよろしいでしょう。ラジオで気分のほぐれる音楽を聴くこともできますしね。夜のこの時間帯でしたら、ストックホルムの放送を流しているチャンネルがございます。深夜向けの静かなジャズで、ほんとうに心がなごみますので、わたし自身も、緊張をほぐしたいときによく利用するのです。それとも心から、リラックスする必要がおありなら、映画でもご覧になりにいかれたらいかがでしょう？　このホテルにご宿泊のお客さまも、現にいま、たくさんの方がそうなさっています」

この最後の言葉――映画の話――に、わたしは眠気から引き戻され、しゃんと身を起こした。

「すみません、いま何と言いました？　このホテルの客の多くが、いま映画を見にいっていると？」

「ええ、すぐ先の角に映画館がございまして、深夜上映をしております。多くのお客さまは、そこに立ち寄って映画を観ると、お忙しかった一日の終わりにゆったりくつろぐ助けになるとおっしゃいましてね。カクテルや温かいお飲み物のかわりに、映画を観られるのもよろしいですよ」

フロントマンの手のそばの電話が鳴り、彼は失礼と断って受話器を取った。彼は電話の声を聴きながら、何度かぎこちなくわたしのほうを見た。それから「いま、ちょうどこちらにいらっしゃいます」と電話の相手に告げると、わたしに受話器を渡した。

「もしもし」わたしは電話に出た。

一、二秒沈黙が流れたあと、「あたしよ」という声が聞こえてきた。一瞬間を置いてそれはゾフィーだと分かったが、そのとたん、彼女への激しい怒りが込み上げてきた。電話口で猛然と怒鳴りそうになるのをかろうじてこらえたのは、ひとえにボリスがそばにいたからだ。わたしはとても冷淡に、「なんだ、きみか」と答えた。

また短い沈黙のあと、彼女が言った。「いま外からかけているの。通りから。あなたとボリスが入っていくところを見たわ。たぶん、いまはあの子に会わないほうがいいわね。もうとっくに寝る時間を過ぎてるの。あたしと話していることを、あの子に気づかせないで」

わたしはボリスをちらりと見やった。彼はわたしにもたれて、立ったままうとうとしている。

「それで、きみはいったいいま何をしているつもりなんだね？」

彼女の大きなため息が聞こえたあと、彼女は答えた。「あなたが怒るのももっともだわ。あたし……どうなったのかよく分からなくて。いまは自分がどんなにばかだったか分かるんだけど……」

「いいかい」わたしはもうこれ以上、怒りを抑えられなくなりそうな気がして、彼女の言葉をさえぎった。「いまどこにいる？」

「通りを隔てた向かいよ。アンティーク・ショップの正面のアーチの下」

「これからすぐそこへ行く。いまの場所にいてくれ」

わたしは受話器をフロントマンに渡し、ボリスが電話中もずっとうとうとしていたのを見てほっとした。どちらにしても、そのときエレベーターのドアが開いて、グスタフが絨毯に足を踏みだした。

彼の制服には、ほんとうにしみ一つなかった。薄くなった白髪は、濡らして櫛を入れてある。目もとがはれぼったいのと、足取りが少しふらついているくらいしか、つい数分前までぐっすりと眠っていたことをうかがわせる様子はなかった。

「ああ、お帰りなさいませ」彼は近づきながら言った。

「やあ」

「ボリスをお連れくださったんですね。わざわざご親切に、ありがとうございます」グスタフは数歩わたしたちに近づいて、やさしくほほ笑みながら孫を眺めた。「何とまあ、ご覧ください。もう眠りこけておりますよ」

「ああ、とても疲れているんだ」

「この子がこんなふうに眠っているときは、まだとても幼く見えますな」ポーターはまたしばらくやさしい目でボリスを見つめてから、わたしの顔を見上げて言った。「ゾフィーとお話しになれたかどうかと、気をもんでいたのです。一日じゅう、どんな具合だったろうと考えておりました」

「ああ。たしかに彼女と話したよ」

「はあ。それで、何かにおわせましたでしょうか？」

「におわせた？」

「つまり、娘が何を悩んでいるのか」

「ああ、そうだね。かなりそれらしいことをいくつか言ってはいたが……正直なところ、前にも言ったように、わたしのような部外者がそうした問題をはっきりと理解するのは、なかなかむずかしくてね。もちろんわたしとしても、一つや二つは、これが娘さんの悩みの種ではないかと思うふしがなくもなかったが、実際、きみ自身が話すのがいちばんだという思いを、ますます強くした」

「しかし、前にもご説明したように……」

「ええ、ええ。ゾフィーとはじかに話さないんだったね。分かっている」わたしは急にいらだちを覚えて言った。「しかし、やはりこれがきみにとって重要な問題なら……」

「わたくしにとっては、何よりも重要な問題です。ええ、そうですとも。何よりも重要な。それもひとえに、ボリスのためなんです。この問題を早急に突きとめなければ、きっとあの子が真剣に心配しはじめてしまいます。そうなるのは目に見えております。もう明らかな兆候はあるんです。それにあの子をご覧になれば、いまの様子を――こんなふうにしているところをご覧になれば、まだまだ幼いのがお分かりでしょう。わたくしどもはあの子の世界を、もう少しのあいだだけ、そんな心配事から解放してやらねばなりません。そうお思いになりませんか？　実際、これはわたくしにとって重要な問題どころではございません。最近では、昼となく夜となく心配せずにいられないのです。しかし……」彼はそこで口ごもり、ぼんやりと目の前の床を眺めてから、小さくかぶりを振ってため息をついた。

「ゾフィーと話すべきだとおっしゃいますが、ことはそれほど単純ではないのです。これまでの経緯を分かっていただかなければ。よろしいですか、わたくしと娘のあいだには、もう何年も前からこの……この了解があるのです。娘が若いころから、ずっと。もちろん、あれがとても小さなときは、違っておりましたよ。八つか九つのときまでは、それはもう、ゾフィーとしじゅう話しておりました。わたくしがお話を聞かせてやったり、旧市街へ長い散歩に出かけ、二人で手をつないでずっとおしゃべりしたり。誤解なさらないでください。あのころ、わたくしは心からゾフィーを愛しておりましたし、いまにいたるまでそれは変わっておりません。ええ、そうですとも。娘が幼いころは、実に親密な仲でした。この了解が始まったのは、娘が八つになってからなのです。ええ、たしか、娘はそんな年でした。ちなみに最初は、この了解がこれほど長く続くなどとは思ってもおりませんでした。ほんの二、三日のはずでした。たったそれだけ、ほんとうにそれだけのつもりだったのでございますよ。最初の日は仕事が休みで、家内のために台所に棚をつくろうとしておりました。そのときゾフィーがつきまとって、これはどうなのとか、あれを取ってきてあげようかとか、手伝おうとするのです。わたくしはずっと黙っておりました。ひとことも、口をきかずに。まもなく娘は当惑し、怒ってしまいました。もちろん、わたくしは分かっておりました。でも、それが自分の決めたことでしたから、厳格に守らなければならなかったのです。わたくしにとっても、それは容易なことではありませんでしたよ。ええ、とんでもない、まったく容易なことではありませんでした。あの小さな娘を、世界の何よりも愛しておりましたからね。でも、自分で自分に言い聞かせたのです、強くならなければならないと。三日間だぞと、わたくしは自分に言い聞かせました。三日たてば十分だ、それで終わりにするぞ、と。たった三日間だけだ、そうすれば仕事から帰ってきてまた娘を抱き上げ、しっかりとこの胸に引き寄せて、互いに何でも話ができる、それでいわば埋め合わせをしよう、と。あのころはアルバ・ホテルに勤めておりまして、その三日目が終わるころには、ご想像がつくでしょうが、一刻も早く勤務を終えて家に帰り、幼いゾフィーの顔が見たいと思っておりました。ですからアパートへ帰り、ゾフィーを呼んでも出迎えてくれなかったときには、ほんとうにがっかりいたしましたよ。おまけになかに入ると、娘はわざとそっぽを向いたまま、ひとことも口をきかずに部屋から出ていったのです。お察しいただけるでしょうが、わたくしはとても傷つきました。それに少し怒ってもいたのでしょう――何しろ申しあげているように、多忙をきわめる一日でしたし、娘に会うのを楽しみにしておりましたから。わたくしは、ようし、娘がそんなふうに振る舞いたいのならそうさせておこうと、自分に言い聞かせました。ですから家内と夕食を取ったあと、ゾフィーとはひとことも口をきかずに、まっすぐベッドへ行ったのです。たぶんそのときが、始まりだったのでしょう。一日が二日、二日が三日になり、やがていつの間にか、それが二人の決まりごとになってしまいました。誤解しないでいただきたいのですが、二人が喧嘩をしていたわけではございません。双方の反感は、かなり早くに消えていきました。実際、あのころもいまも、ほとんど変わりがないのです。ゾフィーとは、いまでも互いを深く思いやっております。ただ、口をきかないというだけなのです。たしかに、あの段階では事態がこれほど長く続くとは思ってはおりませんでした。わたくしとしては、いつか時機がくれば――たとえば娘の誕生日とかに――すべてを水に流して、以前の関係に戻るつもりだったと思います。ところがそのうちに、娘の誕生日がきては過ぎ、クリスマスもきては過ぎという具合で、なぜか口をきかないままだったのです。それから娘が十一のときに、ちょっとした悲しい事件がありました。当時、ゾフィーは小さな白いハムスターを飼っていて、ウルリヒと名づけ、とてもかわいがっていたのです。何時間も話しかけたり、手のひらにのせてアパートのなかを歩いたりして。ある日、そのハムスターがいなくなってしまいました。ゾフィーはいたるところを探しましたよ。家内とわたくしもアパートを探し、近所の人に尋ねてみたりもしましたが、ついぞ見つかりませんでした。家内はゾフィーに、ウルリヒは大丈夫だと――短い休暇に出かけているだけだから、すぐ戻ってくるわよと――告げて、懸命に安心させようとしたのです。それからある日の夕方、家内が外出し、わたくしはゾフィーと二人きりでアパートにおりました。わたくしが寝室で、かなり大きな音量でラジオをつけていたとき――コンサートの中継がありましたので――居間でゾフィーが泣きじゃくっているのに気づいたのです。わたくしはとっさに、娘がとうとうウルリヒか、その死体を見つけたのだと思いました――かれこれ数週間、行方不明でしたから。そのとき、寝室と居間のドアは閉まっていて、申しあげておりますように大きな音でラジオが鳴っておりましたので、娘の泣き声が聞こえなかったという場合も十分ありうると思いました。それで寝室から出ずに、ラジオの中継もそのままで、ドアに耳をつけたのです。もちろん、何度か出ていこうかとは思いました。でも、ドアのそばに長く立っていればいるほど、いまさら急に居間に駆けこむのも変に思われてきましてね。そのう、娘は大声で泣きわめいていたわけではありませんでした。わたくしはしばらくまたベッドに座って、泣き声が聞こえなかった振りをしてみたほどです。しかし、あんなにすすり泣くのを聞いては当然、心のなかは張り裂けんばかりでしたし、ふと気づくと、またすぐドアのそばに立ち、前かがみになって、コンサートの音に重なるゾフィーの声を聞こうとしていました。娘がわたくしを呼べば、いや部屋のドアをノックすれば出ていこうと、自分で自分に言い聞かせました。そう決めたのです。『パパ！』と娘が叫べば、居間へ出ていって、音楽のせいで聞こえなかったんだと言いわけしようと。そんなわけでわたくしは待ちましたが、娘は呼びもしなければノックもしません。ただ、しばらく狂ったように泣きじゃくったあと――それはもう、胸を引き裂かれるような思いでしたよ――娘はひとりごとのように――強調しますが、あくまでひとりごとのように――叫んだのです。『ウルリヒを箱のなかに入れてたの！　あたしのせいだわ！　忘れていたのよ！　あたしのせいだわ！』と。あとで確かめたところによりますと、ゾフィーはウルリヒを小さなギフトボックスに入れておいたのです、どこかへ連れていこうと思って。よくそんなふうにして、いろんなものを『見せて』やっていたものですから。それで娘は、自分の持っていた小さなギフトボックスにウルリヒを入れて、出かける用意をしていたのですが、ちょうどそのとき何かが起き、それに気を取られて、結局外出しなかったのです。そのあいだに、ウルリヒを箱に入れたことをすっかり忘れてしまいました。わたくしがお話ししている夜、つまり何週間かたってからですが、娘はアパートで何かしようとしているとき、急にそのことを思い出したのです。小さな娘にとって、どれほどつらい瞬間だったことか！　とにかく急に思い出したものですから、娘は何かの思い違いだったらいいのにと一縷《いちる》の望みを託しながら、箱に飛びつきました。案の定、そこにはまだウルリヒが入っていました。ドアごしに聞いていただけですから、むろんわたくしには、何が起きたのかすべては分かりませんが、おおむね察しがつきました。娘が『ウルリヒを箱のなかに入れてたの！　あたしのせいだわ！』と叫んだときに。しかし分かっていただきたいのですが、娘はひとりごとのようにそう言ったのです。もし『パパ！　ここに来て……』と叫んでくれていれば……。ところが違ったのです。それでも、わたくしは実際、こう考えました。『娘がもう一度あんなふうに叫んだら、出ていこう』と。しかし娘は叫ばずに、ただすすり泣くだけだったのです。わたくしは、娘がウルリヒを手のなかに包んで、それでもたぶんまだ助かることを祈りながら座っている場面を想像しました……ああ、ほんとうにつろうございました。でも、コンサートの放送をまだ背後で鳴りっぱなしにしてずっと寝室にこもっていたのです。かなりたって家内が帰宅し、娘と話をしているときに、ゾフィーがまた泣きだす声が聞こえてきました。そのあと家内が寝室に入ってきて、何があったのかと尋ねました。『何も聞こえなかったの？』と訊きますので、『そうだよ。だっておまえ、コンサートを聴いていたんだから』と答えました。次の日の朝食のときに、ゾフィーはわたくしに何も言いませんでしたし、わたくしも何も言いませんでした。要するに、ただ二人の了解を続けたのです。しかし、わたくしは気づいておりました。わたくしが聞いていたのを、ゾフィーが間違いなく知っていたことに。おまけに娘は、そのことでわたくしに怒ってはいませんでした。いつもどおりに牛乳びんやバターをまわし、皿まで下げてくれたのです――いつにない小さな気づかいを示して。ですからいま申しあげているのは、ゾフィーが二人の取り決めを理解し、それを守ったということなのです。お分かりでしょうが、そのあとは、これがおおむね基準となりました。ええ、ウルリヒの件でも二人の了解が終わらなかったのですから、少なくとも同じくらい重要な何かが起こるまで、それを終わらせる正当な理由はないように思われたのです。実際たいした理由もなく、ある日、急にそれを終わらせていたら、奇妙なばかりか、娘にとってあれほど悲しい出来事だったウルリヒの一件を、軽く見ることになっていたでしょう。ですから、ぜひともお分かりいただきたいのです。どちらにしても、申しあげておりますように、それ以来、二人のあいだの了解は、さよう、むしろいっそう堅固になりまして、いまのような状況でも、これほど長く続いてきた取り決めをわたくしが急に破るのは、いけないことのように思えるのでございます。あえて申しますなら、おそらくゾフィーも同じ気持ちでしょう。だからこそ、わたくしはライダーさまに特別なお願いをしたしだいでございます。とりわけきょうの午後、たまたまそちらへお出かけになるというので……」

「ええ、ええ、ええ」わたしはまたいらだちが込み上げてくるのを覚えてグスタフの言葉をさえぎった。それからもう少しおだやかに言った。「きみと娘さんとの関係はよく分かった。しかし、まさにこの問題が――二人の了解という問題こそが、ゾフィーさんの悩みの核心だという可能性はないのだろうか？　その了解こそが、すっかり気落ちしてカフェに座っている娘さんを見かけたときに、彼女が考えていたことでは？」

この言葉はグスタフをびっくりさせたらしく、彼はしばらく黙りこんだあと、ようやく答えた。「これまで思いもいたしませんでしたよ、いまあなたがおっしゃったようなことは。もう少し考えてみなければなりません。何しろこれまで一度も思いもしなかったことですから」彼は当惑した表情でまた口をつぐんでいたが、やがて顔を上げて言った。「しかし、娘はなぜ、いまになって二人の了解のことでそんなに悩む必要があるのでしょうか？　これほど長い年月がたったというのに？」そこで彼はゆっくりと首を振った。「うかがってよろしいですか？　それはゾフィーとお話しになったあとで思いつかれた考えなのでしょうか？」

わたしは急にひどくうんざりしてきて、この一切から手を引きたくなった。「さあね、どうだろう。前から言いつづけているように、こうした家族の問題は……わたしはただの部外者なんだ。どうして判断できる？　ただ、その可能性があると言っているだけだよ」

「むろん、それはわたくしも考えてみなければならないことです。ボリスのために、あらゆる可能性を検討してみるつもりです。ええ、考えてみませんとね」彼はまた口をつぐみ、ますます困惑した表情になった。「恐れ入りますが」彼はようやく言った。「もう一つお願いを聞いてくださるなら、今度ゾフィーとお会いになるときに、この可能性をとくに探ってみてはいただけないでしょうか。あなたがとても巧みにアプローチなさっているのは分かっております。普段ならこんなお願いなどしないのですが、何しろこの小さなボリスのためです。そうしていただければ、まことにありがたいのです」

彼は懇願するようにわたしを見た。結局、わたしはため息をついて答えた。「分かった。

ボリスのために、できるだけのことをやってみよう。でも、これだけはもう一度言っておきたいんだが、わたしのような部外者には……」

たぶん自分の名前が聞こえたからだろう、ボリスが目を覚ました。

「おじいちゃん！」と叫ぶと、彼はわたしから離れ、うれしそうに彼に近づいた。明らかにグスタフに抱きつこうとして。しかしその直前、この少年はわれに返ったらしく、手を差しだしただけだった。

「こんばんは、おじいちゃん」彼は静かな品位を保って言った。

「こんばんは、ボリス」グスタフは男の子の頭を軽く撫でた。「また会えてうれしいね。きょうはどんな日だったのかな？」

ボリスはそっけなく肩をすくめた。「ちょっと疲れたよ。いつもと同じさ」

「少々お待ちを」グスタフは言った。「あとはすべてお任せください」

ポーターは孫の肩に腕を回して、フロントデスクへ歩み寄った。彼はひとしきりフロントマンとホテル用語で何やらひそひそ話したあと、何かに合意したらしく、二人でうなずき合うと、フロントマンが彼に鍵を渡した。

「こちらです。どうぞ」グスタフは言った。「ボリスの部屋へご案内しましょう」

「いや実は、もう一つ約束があるんだ」

「こんな時間にですか？　まあ、ほんとうにお忙しいのですね。でしたら、わたくしがボリスを上へ連れていって部屋に入れましょうか？」

「それはいい考えだ。とてもありがたいよ」

わたしはエレベーターのところまで二人と一緒に歩いていき、ドアが閉まろうとするとき、手を振った。それから急に、これまでかろうじて抑えていたいらだちと怒りがまた込み上げてきて、フロントマンにはひとことも告げずにロビーを横切り、再び夜の街へと出ていった。

8

街は人通りがなく、静まり返っていた。ゾフィーが電話で告げた場所——少し先に行った通りの反対側にある石のアーチ——を見つけるのに、しばらく時間がかかった。そこへ向かいながら、わたしはふと、彼女が気おくれして逃げ帰ってしまったのではないかと思った。しかしすぐに、彼女の姿が暗がりから現れ、また怒りが込み上げてくるのを感じた。

彼女の表情には、予期していたほど申しわけなさそうな感じはなかった。わたしを注意深く観察していて、近づくと、かなり冷静な口調で言った。

「あなたが怒るのももっともだわ。あたし、どうなったのか分からないの。たぶん頭が混乱してたのね。怒るのももっともだわ、そうよ」

わたしは彼女をそっけなく見た。「怒るだって？　ああ、なるほど。きょうの夕方の自分の行動のことを言っているんだね。さあて、そうだな。わたしはボリスのためにとてもがっかりしたと言わざるをえない。彼は見るからに動揺していたよ。しかしわたし自身は、かなり率直なところ、そんなことばかり考えていたわけじゃない。ほかにも、いろいろと考えることがあるのでね」

「どうしてあんなことになったのか、分からないの。あたしを頼りにしてるって、分かっていたのに……」

「一度もきみに頼ったことなどないよ。もう少し冷静になったほうがいいんじゃないか」わたしは短く笑って、ゆっくりと歩きだした。「わたしにとって、そんなことは重大な問題ではないんだ。きみの助力があろうがなかろうが、いつだって自分の仕事をやるための用意はしてきた。ただ、ボリスのことを思うと、がっかりした。それだけだ」

「あたしがばかだった、いまはそう思うわ」ゾフィーは隣に並んで歩きだした。「よく分からないんだけど、たぶんあなたとボリスが——これはあたしの立場から考えてほしいの——あなたとボリスがなかなか来ないものだから、今夜のためにあたしが計画したことなんか、あなたはどうでもいいんだと思って。それにどのみち、あなたはどこかへ行ってしまうかもしれないと……ねえ、よかったら、すべて話すわ。あなたが知りたいことをすべて。細かなことまで一つひとつ……」

わたしは足をとめて彼女のほうを向いた。「まだわたしの気持ちが分かっていないようだね。そんなことに何一つ関心がない。ここへ来たのは、ただ新鮮な空気を吸って、少し気分転換したかったからだ。疲れる一日だった。事実、わたしが出てきたのは、寝る前に映画を見たかったからだ」

「映画ですって？　何の映画？」

「そんなこと、知るわけがないだろう。とにかく、レイト・ショーだよ。ちょうどその先に映画館がある。何をやっているにしろ、ちょっと行ってのぞいてみようと思っただけなんだ。ひどく疲れる一日だったからね」

わたしはまた歩きだした。今度はもっとためらいのない足取りで。しばらくすると、わたしの期待どおりに、彼女が追いかけてくる足音が聞こえた。

「ほんとうに怒っていないの？」彼女は追いつきながら尋ねた。

「もちろん、怒ってなんかいない。どこに怒る理由がある？」

「あたしもお付き合いしていいかしら？　その映画に？」

わたしは肩をすくめ、歩調をゆるめずに歩きつづけた。「お好きなように。大いに歓迎するよ」

ゾフィーはわたしの腕につかまった。「よかったら、すっかり打ち明けるわ。すべてを話すわ。あなたが知りたいことすべて……」

「だから、何度言わなきゃならないんだ？　そんなことには全然興味がない。いまはただ、くつろぎたいだけなんだ。これから何日か、たいへんな緊張を強いられるんだから」

彼女はまだわたしの腕を取ったまま、しばらく黙って一緒に歩いたあと、静かに言った。

「とても親切ね。こんなに理解があるなんて」

わたしは何も答えなかった。わたしたちは歩道をはずれて、誰もいない通りの真ん中を歩きつづけた。

「あたしたちに適当な家が見つかれば」ゾフィーがやっと口を開いた。「そうしたらすべてがいいほうに向かうと思うわ。きっとそうよ。あすの朝、見にいく家には、ほんとうに期待をかけているの。あたしたちがずっと望んでたとおりの家のようですもの」

「ああ、そう祈ろう」

「あなただって、もう少しうれしそうにしてくれてもいいのに。これはあたしたちの転機になるかもしれないわ」

わたしは肩をすくめ、また歩きつづけた。映画館はまだ先だったが、それは事実上、真っ暗な通りで唯一照明がついている建物だったので、二人ともしばらくじっとその光を見つめていた。もう少し映画館に近づいたとき、ゾフィーがため息をついて足をとめた。

「あたしは入らないでおこうかしら」と彼女は言うと、わたしの腕を放した。「あすあの家を見るのに、たっぷり時間がいるんですもの。朝早くから出かけなくちゃ。帰ったほうがいいわね」

なぜかわたしはこの言葉にとても驚き、一瞬どう答えてよいのか分からなかった。それで映画館のほうを見てから、またゾフィーに視線を戻した。

「しかしきみが観たいと言ったんじゃ……」と言いかけたが、次の言葉をのんで、もう少しおだやかに告げた。「いいかい。これはとてもいい映画なんだ。きっと楽しいよ」

「だけど、何の映画かも知らないんじゃないの」

彼女が何かのゲームをしているのだという考えが、ふと頭にひらめいた。なのになぜか奇妙な不安感が襲ってきて、懇願するような調子をどうしても声からぬぐえなかった。

「つまり、あのフロントマンの、彼のご推薦なんだ。とても信頼できる人間だと、わたしには分かる。それにあのホテルにしても、評判てものを考えなきゃならない。ひどい映画ならとても勧めたりは……」わたしの声はそこで消えていった。ゾフィーが離れようとしたので、いっそう不安がつのってきたのだ。「いいかい」――わたしはもう誰に聞かれようがかまわないと、声を荒らげた――「これはとてもいい映画だと分かっている。それに二人で映画に行くなんて、ずいぶん久しぶりじゃないか。そうだろう？　この前一緒に行ったのは、いつだった？」

ゾフィーはそのことを考えていたようだったが、やっとほほ笑むと、またそばに寄ってきた。

「いいわ」彼女はやさしくわたしの腕を取ると言った。「いいわ。遅いけど、一緒に行くわ。あなたが言うように、二人で映画を見るなんて何年かぶりですもの。思いっきり楽しみましょう」

それでわたしはかなりの安堵感を覚えたものの、映画館に入っていくときも、彼女にすがりつきたい気持ちを抑えるのがせいいっぱいだった。ゾフィーは何かを感じたらしく、わたしの肩に頭をもたせかけた。

「とても親切ね」彼女はやさしく言った。「あたしのことを怒っていないなんて」

「怒る理由がどこにある？」とつぶやきながら、わたしはロビーを見回した。

わたしたちのすぐ前に、上映室に続く列の最後があった。入場券を買うところを探したが、窓口は閉まっていた。ホテルと映画館のあいだに特別な取り決めがあるのかもしれない。しかしどちらにしろ、ゾフィーとわたしが列の最後尾についたとき、入口に立っていたグリーンのスーツの男性がほほ笑みかけて、わたしたちをほかの客と一緒になかへ招き入れた。

館内は満席に近かった。まだ照明がついていて、おおぜいの客が席を探して動き回っている。わたしが席を探していると、ゾフィーが浮き浮きした様子でわたしの腕をぎゅっとつかんだ。

「ねえ、何か買ってきましょうよ。アイスクリームとか、ポップコーンとか」

彼女は劇場の正面を指さしていた。そこには短い列ができていて、その前に菓子のトレイを持った制服姿の女性が立っている。

「いいとも」わたしは答えた。「しかし、急がないと席がなくなってしまう。とても混んでいるんだよ」

わたしたちは正面の列に加わった。しばらくそこに立っていると、また怒りが込み上げてきて、ゾフィーに完全に背を向けるほかなかった。後ろで彼女がこうつぶやくのが聞こえた。

「正直に言うわね。今夜は、あなたを探しにホテルへ行ったんじゃないの。あなたたち二人が現れるなんて、考えもしなかったわ」

「ほう？」わたしは前に身を乗りだして、そっけなく菓子のトレイを見た。

「あのあとでね」ゾフィーは続けた。「つまり自分がどんなにばかだったか気づいたあとで、どうしたらいいか分からなかったの。そのとき急に思い出したのよ。パパの冬のコートのことを。まだ渡していないのを、思い出したの」

がさごそいう音に振り返ってみると、ゾフィーが片方の腕に茶色の紙でくるんだぐんにゃりした大きな包みを抱えているのに、初めて気がついた。彼女はそれを持ち上げたが、どうやらとても重いらしく、すぐにまたおろしてしまった。

「ばかだったわ」彼女は言った。「あわてることなかったのに。でもね、あたし、急に冬の気配がしてきたと思って。それでこのコートのことを思い出して、一刻も早くパパに渡してあげたかったの。だからこれを包んで、飛びだしてきたのよ。だけどホテルに着いてみたら、とても暖かな夜だったわ。何でもないことに大あわてをしてたわけだから、なかへ入って今夜渡そうかどうか、迷っていたの。でも外に立っているうちに、だんだん遅くなってしまって、とうとうパパはもうベッドに入ってる時間だって気づいたの。フロントに預けて帰ろうかとも思ったんだけど、やっぱり自分で手渡したかったのよ。それで考えたの。そうね、渡すのは、あと何週間かしてからでもいいじゃないの、まだこんなに暖かいんだからって。そのとき車が近づいてきて、あなたとボリスがおりてきたのよ。そういうわけ」

「なるほど」

「でなければ、あなたと顔を合わせる勇気があったかどうかも分からないわ。だけど、ちょうど通りを隔ててすぐ向かいに立っていたから、深呼吸して電話をしたの」

「ふむ、そうしてくれてよかったよ」わたしは手でロビーを示しながら言った。「何といっても、こんなふうに一緒に映画に来るなんて、ずいぶん久しぶりなんだから」

ゾフィーからは何の返事もなく、わたしが見やると、腕に抱えた包みをやさしいまなざしで眺めていた。彼女はもう一方の手で、それを軽くたたいた。

「季節が変わるまでには、まだもう少し間があるわ」ゾフィーはわたしとコートの両方に向かってつぶやいた。「だから、あんなに必死になってあわてなくてもよかったの。何週間かのうちに渡せばいいのよ」

わたしたちは列の先頭になり、ゾフィーはわたしの前に歩みでて、制服姿の女性が差しだすトレイを熱心にのぞきこんだ。

「あなたは何にする？」ゾフィーが尋ねた。「あたしはカップ入りのアイスクリーム。いえ、チョコアイスのバーにするわ。これを一つください」

ゾフィーの肩ごしに、普通のアイスクリームとチョコアイスのバーがのっているトレイが見えた。しかし奇妙なことに、それらはみんなトレイの端に乱雑に押しやられていて、よけた場所に大きなぼろぼろの本がでんと置いてある。わたしはその本をもっとよく見ようと、身を乗りだした。

「とても役に立つ手引書ですのよ」制服の女性が熱を込めて言った。「間違いなくお勧めできます。ほんとうはこんなふうに、ここで売るようなものではないんでしょうけど、支配人はそうなっちゃうんじゃなければ、わたしたちが個人的に変わった品物を売っても文句を言わないんです」

本の表紙には、オーバーオール姿の男性がはしごの真ん中あたりで笑っている写真がついていた。片手にペンキの刷毛《はけ》を持ち、もう一方の腕で壁紙を抱えている。わたしが本を手に取ると、いまにもばらばらになりそうだった。

「実は長男のものだったのですけど」制服の女性は続けた。「いまは成人してスウェーデンに行ってますの。先週、やっとその持ち物を整理したんです。思い出深いものは全部取っておいて、あとは捨てました。でも、そのときに一つか二つ、どちらともつかない品物が出てきましてね。この古い手引書は、さほど深い愛着があるわけではありませんけど、とても役に立つものですのよ。家のなかのいろいろな仕事、内装とかタイル貼りとかのやり方が、それぞれ段階ごとに、分かりやすい図入りで説明してあるんです。息子が成人するまで、大いに活用していたのを覚えていますわ。ご覧のように少し傷んでしまいましたけど、ほんとうに役に立つ本ですのよ。お安くしておきますわ」

「ボリスが気に入るかもしれないね」わたしはページをめくりながらゾフィーに言った。

「まあ、成長期のお子さんがいらっしゃるなら、まさにぴったりですわ。経験からも保証いたします。息子がその年頃のときには、この本からたくさんのことを学びましたのよ。ペンキ塗りやらタイル貼りやら、何でも教えてくれます」

照明が暗くなりはじめ、わたしはまだ席を見つけていないことを思い出した。

「じゃあ、いただこう」

代金を払うと女性は大仰《おおぎょう》に礼を言い、わたしたちはその本とアイスクリームを持って売り場を離れた。

「あんなふうにボリスのことを気にかけてくださって、ありがとう」ゾフィーは二人で通路を歩きながら言った。それから、またがさごそと包みを持ち上げ抱きしめた。

「パパが去年の冬じゅう、厚手のコートなしで過ごしたなんて考えると変だわ。でもこんな古いコートを着るなんて、プライドが許さなかったのね。去年は暖かかったから、どうってことなかったの。だけど、今年の冬はそんなわけにもいかないでしょう」

「ああ、もちろんだ」

「あたしかなり割り切ってるの。パパが年を取ってきたのは分かってる。だからいろんなことを考えてきたのよ。たとえば退職のこととか。年を取れば、どうしたって直面しなくちゃならない問題なんだから」そして静かに言い添えた。「何週間かのうちに手渡すわ。そうすれば大丈夫でしょう」

照明はしだいに暗くなり、観客は期待感で静かになっていた。わたしは館内がさっきよりいっそう混んできたのに気づき、出遅れて席が見つからないのではないかと不安になった。しかし暗闇に包まれたとき、懐中電灯を持った案内人が通路をやってきて、最前列に近い二つの座席を指さした。ゾフィーとわたしはすみませんと詫びながら、座っている観客の前を少しずつ進んで席に腰をおろした。ちょうどコマーシャルが始まるところだった。

大半は地元企業のもので、やけに長たらしく、ようやく本篇が始まったときには、座ってからゆうに三十分はたっていた。上映される映画がSFの古典《二〇〇一年宇宙の旅》だったので、わたしは少しほっとした。何度見ても見飽きない、大好きな作品の一つだったのだ。有史以前の世界を描いたあの印象的な冒頭場面がスクリーンに現れるや、すっかりくつろいだ気分になって、たちまち心地よく映画に没頭していった。物語の半ばあたり――クリント・イーストウッドとユル・ブリンナーが木星行きの宇宙船に乗りこむところ――に差しかかったころ、隣でゾフィーがつぶやいた。

「だけど、気候が変わるかもしれないわ。あっという間に」彼女が映画のことを話しているのだと思って、わたしは適当に小声で相槌《あいづち》を打った。でもしばらくすると、彼女が言った。

「去年もちょうどこんなふうに、暖かくて晴れた秋だったわ。ずっとそれが続いて、みんな十一月に入っても、まだ歩道のカフェでコーヒーを飲んでいたの。それから急に、ほとんど一晩のうちに、とっても寒くなってしまって。今年もまた、そんなふうにあっという間に変わるかもしれない。だって、分からないじゃない。そうでしょ？」

「ああ、そうだね」もちろんこのときには、彼女がまたあのコートのことを話しているのに気づいていた。

「だけど、まだそんなに急ぐ必要はないわね」彼女はつぶやいた。

次にゾフィーに目を向けたとき、彼女は映画を観ているようだった。わたしもスクリーンのほうに向き直ったが、数秒もすると、映画館の暗闇のなかである記憶の断片がよみがえってきて、再び注意をそらされた。

わたしは座り心地の悪い、たぶん薄汚いひじかけ椅子に腰かけていたときの出来事を、鮮明に思い出していた。おそらくどんよりと曇った朝のことで、わたしは目の前に新聞を広げていた。ボリスはそばの絨毯の上にうつぶせになって、クレヨンで画用紙に絵を描いていた。この子の年齢から——彼はまだとても小さかった——六、七年前の記憶だと思ったが、どの家の、どの部屋だったかは思い出せなかった。隣の部屋に続くドアが細く開いていて、何人かの女性がおしゃべりしている声が聞こえてきた。

しばらくのあいだ、わたしは座り心地の悪いひじかけ椅子で新聞を読んでいた。そのうちボリスの何か——彼の動作とか、姿勢とかの微妙な変化——を感じて、彼を見下ろした。その瞬間、目の前の状況が把握できた。数週間、ボリスは画用紙に、誰が見ても「スーパーマン」だと分かる絵を描いていたのだ。数週間、彼はずっとその絵に挑戦していたのだが、いくら励ましてみても、似ても似つかぬしろものしか描けなかった。ところがこのとき、たぶん子供時代によく見られるただの偶然とまぎれもない上達とが重なって、突然、スーパーマンが上手に描けたのだ。絵はまだ完全に仕上がってはいなかったが——口と目が未完成だった——それでも、これがボリスにとって大手柄だと一目で分かった。実際、そのとき彼がとても緊張して身を乗りだし、クレヨンを紙の上に構えているのに気づかなければ、たぶん何か声をかけていただろう。しかしボリスは、たとえこの絵を台なしにすることになっても、最後の仕上げをしようかどうか迷っていた。彼の迷いが痛いほどに感じられたので、わたしは思わず、大声でこう言いたくなった。「ボリス、やめなさい。もういいよ。そこでやめて、みんなにその絵を見せてごらん。まずわたしに、それからお母さんや、いま隣の部屋でおしゃべりしている人たちにも。まだできあがっていなくてもいいじゃないか。みんな驚いて、きみをほめてくれるぞ。元も子もなくなってしまう前に、そこでやめておきなさい」しかしわたしは何も言わずに、新聞の陰からずっと彼をのぞいていた。とうとうボリスは意を決して、とてもていねいに二、三ヵ所、クレヨンを塗りはじめた。そのうちに自信が出てきたらしく、前にかがみこんで、もう少し無頓着にまたクレヨンを動かしだした。次の瞬間、彼は急に手をとめて、黙って紙を見つめた。それから——いまでも、あのときの苦悶が自分のなかに込み上げてくるのを覚えるのだが——わたしは彼がこの絵を何とか救おうと、さらにクレヨンを塗り重ねていくのを眺めていた。ついに、ボリスはがっくりした顔になり、クレヨンを紙の上に放りだすと、ひとことも言わずに立ち上がって部屋から出ていった。

この出来事にわたしは驚くほど心が痛んだ。まだどうにかして気持ちを立て直そうとしていたとき、どこか近くでゾフィーの声がした。

「あなたには分かりっこないのよ」

その苦々しい口調に驚いて新聞をおろすと、ゾフィーが部屋に立ってわたしをにらみつけていた。彼女は言った。

「あなたには分かりっこないのよ、さっきのことを見ていたあたしの気持ちなんか。あなたは絶対にあんなふうには思わないわ。ほらね、いまだって新聞を読んでるだけじゃない」それから彼女は声を落とし、もっと激しさを込めて言った。「そこが違うのよ！　彼はあなたの子じゃない。あなたが何て言おうと、だから違うのよ。あなたはあの子に、本物の父親らしい気持ちなんか持つはずがないわ。ほら、ご覧なさい！　あなたには、ついさっきあたしがどんな気持ちでいたかなんて、分かりっこないのよ」

そう言い残すと、彼女はくるりと背を向けて部屋から出ていった。

客がいようがいまいが彼女を追いかけて隣の部屋へ行き、ここへ連れ戻して話し合おうかと思った。でも、結局は椅子に座ったまま、彼女が戻ってくるのを待つことにした。案の定、何分かすると、ゾフィーは居間に戻ってきたが、そのそぶりになんとなく声をかけづらい雰囲気があり、彼女はまた出ていってしまった。実際、そのあと三十分ほどのあいだに、ゾフィーは何度も出たり入ったりしたのだが、わたしは自分の気持ちを話そうと決心しながら、ずっと黙っていた。しばらくすると、いまさらさっきの話を切りだしてもばかばかしく見えるだけだと気づき、ひどく傷ついた気持ちと強いいらだちを覚えながら、新聞に目を戻したのだった。

「失礼ですが」という声が背後から聞こえ、誰かがわたしの肩に手を置いた。振り返ると、後ろの列の男性が身を乗りだして、わたしをまじまじと見ていた。

「やはりライダーさまですね？　おやまあ、何てことだ。お許しください。ずっとここに座っていたのですが、暗くて気づかなかったものですから。カール・ペダーセンです。けさのレセプションでお会いするのを楽しみにしておりましたが、もちろん不測の事態で、あなたはお出になられませんでした。それがいまこんなところでお目にかかれるなんて、幸運ですな」

　男性は白髪で眼鏡をかけ、人のよさそうな顔をしている。わたしは彼のほうに少し体をよじった。

「ああ、そうですね、ペダーセンさん。お会いできてうれしいです。おっしゃったように、けさはまことに残念でした。わたしも大いに楽しみにしていたのです……そのう、みなさんにお目にかかるのを」

「実はですね、ライダーさま。ほかの議員も何人か、いまこの映画館に来ているのです。みんな、けさあなたにお会いできなくて、とても残念がっておりました」彼は暗闇を見回した。「どこに座っているのか分かれば、せめて一人、二人なりお引き合わせしたいのですが」彼は体をひねって、後方の列を探そうと首を伸ばした。「あいにくと、いまはどなたも目に入りませんな……」

「もちろん、議員のみなさんには喜んでお目にかかりたいのですが、もう時間も遅いことですし、映画をお楽しみになっておられるなら、別の機会にしましょう。まだいくらでも機会はあるでしょうから」

「いまは誰も見つかりませんな」男はわたしのほうを振り返って言った。「残念です。この映画館のどこかにいるのは、分かっているんですがね。いずれにしろ市議会の一員として、あなたをお迎えできて全員がたいへん光栄に思っていると申しあげておきます」

「ご親切にありがとう」

「どなたにうかがっても、ブロッキーさまはきょうの午後、コンサートホールで、たいへんな進歩をお遂げになったようです。三、四時間、ぶっつづけでリハーサルなさいましてね」

「ええ、うかがいました。すばらしいことです」

「きょう、市のコンサートホールをお訪ねになりましたでしょうか？」

「コンサートホールですか？　いいえ。残念ながら、まだ……」

「ごもっともです。なにせ長旅でございましたからね。いえ、まだたっぷりと時間はございます。コンサートホールには、きっと感銘を受けられると思いますよ、ライダーさま。ほんとうに美しい、由緒ある建物でして、わたしどもはこの町のあらゆるものを粗略に扱ってまいりましたが、コンサートホールだけは、誰からもそのようなそしりを受けることはありえません。ほんとうに美しい、由緒ある建物で、まわりの環境がまた最高なのです。つまり、リーブマン公園のなかにありましてね。まさしくわたしの言葉どおりなのですよ、ライダーさま。木立ちをぬって気持ちよく歩いていくと、ひらけた野原に出る——そこにあるんです、コンサートホールが！　ご自分の目でお確かめになれますでしょう。市民が雑踏から逃れて憩《いこ》うには、まさにうってつけの場所でしてね。わたしが子供の時分には市のオーケストラがありまして、毎月、第一日曜日にコンサートが始まるまえに、みんなでその野原に集まったものです。いまでも覚えていますよ。いろんな家族がそれぞれにめかしこんで、木立ちのあいだから三々五々集まってきては、挨拶を交わすんです。わたしたち子供は、そこらじゅうを駆け回っておりました。秋にはゲームが——特別なゲームがありました。拾えるかぎりの落ち葉をかき集め、庭師の小屋まで運んで、壁のそばに積み上げるんです。小屋の壁にはこれくらいの高さに特別な羽目板がありまして、そこにしみがついておりました。みんなで口々に言ったものですよ。大人たちがコンサートホールの前に列をつくって入りだすまでに、その高さまで落ち葉を積み上げよう、でないと町全体が爆発して粉々に砕け散ってしまう、とね。それで子供たち全員があちこち走り回って、両腕にいっぱい濡れた落ち葉を拾い集めては運んだのです！　わたしのような年寄りは、ついつい昔を懐かしがるものですがね、ライダーさま。その昔、ここはまぎれもなく、とても幸せな町でした。幸せな家族がたくさん住んでいたのです。そしていつまでも変わらぬ本物の友情があり、市民は互いに暖かい心と愛情をもって接しておりました。昔はほんとうにすばらしい町だったのです。ずっとずっと長いこと。わたしは今度の誕生日で七十六になりますので、自分の体験をもってして、断じてそうだったと申しあげることができます」

ペダーセンはそこで口をつぐんだ。まだ前に身を乗りだし、わたしの座席の背に腕をのせたままだ。目はスクリーンではなく、どこか遠いところを見つめている。映画は、宇宙飛行士たちが船内の乗員の生活のすべてに重要な役割を果たしているコンピューター、ハルの動機に初めて疑いを持つところにきていた。クリント・イーストウッドが銃身の長い銃を手に、きりりとした表情で閉所恐怖症になりそうな廊下を進んでいる。わたしがまた映画に引きこまれようとしたとき、ペダーセンが再び口を開いた。

「実を申しますとね、わたしは彼を少々お気の毒に思わずにはいられないのです。つまり、クリストフさんのことです。ええ、たしかにあなたには変に聞こえるかもしれませんが、いや、お気の毒に思うんですよ。何人かの議員にそう話しましたところ、おやおや、あいつは頭がおかしくなっているのだから、あんな大ぼら吹きに同情する余地などこれっぽっちもないと言うのです。しかしねえ、わたしには大半の者より、いい思い出があるのですよ。クリストフさんが初めてこの町にみえたときに何が起きたか、覚えているものですから。もちろんわたしとて、他の議員と同じように、彼には腹を立てております。ですが最初は、つまり始まってすぐのころは、クリストフさんがでしゃばったわけではないことを、十分に承知しているのです。いいえ、とんでもない。そんなふうにしたのは、むしろ……ええ、いい、われわれのほうでした。つまりわたしのような者なのです。否定はいたしませんよ、わたしは影響力のある立場におりましたから。われわれのほうが、彼にそう仕向けたのです。こちらが彼をほめそやし、お追従《ついしょう》を言い、ご教示とご指導を仰ぎたいと、はっきりお願いしたのです。ですから少なくとも、こうなってしまった責任の一半は、われわれにあるのです。もう少し若い議員たちは、たぶんあの初期のころには、まだ世事にうとかったでしょう。すべて自分中心に、ワンマンに振る舞うようになったクリストフさんしか、知らないのです。彼らは、本人が一度もそんな立場を要求したわけではないことを、忘れております。ええ、そうですとも。わたしは、クリストフさんが初めてこの町にみえたときのことを、鮮明に覚えておりますよ。当時はまだかなりお若くて、お一人ででしゃばったりせず、謙虚ですらありました。誰もたきつけなければ、きっと楽しくまわりに溶けこみ、ときどき個人的な集まりでリサイタルを開くくらいのことしか、していなかったはずなのです。しかし、要はタイミングですよ、ライダーさま。タイミングが悪かったのです。ちょうどクリストフさんがこの町にみえたときに、われわれは、さよう、いわば空隙《くうげき》の時期にあったのです。画家のバーンドさんと名作曲家のフォルメラーさんが、お二人とも長年、わが町の文化界を舵《かじ》取りしてこられたのち、数カ月のあいだに相次いでお亡くなりになって、町にはある種の感情……何と申しますか、落ち着くべきところに落ち着いていない不安感のようなものが生まれておりました。われわれはみな、これほどご立派なお二人が他界されたことを心から悲しんでおりましたが、一方ではたぶん誰もが、これは変革の機会だとも思っていたでしょう。何か斬新で新鮮なことをやる機会だと。当然と言えば当然です。われわれはそれまで満足はしていたものの、あのお二人の紳士があまりに長いことすべての中心となられてきたあと、ある種の欲求不満が積もり積もっていたのです。ですからご想像がつきましょうが、ロス夫人のところにお泊まりの方がプロのチェロ奏者で、ゴッテンブルク交響楽団と共演し、何度かカジミエルツ・スタジンスキーの指揮で演奏なさったことがあるという噂が広まったときに、ええ、少なからず興奮が巻き起こったのです。わたし自身、クリストフさんの歓迎にかなり熱心だったのを覚えております。それはもう、どんな具合だったかも、あの方が最初はどれだけ控えめだったかもね。いまから振り返ると、自信に欠けていたとさえ言えるほどです。この町へ来る前に、おそらく何度か挫折がおありだったのでしょう。ところがわれわれは彼をもてはやし、何につけてもご自分の意見を主張するよう求めました。ええ、すべてはそうやって始まったのです。あの最初のリサイタルの件で、わたしが説得に力を貸したのを覚えています。彼はほんとうに渋っていました。そしてどちらにしろ、最初のリサイタルは、もともと伯爵夫人のお屋敷で行われる、ごくささやかなものだったのです。ところが予定日の二日前になって初めて、どれだけおおぜいの者が聴きにいこうとしているのか分かったものですから、伯爵夫人は会場をホルトマン・ギャラリーに変更せざるをえませんでした。それ以来、クリストフさんのリサイタルは――われわれは少なくとも半年に一度開いてくださるようお願いしたのですが――あのコンサートホールで開かれ、毎年毎年、わが市民の大きな話題になるようになったのです。しかしご本人は、最初は乗り気ではありませんでした。初回だけでなく、最初の何年かは、説得に努めなければなりませんでしたよ。それから当然ながら、絶賛やら喝采やらお世辞やらが積み重なって、クリストフさんはまもなく、ご自身のことやご自分の考えを吹聴するようになりました。『わたしはここで花開いた』と、そのころあちこちでおっしゃっていました。『ここに来てから花開いたのだ』と。要するに、われわれこそが、あの方をそんなふうに仕向けたということなんです。わたしはいま、あの方をお気の毒に思います——ただしこの町でそんなふうに思うのは、おそらくわたしだけでしょう。お気づきのように、彼には大きな怒りが向けられております。わたしとて、この状況を十分現実的に理解しております、ライダーさま。人は冷酷非情にもならねばならない。わが町は危機に直面しております。いたるところに、みじめさが蔓延しております。ですからどこかで事態を正す方向へ持っていかねばなりませんし、それにはまず中心から始めるべきでしょう。冷酷にならざるをえませんし、彼をお気の毒には思いますが、だからといってほかに取るべき道もありません。あの方と、あの方が象徴するものはすべて、わが町の歴史のどこか暗い片隅に追いやらねばならないのです」

わたしは席に座ったままやや彼のほうに体をひねり、まだきちんと話を聴いているよう装《よそお》っていたが、関心のほうは映画に戻っていた。ちょうどクリント・イーストウッドが地球にいる奥さんにマイクで話しかけているところで、彼の頰には涙が伝っていた。そろそろあの有名な場面——ユル・ブリンナーが部屋に入ってきてイーストウッドの顔の真ん前で手をたたき、早撃ちのスピードを試すところ——になるころだった。

「失礼ですが、クリストフさんがこの町に来たのは何年前なのですか?」

深く考えもせず、半分はスクリーンに気を取られたまま、わたしはそう尋ねた。実際、さらに二、三分は映画を見ていたのだが、そのうち後ろにいるペダーセン氏がいかにも恥じ入った様子でうなだれているのに気づいた。わたしの視線を察知して、彼は顔を上げると言った。

「ごもっともですな、ライダーさま。あなたがわれわれをお叱りになるのも、ごもっとも。十七年と七ヵ月——長い年月です。われわれの犯したような過ちはおそらくよそでもやるでしょうが、これほど長くそれを正さないということがありましょうか? あなたのような外部の方の目にわれわれがどう映るか、よく分かりますし、正直なところ、ほんとうに心から恥じております。申し開きはいたしません。自らの間違いを認めるのに、永遠にも近い時間がかかってしまいました。おそらく、問題を見ないようにしていたのです。しかしそれを認めるのは、われわれ自身にとってさえなかなかむずかしいことでして、長い歳月を要したのです。何しろ、クリストフさんにべったりでしたからね。事実上、どの市会議員も、何かのおりにクリストフさんを自宅に招いたことがございます。年恒例の市民晩餐会では、いつもフォン・ヴィンターシュタインさんのお隣の席でしたし、顔写真がわが市の年鑑の表紙を飾ったこともありました。ロッゲンカンプ展覧会のカタログに序文もいただきました。影響はそれだけにとどまりません。もっとひどい事態にまでなったのです。

たとえばリーブリヒさんの不幸な一件——ああ、ちょっと失礼。いまそこでコールマンさんを見かけたように思いますので」——そこで彼はまた首を伸ばすと、映画館の後方を探した——「ええ、あれはコールマンさんです。一緒にいるのは、この暗闇ではなかなか見分けがつかないのですが、見間違いでなければ、シェーファーさんですな。お二人とも、けさの歓迎レセプションに出ておりましたし、きっとあなたにお目にかかれば心から喜ぶと思います。加えていまお話ししている件については、二人ともたくさん言いたいことがございましょう。よろしければあちらへ行って、ご紹介しますが」

「それは光栄です。しかし、いまお話しなさろうとしていたことが……」

「ああ、さよう、もちろんですとも。リーブリヒさんの不幸ないきさつのこと。よろしいですか。リーブリヒさんは、クリストフさんが来るまで、長年、わが町で最も信望の厚いバイオリン教師のお一人でした。上流家庭の子弟をお弟子さんにして、高く評価されていたのです。そこへクリストフさんが——これは初リサイタルのすぐあとのことですが——リーブリヒさんをどう思うかという質問を受けたとき、まったくなっていないとお答えになったのです。演奏だけでなく、教授法についても。リーブリヒさんは数年前にお亡くなりになるまでに、ほとんど何もかも失われてしまいました。お弟子さんも、友人も、社会的な地位も。これはわたしの頭に浮かんでくるほんの一例です。正直に申しまして、われわれはクリストフさんにずっと誤った対応をしてきました——それがどんなに重大なことか、お分かりになっていただけますでしょうか？　たしかに、われわれは弱腰でした。それは認めます。しかし何度も言うようですが、こんな危機的な状況になろうとは、思いもよらなかったのです。市民はまだ、おおむね幸せそうに見えます。一年一年が知らぬまに過ぎていき、たとえ疑問を抱いた者がいたとしても、決して口外はいたしませんでした。しかし、わたしは自分たちの不徳の弁解はいたしません。ええ、一瞬たりとも。そしてわたしは、当時の議会での立場を考えましても、他の方がたと同様に責められるべきだと認識しております。結局――そしてわたしとしても、それを認めるのはまことにお恥ずかしいかぎりなのですが――われわれの責任について気づかせてくれたのは、この町の人々、それもごく普通の市民たちなのです。一般庶民はこの時点ですでにますますみじめな生活を余儀なくされていたのですが、少なくともわれわれより一歩先を行っていました。わたしは、この事実に初めて気づいた瞬間を忘れもしません。それは三年前、クリストフさんのリサイタルを聴いたあと――あれはたしか、カザンの《チェロと三つのフルートのための怪奇》でした――歩いて帰宅していたときのことです。わたしはリーブマン公園の暗闇のなかを、自宅へと急いでおりました。かなり寒くて、化学者のコーラーさんが少し先を歩いていました。コーラーさんもコンサートに行っていたのを知っていましたので、彼に追いついて話しはじめたのです。最初は自分の気持ちを表に出さないよう注意していましたが、とうとう、彼にクリストフさんのリサイタルを楽しんだかどうか尋ねました。ええ、楽しみましたよと、コーラーさんは答えました。その言い方に何か感じるものがあったのでしょう。というのも、しばらくして、もう一度、コンサートは楽しかったですかと尋ねたのです。するとコーラーさんは、ええ、自分は楽しんだがクリストフさんの演奏は少し機能本位だったかもしれない、と答えました。そう、彼は『機能本位』という言葉を使ったのです。ご想像がつきましょうが、わたしは次にどう言おうかと慎重に言葉を考えました。そしてとうとう、思いきって打ち明けてみることにして、こう言ったのです。『コーラーさん、わたしもどちらかと言えば同感です。あの演奏にはどこか乾いたところがありましたね』それに対してコーラーさんは、『冷たい』というのが自分の心に浮かんだ言葉だと言いました。そのときわたしたちは公園のゲートのあたりに来ていたので、そこでおやすみの挨拶を交わして別れたのです。しかしあの夜、わたしはほとんど眠れなかったことを覚えていますよ、ライダーさま。普通の人たち、コーラーさんのようなまともな市民は、もうそんな考えを口にしておりました。これ以上、ごまかしを続けられないのは明らかでした。われわれが――つまり影響力ある立場の者全員が――自分の犯した過ちを認めるべき時がきたのです。それがどれほど大きな結果をもたらそうが。ああ、ちょっと失礼、あれはやはり間違いなくシェーファーさんです――コールマンさんの隣にいるのは。あの二人は、何が起きたかについてきっと興味深い考えを聞かせてくれますでしょう。わたしより一世代お若い方がたですから、少し違った角度からものを見ているのです。それに、あの二人がけさ、どれだけあなたにお目にかかるのを待ち望んでいたか、わたしは存じています。どうかご一緒してくださいませんか」

ペダーセンは立ち上がり、腰をかがめて、観客に小声で詫びを言いながら座席のあいだを進んでいった。通路まで出ると、彼は背筋を伸ばしてわたしを手招きした。うんざりだったが、どうやら彼についていくしかないようだ。わたしも立ち上がって通路へと向かった。そのとき、この館内に何やらお祭り気分のようなものが満ちているのに気づいた。観客はあちらでもこちらでもジョークを飛ばしたり、映画を見ながらちょっとした感想を言い合ったりしていて、わたしが座席との狭い隙間を通っていくことに、誰も憤慨さえしていないのだ。それどころか、みんな一生懸命脚をよけたり、さっと席から立ち上がってくれたりする。座席のなかで身を縮め、足を抱えこんでくれる人までいる。しかもそうしながらうれしそうな歓声を上げるのだ。

わたしが通路へ出ると、ペダーセンは先に立って絨毯敷きの斜面を歩きだした。後ろの座席のあたりまで来たとき、彼は立ちどまって、わたしを促すように手を差しだすと言った。

「お先にどうぞ、ライダーさま」

9

わたしはまた観客をかきわけ、今度はペダーセンをすぐ後ろに従えて、すみませんとつぶやきながら進んでいた。まもなく、数人の男たちの一団に出くわした。一瞬間を置いて、カードゲームをやっているところだと分かった。後ろの列にいる何人かは身を乗りだして前をのぞきこみ、前列の者は逆に後ろ向きになっている。わたしたちが近づくと男たちは顔を上げ、ペダーセンがわたしの名を告げるや、全員が席を立って中腰になった。彼らはわたしを真ん中にゆったりと座らせるまで、腰をおろさなかった。ふと気づくと、わたしは暗がりのなかから次々に差しだされる手を握り返していた。

いちばん近くにいた男はビジネススーツ姿で、シャツの襟首のボタンをはずし、ネクタイをゆるめていた。ウイスキーくさく、わたしを見ようとするのだが、なかなか焦点が定まらない。彼を肩ごしにのぞきこんでいたその友人は、奇妙なそばかす顔のやせた男で、もう少ししらふに近いようだったが、彼もネクタイをゆるめていた。わたしが他の人たちをじっくり観察する暇もなく、くだんの酔っ払った男が二度目に握手を求めてきて言った。

「映画をお楽しみでしょうね」

「ええ、心から。実は、わたしの大好きな映画の一つなんです」

「ほう。それなら、今夜これが上映されていてよかった。ええ、わたしもこの映画は好きですよ。古典的名作だ。ライダーさま、この手でかわりにゲームをおやりになりませんか？」彼は手にしたカードをわたしの顔の前にかざして見せた。

「いえ、ありがとう。わたしは結構ですから、どうぞお続けになってください」

「ライダーさまにちょうどお話ししていたところだったんだ」ペダーセンが後方から言った。「この町の生活は、ずっといまのようだったわけではない、わたしよりお若い世代のあなた方でさえ、そう断言できると……」

「ああ、そうだとも。あの古きよき時代」酔っ払った男が夢見るように言った。「ああ、そうだとも。古きよき時代には、この町のすべてがすばらしかった」

「テオはローザ・クレナーのことを思い出しているんだよ」彼の後ろのそばかすの男が口をはさむと、まわりの男たちがどっと笑った。

「でたらめを言うんじゃない」酔っ払いが反論した。「それに、このご立派な客人の前で、おれに恥をかかせるのはやめてくれ」

「ああ、分かった、分かったよ」彼の友人は続けた。「あのころ、ここにいるテオは、ローザ・クレナーにすっかり熱を上げていたんです。つまり、現クリストフ夫人にね」

「あの女に熱を上げたことなんかないぞ。それにどっちにしろ、おれはもうそのころ結婚していたんだ」

「だったらなおさら気の毒だったな、テオ。なおさら気の毒だ」

「まったくのでたらめだ」

「覚えているぞ、テオ」今度は後ろの列から新しい声が聞こえた。「よく何時間もローザ・クレナーの話ばかりして、おれたちをうんざりさせてくれたじゃないか」

「あのころは彼女の本性を知らなかったんだ」

「その本性にこそ、おまえは惚れたんだろうに」さっきの声は続けた。「いつも三秒とおまえを見てくれない女ばかり、追いかけていたものじゃないか」

「そりゃ、かなりあたってる」そばかすの男が言った。

「あたってなんかいやしない……」

「いや、わたしがライダーさまにご説明しましょう」そばかすの男は酔った友人の肩に手をかけて、わたしのほうへ身を乗りだした。「現クリストフ夫人は――われわれはまだローザ・クレナーと呼ぶことが多いんですがね――この町の生まれで、おれたちとは幼なじみなんですよ。いまでもまだ奇麗だが、当時は、そう、誰もが彼女のとりこになっていた。きわめつきの美人で、お高くとまってましてね。シュレーゲル・ギャラリーで働いていたんです。もっとも、いまは閉鎖されていますが。いつもそこの机の前に座って、まあ、ただの案内係をやってただけですがね。出勤日は火曜と木曜で……」

「火曜と金曜だ」酔った男が口をはさんだ。

「これは失礼、火曜と金曜です。もちろん、テオは忘れっこありません。何しろいつもギャラリーに行って――狭い白い部屋だったんですが――しょっちゅうそこに通っては、絵を見ている振りをしていたんですから」

「でたらめだ……」

「おまえだけじゃなかったろう、テオ？　ライバルがおおぜいいたじゃないか。ユルゲン・ハースにエーリヒ・ブルル、あのハインツ・ヴォダックだって。みんな常連だったじゃないか」

「オットー・レッシャーもだ」テオは懐かしそうに言った。「あいつもよくあそこにいたよ」

「そうだったのか？　ああ、ローザには崇拝者がいっぱいいたとも」

「彼女とは口をきいたこともなかったぞ」テオは言った。「一度だけ、カタログをくれと頼んだとき以外は」

「そのうちローザのことで分かってきたのは」そばかすの男が続けた。「おれたちみんなが十代のころから、あの女はこの町の男ども全員を手玉に取っていたってことだ。彼女は言い寄ってくる男を片っぱしから、とびきり残酷にはねつけるという評判が広まったんだ。

だからテオみたいな哀れな輩《やから》は、賢明なことに、彼女にひとことも声をかけなかったというわけさ。ところが誰か有名人、画家とか音楽家とか作家とかがこの町に立ち寄ると、あの女は恥も外聞もなくそいつらを追いかけていた。いつも何かの委員会にもぐりこんで、この町に来る有名人という有名人に近づこうとしたんだ。パーティーには必ず顔を出し、始まって半時間もすると、隅っこで主賓の目をじっとのぞきこんで、しゃべりつづけてる。もちろん、町にはいろんな噂が流れてはいたが——つまり彼女の下半身の関係について——誰もしっぽをつかめなかった。いつも抜け目なく立ち回っていたんだよ。それにしても、あの女が町に来た有名人に媚《こび》を売ってるところを見れば、そのうちの何人かと関係を持ったことは、疑う余地もなかったね。何しろすこぶるつきの美人だったから、もちろん夢中になった者はおおぜいいたよ。しかしこの町の男どもには、目もくれなかった」

「ハンス・ヨングボードは、あの女と遊んだことがあると、いつも自慢してたぜ」テオという男が口をはさんだ。大爆笑が巻き起こり、近くにいた何人かがばかにするように、「ハンス・ヨングボードが！」と何度も繰り返した。しかし、ペダーセンだけは落ち着かない様子でもぞもぞしていた。

「みなさん」彼は口を開いた。「さっきライダーさまとお話ししていたところなんだが……」

「おれは彼女と一度も口なんかきいたことはないぞ。カタログをくれと頼んだとき以外は」

「なあ、テオ。どっちでもいいじゃないか」そばかすの男がそう言いながら背中をたたいたので、テオは少し前につんのめった。「どっちでもいいじゃないか。あの女のいまの窮地を見てみろよ」

テオはなにやら考えこんでいた。「ローザは万事あんなふうだった。何も恋愛にかぎったことじゃない。相手にするのは芸術家と呼ばれる連中だけ、それもエリート中のエリートだけさ。それ以外は、尊敬などされっこなかった。だからあの女は、この町の嫌われ者だった。クリストフと結婚なんかするずっと前から、嫌われていたんだ」

「あれほどの美人でなけりゃ」そばかすの男がわたしに言った。「みんなに嫌われていたでしょうよ。ところがここにいるテオみたいに、喜んであの女の魔法にかかる男がいつもいたんだ。とにかく、クリストフがこの町にやってきた。プロのチェロ奏者で、華々しい経歴の持ち主が！　ローザはなりふりかまわず、クリストフを追いかけた。おれたちがどう思うかなんて、気にもかけないようだったね。自分が欲しいものを知っていて、実にがむしゃらに、それを手に入れようとしたわけだ。破廉恥《はれんち》なやり方にしても、見上げたもんだよ。クリストフはぞっこんまいって、この町に来てから一年もしないうちに、二人は結婚した。クリストフは、ローザがずっと待ちわびていた相手だったんだ。まあ、つぎこんだ努力に見合うだけのものは手に入れたと思ってやりたいね。十六年間、クリストフ夫人だったんだから、決して悪くはなかったはずだ。だけどいまはどうだ？　あの男は、ここではもうおしまいさ。ローザはこれからどうするのかね」

「いまじゃもう、画廊でだって働けまい」テオは言った。「長年おれたちをさんざん傷つけてきたんだ。おれたちのプライドを。この町じゃ、あの女も終わりさ。クリストフと運命共同体だ！」

「なかにはローザがクリストフと一緒にこの町を出ていって、どこかよそですっかり腰を落ち着けるまで、あいつを捨てないと考える者もいる」そばかすの男が言った。「だがここにいるドレムラーさんは」──彼はそう言いながら、前列にいた人物を指さした──「きっとこの町に残ると信じて疑わない」

前列の男は、自分の名前が出たので後ろを振り返った。彼はこれまでの議論を聞いていたらしく、いまやかなりの自信を込めてこう言った。「ローザ・クレナーのことで忘れちゃならないのは、ひどく内気な一面があるってことだ。おれは学校で同級生だった。彼女はいつもその見かけと違う一面を持っていて、そいつが災いの種だったんだよ。この町は彼女にしてみりゃ不満だろうが、ここから出ていくには内気すぎるね。みなさんもお分かりだろうが、あれほどの野心がありながら、彼女はおれたちを見捨てようとはしなかったじゃないか。この内気さにたいていの人間は気づいちゃいないが、現にそれは彼女の性格なんだ。だからおれはこの町にとどまると思うね。ここに残って、もう一度、自分の運を試してみようとするだろう。またここに立ち寄る別の有名人を引っかけたいと思うだろう。何と言ってもあの年にしちゃ、まだなかなかの美人だからな」

どこか近くで甲高い声がした。「次はブロッキーを狙うかもしれん」

この言葉は、いままでになく大きな笑いを誘った。

「完璧にありうる話だよ」その声は傷ついた調子を装って続けた。「たしかにやっこさんは老いぼれだが、彼女のほうだってもうさほど若くはない。それにこの町で彼女のお眼鏡にかなうやつが、ほかにいるかね？」また爆笑が巻き起こり、話し手はますます勢いづいた。「実際ブロッキーは、彼女にとっていちばんいい選択さ。わたしから彼女に勧めてやろう。そうでもしないと、いまこの町がクリストフに向けている怒りが、生涯あの女につきまとう。しかし万一ブロッキーの愛人か、うまい具合にブロッキーの奥方にでもおさまった日には、そう、それでクリストフとのかかわりを帳消しにできる、またとない最高の手段じゃないか。そうなれば彼女はずっと守っていけるのさ……いまの地位を」

この時点でまわりは笑いの渦になり、三列も前にいる人たちでさえ、後ろを振り返って浮かれ騒いだ。わたしの隣で、ペダーセンが咳ばらいをした。

「みなさん、お静かに」彼は言った。「わたしはがっかりしました。ライダーさまがこの騒ぎをどうお思いになるでしょうか？　みなさんはまだブロッキーさまを――ブロッキーさまを、昔のように考えておいでだ。それは愚かなことです。ブロッキーさまはもう笑いものなどではありません。みなさんがクリストフ夫人についてのシュミットさんのお考えをどう思われようと、ブロッキーさまは絶対に面白がってこけにする対象にはなりえない……」

「この町にお越しくださってありがとうございます、ライダーさま」そこでテオが口をはさんだ。「でも、もう遅すぎる。事態はそこまできているんです。もう手遅れの段階まで……」

「ばかなことを言うものじゃないよ、テオ」ペダーセンが言った。「われわれはいま転機にある、重要な転機に。ライダーさまはそれをわれわれに告げるために、この町におみえになったんだ。そうですね？」

「ええ……」

「もう遅すぎる。おれたちはもうそれを失ってしまった。だからあきらめて、ありふれた冷たい孤独な町で我慢したらどうなんだ？　ほかの町はそうしてきた。少なくとも、われわれは同じ方向に流れていこうとしているんだ。この町の精神は、病んでるんじゃありませんよ、ライダーさま。死んでるんです。もう遅すぎる。たぶん十年前なら、まだ見込みはあったでしょう。でも、いまとなってはもう手遅れだ。ペダーセンさん」――酔った男は、わたしの連れをだらしなく指さした――「あんたなんだ。あんたとトマスさんだ。それからシュティカさんも。あんたたちご立派な紳士が、みんなでごまかしてきたんじゃ……

「……」

「この話を蒸し返すのはやめよう、テオ」そばかすの男が割って入った。「ペダーセンさんは正しいよ。まだそんなふうにあきらめるには早すぎる。おれたちはブロッキーを——ブロッキーさまを——見いだした。もしかしたら彼が……」

「ブロッキー、ブロッキー。もう手遅れさ。いまや一巻の終わりだ。だからただの冷たい近代都市にして、我慢すればいいんだ」

ペダーセンの手がわたしの腕を取った。「ライダーさま、申しわけございません……」

「あんたたちがごまかしてきたんじゃないか！　十七年間。十七年間も、クリストフにやりたい放題にさせてきた。それでおれたちにいま、何を提供してくれるんだね？　ブロッキーだと！　ライダーさま、もう手遅れなんですよ」

「まことに申しわけございません。こんな話をお聞かせしてしまいまして」ペダーセンはわたしに詫びた。

後ろにいた誰かが言った。「テオ、おまえは酔って悲観的になってるだけだ。あすの朝には、ライダーさまをお探しして謝らなきゃならないぜ」

「いえいえ」わたしは答えた。「わたしはあらゆる立場のご意見をうかがいたいと思っていますので……」

「でも、これはどの立場でもありませんよ！」ペダーセンが反論した。「申しあげておきますがライダーさま、テオの感情は、いまのこの町の住民を代表するものでは断じてございません。わたしはこの町のいたるところ、巷《ちまた》にも路面電車のなかにも、すばらしい気分、楽観的な気分がみなぎっているのを感じます」

この発言に、たいていの者が賛同の言葉をつぶやいた。

「信じちゃいけませんよ、ライダーさま」テオはわたしの袖をつかんで言った。「あなたはこの町へとんまな使いにきたんです。ちなみにこの映画館で、手っ取り早く意見を聞いてみるといい。ここにいる何人かに……」

「ライダーさま」ペダーセンがあわてて言った。「わたしはそろそろ家に帰って、休むことにします。映画は名作ですが、もう何回も見ましたのでね。それにあなたも、さぞお疲れになったでしょう」

「おっしゃるとおり、とても疲れました。よろしければ、一緒にここを出たいのですが」

それから後ろを振り返って、他の男たちに告げた。「すみませんが、みなさん、わたしはこれからホテルへ帰ります」

「でもライダーさま」そばかすの男が心配を声ににじませて言った。「どうかもう少しいてください。せめて宇宙飛行士がハルを解体するまで」

「ライダーさま」列の遠くから声が聞こえてきた。「ここでわたしの手を引き継ぎませんか。今夜はもう十分にゲームを楽しんだ。それにこんな暗い照明の下でカードを見るのは、いつもつらいんです。視力が衰えてしまいましてね」

「ご親切はうれしいのですが、ほんとうに帰らなければなりません」

わたしはいとまの挨拶を口にしようとしたが、ペダーセンはもうさっさと席を立って、一歩一歩通路へと進んでいた。わたしも彼のあとから、何度か他の人たちに手を振りながらついていった。

ペダーセンはいまの出来事にすっかり取り乱してしまったらしく、わたしたちが通路へ出てからも、うなだれたまま黙って歩いていた。劇場から出るとき、最後にもう一度スクリーンを振り返ると、クリント・イーストウッドがハルを解体しようと、巨大なネジまわしを入念に点検していた。

夜の街は死んだように静まり返って肌寒く、濃い霧が出ていた。あたたかい陽気なざわめきに満ちた映画館のなかとの際立った違いに、わたしたちは二人とも、自分のいる場所を確かめるかのように、歩道に立ちどまった。

「ライダーさま、ほんとうにどう申しあげていいのか」ペダーセンは言った。「テオは立派な男なのですが、ときたま派手に飲み食いしたあとは……」彼はそこでがっかりしたように首を振った。

「ご心配なく。勤勉な人間には、たまにはめをはずすことも必要です。わたしは今夜、大いに楽しみましたよ」

「まったくもって、お恥ずかしいしだいで……」

「そんなことはもう忘れましょう。ほんとうに、とても楽しかったんです」

わたしたちが歩きだすと、人気《ひとけ》のない通りに足音がこだました。ペダーセンは何か考えこんでいるらしくずっと沈黙したままだったが、しばらくして言った。

「わたしをお信じになってください。この町の市民にあの考えを——つまりブロッキーさまのことですが——受け入れさせるのがどれほどむずかしいか、見くびっているわけではないのです。ご安心ください。われわれは万事にかなりの慎重を期して、準備を進めてまいりました」

「ええ、もちろんそうでしょう」

「最初はどなたにこの案を打ち明けるかにさえ、たいへん気をつかいました。早い段階では、賛同を得られそうな方がたにだけお話しすることが、とりわけ重要だったのです。あとはそうした人々の口から、じわじわと一般市民にまで広まるのを待ちました。そうすることで、この考えが必ずいちばんいいかたちで伝わるようにと、心がけたのです。その一方で、別の策も講じました。たとえば、ブロッキーさまを主賓に何度も晩餐会を開きまして、慎重に選びだした上流階級の方がたをお招きしたのです。最初はそんな晩餐会も小規模で、ほとんど内輪だけで開いていたのですが、そのうち少しずつネットワークをひろげまして、われわれの立場を支持する者を増やすことができました。重要なおおやけの行事のさいにも、ブロッキーさまを来賓の一人として、必ずお招きするようにいたしました。一例を挙げますと、北京バレエ団の来訪のさいには、ヴァイスご夫妻とご一緒のボックス席にお座りいただきましたよ。そしてもちろん、個人的にも、ブロッキーさまに言及するときには、最大の敬意を払う言葉を用いました。もう二年ばかり、そんなふうに懸命に努力してきた結果、いまではおおむね非常に満足できる結果になっております。あの方のイメージは、疑いなく変わってきました。それを見きわめたうえで、われわれはそろそろ、この重要な段階に踏みこむ時機だと判断したのです。ですから先刻の出来事には、まったく失望させられました。あの場にいたのは、まさに自ら規範を示すべき方がたなのですよ。いい、その者が、多少はめをはずすたびにあんな態度に逆戻りしてしまうようでは、一般市民になど、とうてい期待は……」彼はそこで言葉をにごすと、またかぶりを振った。「ほんとうにがっかりさせられました。わたし自身のためにも、それからライダーさま、あなたのためにも」

彼は再び口をつぐんだ。しばらく沈黙が続いたあと、わたしはため息まじりに答えた。

「世論を変えるのは、決して楽ではありません」

ペダーセンは何歩か歩くあいだまだ黙っていたが、やがて言った。「これまでがこれまでだっただけに、ご理解いただきませんとね。それで初めて、われわれの立場をお考えになるときに、これでもかなりの進歩を遂げたのだと、お分かりになるでしょう。ブロッキーさまがこの町に住むようになってもうずいぶんになりますが、その間、誰も彼が演奏するのはおろか、音楽のことをお話しになるのも聞いたことがありませんでした。そうです、みな漠然と、あの方がかつて祖国で指揮者だったことを知っておりました。しかし、そんな場面を目のあたりにしたことがなかったものですから、あの方を指揮者として考えたこともなかったのです。それどころか、正直に申しあげると、つい最近まで、ブロッキーさまをお見かけするのは、へべれけに酔って、大声を上げながら千鳥足で街を歩いているときだけだったのです。それ以外のときは、ノース・ハイウェー沿いに犬と暮らす、ただの世捨て人でした。いや、それも真実と少し違いますな。図書館でもよくお見かけしましたよ。週に二日か三日ほど、朝、図書館におみえになると、窓際のいつもの席にお座りになり、愛犬を机の脚につないでおられました。犬を連れて入るのは規則違反なのですが、司書たちはずっと以前に、見て見ぬふりをしておくのが最善の策だと判断しましてね。ブロッキーさまと喧嘩を始めるよりは、はるかに楽だと。ですからときどき図書館で、犬を足もとにはべらせて、山と積み上げたご本――いつも同じ、分厚い歴史の本でしたが――その本のページをめくっているところをお見かけしました。そして部屋にいる誰かが、ほんのちょっとしたささやき声で話しはじめようものなら、たとえただの挨拶程度でも、たちどころに立ち上がって怒鳴りつけるのです。もちろん規則からすれば、それもごもっともです。しかしわれわれは、図書館では静粛にという規則を、それほどまで厳格に守ってはおりませんでした。誰しも顔見知りに出会えば、結局他の公共の場所と同じように、少しくらい話をしたがるものです。おまけにブロッキーさまご自身が犬は禁止という規則を破られていることを思えば、あの方の振る舞いは理不尽だと考えるのも当然ではありませんか。しかしまた一方では、ときおり特別な気分に襲われるらしく、朝、机に向かって本を読んでいるうちに、わびしげな表情を浮かべるのです。じっと座ったまま宙を見つめ、目に涙を浮かべているときもあります。そうすると他の利用者は、もう話しても大丈夫だと分かるのです。いつも誰かが試し役を務めまして、ブロッキーさまに何の反応もなければ、たちまち図書館じゅうの人間がしゃべりだす。ときには――人間というものは実にひねくれものですな！――ブロッキーさまがみえていないとき以上に、騒々しくなるのですよ。ある朝など、わたしが本を返しにいきますと、まるで鉄道の駅のような喧噪に包まれていて、返却カウンターの前で大声を張り上げなければならないほどでした。その真ん中で、ブロッキーさまはじっと自分の世界にひたっておられたのです。それは悲しい光景だったと、申しあげなければなりません。朝の光のなかで表情はかなり弱々しく見え、鼻水を一滴ぶら下げて、目は遠いかなたを見つめたきり、手にした本のことなどすっかり忘れてしまったかのようでした。そのとき思ったのです。これほどがらりと館内の雰囲気が変わってしまうのは、少しばかり残酷でないかと。どこがどんなふうにとは申しあげられませんが、まるでみんながあの方の弱みにつけこんでいるようでした。しかし別の日には、一喝のもとにおおぜいの者を黙らせてしまうのです。いや、とにかくライダーさま、わたしが申しあげたいのは、それが長年われわれの知るブロッキーさまだったということです。ですからたぶんこれほど短期間に、彼のイメージを完全に変えるよう市民に期待するのは、無理というものでしょう。かなりの進歩は見られますが、さっきもご覧になったように……」そこでまた彼は強いいらだちに襲われたようだった。「しかし彼らとて、もっとわきまえていてくれなければ」ペダーセンはひとりごとのようにつぶやいた。

わたしたちは十字路で立ちどまった。霧はますます濃くなり、わたしは自分がどこにいるのか分からなくなった。ペダーセンはあたりを見回してからまた歩きはじめ、歩道に乗り上げてとめてある車がずっと続く狭い道へと、わたしを案内した。

「ホテルまでお送りしましょう、ライダーさま。どの道を通っても、わたしは家に帰れますから。ホテルにご満足なさっているとよろしいのですが？」

「ええ、いいホテルです」

「ホフマンさんは立派なホテルを切り盛りされています。有能な支配人だし、すばらしい人物ですよ。もちろんご存じのように、ホフマンさんには感謝しなければなりませんな、ブロッキーさまの……そのう……ご回復に関して」

「ええ、おっしゃるとおりです」

しばらくのあいだ、歩道に駐車した車が邪魔になって、わたしたちは並んで歩くことができなかった。それで車道の真ん中へと出た。ペダーセンに近づいて肩を並べたとき、わたしは彼の気分が明るくなっているのに気づいた。ペダーセンはほほ笑みながら言った。

「たしか、あすは伯爵夫人のお屋敷で、あのレコードをお聴きになるんですね。フォン・ヴィンターシュタイン市長も、ご同席されると聞いています。市長は、あなたとひざを交えて、ぜひいろんな問題を話し合いたいと楽しみにしております。しかしもちろん、目玉はあのレコードですな。実にすばらしい！」

「ええ。とても楽しみにしています」

「伯爵夫人は見上げたお方だ。何度もこちらが脱帽するような名案をお出しになります。わたしは一度ならず、いったいどこからそんなお考えを思いつかれたのかとお尋ねしましたが、いつも『ひらめきです』とお答えになるんです。『ある朝目が覚めたときに、ひらめきましたの』と。たいした女性です！　あの蓄音器用のレコードを手に入れるのは、容易なことではありませんでしたでしょう。ところがベルリンの専門ディーラーを使って、実現させてしまった。もちろん、われわれ他の者は、そのときは何一つ存じませんでした。もっとも、たとえうかがっていたとしても、おそらく夫人のお考えを笑い飛ばしていただけだったでしょうが。それからある日の夕方、われわれをお屋敷に集められましてね。ちょうど二年前の先月の、晴れた日のとても快適な夕方でした。われわれ十一人全員は、何の用件かも分からぬまま、お屋敷の応接間に集まったのです。伯爵夫人は飲み物を出されたあと、ほとんどすぐにお話を切りだされました。もういらいらしながら暮らすのは十分だ、そろそろ行動に移さなければとおっしゃいました。われわれがどれだけ長いあいだ誤った道を歩んできたかを認め、できるかぎり打撃を修復するための前向きな措置を取る時期です、でなければ孫やひ孫の世代に恨まれることになりましょう、と。ええ、それは何も目新しいことではありませんで、すでに何カ月もそんな気持ちを語り合い、うなずき合っては、侃々諤々《かんかんがくがく》の議論をしていたのです。ところがそのあと、伯爵夫人はこう続けました。クリストフさまに関しては、もう少し思いきった措置が必要ではありませんか、と。彼はそのとき、この町のあらゆる階層の市民からさんざん悪評を買っていました。しかしわが街の中心部でますます加速してきた窮状の拡大を食いとめるには、それだけでは不十分だ、われわれはどうにかして新しい風潮、新しい時代を築かなければならない、とおっしゃられたのです。全員がその言葉にうなずきましたが、ライダーさま、それもまたわれわれが以前から何度も語り合っていた思いでした。フォン・ヴィンターシュタイン市長でさえ、きわめて婉曲な表現ながら同じことを口にしていたと思います。そのとき、伯爵夫人がご自分のお考えを初めて打ち明けはじめたのです。解決策は、おそらく長年ずっとわれわれの胸のなかにあったはずだと、夫人は断言されました。それからさらに説明を続けられたのですが、そうです、最初のうちは当然ながら、われわれは自分の耳を疑いました。

ブロッキーですって？　あの図書館にいる、千鳥足の酔っ払いの？　夫人はほんとうに真剣に、あのブロッキーのことをおっしゃっているのだろうか？　もしこれを言いだしたのが伯爵夫人でなければ、われわれは笑い転げていたに違いありません。しかし忘れもしません。伯爵夫人は自信たっぷりでした。全員に、ゆっくりとくつろいで音楽を聴くようにとおっしゃったのです。とても注意深く聴くようにと。それから夫人は、あのレコードをかけはじめました。次から次へと。われわれはそこに座って、耳を澄ませました。外では日が暮れようとしていました。レコードの音質はひどいものでしたし、伯爵夫人のステレオは、きっとあすご覧になるでしょうが、かなりの年代物なのです。しかし、そんなことは問題になりませんでした。数分もすると、われわれはその音楽に惹きつけられ、深い安らぎにひたっていたのです。目に涙を浮かべている者もいました。われわれは、何年ものあいだ心の底から渇望していた音楽を聴いていることを悟りました。突然、クリストフさんのような人物をもてはやすようになったことが、それまでにもまして理解できなくなりました。このときわれわれは、再び本物の音楽を耳にしていたのです。それは才能に恵まれたばかりか、われわれと価値観を同じくする指揮者の音でした。音楽がやんだとき、われわれは立ち上がって、脚を伸ばしたのですが――ゆうに三時間は聴いていたものですから――そのときには、あのブロッキーさまに、こともあろうにあのブロッキーさまに、お願いするという考えが、ますますばかげたものに思えました。大昔の録音だと、われわれは指摘しました。それにブロッキーさまは、ご本人にしか分からない何かの理由で、音楽から離れて久しかったのです。おまけに彼はご自分の……ご自分の問題を抱えていました。レコードと同じ人物とは、とうてい呼べたものではありません。われわれはすぐにかぶりを振っていました。でもそのとき、伯爵夫人がまた口を開かれました。われわれは危機的状況を迎えている。偏見のない心で臨むべきだ、ブロッキーさまを探し、話をして、いまどの程度の技量があるのか確かめなければ、と。もちろん、事態が急を要することは、誰しも分かっておりました。それぞれが、悲惨な事例を――孤独にさいなまれる生活や、かつては当たり前だった幸せを取り戻せるときがくるのだろうかと絶望している家族の話などを――何十件も語ることができたのですから。そのときでした。あなたがお泊まりのホテルの支配人ホフマンさんが、急に咳ばらいをして、ブロッキーさまのことを自分に任せてくれと断言されたのは。自分が責任を持って――これはとても真剣な口調で、実際、立ち上がって言ったのですが――現状を見定め、ブロッキーさまの再起にほんのわずかでも見込みがあるなら、自分が尽力すると。この仕事を任せてくれるなら決して町の人たちを失望させないと、彼は誓いました。それがさっき申しましたように、二年と少し前のことです。以来、われわれは驚嘆の目で、ホフマンさんが懸命にご自分の約束を果たそうとするのを眺めてきました。進歩は、つねに順調だったとは言えませんが、全体としては目覚ましいものでした。それでブロッキーさまは、そのう、現在のような状態になられたのです。この重要な次の段階へ進むのに、もうこれ以上待つ必要はないと感じるまでに。つまるところ、いまわれわれは、ブロツキーさまのイメージをよくするところまできたにすぎません。いつかはこの町の者が、自らの目と耳で判断しなければならないのです。ですが、これまでのあらゆる兆候はわれわれの期待が過大なものではないことを示しています。ブロツキーさまは定期的にリハーサルをなさり、間違いなく、オーケストラから全幅《ぜんぷく》の尊敬を勝ち得ています。公衆の面前で指揮したのは大昔のことかもしれませんが、ほとんど何もそこなわれていないようなのです。あの情熱、例の夕方に、われわれが伯爵夫人の応接間で出合ったあのすばらしいビジョン、どこか心の奥深くに眠っていたビジョンが、いまや少しずつ目覚めてきたのです。さよう、〈木曜の夕べ〉がくれば、彼はわれわれ全員に誇りを回復させてくれると、わたしは信じて疑いません。われわれとしても、〈木曜の夕べ〉の成功のために全力を尽くしているのです。シュツットガルト・ナーゲル財団管弦楽団は、ご存じのように超一流とは申せませんが、かなり高い評価を受けています。出演料は決して安くはございません。それでも、この重要な催しに彼らを雇うことにも、その期間についても、反対の声はほとんど上がりませんでした。当初は二週間のリハーサルを考えていたのですが、結局は財務委員会の全面的な支援を受けて、三週間に延長いたしました。出演料に加えて三週間にわたる楽団員の宿泊滞在費を払うとなると、お分かりのように相当な出費です。しかし反対のささやきさえ、ほとんど聞こえてきませんでした。どの議員も、いまは〈木曜の夕べ〉がどれほど重要かを理解しています。誰もが、ブロッキーさまにあらゆるチャンスを提供しなければと考えているのです。とはいえ」――ペダーセンはここで急に大きなため息をついた――「今夜もつい先刻ご覧になったように、古くから染みついた考えは、なかなかに消しがたいものでございましてね。だからこそライダーさま、あなたの助けが、あなたがこのささやかな町への来訪を承諾してくださることが、われわれにはどうしても必要だったのです。そのことはまもなく明らかになりましょう。市民は、われわれ部内者の話を聞くときとはまったく違うかたちで、あなたの言葉に耳を傾けることでしょう。実際、あなたがお着きになったというニュースが流れただけで、この町の雰囲気は変わりましたよ。あなたが〈木曜の夕べ〉にどんなお話をしてくださるかと、町じゅうが大きな期待をかけております。電車のなかでもカフェでも、市民の会話は、もっぱらその話題でもちきりなんです。もちろんわたしは、あなたが具体的にどんな準備をしてくださったのかは存じません。あまりバラ色の未来を示さないよう、気を配ってくださったのか、それともかつての幸せを取り戻すつもりがあるなら、一人ひとりがこれから厳しい努力をしなければならないとご忠告くださるのか。そのような忠告もごもっともです。しかしわたしは、きっと楽観的な側面、つまり聴衆の公徳心に巧みに訴えてくださるだろうとも信じております。一つだけ確実なのは、あなたのスピーチが終わったとき、この町の誰一人として、ブロッキーさまをみすぼらしい酔いどれ老人とは二度と考えないということです。おや、少しご懸念されておられるようですが、ライダーさま、どうかご心配なさらずに。ここはさびれた町に映るかもしれませんが、他をしのぐ美点もいくつかあるのですよ。とりわけホフマンさんは、ほんとうにすばらしい夕べにしようと、骨を折っております。ご安心ください。どの立場の市民も、一人残らず出席いたしますから。それにブロッキーさまにしても、申しあげておりますように、われわれを落胆させるようなことは決してありますまい。きっと全員の期待を上回ることを、やってのけられますでしょう」

実際、ペダーセンがいま気づいたわたしの表情は、「懸念」からというより、心のなかでつのっていく自分へのいらだちのせいだった。実のところ、わたしがこの町の市民を前にやることになっているスピーチは、まだ書き上がっていないどころか、背景の下調べさえすんでいないのだ。これほど場数を踏んでいるというのに、いったいなぜそんな事態になってしまったのか。わたしはこの日の午後、ホテルの優雅なアトリウムに座って苦味のきいた強いコーヒーを飲みながら、ごく限られた時間を最大限有効に使うために慎重にきょうこれからの計画を立てるのが大切だと、何度も自分に言い聞かせていたのを思い出した。そこに腰をかけ、バー・カウンターの後ろの鏡に映った水しぶきにかすむ噴水を眺めていたときには、ついさっき映画館で遭遇したのとそう変わらない状況に置かれた自分が、この町のさまざまな問題にすらすらと当を得た意見を述べて同席者を感服させ、クリストフに関しても、翌日には町じゅうの人たちが口にするような、彼を揶揄《やゆ》する気のきいたせりふの一つも口にしている場面を思い描いていたというのに。ところがよけいな問題に時間を取られ、その結果、映画館にいるあいだでさえ、注目を引くような発言一つできなかった。それどころか、あか抜けした人物とはほど遠いという印象すら残したかもしれない。ゾフィーのせいでこの混乱に巻きこまれ、自分のいつもの水準をこれほどまでに落とさなければならなかったのだと思うと、急にまた彼女への強いいらだちが込み上げてきた。

再び歩みをとめたとき、わたしたちはちょうどホテルの前に立っていた。

「さて、お会いできてまことにうれしゅうございました」と言いながら、ペダーセンは手を差しだした。「これから何日か、またご一緒できるのが楽しみですな。でも、あなたはこれから少しお休みにならなければ」

わたしは彼に礼を言い、おやすみの挨拶をして、ペダーセンの足音が暗闇のなかに遠ざかっていくのを聞きながらロビーへ入っていった。

例の若いフロントマンが、まだ勤務についていた。「映画をお楽しみになられましたでしょうか」彼はわたしの部屋の鍵を手渡しながら言った。

「ああ、とても。勧めてくれてありがとう。おかげですっかりくつろいだ」

「はい。たくさんのお客さまが、一日をしめくくるのによいとおっしゃいます。ところで、グスタフによりますと、ボリスさまはお部屋がたいへんお気に召して、すぐお休みになられたそうです」

「そうか、よかった」

わたしは彼におやすみを言って、エレベーターへと急いだ。

部屋に着いたときには、長い一日に体じゅうがほこりっぽく感じ、ガウンに着替えてシャワーを浴びる用意を始めた。しかしバスルームの具合を調べているうち、どっと疲れが襲ってきた。わたしはやっとの思いでよろよろとベッドに戻り、その上に倒れこむや、深い眠りに引きこまれていった。

10

眠りについてからまだあまりたたないうちに、耳もとで電話が鳴った。そのままベルを鳴らしておいたが、とうとうベッドの上に身を起こして受話器を取った。

「ああ、ライダーさま。わたしです。ホフマンです」

彼がなぜ電話をしてきたのか説明するのを待ってみたが、支配人は何も言わなかった。気まずい沈黙のあと、彼がもう一度言った。

「わたしです。ホフマンです」また一瞬の沈黙に続いて彼が言った。「いまロビーにいるのですが」

「はあ、そうですか」

「申しわけありません、ライダーさま。何かなさっておいででしたか」

「実は、これから少し眠ろうとしていたところでね」

この言葉にホフマンは驚いたらしく、また沈黙が流れた。わたしはあわてて笑って言い添えた。

「つまり、横になっていたんだ。もちろん本格的には眠らないよ……一日の用件をすべて片づけてしまうまでは」

「ごもっとも、ごもっとも」ホフマンは安心したようだった。「いわば、ちょっとお休みになっていらしたんですね。よく分かります。さて、いずれにしても、わたしはこのロビーであなたをお待ちしております」

わたしは受話器を置いて、どうしたものかと考えながらベッドの上に座っていた。ますます疲労感を覚え——ほんの数分しか眠れなかったのだ——このまますべてを投げだして、もう一度眠りにつきたい誘惑にかられた。しかし結局そんなことは不可能だとあきらめ、ベッドからおりた。

ガウン姿で寝ていたことに気づいてさあ着替えようと思ったとき、ある考えがひらめいた。このまま下へおりていって、ホフマンと会ったらどうだろう。こんな夜更けのことだから、彼とフロントマンのほかに出くわす者もいないだろうし、ガウン姿でおりていけば、暗に、しかしはっきりと、時間が遅いことや彼がわたしの睡眠を妨げようとしていることを分からせる結果になるだろう。わたしは廊下へ出て、少なからずむっとした気分でエレベーターへと向かった。

少なくとも最初は、期待していたガウンの効果があったのだろう。わたしがロビーに姿を現したとき、ホフマンがこう呼びかけたのだ。「お休みのところをお邪魔して申しわけありません、ライダーさま。さぞお疲れのことでしょう、何しろ長旅のあとですから」

わたしは疲れを隠そうともせず、手で髪をかき上げながら言った。「いや、いっこうにかまわないよ、ホフマンさん。しかし長くはかからないんだろうね。実のところ、いまかなり疲れているものだから」

「ええ、長くはかかりません。すぐに終わります」

「結構」

わたしはホフマンがレインコートを着て、その下にタキシードを着込み、カマーバンドと蝶ネクタイをしているのに気づいた。

「もちろん、悪い知らせをお聞きになりましたでしょうね」彼は言った。

「悪い知らせ？」

「悪い知らせなのですが、しかし自信を持って、決して深刻な事態にはならないと断言できます。明日になれば、あなたもきっとそう確信なさるでしょう、ライダーさま」

「きっとそうでしょう」わたしは安心させるようにうなずいた。それから一瞬間を置いて、これではどうしようもないと、単刀直入に尋ねた。「恐縮ですがホフマンさん。あなたがおっしゃっている悪い知らせというのは何のことなんですか？　このところ耳にするのは悪い知らせばかりだ」

彼はぎくりとしてわたしを見た。「悪い知らせばかりですって？」

わたしは笑い声を立てた。「つまり、アフリカでの戦争やら何やら。あっちでもこっちでも悪い知らせばかりじゃないですか」わたしはもう一度笑った。

「なるほど、そういうことですか。わたしが申しあげているのは、もちろんブロッキーさまの犬のことです」

「ああ、そう。ブロッキーさんの犬ね」

「あなたも同意なさるでしょうが、ほんとうに運が悪い。つまりタイミングが。細心の注意を払って準備を進めていても、こんなことが起きてしまうんですから！」彼はいらだたしげにため息をついた。

「ええ、ひどいです。実にひどい」

「しかし申しあげておりますように、わたしは自信を持っております。ええ、大きな障害にはならないという、自信があります。さて、それでは、すぐに出かけましょうか？　いやはや、いまにして思えば、あなたはまことに賢明でしたよ、ライダーさま。いまから出かけるほうが、時間的にずっとよろしいでしょう。着くのが早すぎもしないし、遅すぎもしない。さようです。こうしたことには冷静に対処しなければなりません。けっしてあわてずに。では、まいりましょう」

「あのう……ホフマンさん。どうやらわたしは場違いな格好をしてきてしまったようだ。どうでしょう、数分待っていただければ、部屋に戻って着替えてくるのですが」

「はあ」――そこでホフマンはちらりとわたしを見た――「そのままで十分ご立派ですよ、ライダーさま。どうかご心配なさらずに。さあ」――彼は心配そうに腕時計を見た――「そろそろ出かけたほうがよろしいと思います。ええ、ちょうどいい頃合いです。どうぞ」

外は暗く、雨が小止みなく降っていた。わたしはホフマンのあとについてホテルの建物をぐるりと回り、五、六台の車をとめてある小さな野外の駐車場へ行った。フェンスの柱に一つだけ電灯がくくりつけてあり、その光が前の地面の大きな水たまりを照らしている。ホフマンは大きな黒塗りの車まで走ると、後部座席のドアを開けて待っていた。わたしがそちらへ歩いていくあいだに、水が室内ばきからしみてきた。しかも車に乗りこもうとしたとき、片足がずっぽりと水たまりにはまって、びしょ濡れになった。わたしは悲鳴を上げたが、ホフマンはもうさっさと運転席へ回っていた。

ホフマンは駐車場から車を出した。わたしは後ろの席に座り、床に敷いてある柔らかな敷き物で何とか足を乾かそうとした。顔を上げると、車はもう大通りに出ていて、驚いたことに道路はひどく混雑していた。おまけに多くの店やレストランも営業中で、明かりのついた窓の向こうでおおぜいの客が動き回っている。走っているうちに車はますます増え、とうとう街の中心部に近い三車線の道路のど真ん中で、動かなくなってしまった。ホフマンは腕時計を見ると、いらだってハンドルをばんとたたいた。

「あいにくだね」わたしは同情するように言った。「ついさっき出かけていたときは、町じゅうが眠っているようだったのに」

ホフマンは考えにふけっていたらしく、上の空で答えた。「この町の交通事情は、ますますひどくなるばかりです。いったいどうすれば解決できるのか分かりませんよ」彼はもう一度ハンドルをたたいた。

それから何分か、わたしたちはのろのろと進む車のなかで黙って座っていた。やがてホフマンがつぶやいた。

「ライダーさまは外出中でした」

ひょっとして聞き違えたのかと思ったが、そのあと彼がまた同じ言葉を繰り返したので――今度は愛想よく、手を小さく振りながら――着いたときに、遅刻の理由を説明する練習をしているのだと気づいた。

「ライダーさまは外出中でした。ライダーさまは……外出中でした」

夜の大渋滞のなかを進んでいるあいだ、ホフマンは相変わらずときどき小声で何かつぶやいていたが、その大半は聞き取れなかった。彼は自分だけの世界に没入していて、ますます神経がぴりぴりしてきたようだ。青信号に間に合わなかったとき、彼がこうつぶやいた。「いえ、いえ、ブロッキーさま！ 彼はすばらしい、実にすばらしいお方でした！」

車はやっと角を曲がり、町の外へと向かった。まもなく建物がなくなって、両側に暗い広々とした空間——おそらく農地——が広がる長い道路を走っていた。交通量がぐんと減り、わたしたちの乗った大型車はスピードを上げた。ホフマンは見るからに緊張がほぐれ、次に話しかけてきたときには、いつもの慇懃な物腰を取り戻していた。

「うかがいたいのですがライダーさま、ホテルでは万事にご満足いただいておりますでしょうか？」

「ああ、結構だよ。ありがとう」

「お部屋はお気に召されていますか？」

「ああ、もちろんだ」

「ベッドは？　快適でございましょうか？」

「とても快適だね」

「こうお尋ねしたのも、ベッドはわたしどもの自慢だからなのです。わたしどもはマットレスを頻繁に取り替えますが、この町のほかのホテルは、どこも当方ほどではありません。それは事実でございます。わたしどもがお払い箱にするマットレスは、いわゆるライバルのホテルの大半なら、まだ何年も使えると見なされる状態のものなのです。ライダーさま、わたしどもが五年間に取り替えるマットレスをすべて縦に並べると、市議会から大通りに沿って噴水のところまでつながり、さらにスターン通りの角を曲がって、ウィンクラーさんの薬局まで届くのですよ。ご存じでしたか？」

「ほう、それはすごいね」

「ライダーさま、率直に申しあげましょう。あなたのお部屋のことを、わたしはかなり真剣に考えておりました。ご到着までの何日か、どのお部屋がよろしいかと、当然ながら長いこと頭をひねりました。たいていのホテルでは、単純に『このホテルでいちばんいい部屋はどこか？』を、その答えにいたします。しかしわたしどもでは、そうはしないのですよ、ライダーさま。これまでずっと、わたしは数々の部屋に個別の内装を施すことに腐心してきました。あの部屋この部屋と片っ端から──ははは！──一部の者に言わせれば取りつかれたように、そうです、取りつかれたようになった時期もございます。一度どこかの部屋をどう手直ししようか考えはじめると、何日もかけてそのプランを練り、自分の思い描いたイメージに可能なかぎり忠実に、細心の注意を払って改装させるのです。いつも必ずうまくいくわけではありませんが、多くの労力をつぎこんだあと、何度かはほぼ頭に描いたとおりにできあがりまして、もちろん、それは大いに満足を覚えることです。しかし──たぶんこれはわたしの性格上の欠点のせいなのでしょうが──ある部屋を納得のいくよう改装し終わるや、別のアイデアがわいてくるのです。そしてふと気がつくと、いつの間にかその新しいプランにまた多大な時間と労力を費やしています。ええ、なかには凝り性だと言う者もおりますが、わたしはどこにも不都合はないと思っているのです。どの部屋もどの部屋も同じ月並みなコンセプトでつくられたホテルほど、退屈なものはございいませんでしょう。部屋の一つひとつが独自の個性を持つべきだと、わたしは思うのですよ。いずれにしてもライダーさま、わたしにとって、このホテルでとくに気に入っている部屋というのはございません。ですから長いこと考えあぐねた末に、あなたにはいまのお部屋がいちばんお気に召すのではないかという結論に達したのです。しかし実際にお目にかかってみて、もうその自信がなくなりました」

「いえいえ、ホフマンさん」わたしは口をはさんだ。「いまの部屋で満足ですよ」

「しかし、お目にかかってからきょう一日、折々に考えておりました。あなたのお人柄からすると、どうももう一つの部屋のほうが、もっとお似合いになるような気がするのです。あすの朝にでも、その部屋へご案内いたしましょう。きっとお気に召すと思いますよ」

「どうぞほんとうに、お気づかいなく、ホフマンさん。いまの部屋で……」

「正直に申しあげましょう、ライダーさま。あなたのご来訪は、あの部屋にとって初めての、真の試練でした。あの部屋にほんとうにご立派なお客さまが泊まられるのは、四年前に改装して以来、今回が初めてなのです。もちろん、あなたにわがホテルにお泊まりいただけるなどとは、予想もできませんでした。しかしあの部屋は、実はわたしがまさにあなたのようなお客さまを頭に描いて、改装したものなのです。つまり、よろしいですか、あなたがおみえになって、あの部屋はようやく、本来の意図に沿って利用されているというわけです。そしていま、わたしは四年前にいくつか重大な判断ミスを犯したことが、はっきりと分かりました。これだけの経験をもってしても、とてもむずかしいものですな。いいえ、わたしは断じて満足しておりません。これはよい巡り合わせではございません。そこで提案させていただきたいのですが、三四三号室にお移りになってはいかがでしょうか。こちらのほうが、きっとあなたのお人柄にはるかにふさわしいと思うのですよ。ずっと静かですし、よくお眠りになれますでしょう。それにあの部屋は、さよう、一日じゅう折々に考えてきたのですが、おそらくいまの内装を取り壊すことになるでしょう」

「ホフマンさん、とんでもない！」

この大声に、ホフマンは道路から目をそらし、驚いた顔でわたしを見つめた。わたしは笑い、あわてて冷静さを装って言った。

「つまり、わたしのために、どうかそんなお手間と費用をかけないでください」

「いえ、これはあくまで、わたし自身の心の平穏のためなのです、ライダーさま。あのホテルは、わたしの生涯をかけた事業です。あの部屋に関しては、ひどい失敗をしてしまいました。取り壊す以外には考えられません」

「ホフマンさん、あの部屋は……実のところ、わたしはあの部屋にとても愛着を感じているんです。心から満足しているんです」

「どういうわけでしょうか」彼は心底とまどっているようだった。「あの部屋は明らかに、あなたにふさわしくございません。じかにお目にかかったいまは、かなりの確信をもってそう申しあげられます。お気づかいくださる必要はないのですよ。それほど奇妙な愛着がおありとは、驚きました」

わたしは急に、おそらく不必要に大きな声で笑った。「とんでもない。奇妙な愛着があるですって？」――そこでわたしはまた笑った――「ただの部屋じゃないですか。取り壊さなければならないなら、そうに違いない！　喜んで別の部屋に移りましょう」

「はい。そうお考えになっていただけて、たいへんうれしゅうございます、ライダーさま。あなたがわたしのホテルにお泊まりになって、あれほどふさわしくない部屋で我慢なさらなければならなかったと考えると、残りのご滞在期間だけでなく、これから何年も、ひどい後悔の念にかられずにいられなかったでしょう。四年前に自分が何を考えていたのか、まったくわけが分かりませんよ。完全な誤算です！」

わたしたちは暗闇のなかを、ずっと対向車と出合うこともなく猛スピードで走っていた。遠くにいくつか農家らしいものを見かけたが、それ以外は、道路のどちら側にも暗闇以外にほとんど何もなかった。しばらく黙って走ったあと、ホフマンが口を開いた。

「今回のことは実に残酷な巡り合わせですね、ライダーさま。あの犬は、さよう、決して若くはありませんでしたが、まだ二年や三年は十分に生きてもよさそうなものでした。おまけに準備はきわめて順調に進んできたというのに」彼は首を振った。「まったくタイミングが悪いと申しますか」それからわたしに笑顔を向けて、こう続けた。「でも、わたしには自信がございます。ええ、自信があるんです。あの方はいまや、これしきのことに気を取られたりはなさらないと」

「ブロッキーさんに、いわば贈り物として、別の犬を差し上げたらどうでしょうかね。小さな子犬でも」

わたしは深く考えもせずにそう言ったのだが、ホフマンは律義にこの提案を考えている様子を見せた。

「それはいかがなものでしょうか、ライダーさま。あの方はブルーノをとても愛しておられました。ほかにほとんどお仲間もなく。いわば喪中ということになるのでしょう。とはいえ、あなたのおっしゃるとおりかもしれません。ブルーノが死んだいま、あの方の孤独をまぎらす手段が必要です。ほかの動物とか、何か慰めになるものが。たとえば籠に入れた鳥のような。そうすれば、いずれあの方がその気になられたときに、別の犬を差し上げることもできましょうが、わたしには分かりかねます」

彼はまた数分間、口をつぐんでいたので、きっと何か別のことを考えているのだろうと思った。だがそのあと急にホフマンは、目の前に続く暗い道路をにらんだまま、小さな声で鋭くつぶやいた。

「雄牛だ！　そう、雄牛だ、雄牛だ、雄牛だ！」

しかし、もうブロッキーの犬の話にうんざりしていたわたしは、黙って座席の背にもたれ、目的地に着くまで、あとはずっとくつろいでいることにした。そのうち、わたしたちが出席しようと向かっている催しについて何か聞きだそうと思い、彼にこう言った。「ひどく遅れたのでなければよいのだが」

「いいえ。ちょうどいい時間です」とホフマンは答えたものの、どうやら心はよそにあるようだった。それから数分たって、彼はまた「雄牛だ！　雄牛だ！」と鋭くつぶやいた。

しばらくすると車は広い道路を離れ、落ち着いた住宅地を走っていた。暗闇のなかに大きな家屋敷が見え、その多くは高い塀か生け垣に囲まれている。ホフマンは木立ちの生い茂った通りを慎重に運転していく。彼はまた小声で挨拶を練習していた。

わたしたちは高くそびえる鉄の門を通って、堂々とした屋敷の中庭へ入った。すでにたくさんの車がとまっていて、ホフマンが駐車スペースを探すのに少し時間がかかった。彼は車からおりると、急いで正面玄関へと向かった。

わたしはちょっと座席に残って、これから出席する催しの手がかりはないかと、大きな屋敷を偵察した。正面には、ほとんど地面まで届く巨大な窓がずらりと並んでいる。その大半はカーテンの向こうに明かりがついていたが、なかで何が行われているのかは見えなかった。

ホフマンはドアの呼び鈴を鳴らすと、わたしを手招きした。車からおりたとき、雨は霧雨になっていた。わたしはガウンの前をかき合わせ、水たまりをよけながら屋敷へ向かった。

メイドがドアを開けて、わたしたちを大きな肖像画を飾った広い玄関ホールへと招き入れた。どうやらメイドはホフマンを知っているらしく、彼のレインコートを受け取りながらひとことふたこと言葉を交わした。ホフマンは鏡の前でしばし立ちどまってネクタイを直すと、先に立って奥へと進んだ。

わたしたちが着いたところはまばゆい光のあふれた大広間で、パーティーはちょうど佳境に入っていた。少なくとも百人はいる客たちが、しゃれた夜会服でグラスを片手に談笑している。二人で敷居のところに立ったとき、ホフマンはわたしを守るかのように片方の腕をわたしの前に上げて、広間を見回した。

「彼はまだ来ていない」とうとう彼はつぶやくとわたしに笑顔を向けて言った。「ブロッキーさまはまだおみえになっていません。でも、わたしは確信しています。絶対に、まもなくここにいらっしゃると」

ホフマンは広間のほうに向き直り、一瞬とまどった様子を見せた。「ここで少しお待ちいただけますか、ライダーさま。いま伯爵夫人をお呼びしてきますから。ああ、もう少しこちらの奥まったところに立っていただけませんでしょうか――はは！――人目につきませんように。あなたは、わたしたちの大切な秘密のプレゼントなんです。すぐに戻ってまいります」

ホフマンは広間のなかへ入っていった。わたしはしばらく彼が客たちのあいだをぬっていく姿を眺めていた。その心配そうな物腰は、まわりの陽気なざわめきと対照的だった。何人かが彼に話しかけようとしたのだが、ホフマンはそのたびに気のない笑みを返して、先へと進んだ。とうとうわたしは彼の姿を見失った。彼を見つけようとして、おそらくふらふらと少し前に出てしまったのだろう。いずれにしても人目についたらしく、そばで声が聞こえた。「あら、ライダーさま。お着きになったのですね。やっといらしていただいて、ほんとうにうれしゅうございますわ」

六十がらみの大柄な女性が、わたしの腕に手をかけていた。ほほ笑んで挨拶の言葉をつぶやくと、相手は言った。「ここにお集まりの方がたは、一人残らず、ぜひともあなたにお会いしたいと申しておりますのよ」そう言い終わるや、彼女は確たる様子で先に立ち、客たちの真ん中へわたしを連れだした。

客をかき分けながら彼女のあとをついていくあいだに、大柄な女性はわたしに質問を始めた。最初はわたしの健康や旅といったごく月並みなことを尋ねていたのだが、そのあと会場を回りながら、ホテルのことを根掘り葉掘り訊いてきた。実際、彼女があまりにささいなことまで――石鹸はお気に召しましたかとか、ロビーの絨毯をどうお思いになるかしらとか――尋ねるので、わたしはこの女性が、ホフマンのホテルに滞在しているのを恨んでいる彼のライバルではないかと疑いだしたほどだった。しかし歩きながらしきりと客に会釈したりほほ笑みかけたりするその態度や物腰から、このご婦人が今回のパーティーの主催者なのは疑いようがなく、わたしは彼女が伯爵夫人その人なのだと結論した。

最初は、彼女がわたしをこの大広間の特別な場所か特別な人物のもとへ連れていこうとしているのかと思ったが、しばらくすると、ゆっくりとしたペースでただ会場をぐるぐる回っているだけではないかという強い印象を持った。実際、これまで何度か、この大広間のここにきたのは少なくとも二度目だと確信した。もう一つ、なぜだろうと思いながら気づいたのは、客たちはこの主催者を振り返ったり挨拶したりするというのに、彼女はわたしを誰にも紹介しようとしないことだった。そのうえ、ときどき丁重にわたしにほほ笑みかけてくる客がいるにもかかわらず、誰も取り立ててわたしに関心があるようには見えない。もちろん、わたしがそばを通りすぎても、誰も会話を中断して話しかけてこようとはしない。いつものように質問攻めやお世辞攻めに対処しようと身構えていたので、わたしはそのことが少し不可解だった。

ほどなく、この大広間全体の雰囲気には奇妙な何か——どこか不自然な、芝居がかったとさえ言えそうな陽気さ——があるのに気づいた。だが具体的にそれが何なのかは、すぐには分からなかった。しかしそのあと、わたしたちがやっと立ちどまったとき——伯爵夫人が宝石で飾りたてた二人の女性と話しはじめた——ようやくまわりを見回して、多少の状況分析をするチャンスができた。そのとき初めて、これはカクテルパーティーなどではなく、みんな晩餐の席に呼び入れられるのを待っているのだと分かった。晩餐は少なくとも二時間前に始まる予定だったのだが、伯爵夫人をはじめ主催者側は、ブロッキーとわたし――つまり公式の主賓と今夜の秘密のゲスト――が二人とも姿を見せないので、時間を遅らせなければならなかったのだ。それからまた様子を眺めているうちに、わたしがここに到着するまでに何が起きたかが少しずつ呑みこめてきた。

今夜の会は、これまでブロッキーを主賓に開いてきた晩餐会のなかで、いちばん大がかりなものだった。今回は〈木曜の夕べ〉という重大な催しを目前に控えた最後の機会となるために、もともとくつろいだ会になろうはずもなく、加えてブロッキーがまだ現れないので、緊張はますます高まっていた。しかし最初のうち、客たちは――ちなみにその全員が、この町のエリートを強く自認している――冷静さを保ち、ブロッキーを信頼してよいものかどうか疑っていると受け取られかねないような発言を、みな慎重に避けていた。客の大半はブロッキーの名をまったく口に出さないようにし、晩餐はいつ始まるのかということばかり延々と話しつづけて、ひたすら不安をまぎらせていたのだ。

そこへブロッキーの愛犬についての知らせが届いた。その知らせがどんなに無頓着に伝えられたのかは、分からない。おそらく屋敷に電話がかかってきて、市民の指導者の一人がこの場の雰囲気を落ち着かせようと、まずいことに何人かの客にうっかりもらしてしまったのだろう。いずれにしても、すでに不安と空腹とで緊張が高まっていた会場で、そんなニュースが口から口へと広まるままにしておけばどうなるかは、十分に予想がつく。たちまちあらゆる突拍子もない噂が、会場内を駆けめぐった。ブロッキーがへべれけに酔って愛犬の死骸を抱いているところを発見されたとか、通りの水たまりのなかに転がって何やらわけの分からないことをつぶやいているところを見つかったとか、悲嘆にくれるあまりパラフィンを飲んで自殺しようとしたとか。この最後の噂は、数年前、実際にブロッキーが酔って大騒ぎしているときにかなりの量のパラフィンを飲み、隣の農夫に病院にかつぎこまれた出来事が発端となっていたのだが、彼がほんとうに自殺しようとしたのか、それともただ酔って頭が混乱していただけだったのかは誰にも分からなかった。こうした噂がひとしきりささやかれたあと、あちらでもこちらでも絶望的な会話が交わされはじめた。

「あの犬はブロッキーのすべてだったんだ。彼はこの出来事からとうてい立ち直れまい。われわれは事態を直視して、やはりまともな人間に頼るべきだ」

「〈木曜の夕べ〉を中止にしなければ。すぐにキャンセルだ。これでは大失敗以外にありえないじゃないか。このまま実行に移しでもしたら、この町の市民は二度とチャンスを与えてくれまい」

「あの男はいつだって危なかった。そもそもここまで進めてしまったのが間違いだったんだよ。と言っても、いまさらどうすればいい？　弱ったな。まったく弱り果てた」

それから伯爵夫人とその側近たちがこの夜をどうにか立て直そうとしていたとき、広間の中央近くで大きな叫び声が上がった。

おおぜいがその場へ駆けつけ、何人かは恐れをなして後ずさりした。若手議員の一人が小太りのはげ頭の男を床に組み伏せていたのだが、やがてみんなは、下敷きになった人物が獣医のケラーだったことに気づいた。まわりの者が二人を分けようとしたが、若い議員はケラーの襟をしっかりとつかんでいたので、ケラーの体も一緒に起きてきた。

「最善を尽くしたんだ！」ケラーは真っ赤な顔で叫んでいた。「わたしは最善を尽くした！　あれ以上、何ができたっていうんだね？　二日前、あの犬はぴんぴんしていたんだぞ！」

「このやぶ医者め！」若い議員は怒鳴って、また殴りかかろうとした。再び彼は引き離されたが、今度はほかにも何人かの客が、格好のスケープゴートを見つけたとばかりに、ケラーに向かって怒鳴りだした。あちらからもこちらからも、医師の務めを怠ったとか町全体の未来を危うくしたとかいった非難が、ケラーに矢のごとく降り注いだ。そのとき、こう叫ぶ声が聞こえた。「ブロイヤーの子猫のことはどうなんだ？　きさまはブリッジにかまけて、子猫を一匹ずつ死なせてしまったじゃないか……」

「ブリッジをするのは一週間に一度だけだ。それにあのときだって……」獣医はかすれ声で反論しはじめたものの、たちまち彼をののしる声にかき消された。急にこの広間の誰もが、かわいがっていたペットや何やかやについての積年の恨みを晴らそうとしているかのようだった。誰かがケラーに金を貸したままだと怒鳴り、別の者も六年前に貸した庭いじり用の熊手を返してもらっていないとわめいた。まもなく獣医への罵声が高まるあまり、若い議員を取り押さえていた人たちは、その手をゆるめなければならなかった。そして若い議員がまた獣医に飛びかかっていくと、今度はまるで彼がこの会場にいる大半の客を代表しているかに思えた。まさに険悪な雰囲気になりそうだったとき、広間じゅうに大きな声が響きわたって、ようやく全員がはっとわれに返った。

広間は急に静かになった。それはいまの声に騒ぎがおさまって当然と思われるような威厳があったからというより、声の主があまりに意外な人物だったせいだった。誰だろうと、それぞれが声のほうを振り返ると、壇上からにらみつけているのは、ヤコブ・カニッツという、この町でも内気なことでつとに知られる男だったのだ。四十代後半のヤコブ・カニッツは、みんなが覚えているかぎり、役所でずっと同じ退屈な事務を担当していた。自分の意見を主張することなどめったになく、ましてや反対を唱えたり論争したりするのは、皆無に等しい。親しい友人もいないし、数年前に妻と三人の子供と住んでいた小さな家を出て、同じ通りのすぐ先の狭い屋根裏部屋を借りていた。誰かがその話を持ちだすと、もうすぐ家族のところへ戻るとほのめかすのだが、そのまま何年も過ぎて、別居状態は変わらなかった。一方、文化行事の企画にかかわる数々の雑務を自ら引き受けたいと申しでることもあって、若干お情けというところはあったが、この町の芸術サークルの一員として受け入れられていた。

　客たちが驚きから立ち直る暇もないうちに――おそらく自分の勇気がそう長くは持たないと知ってか――ヤコブ・カニッツが話しはじめた。

「ほかの町ならどうなんだ！　パリやシュッットガルトのことじゃない！　もっと小さな、この町と同じようなほかの都市のことだよ。町でいちばん立派な市民たちが集まって、目前のこうした危機に対処しようとするとき、どうすると思う？　きっと冷静で、自信を持っているだろう。自分が何をすべきか、どう振る舞うべきか、わきまえているだろう。つまりわたしが言いたいのは、ここにいる者全員が、この町で最良の市民だってことだ。われわれの手に負えないはずがない。力を合わせれば、こんな危機など乗り越えられる。シュッットガルトの市民が喧嘩をするだろうか？　まだパニックになる必要はないんだ。あきらめて口論など始めることはない。ああ、そうとも。たしかに犬が死んだのは困ったことだが、何もこれでおしまいってわけじゃない。まだどうなるか分からないんだぞ。ブロツキーさまがいまどんな状態でいるにしても、われわれがまた元の状態に戻せばいいことだ。そうできるじゃないか、全員が今夜の自分の役目を果たしさえすれば。きっとできるし、そうしなきゃならない。あの方を元の状態に戻さなきゃならない。でなければ、つまり今夜われわれが力を合わせて、この状態を何とかしなければ、この町にはみじめさしか残らないんだぞ！　そう、深い、孤独なみじめさ以外に！　ほかに頼れる者はいない。ブロッキーさまをおいて、いま頼れる者はいないんだ。たぶんブロッキーさまは、いまこっちへ向かっている。われわれが冷静にならずにどうする。なのに何をしているんだ、喧嘩か？　シュットットガルトの市民が喧嘩するとでも思うのか？　もっときちんと考えるべきだろう。あの方の立場になったら、どう思う？　われわれ全員が悲しみを分かち合うこと、この町全体が、あの方と一緒に悲しむことだよ。しかし、もう一度考えてみてくれ。われわれはあの方を励まさなきゃならない。ああ、そうだとも！　とうてい許されんよ、一晩じゅうずっと意気消沈して、もうお手上げだからとあの方を追い返すなんてことは……とんでもないぞ！　要はバランスの問題だ！　こちらも気を取り直して、あの方に人生にはまだまだやることがあると、われわれはあの方を求め、頼っているんだと、分かってもらうようにしなければ。そうとも、われわれのほうこそ、これから何時間かしゃんとしないでどうする。あの方はきっといま、ここへ向かっている。どんな状態かは分からないが。これから数時間こそが大事だ、大事なんだ。われわれがしゃんとしなければ、みじめになるだけだぞ。われわれがやらなければ……われわれが……」

この時点で、ヤコブ・カニッツはすっかり取り乱していた。彼はしばらく無言で壇上に立ったまま、どうしようもなくうろたえていった。そしてとうとうさっきまでの情熱の残りを振り絞って、集まった人たちをひとにらみすると、おどおどした様子で壇上からおりた。

だがこの不器用な訴えは、たちまち衝撃を与えた。ヤコブ・カニッツがまだ話し終わらないうちに賛同の低いざわめきが上がりはじめ、何人かが例の若い議員の肩をとがめるように押しやると、くだんの議員は恥じ入った顔でよろよろと前に歩みでた。ヤコブ・カニッツが壇上からおりたあと、いっときしらじらしい沈黙が流れた。それから広間のあちこちで少しずつ会話が始まり、客たちはそこらじゅうで真剣に、しかし冷静な口調で、ブロツキーが到着したらどうするかを話しだした。そのうちに、ヤコブ・カニッツの言ったことは多かれ少なかれ正しいという合意が生まれた。大切なのは、悲しみと明るさのバランスを取ることだと。この宴会の雰囲気は、ここにいる全員がつねに一人ひとり慎重に監視しなければならない。その断固とした決意が会場内に行きわたり、やがて客たちは少しずつリラックスして、とうとう全員が、あたかもこの半時間に起きた見苦しい出来事などなかったかのように笑みを浮かべ、おしゃべりをし、互いに礼儀正しく上品な口調で挨拶を交わすようになった。ホフマンとわたしが到着したのは、ちょうどこの時点――ヤコブ・カニッツが話し終えて二十分もたたないころだったのだ。どうりでわたしは、いかにもなごやかな談笑の陰に何か奇妙な雰囲気を感じ取ったわけだ。

わたしたちが着く前の出来事の一部始終をまだ思い返していたとき、広間の反対側で年配の女性と話しているシュテファンの姿を見つけた。隣にいる伯爵夫人はまだ宝石で飾りたてた二人のご婦人との会話に熱中していたので、わたしは小声で失礼しますと告げて、彼女たちから離れた。シュテファンのもとへ歩いていくと、彼はわたしに気づいてほほ笑んだ。

「やあ、ライダーさま。お着きになったんですね。ミス・コリンズをご紹介しましょう」

わたしは、今夜もう少し早い時間にシュテファンの車でそのアパートへ行ったほっそりした老婦人に挨拶した。ミス・コリンズは、シンプルながら上品に、黒いロングドレスを着こなしていた。彼女がほほ笑んで手を差しだし、わたしたちは挨拶を交わした。わたしがさらに愛想のよい会話をしようとしたとき、シュテファンが身を乗りだして静かに切りだした。

「ぼくは大ばかでしたよ、ライダーさま。正直に言って、どうすればいちばんいいのか、分からないんです。ミス・コリンズはいつものように親切にしてくださっていますが、あなたのご意見もうかがえればと思いまして」

「つまり……ブロツキーさんの愛犬のことですか？」

「ああ、いえいえ、それもたしかにひどい話です。でも、ちょうどいま二人で、別のことを話していたところなんですよ。あなたからご助言をいただければ、ぼくはほんとうにありがたいな。実はミス・コリンズからも、あなたにうかがってみればとおっしゃっていただいたばかりでして。そうでしたね、ミス・コリンズ？　こんなつまらないことであなたをわずらわせたくはないんですが、少し行き違いがあったんです。つまり、〈木曜の夕べ〉のぼくの演奏のことなんですが。まったく、何てばかだったことか！　以前お話ししたように、ぼくはジャン＝ルイ・ラ・ロシュの《ダリア》を練習してきたんですが、そのことを父に話していなかったんです、今夜まで。父には内緒にしておいて、驚かせようと思って。何しろ父はラ・ロシュが大好きなものですから。おまけに父は、ぼくがあんなむずかしい曲を弾けるなどと夢にも思っていませんから、その点でもきっとびっくりするだろうと思ったんです。ところがつい最近になって、この一大イベントが迫ってきたので、もうこれ以上秘密にしておくのは無理だろうと思うようになりました。一つには、公式のプログラムに曲目を印刷して、ナプキンのそばに一部ずつ置くことになるわけだし、父はずっとそのデザインを考えていたんです。エンボスやら、裏面のイラストやら、何やらかやらを決めようと。数日前に、ぼくは父に話さなければならないと気づいたんですが、それでもまだ驚かせたかったものですから、ここぞというタイミングを待っていました。それで少し前、あなたとボリスをおろしてすぐに父のオフィスへ車のキーを返しに入っていくと、父は床にしゃがんで、書類の山を検討していました。ひざまずき、手をついて、書類を全部、絨毯の上に並べてね。これはいつものことでして、父はよくそんなふうに仕事をするんです。オフィスはかなり手狭で、どちらにしろ机が部屋を占領していますから、ぼくはキーを返すのに、書類を踏まないようにつま先立って歩きました。父が調子はどうだと尋ねたのですが、ぼくが答える前に、父はまた書類に没頭してしまいました。ぼくが出ていこうとしたときに、絨毯の上のそんな父の姿が目に入り、どういうわけか突然、いまこそあのことを話すべきだと思ったんです。まったく衝動的に。それでぼくはきわめてさりげなく、『ところで父さん、〈木曜の夕べ〉にはラ・ロシュの《ダリア》を弾くつもりなんだ。それを話しておこうと思ってね』と言ったんです。何も特別な口ぶりじゃなく、ぼくはただそう告げて、父の反応をうかがいました。すると父は、読んでいた書類を置いたものの、目の前の絨毯をじっと見つめたままでした。それから笑顔になって、『ああ、そう。《ダリア》かい』というようなことを答え、しばらくはとても満足しているように見えました。顔は上げずに、まだ両手も両ひざも絨毯についたままでしたが、とても満足そうでした。そのあと目を閉じて、旋律を口ずさみはじめました。あの床の上で、冒頭のアダージョを口ずさみ、頭でテンポを取っていました。とても満足げで平静に見えたんですよ、ライダーさま。だからあの時点では、よかったなと思いました。ところが父は目を開け、ぼくにぼんやりとほほ笑みかけながら言ったんです。『ああ、美しい曲だ。どうして母さんがあれほど嫌いなのか分からんよ』って。ミス・コリンズにちょうどお話ししていたところなんですが、ぼくは最初、聞き違えたのかと思いました。でもそのあと、父はもう一度、繰り返したんです。『母さんは大嫌いなんだ。そうとも、おまえも知っているように、母さんはこのごろラ・ロシュの後期の作品を忌み嫌うようになって、家のなかでレコードをかけさせてもくれない。ヘッドホンで聴くのさえだめだと言うんだよ』父は、ぼくがどんなにショックでうろたえているか気づいたに違いありません。というのも――これは実に父らしいんですが――すぐにぼくを慰めようとしはじめたんです。『もっと前に訊いておくべきだった。わたしが悪かったんだ』と、父は何度も繰り返しました。それから急に何か別のことを思い出したみたいに、額をたたいて言ったんです。『シュテファン、わたしはほんとうにおまえと母さんの両方にすまないことをしてしまったね。これまで口出ししないほうがいいと思っていたんだが、いまとなっては二人にすまないことをしてしまった』どういう意味かと尋ねると、母はぼくがカザンの《ガラスの情熱》を弾くのをずっと楽しみにしていたと言うんです。どうやら母はかなり前に父にそのことを伝えていて、そう、父がすっかり手筈を整えているものだと思っているらしいんです。ところが、父はぼくの立場も分かっていた。そうした問題にはとても敏感ですから。父は、音楽家なら――たとえぼくみたいなアマチュアでも――こんな重要な演奏の曲目は自分で決めたいのが分かっていました。ですからぼくには何も言わずに、おりを見て母にすべてを説明するつもりでした。でももちろん――そのう、ライダーさまにはもう少し詳しくご説明したほうがいいでしょうね。母が父にカザンの件を伝えたと言っても、実際にそう話したわけじゃないんです。これは家族以外にはちょっと説明がむずかしいんですけどね。まあ、母は何かのかたちで、つまり決して直接口には出さずに、ただ父にそう分かるようにしただけなんです。母はいわば合図を出し、父にはそれがとてもはっきりと分かるわけです。今回、母が具体的に何をしたかは知りませんが、たぶん父が帰宅したとき、ステレオで《ガラスの情熱》を聴いていたんじゃないでしょうか。そのう、母がステレオを聴くなどめったにないことなので、かなり明白な合図なんです。あるいは父が入浴をすませてベッドへやってきたとき、母がベッドでカザンの本を読んでいたか。ぼくには分からないけど、二人のあいだのやりとりはいつもそんなふうなんです。でもお分かりのように、父がすぐさま、『だめだ。シュテファンは自分で曲を選ぶべきだよ』などと言おうはずもありません。しかるべき方法でそれを伝える機会をうかがっていたのです。そしてもちろん、父はぼくがこともあろうにラ・ロシュの《ダリア》を練習しているのを知りませんでした。ああ、ぼくは何てばかだったんだ！　母がそんなに嫌っているなんて夢にも思わなかった！　それで父から事情を聞いたあと、どうすればいちばんいいだろうと尋ねると、父はしばらく考えて、ぼくが練習してきた曲を弾くべきだ、替えるにはもう遅すぎると答えました。『母さんはおまえを責めないよ。一瞬たりとも責めない。責めるならこのわたしだし、そうして当然だ』と、言いつづけていました。気の毒に、父はぼくを一生懸命に慰めようとしていましたが、ぼくには父がどれだけ苦しんでいるか分かりました。父はしばらくじっと絨毯の一点を見つめて——まだ床にうずくまっていましたが、今度は腕立て伏せでもしているように腹這いになって——そのとき、こんなひとりごとをつぶやくのが聞こえました。『それには耐えられる。それには耐えられる。もっとひどいことだって切り抜けてきたんだ。それには耐えられる』父はぼくがいるのを忘れてしまったようだったので、結局ぼくはそっとドアを閉めて、父のオフィスを出ました。それ以来――そうなんです、ライダーさま。ぼくは今夜ずっと、ほとんどそのことばかり考えつづけてきました。ほんとうのところ、少し迷っています。もうほとんど時間がないし、《ガラスの情熱》はあれほどの難曲ですから、いまさらどうやって準備ができるでしょう？　正直に言うと、あの曲はたとえぼくが一年準備したとしても、まだ少し力が及びません」

青年は口をつぐみ、困惑してため息をついた。彼もミス・コリンズもしばらく黙っていたので、わたしは彼がわたしの意見を待っているのだと察して言った。

「もちろん、これはわたしなどの出る幕ではなく、きみ自身が決めなければならないことだ。しかしわたしが思うには、この段階まできてしまったのだから、これまで準備してきた曲を替えないほうがいいんじゃないかと……」

「ええ、そうおっしゃると思っておりましたわ、ライダーさま」

口をはさんだのは、ミス・コリンズだった。その口調に意外な皮肉がこもっていたので、わたしは言葉を呑んで彼女のほうを向いた。ミス・コリンズはわけ知り顔の、少し優越感を持った表情で、わたしを見返した。「きっと、ほら、何て申しますかしら？　ええ、そう、『芸術的な完成度』のためにでしょう」

「いいえ、それはあまり関係ありません、ミス・コリンズ」わたしは答えた。「現実的な立場から言っているだけなのです。この段階では、もう遅すぎますの？」

「でも、もう遅すぎるって、どうしてお分かりになりますの？」彼女がまたわたしをさえぎった。「シュテファンの力量をほとんどご存じないでしょうに。ましてや、いまの彼の困った立場がどんなことを意味するかも。どうしてそんなに断言なさるの？　まるでわたくしたちにはない、特別な勘でもお持ちになってるみたいに？」

わたしはミス・コリンズが口出ししてきたときからしだいに不愉快な気分になり、彼女がしゃべっているあいだに、視線を避けようと無意識によそを向いていた。真っ向から反論する言葉が思い浮かばなかったのに加えて、この会話をなるべく短くするのがいちばんだと判断し、わたしは小さく笑いながら客たちのなかへ入っていった。

それから、目的もなく広間をぶらついていた。さっきと同じく、わたしが通りすぎると、客たちはときおりわたしを振り返ったが、誰もわたしだということに気づかないようだった。そのとき、映画館で会ったペダーセンが、何人かの客と談笑しているのを見つけ、彼のところへ行こうかと思った。しかしわたしがそうする前に、誰かがひじに触った。振り返ってみると、ホフマンが立っていた。

「お一人にさせてしまって、申しわけありませんでした。退屈なさいませんでしたでしょうね。まったく、何たることか！」

ホフマンは息をきらせ、顔から汗を噴きだしていた。

「ああ、いや、わたしなら楽しんでいたよ」

「申しわけございません。この会場を離れて電話に出なければならなかったものですから。でも、もうこちらに向かっておられますよ。たしかに向かっておられます。ブロッキーさまは、すぐにも到着なさるでしょう。やれやれ、ありがたい！」彼はあたりを見回してから、わたしのほうへ身を乗りだすと、声をひそめて言った。「今回の招待客のリストは、なっちゃいません。そう注意しておきました。この会場にいる一部の者たちときたら！」彼は首を振った。「まったく、何たることだ！」

「しかし、少なくともブロッキーさんがこちらへ向かっているのなら……」

「ええ、さよう、さようです。まったくもって、ライダーさま。今夜わたしどもとご一緒してくださって、心底ほっとしているのです。ちょうどあなたを必要としているときに。総じてあなたのスピーチも、そう、この事態のために大幅に変えなければならない理由は、ございませんでしょう。おそらくひとことふたこと、あの悲劇についてお触れになる必要はありますでしょうが、犬のことは誰か別の者に話させるよう手配をいたしますから、ほんとうに、あなたがご用意なさったスピーチを変更する必要はございません。ただ一つ申しあげるなら――はは！――あまり長くならないようにということでしょうか。もちろん、順番はいちばん最後に……」そこで彼は言葉をにごして小さく笑うと、もう一度、広間を見回して言った。「ここにいる客の一部は、とんでもなく場違いです。わたしは注意しておきました」

ホフマンが広間を見回していたので、そのあいだにわたしは彼が言ったスピーチについて、考えることができた。しばらくして、わたしは言った。

「ホフマンさん。この状況を考えると、少し自信がないのです。つまり、いつ立ち上がって話を……」

「ああ、いかにも、おっしゃるとおりです。何と鋭いお方でしょう。ご指摘のように、普段のタイミングでただお立ちになっても、客のほうは何が始まるのか分かりますまい……さよう、さよう。実によくお見通しで。わたしがブロッキーさまの隣に座りますので、最適の頃合いを見計らうのをお任せいただけますでしょうか。わたしが合図を送るまで、お待ちくだされればよろしいのです。まあ、ほんとうにライダーさま、こんなときにあなたのような方がいてくださるのは、心強いかぎりです」

「少しでもお手伝いできるなら光栄です」

広間の反対側で大きな物音がして、ホフマンは急にそちらを振り返った。彼は首を伸ばして何が起きたのか探ろうとしたが、どうやらたいしたことではなさそうだ。わたしはもう一度彼の注意を引こうと、咳ばらいをした。

「ホフマンさん、もう一つだけ、小さな問題があるんです。実は」——そう言いながら、わたしは自分の着ているガウンを指さした——「もう少しフォーマルな服に着替えたほうがよくありませんか。何か借りられないでしょうかね。ごく普通の服でいいんです」

ホフマンは気もそぞろにわたしのガウンをちらりと見やったが、ほとんどすぐに目をそらして、上の空で答えた。「いいえ、ご心配はいりませんよ、ライダーさま。今夜は堅苦しい会ではございませんから」

彼はまた首を伸ばして、広間の反対側を見ようとした。明らかにわたしの問題など気にもとめていないようだ。もう一度そのことを口にしようとしたとき、入口のあたりであわただしい動きがあった。ホフマンははっとして、ぞっとする笑顔でわたしを振り返った。それから「おみえになりました！」とささやいてわたしの肩に触ると、急ぎ足で立ち去った。

会場が急に静まり返り、全員がドアのあたりを見守っていた。わたしも何が起きているのか様子を探ろうとしたが、前にいる人たちに視界をさえぎられて見えなかった。それから突然、まわりにいる人たちが先刻からの決意を思い出したかのように、また控えめながら明るい口調で会話を再開した。

わたしは人垣をかきわけて前へと進み、とうとうブロッキーが広間へ案内されてくるのを目にした。片方の腕を伯爵夫人が、もう片方をホフマンが支え、さらに四、五人が心配そうな顔でまわりをうろうろしている。ブロッキーは取り巻きのことなど明らかに眼中になく、陰鬱な表情で装飾を凝らした天井を見上げていた。わたしが想像していたより長身で背筋もしゃんとしていたが、動作はひどくぎこちなく――おまけに体が奇妙な角度に傾いているので――遠目には、まるで運搬用の台車に乗せられて運ばれてくるかのようだ。ひげはそっていないが、さほど不精には見えない。タキシードは誰かに着せてもらったままらしく、少しゆがんでいる。容貌は無骨で年老いてはいるものの、気さくな雰囲気がかすかに残っていた。

わたしは一瞬、彼がわたしのところへ案内されてくるのかと思ったが、すぐに隣のダイニングルームへ向かっているのだと気づいた。入口に立っていたウエイターがブロッキーと介添人たちを招き入れ、彼らがドアの向こうに消えると、大広間はまた静かになった。まもなく客たちはおしゃべりを再開したが、いまや新たな緊張感が生まれていた。

そのとき、壁ぎわに背のまっすぐな椅子が一つだけ置いてあるのが目にとまった。別の視点から見てみれば、この場の雰囲気をつかんで晩餐会の席にいちばんふさわしいスピーチを考えつくのではないか。そう思って、わたしはその椅子まで歩いていき、何分か腰をかけて広間を眺めた。

客たちはまだなごやかに談笑していたが、その裏で緊張感が高まっているのは、疑うべくもなかった。この緊張感と、誰か別の人物がとくに犬についてお悔やみを述べることを考慮すれば、わたしのスピーチは、ほどほどに気楽なものにするのが賢明だろう。それで結局、この前のイタリア旅行のときに遭遇した数々の災難について、面白おかしく楽屋話を語るのがいちばんだろうと判断した。これはすでに何度かおおやけの場で話したことがあり、聴衆の緊張を解きほぐせるという自信があったし、このような状況で大いに受けるのは確実だと思ったのだ。

出だしの文章をためしに何通りか考えているうちに、客の数はかなり少なくなっていた。そのとき初めて、客たちが続々とダイニングルームへ移動していることに気づき、わたしも椅子から立ち上がった。

晩餐会に並ぶ列に加わったとき、何人かがかすかにほほ笑みかけてきたが、誰も話しかけてはこなかった。そのことはまったく気にならなかった。わたしはまだ頭のなかで、列席者の心をぐっとつかむような出だしの文章をひねりだそうとしていたのだ。ダイニングルームのドアの近くへ来たときにも、まだ二つの候補のうちどちらにしようかと迷っていた。第一の案は、「長年のあいだに、わたしの名前はある種の特質を連想させるようになりました。細部への徹底的なこだわりとか、精確な演奏とか、強弱法《デュナーミク》の厳格な管理とか」と切りだしてみることだった。冒頭そのようにわざと尊大に聞こえる言葉を述べたあと、間髪をいれず爆笑を誘うこと請け合いの、ローマで実際に起きたさまざまな出来事を暴露する。もう一つの案は、最初からもっとばかげた調子でスピーチに入ることだ。「カーテン・レールを壊し、ネズミに毒を盛り、楽譜にはミスプリント……みなさんのなかで、わたしの名前を聞いてそんな出来事を思い浮かべる方は、きっとほとんどいらっしゃらないでしょう」と。どちらにもそれぞれ長所と短所があったので、わたしは結局、晩餐会の雰囲気をもっとよく把握するまで、最終的な決定を延ばすことにした。

ダイニングルームへ入ると、どちらを向いても客たちが熱のこもったおしゃべりをしていた。すぐさま、わたしはその部屋の広さに驚いた。いまこれだけの人数が入っているというのに——ゆうに百人は超えているだろう——客のために照明をつける必要があるのは、ごく一部分にすぎない。かなりの数の円卓に白いテーブルクロスがかかり、ナイフやフォークが並べてあったが、むきだしのまま客を迎える用意がされていない円卓の数も同じくらいあり、その列が部屋のかなたの闇のなかへと消えている。多くの客はもう席についていて、会場全体の眺め——ご婦人方の宝石のきらめき、ウエイターの糊のきいた真っ白な上着、その背景になっている黒いタキシード姿と、その先の闇——は、なかなかに壮観だった。ドアを入ったすぐのところからその光景を眺めながら、この機会にとガウン姿を直していたとき、伯爵夫人が隣にやってきた。彼女はわたしの腕を取ると、さっきとほぼ同じように率先して歩きだした。

「ライダーさま、あまりお人目につかないようにと、こちらのテーブルにお席をご用意いたしましたの。ほかのお客さまたちに気づかれて、秘密のプレゼントの効果を台なしにしたくはございませんから！　でも、ご心配はいりませんわ。わたくしたちがあなたがおみえになっていることを発表したあと、お立ちくださされば、みなさんにあなたのお姿がはっきりと見え、お声もよく聞こえますので」

　伯爵夫人が案内してくれたテーブルは部屋の隅にあったが、なぜここが他のテーブルよりとくに目立たないのか、理解できなかった。彼女はわたしを席に座らせると、笑いながら何ごとかつぶやいて——ざわめきでよく聞き取れなかった——いそいそと立ち去った。

同じテーブルには、ほかに四人——中年のカップルともう少し若いカップル——が座っていて、全員が儀礼的にわたしにほほ笑みかけると、また自分たちの会話に戻った。年配のカップルの夫君が、息子がなぜアメリカに住みたいのかひとしきり説明したあと、話題はこの夫婦の他の子供たちに移った。ときどき誰かが思い出したように、わたしを仲間に入れなければと、かたちばかりの小さな仕草——わたしのほうを見やるとか、冗談が出たときにほほ笑みかけるとか——をするのだが、誰も直接には話しかけてこないので、わたしはまもなく彼らの話につき合おうとするのをやめた。

　しかしウエイターがスープを出しはじめると、彼らの会話がとぎれがちになり、注意も散漫になった。そしてメインコースを食べているあいだに、同席者たちはとうとう体裁を取りつくろうのをやめたらしく、ずっと気がかりだった本題のことを話しはじめた。ブロツキーの座っているあたりにあからさまな視線を投げながら、彼らはその老人のいまの状態をあれこれ推測しては、ひそひそ話をしていた。そのうち、若いほうの女性が言った。

「ぜひどなたかがあのお席へ行って、お悔やみの気持ちをお伝えすべきですわ。わたししたちみんなで、あのテーブルへうかがうといいのよ。どなたもまだ、ひとこともお声をかけていないようですもの。ほら、ご一緒の方がたは、ほとんど彼とお話しなさっていないことよ。それならわたしたちがうかがって、まず口火を切ってはいかがかしら。そうすればほかの方がたも、あとから続いてみえるでしょう。みなさんわたしたちと同じように、誰かがそうするのを待ってらっしゃるのかもしれませんわ」

他の三人は、主催者が一切を取り仕切っているのだし、いずれにしろブロッキーはすこぶる調子がよさそうだと、あわてて彼女を説得したが、そのすぐあとで自分たちも、心配そうな表情で会場の遠くを見ていた。

もちろんわたしもこのときとばかりに、ブロッキーを詳しく観察した。彼はほかのテーブルよりやや大きなテーブルに座っていた。ホフマンが片側に、伯爵夫人がもう一方の隣に座り、三人を輪のように囲んでいる他の同席者は、全員が威厳ある白髪の男性だ。白髪の紳士たちはひっきりなしに小声で何か相談しているように見え、そのせいでテーブルには陰謀めいた気配が漂って、全体の雰囲気をますます気まずくしていた。ブロッキーはというと、明らかに酔っ払っているような兆候はなく、気乗りしない様子で淡々と食事を続けていた。それでもやはり、自分だけの世界に閉じこもっているらしかった。というのも、メインコースが出ているあいだ、ホフマンがブロッキーの背中に片方の腕を回して、ずっと彼の耳もとで何かささやきかけていたが、老人のほうは返事もせずに、陰気なまなざしでただ宙を見つめるばかりだったのだ。伯爵夫人が一度彼の腕に触って何かつぶやいたときも、ブロッキーは何も答えなかった。

デザートが終わるころ――料理は目を見張るほどではなかったが、満足のいくものだった――ホフマンがせかせかと動き回るウエイターたちのあいだをぬって、こちらへ向かってきた。ホフマンはわたしのそばに来ると、前かがみになり、耳打ちした。

「ブロッキーさまがみなさんにご挨拶をなさりたいようなのですが、実を申しますと――はは！――それはおやめくださいと、説得に努めてきたのです。今夜はこれ以上のストレスは避けたほうがよろしいと思います。それでライダーさま、恐縮ですがわたしの合図に注意していただいて、合図がお目にとまったら、すぐにお立ちくださいますでしょうか。あなたのスピーチが終わりしだい、伯爵夫人が散会までの正式の進行を舵取りいたします。ええ、実際わたしどもは、ブロッキーさまをよけいなストレスからお守りするのがいちばんだと思うのです。お気の毒に、はは！　いやはや、この招待客のリストではね」――彼は首を振ってため息をついた――「あなたがここにいらしてくださって、ほんとうにありがたいかぎりです、ライダーさま」

わたしが何か答える暇もなく、彼はまたウエイターたちのあいだをぬって、さっさと自分のテーブルへ戻っていった。

数分間、わたしは会場内を見回しながら、さっき考えていたスピーチの二つの出だしのどちらがいいか、思案した。まだ決めかねているとき、騒がしかった会場が急に静かになった。伯爵夫人の隣に座っていたいかめしい顔の男性が立ち上がっていた。

紳士はかなりの高齢で、銀髪だった。威厳をあたりに漂わせ、会場はたちどころに水をうったようにしんとなった。いかめしい顔の紳士は数秒間、まるで叱責するかのように集まった客たちをにらみつけたあと、抑えた口調だが朗々と響く声で話しだした。

「みなさん。あれほど立派な気高い仲間が亡くなられたときには、部外者からどのような、たとえどのような言葉をかけられようと、およそ空虚で浅薄なものに聞こえることでしょう。しかし、われわれはこの席にいる全員を代表し、正式にブロッキーさまに心からお悔やみを申しあげずに、この夕べを終えることはできません」彼が息をつぐと、あちこちで賛同のつぶやきが起こった。彼は続けた。「あなたのブルーノは、この町を散歩しているところを見かけた者たちに大いに愛されていたばかりではありません。動物はもとより、人間のあいだでも希有な地位を得ておりました。つまり、象徴になったのです。ええ、そうです。彼はわれわれに、いくつかの重要な美徳の規範を示してくれました。徹底した忠誠心、恐れを知らぬ生への情熱、見下されることの拒否、尊大な傍観者にとってはいかに突拍子もなく思えようとも、自分なりのやり方で物事をやり遂げようという熱意。そうした美徳こそ、この比類ない誇るべきわが町をまさに長年にわたって築きあげてきたものなのであります。思いきって言わせていただくなら、これらの美徳が」——彼はそこで重要性を強調するかのように、ゆっくりとした口調になった――「きわめて近い将来、この町のあらゆる階層の住民のあいだで再び花開くことを、われわれは願ってやみません」

彼は口をつぐみ、もう一度会場内を見回した。そして相変わらずあの厳しいまなざしで客たちをにらみつけたあと、ようやくこう言った。

「みなさん、これからご一緒に、旅立ったわが友人のご冥福を祈って、一分間の黙禱をささげましょう」

彼が目を伏せると、全員がこうべを垂れて、会場内は再び完全な沈黙におおわれた。わたしが顔を上げると、市民の指導者の何人かがブロツキーのテーブルへ行って――おそらく立派な規範を示そうという熱意から――こっけいなまでに大仰に悲しみを表しているところだった。たとえばその一人は、額を両手でおおっていた。ブロツキーはと言えば――彼はスピーチの最中も身じろぎ一つせず、話をしている紳士や会場を見ようと顔を上げることもなかったのだが――相変わらずじっと座っているだけで、その体はまた奇妙な角度に傾いていた。もしかしたら椅子に座ったまま眠ってしまい、ホフマンが腕を背中に回しているのももっぱら彼の体を支えるためだということさえ、ありうる。

一分間の黙禱が終わると、いかめしい顔の紳士はひとことも言わずに着席してしまい、進行がとまってしらけた空気が漂った。何人かはおずおずとまた会話を始めたが、そのとき別のテーブルで動きがあり、はげ頭で顔にしみのある大柄な男が立ち上がった。「紳士淑女のみなさん」彼は力強い声で呼びかけた。そしてブロッキーを振り返ると小さく会釈をして、「ブロッキーさま」とつぶやいた。彼は数秒うつむいて自分の手を見つめていたが、やがて会場内を見回した。「みなさんの多くがすでにご存じのように、きょうの夕方、わが愛する友人の遺骸を発見したのは、このわたしです。ですからみなさんに、ひとことふたこと……あの出来事について述べるお時間をいただきたいと思うのです。と申しますのも、ブロッキーさま」――彼はもう一度ブロッキーを見た――「実際、わたしは、みなさんにお許しを乞わねばなりません。どうか事情を説明させてください」大柄な男はそこで一瞬息をついで、つばを飲みこんだ。「きょうの夕方、わたしはいつものように配達の仕事をしていました。そのころにはほとんど荷物を配り終え、あと二、三軒を残すばかりになっていました。わたしは近道をして、線路とシルド通りのあいだの路地を歩いていました。普段は、とくに暗くなってからは、そんな路地を通らないのですが、きょうはいつもより時間が早かったし、ご存じのように美しい夕日が見られたのです。それでわたしは、あの近道を通ることにしました。ちょうど路地のなかほどまで来たとき、彼を、あの愛すべき友人を、見つけたのです。彼は街灯と木の塀のあいだの目立たない場所に、ほとんど隠れるようにしてうずくまっていました。わたしはそばにひざまずき、彼がほんとうに死んでいることを確認しました。そうしながら、いろんな思いが頭のなかをかけめぐりました。もちろんブロッキーさま、あなたのことも考えました。あなたにとって、彼が片時もそばを離れない、どれほどすばらしい友人だったか、そしてこの出来事がどんなにつらい喪失になるかを。そしてまた、この町全体がどれほどブルーノを恋しがるか、あなたの悲しみをこの町がどのように分かち合うかも考えました。ここで申しあげておきますと、悲しさもさることながら、これは運命がわたしに特権を与えてくださったように感じたのです。ええ、そうです。特権です。この友人の遺骸を動物病院まで運ぶ役目が、わたしに振りかかってきたのですから。それで次にどうしたかと申しますと、わたしは……釈明のしようもありません。たったいまフォン・ヴィンターシュタインさんがお話しになっているあいだ、わたしは自分の優柔不断さにさいなまれる思いで、ここに座っていました。わたしも立ち上がって話すべきかどうかと、思い悩んでいたのです。そして結局、このように決意しました。ブロツキーさまがあすの朝、噂で耳にされるより、わたし自身の口から申しあげたほうがよいだろうと思いまして。わたしはそのあとの出来事を、心から恥じております。ただ、悪気はなかった、神かけて悪気はなかったと、申しあげるしかありません……いまとなっては、あなたに許しを乞うほかないのです。この数時間、わたしは頭のなかで何度となくそのことを思い返し、いまやっと、本来どうすべきだったのかが分かりました。自分の荷物をおろすべきだったのです。まだ最後の配達が残っていましたから、わたしは二軒分の荷物を持っていました。それをおろせばよかったのです。塀のそばに押しこんで路地に残していっても、たぶん無事だったでしょう。たとえ誰かに持ち逃げされたとしても、どうだと言うのでしょう？　しかしとにかく、何かのばかげた理由から、たぶん愚かな職業的本能からでしょうが、わたしはそうしませんでした。考えもしませんでした。つまり、ブルーノの遺体を抱き上げたとき、まだこの荷物にこだわっていたのです。いったい何を考えていたのか。でも真相は――どのみちあすにはお聞きになるでしょうから、わたし自身がいまここでお話ししますと――あなたのブルーノはかなり長い時間、あの場所にいたに違いありません。遺体はあの世にいってもまだご立派でしたが、すでに冷たくなって、そのう、硬直していたのです。ええ、そうです。硬直していたのです。お許しください。わたしがこれから申しあげることで、あなたが苦しまれるかもしれませんが……話を続けさせてください。わたしは自分の荷物を運ぶために――それはもう後悔しきりで、一千回は悔やみましたが――ブルーノを抱き上げ、全身が硬直していることを考えもせずに、肩に担いだのです。そんなふうにして路地の出口のあたりまできたとき、どこからか子供の悲鳴が聞こえてきたので、わたしは立ちどまりました。それからもちろん、自分の犯した失敗の重大さが分かってきました。紳士淑女のみなさん、ブロッキーさま、はっきりお話しする必要があるでしょうか？　そうすべきですね。真相はこうなのです。わが友人の遺体が硬直しており、加えてわたしが愚かにも彼を肩に担いで、つまりほとんど垂直になった状態で運ぶという方法を取ったために……そのう、要するにシルド通りのどの家庭からも、ブルーノの上半身が塀の上に見えていたに違いないというわけなのです。

実際、ますますむごいことに、それはちょうどたいていの家庭で、家族が路地に面した部屋に集まって夕食を取っている時間でした。みなさん食事をしながら庭を眺めているときに、わが気高い友人が前足を体の前に突きだして音もなく動いていくのを目にしたのです——ああ、何たる不名誉！　次々に家族の前で！　その場面がわたしの頭から離れません。目の前に、きっとこんなふうに見えただろうという光景が浮かぶのです。どうかお許しください。この……このわたしの不手際のあかしをみなさんに打ち明けずに、もうこれ以上この場に座っていることはできませんでした。この悲しい特権がわたしのような愚か者に与えられるとは、何たる不運でしょう！　ブロッキーさま、どうかお願いですから、あなたの気高いお友達が旅立たれてまもなく、わたしが彼に与えてしまった屈辱にたいして、このどうしようもなく不器用なお詫びを受け入れてください。そしてシルド通りのよき住民も、たぶん何人かはいまこの場においでだと思いますが、ほかのみなさん方と同じように心からブルーノを愛していたことでしょう。なのにあんな最期の姿を見ることになってしまって……どうかブロッキーさま、みなさん、わたしをお許しください。どうか。どうか」

大柄な男は、悲しそうに首を振りながら腰をおろした。すると彼の近くのテーブルにいた女性が、ハンカチで目頭を押さえながら立ち上がった。

「ええ、間違いなくそうですわ」彼女は言った。「彼は同じ世代の犬のなかでも、いちばん偉大でした。ええ、そうに違いありません」

その言葉に同意するささやきが、会場じゅうに広がった。ブロッキーの近くにいた市民の指導者たちも熱心にうなずいていたが、ブロッキー本人はまだ顔を伏せたままだった。

わたしたちは例の女性がもっと何かしゃべるのを待っていた。しかし彼女は立ったまま何も言わずに、ただすすり泣いてはハンカチで涙をぬぐうばかりだった。しばらくすると、そばにいたベルベットのタキシード姿の男性が立ち上がり、やさしく彼女を椅子に座らせた。男はまだ立ったまま、とがめるように会場内をにらみつけてから言った。

「像だ。銅像がいい。ブルーノを永遠に忘れないように、記念の銅像を建てようじゃないか。大きく堂々としたものを、ヴァルサー通りにでも。フォン・ヴィンターシュタインさん」——彼はあのいかめしい顔の男に向かって話しかけた——「ここで今夜、ブルーノの像を建てることを決定しましょう！」

誰かが「賛成、賛成」と叫び、あちらからもこちらからも賛同の声が巻き起こった。ところが例のいかめしい顔の男ばかりでなく、ブロッキーのテーブルにいた市民の指導者全員が、急にとまどった様子を見せた。とんでもない事態になったという視線が何度か行き交ったあと、いかめしい顔の男が座ったまま答えた。

「ハラーさん、それは当然ながら慎重に検討すべきことです。どんなかたちで記念を残すかについての、ほかの提案と一緒に……」

「こんなことは行きすぎだ」会場の反対側から突然、別の男が横やりを入れた。「何というばかげた提案なんだ。あの犬のために銅像を建てるだって？　あの犬が銅像に値するくらいなら、うちの亀のペトラは五倍も大きいのを建ててもらえるぞ。最期も悲惨きわまりなかったんだ。ばかばかしい。おまけにあの犬は今年になって、ラーン夫人を襲ったじゃ……」

あとの言葉は、会場じゅうに巻き起こった大騒ぎにかき消された。全員が口々に怒鳴っていた。いま発言した男はまだ立ったままで、今度は自分のテーブルにいる誰かと猛烈な議論を始めた。混乱が増すなか、わたしはホフマンが手を振っているのに気づいた。というか、手で円を描くような奇妙な動き――架空の窓をふいているような――をしていたので、ぼんやりとあれがホフマンのお気に入りの合図なのだということを思い出した。そこでわたしは立ち上がり、大きく咳ばらいをした。

会場はあっという間に静かになり、全員がわたしに注目した。さっき銅像に反対した男も、口論をやめて急いで椅子に座った。しかしわたしがもう一度咳ばらいをして、いざスピーチを始めようとしたとき、急にガウンの前がはだけて裸体がのぞいているのに気づいた。気が動転し、一瞬ためらったのちに、わたしは腰をおろした。ほとんど同時に、会場の反対側で一人の女性が立ち上がり、甲高い声で言った。

「銅像が実際的でないなら、通りに名前をつけたらどうかしら？　故人を偲《しの》ぶのに、よく通りの名前を変えるじゃありませんの。フォン・ヴィンターシュタインさん、それなら決して無理なお願いではないはずですわ。マインハード通りとか、ヤーン通りはいかがでしょう」

この提案にまた賛成の合唱が巻き起こり、客たちはたちまち、口々にほかのこれはと思う通りの名を叫んでいた。市民の指導者は、大いに当惑しているようだ。

わたしの近くのテーブルにいた背の高いあごひげの男が立ち上がって、よく響く声で言った。「ホレンダーさんに賛成だ。これでは少々行きすぎじゃないか。もちろんブロッキーさまには、みんなお気の毒に思っていますよ。しかし正直なところ、あの犬は厄介ものだった——ほかの犬にとっても人間にとっても。せめてブロッキーさまが、たまにはあの犬の毛にブラシをかけて、何年も放ったらかしておいた皮膚病の手当をしようと考えておられたなら……」

この男に、反対の怒号が嵐のように襲いかかった。いたるところで「無礼者！」とか「恥知らず！」とか叫ぶ声が巻き起こり、なかにはこの男に説教してくれようと、自分のテーブルを離れる者もいた。ホフマンはいま一度わたしに例の合図を送り、ぞっとする笑顔で懸命に腕を振り回している。そのときあごひげの男の声が、非難囂々《ごうごう》の会場にとどろいた。「そうじゃないか。あの犬は、いまいましい厄介ものだった！」

わたしがガウンの前がきちんと合わさっているのを確かめ、いざもう一度腰を上げようとしたとき、ブロッキーが不意に動いて椅子から立ち上がった。

彼が立つときテーブルが音を立てたので、全員が彼のほうを向いた。席を立っていた者も、あっという間に自分のテーブルに戻って、会場は再び静かになった。

一瞬、わたしはブロッキーがテーブルの上に崩れ落ちるのではないかと心配したが、彼は何とかバランスを保って、しばらく会場を見回していた。彼が話しはじめたとき、その声は少しかすれていた。

「いったい何の騒ぎだ？」ブロッキーは言った。「あの犬が、わしにとってそれほど重要だと思っているのかね？　あいつは死んだ。それだけのことじゃないか。わしは女が欲しい。ときどき寂しくなるのさ。わしは女が欲しい」彼はそこで口をつぐみ、しばし考えにふけったあと、ぼんやりとつぶやいた。「あの船乗りたち。酔いどれの船乗りたち。連中はいま、どうしているだろう？　彼女はあのころ若かった。若くて美人だった！」彼は再び自分の考えにひたり、高い天井から下がっているシャンデリアをじっと見上げていた。

わたしはまた、彼がテーブルの上に崩れ落ちるかもしれないと思った。ホフマンもきっと同じような心配をしたに違いない。彼も立ち上がって、ブロッキーの背中にそっと手をあてがいながら、耳もとで何かささやいたのだ。ブロッキーはにわかには反応しなかったが、しばらくしてこうつぶやいた。「彼女はその昔、わしを愛してくれた。誰よりも愛してくれた。あの酔いどれの船乗りたち。連中はいまどこにいるんだ？」

ホフマンはブロッキーがあたかも名文句を口にしたかのように、上機嫌の笑い声を立てた。そして満面の笑みで会場を見回したあと、ブロッキーの耳に何ごとかささやいた。ブロッキーはやっと自分がどこにいるのか思い出したらしく、ぼうっとホテルの支配人を見返すと、説得に応じて自分の椅子に腰をおろした。

沈黙が続き、誰も物音一つ立てなかったが、やがて伯爵夫人が快活な笑顔で立ち上がった。

「紳士淑女のみなさま。これから、今夜のすばらしい秘密のお客さまをご紹介いたしましょう！　きょうの午後お着きになったばかりで、とても疲れていらっしゃるに違いありませんのに、わたくしたちの特別ゲストとしてご出席くださいましたの。そうですわ、みなさま！　ライダーさまがこの場においでになります！」

会場じゅうに興奮の叫びが巻き起こるなか、伯爵夫人が派手な身ぶりでわたしのほうを示した。何をする暇もなく、同じテーブルの人たちがたちまちわたしを取り巻いて、握手を求めてきた。次の瞬間、まわりにいる全員が、喜びに息をはずませてわたしに挨拶し、次々に手を差しだしてくる。わたしはできるかぎり丁重にこれに応えたが、肩ごしに振り返ると——椅子から立ち上がるチャンスもなかった——背後にどっと人が集まってきて、おおぜいが押し合ったり背伸びしたりしていた。頭に浮かんだのは、会場が混乱の極致になる前に、この場を何とかしなければならないということだった。すでにたくさんの客が立ち上がっていた。いちばんいいのは、どこか高い台の上にでも立って彼らを見下ろすことだろう。わたしはガウンの前がきちんと合わさっているのをすばやく確かめてから、自分の椅子の上によじのぼった。

　喧噪はたちまちおさまり、客たちは凍りついたように自分のいた場所に突っ立ったまま、わたしを見上げていた。高いところから見下ろすと、客の半数以上が自分のテーブルを離れており、これはもう一刻の猶予もならないと判断した。

「カーテン・レールを壊し、ネズミに毒を盛り、楽譜にはミスプリント！」

　そう言ったとき、身じろぎもせずに立っている人々のあいだを、ある人物がこちらへ歩いてくるのに気づいた。ミス・コリンズはわたしのもとへやってくると、近くのテーブルから椅子を引き寄せ、そこに腰をおろしてわたしを見上げた。その様子にどこか気になるところがあったので、一瞬、次の言葉につまってしまった。わたしがまごまごしているのを見ると、ミス・コリンズは足を組み、心配そうな声で言った。

「ライダーさま、ご気分でもお悪いんですの？」

「いえ大丈夫です。ありがとう、ミス・コリンズ」

「どうか……」彼女は続けた。「先ほど申しあげたことを、あまりお気になさらないでください。あなたを探してお詫びしたかったのですけれど、見つかりませんでしたの。わたくし、自分の立場もわきまえずに、たいへん失礼なことを申しあげたかもしれません。お許しくださいね。いまだにそうですのよ。あなたのようなご職業の方にお目にかかると、にわかに昔のことがよみがえって、あんなふうな物言いをしてしまいますの」

「そんなこと、いっこうにかまいませんよ、ミス・コリンズ」わたしは笑顔で彼女を見下ろしながら冷静に言った。「どうぞご心配なく。これっぽっちも気にしていません。もしわたしがぷいと立ち去ったように見えたなら、それはあなたがシュテファンと二人きりでお話ししたいかもしれないと思っただけのことなのです」

「そうおっしゃっていただいて、うれしいですわ。少し腹を立ててしまって、ほんとうに、申しわけなく思います。でも、信じてくださいな、ライダーさま。わたくしはただ怒っていたわけじゃございませんの。心から、あなたのお力になりたいと思っておりますのよ。あなたが何度も同じ間違いをなさるのを見るに忍びないものですから。前からお話ししたかったのですけれど、ここでお会いできたので申しあげます。いつかぜひ、午後のお茶にいらしてください。何かお悩みになっていることがおありなら、喜んでご相談に乗りましょう。親身になって耳を傾けると、お約束します」

「ご親切にありがとう、ミス・コリンズ。ご好意には心から感謝します。しかし失礼を承知で申しあげるなら、ご自分でもおっしゃったように、あなたは過去の経験から、どうやらピアニストを前にするとご機嫌が悪くなられるようですね。わたしのような者がお訪ねしても、かえってご気分を害されることになるのではありませんか」

ミス・コリンズはこの言葉をしばし考えているようだったが、やがて答えた。「ご懸念なさるのももっともですわ。でも、わたくしたちが慎み深くお話しすることも、間違いなく可能だと思いますのよ。ごく短時間にとどめたければ、それもよろしゅうございましょう。楽しかったとお思いでしたら、またいつでもお訪ねくださいませ。ちょっとした散歩に出かけることもできますわ。シュテルンベルク公園が、アパートのすぐそばにございますの。ライダーさま、わたくしは長年、過去の出来事にとらわれてまいりましたけど、もうすっかり水に流す用意ができております。ぜひとも、もう一度あなたのような方のお力になりたくて。もちろん、どんな質問にもお答えできるとは、お約束できませんけど、お話は親身になってうかがいます。それにもう少しお若い方のように、あなたを偶像視したり感傷的に見たりすることは、決してございませんから」

「お招きをよく考えさせていただきます、ミス・コリンズ。しかしやはり、わたしのことを誤解なさっているのではないでしょうか。と言いますのも、世の中は何かの天才を自称する者であふれているようなのですが、実のところ天才とは、自分の生活をまともに送る能力にはなはだしく欠けるという点で、際立っている者にすぎません。ところがどうしたことか、ミス・コリンズ、あなたのような方がたが――まさしく善意の方がたなのですが――いつも列をなして、こうしたタイプの人間を是が非でも救いたいと駆けつけてくるんです。これは買いかぶりかもしれませんが、あいにくわたしはそんな天才の部類には入りませんよ。これだけは自信をもって申しあげます。いまの時点で、わたしには救っていただく必要など、これっぽっちもありません」

ミス・コリンズはその間ずっと首を振っていたが、ここでまた口を開いた。「ライダーさま、あなたがこれから何度も同じ間違いをなさるとしたら、ほんとうに悲しゅうございます。それに、わたくしがこの町にいて、あなたをお見かけしながらずっと何もせずにいると思うと。ほんとうに少しでも、いま困ってらっしゃるあなたのお力になれないものかと思いますの。もちろん、わたくしがレオと暮らしておりましたときには」——彼女はブロッキーのほうをかすかに手で示した——「若すぎましたし、知識らしい知識もほとんどなく、何が起きているのか、まったく分かっておりませんでしたわ。でもいままでは、この長い年月に、あらゆることを考えてきました。そしてあなたがこの町におみえになるとうかがったとき、もうそろそろ恨みごとを封じこめる潮時だと、自分に言い聞かせましたのよ。わたくしは年老いましたけれど、まだまだご用済みなんかじゃございません。人生のあれやこれやについて、とてもよく理解できるようになりましたし、いまからその知識を役立てようとしても、遅すぎはいたしません。ライダーさま、あなたをお招きしているのも、そのような気持ちからなのです。さきほどお会いしたさい少し失礼な態度を取りましたことを、いま一度お詫びいたしますわ。二度とそんなことはないと、お約束しましょう。どうかお訪ねになるとおっしゃってください」

ミス・コリンズの話を聴いているあいだに、あの居間の光景——控えめな心地よい照明、すりきれたベルベットのカーテン、壊れかかった家具——が目の前に浮かんできて、世俗の圧力から遠く離れて彼女のカウチの一つでくつろぐという考えが、一瞬とりわけ魅力的なものに思われた。わたしは深く息を吸いこんで、ため息をついた。

「ご親切なお招きを覚えておきます、ミス・コリンズ。しかしいまはとにかく、ベッドに入って休みたいのです。ご理解ください。何カ月も旅行ばかりで、この町に着いてからもほとんど休む暇がありませんでした。ですからとても疲れているんです」

そう言いながら、またどっと疲労感に襲われた。まぶたの下がかゆくなり、わたしは手のひらで顔をこすった。そのとき、誰かがわたしのひじを取って静かにささやいた。

「歩いてお部屋までお送りしましょう、ライダーさま」

シュテファンが手を差しだして、わたしが椅子からおりるのを助けようとしていた。わたしは彼の肩に手を置いて、椅子からおりた。

「ぼくも、もうくたくたです」シュテファンは言った。「歩いてお送りしましょう」

「歩いて？」

「ええ、ぼくも今夜は客室の一つで眠ります。朝早くから勤務があるときは、よくそうするんです」

わたしはまだその言葉の意味がよく呑みこめなかったが、おおぜいの立った客や座った客、ウエイターやテーブルの向こうの、広い空間が闇のなかに消えているあたりに目を向けたとき、突然、ここがあのホテルのアトリウムだったことに気がついた。最初ここへ来たときは——そして全体を眺めたときは——反対側から入ってきたため、いままで分からなかったのだ。あの遠くの暗闇のどこかに、わたしが昼間コーヒーを飲み、夕方からの予定を立てようとしていたバーがあるのだろう。

しかしそのことについて深く考える暇もないまま、シュテファンが予想外に強引な態度でわたしを連れて帰ろうとした。

「さあ戻りましょう、ライダーさま。あなたにお話ししたかったこともあるんです」

「おやすみなさい、ライダーさま」ミス・コリンズが立ち去ろうとするわたしに声をかけた。

わたしもちらりと振り返っておやすみと告げたが、シュテファンが相変わらず強引にわたしを連れ帰ろうとしていなければ、もう少し丁寧な挨拶を返したはずだった。実際、わたしたちがアトリウムを横切っているあいだも、あちらこちらからおやすみという声が聞こえてきた。わたしはできるだけ丁重にほほ笑んで手を振ったが、いつもほど愛想よく退出していないことが心苦しかった。しかしシュテファンは何か別の考えに取りつかれているらしく、わたしがまだ肩ごしに振り返っておやすみの挨拶を口にしているというのに、わたしの腕を引っぱった。

「ライダーさま、ぼくはずっと考えていたんです。いまはうぬぼれが出てきただけかもしれませんが、カザンに挑戦してみるべきだと思うんです。もちろん、さっきのあなたの助言を忘れたわけじゃありません。これまで準備してきた作品を替えないほうがいい、という。でも、ずっと考えてみた結果、《ガラスの情熱》を弾けるかもしれない気がするんです。いまの自分の力量でこなせる自信があります。ほんとうの問題は、時間です。でも、本気になって夜も昼も懸命に練習すれば、弾けるかもしれない」

わたしたちはアトリウムの明かりのついていない場所に来ていた。がらんとした空間に響くシュテファンの靴音と、わたしの室内ばきのぱたぱたいう音が対位法のような効果を生んでいた。どこか右手の暗い空間に白い大理石の大きな噴水があるのがぼんやりと分かったが、いまは静まり返ってかたりとも音がしない。

「これはわたしの出る幕じゃない。それは分かっているんだが」わたしは言った。「きみの立場なら、もともと弾こうとしていた曲を替えないだろうね。自分が選んだわけだし、それで十分ふさわしい曲のはずだ。どちらにしても、わたしに言わせれば、夜中の十一時に曲目を替えるのは、いつだって間違いだよ」

「でもライダーさま、あなたはお分かりになっていません。これは母のためなんです。母は……」

「さっきのきみの話はすべて分かっている。そしていまも言ったように、口出しするつもりなどないんだ。しかしはばかりながら、人生には自分の決定を貫かなければならないときがあると思うんだよ。『これが自分だ、これが自分がやろうと選んだことだ』と主張すべきときがね」

「ライダーさま、おっしゃることはよく分かります。でも、たぶんあなたがそう言われるのは——もちろん、最高の善意から助言してくださっているのは分かりますが——ぼくのようなアマチュアにカザンなんか弾きこなせるわけがない、こんなに時間がないならなおさらだとお考えだからじゃありませんか。でもね、ぼくはそのことを晩餐会のあいだずっと必死に考えた末に、確信を……」

「いやいや、きみはわたしの本意が分かっていない」わたしは少しいらだちを覚えながら言った。「きみはわたしの本意が分かっていない。わたしが言いたいのは、きみが何かの立場を貫くべきだということなんだ」

しかし青年は、わたしの言葉を聞いていないようだった。「ライダーさま」彼は続けた。「もうとても時間が遅いですし、きっとお疲れのことでしょう。でも、よろしければほんの少し、そう、十五分でもかまいませんから、お時間をいただけませんか。これからご一緒に談話室へ来てくだされば、ぼくがカザンを少しばかりお聴かせできるんですけど。全曲とは言わず、ほんの一部でも。そうすれば、〈木曜の夕べ〉までにぼくがこの曲を弾きこなす可能性がかけらでもあるかどうか、助言していただけると思うんです。ああ、ちょっと失礼」

わたしたちはアトリウムのはずれに来ていた。暗がりのなかで、シュテファンが廊下へ続くドアの鍵を開けた。後ろを振り返ると、さっきまで晩餐を取っていたあたりは、闇のなかの小さな光の集まりにしか思えなかった。客たちは再びテーブルについたらしく、ウエイターたちがトレーを持って動き回っている姿が見えた。

廊下の照明はとても暗かった。シュテファンがアトリウムへ続くドアに鍵をかけ、わたしたちは肩を並べて無言で歩いた。彼がわたしを何度もちらちら見るので、返事を待っているのだと分かった。わたしはため息をついて言った。

「もちろん、力になってあげたいんだよ。きみのいまの状況には、大いに同情している。ただ、もうこんな時間になってしまったし……」

「ライダーさま、お疲れのご様子です。一つ提案してもいいですか？　ぼくが一人で談話室へ入り、あなたはドアの外でお聴きになるというのはどうでしょう。そうして判断を下せるくらい十分に聴いたとお思いになったら、黙ってお部屋へ上がっていく。もちろん、ぼくにはあなたがまだ外でお立ちになっているのかどうか分かりませんから、最後まで全力で弾くわけです――それこそ、ぼくが必要としていることだ。あなたは朝になって、ぼくが〈木曜の夕べ〉にあの曲を弾ける可能性があるかどうか、おっしゃってくだされぱいいんです」

わたしは彼の提案を考えた。「いいだろう。きみの提案はきわめて妥当だと思うよ。どちらにとっても、きわめて好都合だ。いいよ、きみの言うとおりにしよう」

「ライダーさま、ほんとうにありがとうございます。おかげでどんなに力づけられるかお分かりにならないでしょう。どうしようかとずっと悩んでいたんです」

彼はうれしさのあまり、いっそう足取りを速めた。角を曲がると廊下はますます暗くなり、急ぎ足で歩いているあいだ、わたしは壁にぶつからないよう、一度ならず手を突きだしたほどだった。廊下のいちばん奥の、ホテルのロビーへ出るドアにはめこまれたガラスからかすかに光がもれてくるのをのぞけば、照明はまったくついていない。今度ホフマンに会ったら忘れずにそのことを言おうと考えていたとき、シュテファンが「さあ、ここです」と言って立ちどまった。そこは談話室のドアの前だった。

シュテファンがいくつもの鍵をがちゃがちゃひねってようやくドアを開けた。その向こうには暗闇しか見えなかった。しかし青年は待ちきれない様子でなかへ入ると、廊下に頭を突きだした。

「楽譜を探すまで、少し待ってくださいませんか。ピアノのスツールのなかにあるんですが、ここは何から何まで散らかっていましてね」

「心配しなくていい。はっきりと判断がつくまで、わたしはここにいるよ」

「ライダーさま、ご親切にありがとうございます。では、すぐに始めますから」

ドアがガチャリと閉まったあと、何分かは何も聞こえてこなかった。わたしは暗闇のなかにたたずんで、廊下の突きあたりのドアとロビーからもれてくる光をときどき見やった。やっとシュテファンが《ガラスの情熱》の第一楽章を弾きはじめた。最初の数小節のあと、わたしはしだいに音楽に引きこまれていくのが分かった。演奏を聴くや、青年がこの曲を熟知していると言いがたいのは明らかだったが、それでも、ためらいとぎこちなさの下にまぎれもなく独創的な発想と繊細な感情の表現が感じられ、わたしはひとかたならず驚いた。この段階の荒けずりな演奏を聴いても、彼のカザンの解釈には、他の大多数の解釈にない独特のきらめきがあるようなのだ。

わたしは身を乗りだしてドアに近づき、彼がおずおずと弾くニュアンスを、細大もらさず聴き取ろうとした。しかし第一楽章の終盤に差しかかったとき、にわかに疲労感が襲ってきて、どれだけ遅い時間になっているかを思い出した。わたしはもうこれ以上ピアノを聴く必要はないと思い――十分な時間さえあれば、彼の技量でカザンを弾きこなせるのは、きわめて明白だ――ゆっくりとロビーのほうへ歩きだした。

II

11

ベッドわきのナイトテーブルの電話の音で目が覚めた。最初はまだ数分しか眠っていないのにまた起こされたのかと思ったが、光線の具合からすると、もう朝も遅い時間になっているようだ。寝坊したのではないかと急に心配になって、わたしは受話器を取った。

「もしもし、ライダーさま」ホフマンの声だった。「ぐっすりお休みになれましたでしょうね」

「ありがとう、ホフマンさん。ぐっすり眠りましたよ。しかしもちろん、これからちょうど起きるところです。とんでもなく忙しい一日が待っているので」――わたしは笑い声を上げた――「そろそろエンジンをかけないとね」

「ごもっともです。しかも何とお忙しい一日が控えていることか！　朝のいまのうちに、できるだけエネルギーをたくわえておきたいというお気持ちは、よく分かります。まことに賢明な策だと存じます。とりわけ昨晩、あんなに遅くまでお付き合いくださったあとですから。ああ、それはそうと、あれはすばらしくウィットに富んだスピーチでございました！　けさは町じゅうがその話でもちきりでございますよ！　いずれにしましてもライダーさま、そろそろお目覚めになる時間だと思いまして、状況をご報告がてら、お電話を差し上げたしだいなのです。幸い、三四三号室はすっかり準備が整いました。すぐにでもお移りになってはいかがかと存じます。お荷物のほうは、よろしければ朝食をお取りになっているあいだに、スタッフに運ばせましょう。三四三号室は、きっといまのお部屋よりずっとご満足いただけると思いますよ。このような不手際を、改めてお詫びいたします。ほんとうに面目ないことでして。しかし昨晩もご説明したと思いますが、こうしたことはときになかなか予想がむずかしゅうございましてね」

「ええ、ええ、よく分かっています」部屋を見回し、絶望的な悲しさが込み上げてきた。「しかしホフマンさん」——わたしは必死の思いで自分の声を冷静に保とうとした——「少しばかり困った問題があるのです。あの子が、ボリスが、いまわたしと同じこのホテルにいるものだから……」

「ああ、さようですね。もちろん、ぼっちゃまも大歓迎でございますよ。その件も考慮いたしまして、お隣の三四二号室へ移っていただきました。実はグスタフがけさ、すでに移動のお手伝いをいたしましてね。ですから何のご心配もいりません。では、朝食がおすみになったら、どうぞ三四三号室のほうへお戻りください。お荷物はすべてそちらへ運ばせておきます。いまのフロアの一階だけ上になりまして、きっと気に入っていただけると信じております。しかしもちろん、お気に召さなければ、すぐそうおっしゃってください」

わたしは彼に礼を述べて受話器を置いた。それからベッドを抜けだし、もう一度この部屋を見回して、大きなため息をついた。朝の光のなかで見ると、とくに変わったところもなく――ごくありふれたホテルの部屋だ――実際、こんな部屋に奇妙な愛着を覚えたのが不思議だった。しかしシャワーを浴びて着替えをしているあいだに、また感情が高まってくるのを感じた。そのあと突然、朝食を取りにおりていく前に、まずはボリスの機嫌を確かめなければならないと思った。彼はいま新しく移った部屋で、迷子のように一人でぽつんと座っているかもしれない。わたしは急いで着替えをすませ、最後にもう一度この部屋を振り返ってから、廊下へ出た。

三四三号室を探しながら三階の廊下を歩いていると音が聞こえ、はるか向こうからボリスが駆けてくるのが目に入った。奇妙な格好で走ってくるので、わたしは思わず足をとめた。両手でハンドルを握っているような動きをしている。たぶん車を運転している人物をまねているのだろう。彼は小さな声で、右側に座っているらしい誰かに一生懸命に何かつぶやいていて、そばを駆け抜けたときも、わたしに気づいた様子すら見せなかった。廊下の先に半分開いたドアがあり、ボリスはそこに近づくと、「気をつけて！」と叫んで、急カーブを描きながら部屋へ入った。なかから、衝突音をまねるボリスの声が聞こえてきた。わたしはそのドアまで歩き、三四二号室であることを確認してなかへ入った。

ボリスはベッドにひっくり返って、両足を高々と宙に上げていた。

「ボリス」わたしは言った。「そんなに大声で走り回ってはいけないよ。ここはホテルなんだ。ほかの人たちが眠ってるかもしれないだろう」

「眠ってなんかいないよ！　こんな時間に！」

わたしは後ろのドアを閉めた。「大きな音を出しちゃいけない。文句を言われるぞ」

「文句を言うやつなんかコテンパンさ。おじいちゃんにやっつけてもらうんだから」

彼はまだ脚を空中に上げたまま、今度はだらけた感じで靴を打ち合わせて音を立てはじめた。わたしは椅子に座って、その様子を眺めていた。

「ボリス、きみに話があるんだ。というよりも、一緒に話そう。二人でだ。そのほうが二人のためになる。きみはきっといろんな質問があるだろう。この出来事、つまりどうしていま、このホテルに泊まっているのかについて」

わたしは彼が答えるのを待って黙っていた。ボリスはまだ空中で足を打ち合わせている。

「ボリス、いままでよく我慢していたね。でも、きっと尋ねたいことがいろいろあるだろう。ゆっくり座って、きちんと聞いてあげる時間がなくて、すまなかったね。それにきのうの夜のことも。あれには二人ともがっかりだった。ボリス、たくさん質問したいことがあるはずだよ。なかにはすらすら答えられない質問もあるだろうが、できるだけ答えるように努力しよう」

そう言いながら、なぜかわたしの胸に——たぶん自分の幼いころの部屋と、もう永久にそこには戻れないという思いに関係があったのだろう——強烈な喪失感が込み上げてきて、しばし口をつぐまずにはいられなかった。ボリスはもうしばらく両足でぱたぱた音を立てていたが、どうやらくたびれてきたらしく、ベッドの上にどさりと脚をおろした。わたしは咳ばらいをして言った。

「じゃあボリス、何から始めようか？」

「ソーラー・マン！」とボリスは急に叫ぶと、大声で何かのテーマ音楽の最初の数小節を歌いだした。それからどしんと音を立てて、ベッドと壁の隙間にもぐりこんだ。

「ボリス、わたしは真剣なんだ。頼むよ。話をしなけりゃならないだろう。ボリス、そこから出てきておくれ」

返事はなかった。わたしはため息をついて立ち上がった。

「ボリス、訊きたいことがあったら、いつでも訊いていいんだよ。わたしが何をしていても、きみと話をしに来るからね。とても偉い人に見える誰かと一緒のときだって、きみと比べればそんなに大事な相手じゃない。分かってるね。ボリス、聞いているのか？　ボリス、そこから出ておいで」
「出られないよ。動けないんだ」

「ボリス、頼むよ」

「動けないんだ。背骨が三つ折れちゃったから」

「分かったよ、ボリス。話はきみがもっと機嫌のいいときにしよう。わたしはこれから下へおりて、朝食を取ってくる。ボリス、よく聞くんだよ。朝食のあと、二人で前のアパートへ行ってもいい。きみがそうしたければ、そうしよう。アパートへ、あの箱を取りにいこう。九番が入っている箱だ」

まだ返事はなかった。わたしはしばらく待ってから言った。「じゃあ考えておいてくれよ、ボリス。これから下で朝食を取ってくるから」

そう告げると、わたしは部屋を出て静かにドアを閉めた。


案内されたのはロビーの正面わきの、太陽が差しこむ細長いカフェテリアだった。大きな窓は表の歩道と同じ高さで通りに面しているが、低い部分はプライバシーを守るためにくもりガラスになっている。外を行き交う車の騒音はくぐもった音でしか聞こえてこない。背の高いヤシの木と天井の扇風機が、どことなくエキゾチックな雰囲気を漂わせている。テーブルは二列に長く並べられていたが、ウエイターがその通路を案内してくれたときには、もう大半のテーブルが片づけられていた。ウエイターはわたしを奥に近い席に座らせると、コーヒーを注いだ。彼が立ち去るときに気づいたのだが、いまここにいるのは、入口に近い席でスペイン語で話しているカップルと、わたしのテーブルからいくつか離れた席で新聞を読んでいる年配の男性だけだった。おそらくわたしが最後の朝食の客なのだろうと思ったが、きのうの夜はいつになくきつい務めを果たしたのだから、そのことでやましさを覚える必要はないと思い直した。

それどころか、席に座って、回転するファンの下でやさしくそよぐヤシの葉を眺めているうちに、満足感がわいてきた。何といっても、到着してからこの短い時間にあれだけのことをこなしたのだ。十分に満足してよいはずだ。この町の危機については、当然ながらまだまだはっきりしない、謎めいたとさえ言える点がたくさんあった。とはいえ、この町に来てからまだ丸一日にもならないのだし、疑問の答えはそのうちおのずと分かってくるだろう。たとえば、きょうはあとで伯爵夫人の屋敷を訪ねることになっている。そのときには、ブロツキーの古いレコードを聴いて彼の業績を思い出すだけでなく、伯爵夫人、市長の両人と現在の危機の全貌について詳しく話す機会もあるだろう。そのほかにも、いまの問題でいちばん直接的な被害を受けている市民たちとの会合と――それがいかに重要かを、わたしはきのうミス・シュトラットマンに力説した――クリストフとの会談も控えている。つまるところ、きわめて重要な約束のいくつかはまだこれからなのだから、この段階で最終的な結論を出そうとすることはおろか、スピーチの最終原稿を考えることさえ、意味がないのだ。当面はこれまでに得た情報でよしとすべきだし、朝食を取りながらしばしゆったりくつろぐことくらい、許されていいではないか。

ウエイターがコールドミート、チーズ、焼きたてのロールパンを入れた籠を持って戻ってきた。わたしは濃いコーヒーを少しずつカップに注ぎながら、ゆっくりと食事を始めた。シュテファン・ホフマンがカフェテリアにやってきたときには、一種静穏とも言える気分になっていた。

「おはようございます、ライダーさま」青年は笑顔で歩いてきた。「いまこちらへみえたところだとうかがいました。朝食のお邪魔をしたくありませんから、長居はしません」

彼は笑みを浮かべてテーブルのそばに立ったまま、明らかにわたしの言葉を待っていた。そのときやっと、昨夜の約束のことを思い出した。

「ああ、そうだ。カザンだったね。そう、そう」わたしはバターナイフを置いて彼を見た。「あれはもちろん、難物中の難物のピアノ曲だ。きみが練習を始めたばかりだという点を考えれば、少し荒けずりな部分があったのも無理はない。荒けずりな演奏、ただそれだけだ。あの曲には、時間をかけるしか手がないんだよ。たっ、ぷ、り、と時間をね」

わたしは口をつぐんだ。シュテファンの顔から笑みが消えていた。

「しかし全体としては」わたしは続けた。「それに、こんなことは決して軽々しくは言わないんだが、昨夜のきみの演奏はきわめて有望だと思ったよ。十分な時間さえあれば、きみはあの難曲でもかなり立派に演奏できると確信している。もちろん、問題は……」

しかし青年はもう聴いてはいなかった。わたしに一歩近づくと、彼は言った。

「ライダーさま、はっきりさせてください。あなたは練習さえすれば大丈夫だとおっしゃっているんですか？　あの曲をぼくが弾きこなせると？」シュテファンは急に顔をゆがめ、体を前に折り曲げると、持ち上げたひざを拳でたたいた。それから背筋を伸ばして深く息を吸いこみ、うれしそうにほほ笑んだ。「ライダーさま、その言葉がぼくにとってどんなに大事か、お分かりにならないでしょうね。どんなにすばらしい励みになるか！　生意気なようですが、ぼくはずっと心の底でそう感じていたんです。ずっと。でもあなたが、誰よりもとりわけあなたが、そうおっしゃってくださるなんて、ああ、それは何よりも貴重なお言葉です！　ライダーさま、ぼくは昨晩、ずっとピアノを弾いていました。疲れが襲ってきて、もうやめようかと思うたびに、心のなかで小さな声がささやくんです。『ちょっと待て。ライダーさまがまだ外にお立ちになっているかもしれない。判断するのに、もう少し時間が必要かもしれない』と。それでぼくはますます全力で、弾きつづけました。ようやくやめたとき、つい二時間ほど前のことですが、実はドアのところへ行って廊下をのぞいてみました。もちろん、あなたはお部屋に上がられていた——当然ですが。でも、できるかぎり聴いてくださって、心から感謝しています。ぼくのために睡眠時間を犠牲になさるようなことはなかったでしょうね」

「ああ、いやいや。ドアの外にいたのは……長くはなかった。十分に判断がつくまで」

「ご親切にありがとうございます、ライダーさま。ぼくはけさ、生まれ変わったような気分なんです。ぼくの人生から、憂鬱が晴れました！」

「いいかね。誤解してもらっては困る。わたしが言っているのは、あの曲はきみの力量の範囲内だということなんだ。しかしいまから十分な時間があるかどうかは……」

「時間は十分に取るようにします。寸暇《すんか》を惜しんで、ピアノに向かって練習します。眠らなくたってかまいません。ですからご心配なさらないでください、ライダーさま。両親に誇りに思ってもらいますよ、あすの夜は」

「あすの夜？　ああ、そうだね……」

「おや、勝手に自分のことばかりしゃべってしまって、きのうの夜のあなたがどんなにセンセーショナルだったかお話しするのさえ忘れていました。つまり、晩餐会の席でのことです。いまやその話でもちきりですよ、この町じゅうが。ほんとうに、とても魅力的なスピーチでした」

「ありがとう。評判がよくてうれしいよ」

「それにぼくが思うに、あれはあとで起きた出来事の雰囲気づくりに大いに役立ちました。そうなんです。これはすぐにもお伝えすべき、まぎれもなくいいニュースだったんですが

——あなたもご存じのように、ミス・コリンズが昨夜あの会場にみえましたでしょう。あのあと、彼女が帰ろうとしているときに、ブロッキーさまとほほ笑みを交わされたようなんです。ええ、ほんとうなんです！　たくさんの人がその場面を見ました。父も自分の目でその場面を見ました。父は二人をじかに引き合わせようとはしていなかったんです。事態があまり急展開しないようにと、とりわけ慎重を期しましてね。とくにミス・コリンズが、動物園やら何やらのことを考えていらっしゃったので。でも、ちょうど彼女が帰ろうとしているときでした。ブロッキーさまは、それに気づいて立ち上がりました。あの夜、ブロッキーさまは、ずっとご自分のテーブルに座ったままでした。そのころになると、招待客はいつものようにあちこち会場を動き回っていたんですが。しかしブロッキーさまはそのとき立ち上がって、ミス・コリンズが何人かにおやすみのご挨拶をしているドアのあたりに目を向けました。紳士方のお一人、たぶんウェーバーさんがエスコートしていたと思いますが、ミス・コリンズはきっと何か本能的に感じるものがあったのでしょう。とにかく、彼女は会場を振り返って、立って自分をじっと見つめているブロッキーさまの姿を認めました。父はそれに気づきました。そのほかにもかなりの人が気づいて、会場は少し静かになりました。父は一瞬、彼女が冷ややかな怒りの視線を投げ返すのではないかと心配したと言います。事実、ミス・コリンズの顔は、いまにもそんなふうでした。でもそれから、彼女はほほ笑んだのです。ええ、ブロッキーさまに笑顔を返したんです！　そうして彼女は出ていきました。ブロッキーさまは、ええ、それが彼にとってどんな意味を持っていたか、想像がおつきになるでしょう。あれほど長い年月のあとでですよ！　父によれば——ついさっき会ってきたばかりなんですが——ブロッキーさまはけさ、新たなエネルギーを得たように練習なさっているそうです。もうすでに一時間も、ピアノに向かっていらっしゃいます！　ぼくがピアノを空けてよかった！　父が言いますには、けさは何かまったく違った様子が見られ、もちろんお酒を欲しがる気配はまったくないそうです。これは誰にもまして父の功績なんですが、ぼくが思うに、あなたのスピーチも、大いに貢献したに違いありません。ミス・コリンズからは、まだお返事がありません。つまり動物園行きの件ですが、何しろ昨夜の出来事のあとですから、きっといいお返事があるだろうと思ってしまいます。いやあ、とんだ朝になってきましたよ！　ではライダーさま、これ以上お邪魔するのは慎みます。きっと早く朝食を終えられたいでしょう。ただもう一度、いろいろとありがとうございましたと、お礼を言わせてください。きょうまたのちほどお目にかかるでしょうから、カザンの練習がどんな具合か、ご報告しますよ」

わたしはシュテファンを励ましてから、彼が急ぎ足で立ち去るのを見送った。

あの青年と話したおかげで、いっそう満足を覚えた。それから束の間、さっきと同じゆっくりとしたペースで朝食を取り、とりわけ地元のバターの新鮮な風味を楽しんだ。やがてウエイターがまたポットに入れたコーヒーを持って現れ、去っていった。ふと気づくと、わたしはなぜか飛行機のなかで隣に座っていた男の問いへの答えを思い出そうとしていた。ワールドカップの決勝戦に出場した三組の兄弟は誰かと、彼は尋ねたのだ。その名前を思い出せるだろうか？　あのときは話に引きこまれたくなかったものだから、何か言いわけをして、また読んでいた本に戻った。しかしあれ以来、いまのように珍しく一人になれる数分の時間を見つけるたびに、あの男の問いが頭に浮かんでくる。腹立たしいのは、この数年来、三組全員の名を何とか思い出すときもあれば、どれか一組の名が出てこないときもあることだ。この朝は後者だった。一九六六年の決勝戦でチャールトン兄弟がイングランド・チームでプレーし、一九七八年にはファン・デ・ケルクホフ兄弟がオランダ・チームでプレーした。ところがどうしても、あと一組が浮かんでこない。わたしは自分にかなりいらだちを覚えはじめ、三組目の兄弟を思い出すまでこの朝食のテーブルを離れないし、きょうの約束にも出かけないぞとさえ思ったほどだった。

このもの思いから引き戻されたのは、ボリスがカフェテリアに現れ、わたしのほうへ歩いてくるのに気づいたからだ。彼は客のいるテーブル、客のいないテーブルとふらふら寄り道しながら、まるでたまたまわたしに近づいてくるかのように、少しずつこちらへ向かっていた。わたしをわざと見ないようにしていて、すぐ隣のテーブルにやってきたときでさえ、背を向けたまま、テーブルクロスをいじりながらぶらぶらしていた。

「ボリス、朝食はすんだのかい？」

彼は相変わらずテーブルクロスをもてあそんでいたが、やがてどっちでもいいんだけどと言いたげな口調で尋ねた。「前のアパートへ行くの？」

「きみが行きたければね。そう約束したじゃないか。行きたいのかい、ボリス？」

「お仕事があるんでしょ？」

「ああ、でも、それはあとで何とかなる。きみが行きたければ、二人で前のアパートへ行ってもいいよ。だけど行くなら、いますぐ出かけなきゃならない。きみが言うように、とても忙しい一日が待っているんだ」

ボリスは考えているようだった。わたしに背を向けたまま、テーブルクロスをいじっている。

「どうなんだ、ボリス？　行くかい？」

「九番はあそこにあるかなあ？」

「そう思うよ」これは主導権を取ったほうがよさそうだと考えて、わたしは椅子から立ち上がり、ナプキンを皿のわきにぽんと置いた。「ボリス、いまからすぐ出かけよう。外はいい天気のようだ。上着もいらない。すぐに出かけよう」

ボリスはまだ迷っているようだったが、わたしは彼の肩に腕を回して、朝食のカフェテリアから連れだした。

ボリスとわたしがロビーを歩いていると、フロントマンが手を振った。

「ああ、ライダーさま」彼は言った。「あの記者たちが、先ほどまたやってきました。いまは追い返すのがいちばんだと思いまして、一時間後に戻ってくるよう申しておきました。ご心配は無用です。快く応じましたから」

わたしは一瞬考えてから答えた。「悪いんだが、これから大事な用件をすませようとしているんだ。その人たちに、ミス・シュトラットマンを通じてきちんと時間を決めるよう伝えていただけないだろうか。それじゃあ、すまないが出かけなければならないので」

ホテルを出て太陽のあたる歩道に立ったとき、ようやく、そのアパートへどうやって行けばいいのか覚えていないことに気づいた。わたしは目の前をのろのろと動いていく車の流れをしばらく眺めていた。わたしが困っているのを感じ取ったのか、ボリスが言った。

「電車に乗ればいいんだよ。消防署の前から」

「そうか。分かった。じゃあボリス、きみが案内しておくれ」

車の音がうるさいので、ボリスとわたしは数分間、ほとんど話をしなかった。わたしたちは人通りをぬって狭い混雑した歩道を歩き、交通の激しい小さな通りを二つ横断して、広い大通りに出た。路面電車の線路が走り、数車線ある道路は渋滞していた。ここの歩道ははるかに広く、わたしたちは通行人のあいだをさっきより自由に歩きながら、銀行やオフィスやレストランの前を通りすぎた。そのうち誰かが後ろから追いかけてくる足音が聞こえ、わたしの肩に手がふれた。

「ライダーさま！　ああ、やっとつかまった！」

振り返ると、老けてきたロック歌手のような男が立っていた。日焼けした顔に、むさ苦しい長髪を真ん中で分け、クリーム色のシャツもズボンもだぶだぶだ。

「初めてお目にかかりますね」わたしは用心しながら答えた。というのも、ボリスが怪しむような目でその男を見ているのに気づいたからだ。

「実に不運な行き違いの連続でした！」男は笑いながら言った。「何度もお約束の時間を変更されてしまいましてね。それに昨夜はずいぶん長く、二時間以上も待っていたんです。でも、気になさらないでください！　こんなことも起こるんです。たぶん、あなたのせいなんかじゃないでしょう。いえ、そう信じています」

「はあ、そうですか。けさも待っていてくださった方ですね。ええ、ええ、フロントマンから聞きました」

「けさもまた、何かの行き違いがありまして」長髪の男は肩をすくめた。「一時間後に戻ってこいと言われたので、ここで、あのカフェで、時間をつぶしていたんです。あのカメラマンと二人でね。そこへあなたが通りかかるのをお見かけしたものですから、いまからインタビューと写真撮影を終えられないかと。そうすれば改めてお手間を取らせる必要もないでしょう。もちろんあなたほどの方ですから、うちのようなしがない地方紙の取材など、ほかの大事なご用件に比べれば優先事項ではないとは思いますが……」

「とんでもない」わたしはあわてて言った。「わたしはつねに御社のような新聞を最も重視しているのです。あなた方こそ、地元市民の気持ちの鍵なんですから。どの町でも、あなたのような方がいちばん貴重な接点だと考えています」

「ありがたいお言葉です、ライダーさま。それに僭越ながら言わせていただくなら、なかなかのご明察です」

「しかし実を申せば、あいにくいまは、別の用件で出かけようとしていましてね」

「もちろんです。だからこそ、いますぐ取材をすませてはどうかと申しあげていたのです。むしろきょう、また一日じゅう、あなたを追いかけ回すことになるよりも。カメラマンのペドロは、いまあのカフェにおります。わたしが二つ三つ質問をしているあいだに、何枚か手っとり早く写真を撮れるでしょう。それが終わってから、あなたもこちらのぼっちゃまも、お出かけになろうとしていたところへ向かわれるとよろしいじゃありませんか。ほんの四、五分ですむことです。そのほうが、よほど簡単にことが解決すると思うのですが」

「ふむ。ほんの数分ですむとおっしゃるんですね」

「ええ、それはもう、数分でもお時間をいただければ、この上なくありがたいです。ほかにも大事なご用件がたくさんおありだということくらい、重々承知していますから。申しあげているように、われわれはちょうどそこにいるんです。あのカフェに」

彼は少し先の、テーブルと椅子がいくつか歩道に並べてある場所を指さしていた。わたしが取材を受けるのに理想的な場所には見えなかったが、ふと、彼に従うのが取材の問題にけりをつけるいちばん簡単な方法のように思われた。

「いいでしょう」わたしは答えた。「ただし念のために言っておきますが、けさはとりわけハード・スケジュールなんです」

「ライダーさま、心から感謝します。ましてやうちのような、しがない小さな新聞のために！　じゃあ、できるだけ手早くすませましょう。どうぞ、こちらへ」

長髪の記者は先に立って、歩道をもときた方向へ歩きだした。早くカフェへ戻ろうとするあまり、通行人とぶつかりそうになっている。彼はたちまち数歩先を行った。わたしはこの時だとばかりにボリスに言った。

「心配ないよ、すぐすむからね。約束しよう」

それでもボリスが不機嫌な顔をしているので、こう言い添えた。

「いいかい。きみは座って、何かおいしいものを注文して待っているといい。アイスクリームとか、チーズケーキとか。終わったら、二人ですぐに出かけよう」

わたしたちは、パラソルが所狭しと並んだ細長い中庭の前で立ちどまった。

「ここなんですよ」記者はテーブルの一つを指した。「ちょうどここにいたんです」

「もしよければ、まずボリスをなかに座らせてきたいんです。それから戻ってきて、一分間だけお付き合いしましょう」

「いい考えだ」

中庭のテーブルは大半が客でふさがっていたが、店のなかには誰もいなかった。インテリアはシンプルでモダン、室内にも太陽の光があふれている。ぽっちゃりした北欧人らしい若いウエイトレスがガラスのショーケースの向こうに立っていて、いろんな種類のケーキやペイストリーが棚に並んでいる。ボリスが隅のテーブルに座ると、若いウエイトレスが笑顔でやってきた。

「何がいいかしら？」彼女はボリスに尋ねた。「けさは、この町でいちばん新鮮なケーキがあるのよ。十分前に届いたばかり。どれもこれも、つくりたてなの」

ボリスはケーキについてあれこれウエイトレスに尋ねてから、アーモンド・チョコレートのチーズケーキに決めた。

「いいね、すぐ終わる」わたしは彼に言った。「ちょっと外へ行って、あの人たちと話したら、すぐ戻ってくるからね。何か用があれば、わたしはすぐそこにいるんだ」

ボリスは肩をすくめた。彼の目は、ショーケースのなかから手の込んだケーキを取りだそうとしているウエイトレスに釘づけになっていた。

12

中庭に戻ると、長髪の記者はどこにも見あたらなかった。わたしはテーブルに座っている人たちの顔をのぞきこみながら、しばらくパラソルのあいだをうろついた。一まわりしたあと、くだんの記者が心変わりして立ち去ったのではないかと考えた。しかしそんなことはありえないと思い直し、もう一度まわりを見回してみた。いろんな人が、コーヒーを前に新聞を読んでいる。足もとの鳩に話しかけている老人がいる。わたしの名前を呼ぶ声が聞こえたので振り返ってみると、さっきの記者がすぐ後ろのテーブルに座っていた。ずんぐりした浅黒い男性と熱心に話しこんでいる。その相手が、きっとカメラマンなのだろう。わたしはやあと声をかけて二人に近づいたが、奇妙なことに二人とも顔を上げようともせずに、話しつづけている。わたしが空いている椅子を引き寄せて腰をおろしたときでさえ、くだんの記者はわたしをぞんざいにちらりと見ただけで——まだ話の区切りがつかなかった——すぐ浅黒いカメラマンのほうに向き直り、話を続けた。

「だからその建物がどれだけ重要かなんてことは、おくびにも出さないようにするんだ。

芸術がらみの理由をこじつけて、その前に立っていなきゃならないと納得させればいいだけさ」

「わけはない」カメラマンはうなずいた。「お安いご用だ」

「しかし、あんまりごり押しするんじゃないぞ。先月ウィーンでシュルツがしくじったのも、それが原因らしい。もう一つ、忘れるなよ。この手の人物の例にもれず、やっこさんも相当な見栄っぱりだってことを。だから大ファンのような振りをするんだ。新聞社からいつ仕事がくるか分からないんだが、たまたま自分はあなたの大ファンだったと言えばいい。それでコロリとまいるだろう。でもサトラー館のことは、信頼関係が生まれるまで何も言うなよ」

「了解、了解」カメラマンはまだうなずいていた。「でも、これはもう話がついてることなんじゃないのか。きみが承諾させたものだと思っていたよ」

「電話で話をつけようとしたんだが、そのときシュルツが、あいつはとんでもなく気むずかしい男だと忠告してくれたのさ」記者はそう言いながらわたしのほうを見て、お愛想笑いを浮かべた。カメラマンも記者の視線を追ってわたしにそっけなく会釈すると、二人はまた自分たちの会話に戻った。

「シュルツの欠点は」記者が言った。「相手を持ち上げるのが下手だってことだ。おまけにあいつの態度ときたら、猛烈にいらついてるように見えるじゃないか。ほんとはそうじゃないときでさえ。この手合いを相手にするときは、ほめ殺しにすればいいんだよ。だから撮影中は、『すばらしい』を連発していろ。そう叫びつづけろ。自尊心をくすぐるのをやめるなよ」

「了解、了解。問題ないね」

「わたしがまず……」記者はうんざりしたため息をついた。「ウィーンかどこかでの演奏のことを話しはじめる。手もとに少し資料があるから、はったりで何とか切り抜ける。しかし、あまり時間を無駄にはできない。何分かたったら、サトラー館へ出かけたらいい写真が撮れるとひらめいたと言ってくれ。最初、わたしはちょっとむっとした振りをするが、結局、すばらしい考えだと納得してみせるから」

「了解、了解」

「よく分かったな。間違いは許されない。相手は気むずかしい男だってことを、忘れるんじゃないぞ」

「分かったよ」

「まずい雰囲気になってきたら、おだてるような言葉をかけてくれ」

「いいよ、分かった」

二人の男はうなずき合った。それから記者が大きく息を吸い、両手をたたいてわたしのほうを振り返ると、急に顔を輝かせた。

「ああ、ライダーさま。お戻りですね！　貴重なお時間を取っていただいて感謝します。ぼっちゃんは楽しくお過ごしでしょうか？」

「ええ、ええ。とても大きなチーズケーキを注文しました」

二人の男は愉快そうに笑った。浅黒いカメラマンがにんまりとして言った。

「チーズケーキか。そう、わたしも大好きですよ。ちっちゃな子供のころから」

「ところでライダーさま。彼がペドロです」

カメラマンはほほ笑んで、うれしそうに手を差しだしてきた。「お会いできて光栄です。今回はほんとうに幸運だったんですよ。けさになって、この仕事を申しつかったばかりなんです。朝起きたときには、市議会での撮影があっただけだったんですが、そのあとシャワーを浴びているときに電話がありましてね。この仕事をやりたいかと、尋ねられました。やりたいかって？　もちろん、あなたはわたしが子供のころからのヒーローだったと、答えましたよ。やりたいかなんて訊くだけ野暮だ、まったく、何をおいてもやりますよ、こっちが金を払ってでも。さあ、どこへ行けばいいかさえ言ってくれ、と。誓って言えます。こんなにわくわくする仕事は初めてです」

「正直に申しあげますとね、ライダーさま」記者が言った。「昨夜ホテルへ一緒に行ったカメラマンは、そう、二時間ほど待ったあと、少しいらいらしはじめました。もちろん、彼にはかなり腹を立てましたよ。『きみは分かってないようだね』と言ってやりました。

『ライダーさまが遅れているなら、大事なご用件があるからに違いないんだ。ご親切にも取材にお時間をくださると承諾していただいたんだから、少々待たなければならないなら、待とうじゃないか』と。ほんとうです。彼にかなり腹を立てました。それで社に帰ったとき、デスクに、これじゃあだめだと話しました。『あすの朝は別のカメラマンにしてくれ』と、わたしは要求しました。『ライダーさまの地位が十分に分かっていて、彼にしかるべき感謝の気持ちを表せるような誰かにしてくれ』と。ええ、かなり強硬に迫ったと思います。とにかく、そんなわけでいまはペドロが一緒なんですが、彼はわたしに負けないくらい、あなたの大ファンでしたよ」

「もっと熱心なファンだ」ペドロはむきになって言った。「けさ電話があったときは、まったく信じられなかったんです。わたしのヒーローが町に来て、その撮影に自分が出かける。こりゃたいへんだ、これまでで最高の仕事をするぞと、シャワーを浴びながらひとりごとをつぶやいていました。あんな方が相手なんだから、最高の仕事をしなくちゃならない。そうだ、サトラー館をバックにして撮ろう。そう思いました。シャワーを浴びながら、もう全体の構図が頭に浮かんでいましたよ」

「おい、ペドロ」記者が厳しい目でにらみながら言った。「ライダーさまは、わが社の撮影のためだけに、サトラー館へなどとうてい出向いてはくださらないよ。たしかにここから車でほんの数分だが、たとえ数分でも、ハード・スケジュールの方にはとんでもないことだ。無理だよ、ペドロ。ここでベストを尽くすしかないね。このテーブルでインタビューしているあいだに、何枚かライダーさまの写真を撮ることにしよう。そうだな、歩道のカフェなんてあまりに月並みだから、ライダーさまの独特のカリスマ的な雰囲気を引き立てる効果は、とても期待できない。でも、そうするしかないじゃないか。サトラー館をバックにライダーさまを撮るってアイデアは、たしかにすばらしい。しかしライダーさまにはお時間がないんだよ。もっと平凡な写真で妥協しなくちゃならないだろう」

ペドロは拳でもう一方の手のひらをたたいて、首を振った。「ああ、そうだろうな。しかしつらいね。あの偉大なライダーさまを撮影できる一生に一度の大チャンスだっていうのに、またいつもながらのカフェのショットで我慢とは。それが人生ってものか」彼はまた悲しげに首を振った。それから二人ともそこに座って、しばらくわたしを見ていた。

「そのう」わたしはとうとう口を開いた。「お話に出てきたその建物のことなんだが……ほんとうに車で数分の距離なんですか？」

ペドロはやにわに立ち上がった。その顔は熱意で輝いていた。

「本気ですか？　サトラー館の前で撮影させてくださるおつもりで？　何て運がいいんだろう！　思っていたとおり、あなたはご立派なお方だ！」

「いや、ちょっと待って……」

「たしかですか、ライダーさま？」記者がわたしの腕をつかんだ。「よろしいんですか？

ハード・スケジュールだとうかがっていたのに、何と、それはありがたいかぎりだ！　ええ、ほんとうですよ。タクシーに乗ればほんの数分です。実際、あなたがここで待っていてくだされば、いまからタクシーを拾ってきます。ペドロ、どちらにしても、ここでライダーさまが待っていらっしゃるあいだに、何枚か写真をお撮りしたらどうだ」

記者は急いで席を離れた。次の瞬間、彼は歩道の端に立ち、向かってくる車の流れのほうへ身を乗りだして、手を挙げていた。

「ライダーさま。撮りますよ」

ペドロは片ひざをつき、ファインダーごしに見上げていた。わたしは椅子に座ったままポーズを取り——くつろいだ雰囲気だが、あまりだらしなく見えないように——愛想よくほほ笑んだ。

ペドロは何度かシャッターを押した。次に少し後ろに下がると、今度は誰もいないテーブルのそばで、また片ひざをついた。パンくずをついばんでいた鳩の群れが、驚いて飛び立った。わたしがもう一度ポーズを取ろうとしたとき、記者が駆け戻ってきた。

「ライダーさま、まだタクシーは拾えませんが、ちょうど電車がきました。どうかお急ぎください。そいつに飛び乗りましょう。ペドロ、早くしろ。電車に乗るぞ」

「でも、タクシーと同じくらい早く着くんですか？」わたしは尋ねた。

「ええ、そうですよ。実際、この渋滞では、むしろ電車のほうが早いでしょう。ほんとうです。ご心配には及びませんよ、ライダーさま。サトラー館はすぐ近くです。実のところ」——彼は目の上に手をかざして遠くを眺めた——「実のところ、ここからでも見えるくらいです。あの灰色の塔さえなければ、いまだってサトラー館が見えるはずなんです。それくらい近いんですよ、ほんとうに。普通の身長の——あなたやわたしくらいの——人間がサトラー館の屋根にのぼって、棹《さお》のような目印、たとえばモップか何かを持って立てば、けさみたいな晴天の朝なら、あの灰色の塔の上にはっきりと見えるはずなんだ。ですから、あっという間に着きますよ。でも、どうかお急ぎください。電車が行ってしまいます」

ペドロはもう歩道の縁石のところに立っていた。重い機材のバッグを肩にかけ、路面電車の運転手に待ってくれるよう頼みこんでいる。わたしは記者のあとから中庭を出て、電車に乗りこんだ。

わたしたち三人が中央の通路を歩きだすと、電車は走りはじめた。なかは混んでいて、三人が隣り合った席に座るのは不可能だった。わたしは後部の、小柄な年配の男性と幼児をひざの上に抱いた品のあるご婦人のあいだに体を割りこませた。座席は意外なほど座り心地がよく、しばらくすると、この路面電車での移動が楽しくさえなってきた。向かいには三人の老人が座り、真ん中の男性が広げた一つの新聞を全員が読んでいる。電車が揺れるので読みにくいらしい。ときどき読みたいページを奪い合っていた。

乗ってからほどなくまわりの乗客がごそごそしはじめ、車掌が乗車券を点検しに通路を歩いてくるのが見えた。そのときは、連れがわたしの分も買ってくれたに違いないと思った――もちろんわたし自身は、乗りこむときに何も買わなかった。もう一度肩ごしに振り返ると、車掌の小柄な女性が、ちょうどわたしたちの車両に入ってこようとしていた。不格好な黒の制服を着ているが、それでも容姿はなかなか魅力的だ。まわりの人たちは、乗車券や定期券を取りだしている。わたしは不安を抑え、威厳をそこなわずに説得できるような言いわけを何か考えようとした。

やがて車掌がわたしたちの近くにやってきて、乗客はみんな乗車券を差しだした。彼女がまだそれにハサミを入れているときに、わたしはきっぱりとした口調で言った。

「乗車券は持っていないが、これには特別な事情があるんです。いまから説明させてください」

車掌はわたしを見ると言った。「乗車券を買ってないのは別にして、きのうの夜は、ほんとうにがっかりしたわ」

その言葉を聞くや、彼女がウースターシャーの村で同じ小学校に通い、九歳くらいのころとりわけ仲よくしていたフィオナ・ロバーツだと気づいた。彼女の家は小道を下ったすぐ近所にあって、わが家と同じような田舎家だった。とくにわたしの家族がマンチェスターへ引っ越す前の苦しい時代に、放課後よく彼女の家まで遊びにいったものだ。会うのは当時以来だったので、わたしは彼女の非難がましい口調にかなりまごついた。

「ああ、そう」わたしは答えた。「きのうの夜か」

フィオナ・ロバーツはまだわたしを見つめていた。その理由は、おそらくこのいまのとがめるような表情と関係があるのだろうが、そのとき突然、子供時代のある日の午後、二人で彼女の家のダイニングテーブルの下にもぐりこんでいたときのことを思い出した。わたしたちはいつものように、テーブルの上から毛布やらカーテンやらを垂らして、自分たちの「隠れ家」をつくっていた。その日はとりわけ暑く、太陽がかんかん照りだったのだが、むっとする熱気のこもった真っ暗に近い隠れ家に、じっと座っていることにしたのだった。わたしはフィオナに何か話していた。それもかなりくどくどと、むきになって。彼女は一度ならず口をはさもうとしたが、わたしはかまわず話しつづけた。やっとわたしが話し終えると、彼女が言った。

「そんなばかなこと。つまり、あなたは一人で暮らすってわけね。寂しくなるわよ」

「そんなこと、かまやしない。寂しいのが好きなんだ」

「またばかなことを言っちゃって。寂しいのが好きな人なんか、いないわよ。あたしは大家族を持つ。子供は五人以上ね。そして毎晩、家族のためにおいしい夕食をつくるの」わたしが何も答えないので、彼女がまた言った。「ばかなこと言っちゃって。誰も一人で暮らすのなんか好きじゃないわよ」

「ぼくは好きだ」

「どうして寂しいのが好きになんかなれるの？」

「だって好きなんだよ。ほんとに」

実際、そう断言した裏には、確信があったのだ。その日の午後には、わたしが「訓練」を始めてもう数カ月がたっていて、もしかしたらそのことへのこだわりがピークに達していたかもしれない。

「訓練」は、かなり思いがけないかたちで始まった。どんよりとしたある日の午後、わたしは一人で小道で遊んでいた——空想にひたり、ポプラ並木と野原のあいだの水の干上がった側溝におりたり、這い上がったりしながら。そのとき突然、不安が襲ってきて、両親にそばにいてほしいと思った。わが家はそう遠くなかったのだが——畑の向こうに家の裏側が見えた——急に不安感がつのり、わたしは雑草のなかを駆け抜けて、一目散に家へ帰りたい衝動にかられた。それでもなぜか——たぶん、こんな気持ちになるのは自分が幼いせいだと考えたのだろう——わたしはその衝動を抑えて、そこにいた。心のなかでは、間違いなくもうすぐ野原を駆けだすだろうと思っていたのだが、その瞬間を、あと数秒間だけ我慢して先に延ばしていただけなのだ。それから数週間に、干上がった溝のなかで凍りついたように立っていたとき経験したあの奇妙な不安と高揚感の入り交じった気持ちは、すっかりおなじみのものになった。何日かすると、わたしの「訓練」は、生活に頻繁に登場する重要な一項目になっていた。やがてそれは少々儀式めいてきて、家に駆け戻りたい衝動が頭をもたげてくると、わたしはいつも小道の決まった場所、つまり大きなオークの木の下へ行き、高まる不安と闘いながら、何分かじっとそこに立っていた。もう十分だ、そろそろ動いてもいいぞと思っても、もう一度思い直し、さらに何秒か木の下にたたずんでいることが多かった。そんなとき、つのる恐怖や不安とともに味わったあの奇妙なスリル、たぶんあの「訓練」をかなり強制的にやらせる結果になった胸のときめきが、わたしをとりこにしたのに違いなかった。

「だけど、分かってるんでしょ」あの日の午後、フィオナは暗がりのなかでわたしに顔を近づけて言った。「あなたが結婚しても、お父さんとお母さんみたいになる必要はないって。そんなふうには、絶対にならないわ。夫妻がいつも喧嘩ばかりしてるとはかぎらないんだもの。夫婦が喧嘩するのは……特別なことがあったときだけよ」

「どんな特別なこと？」

フィオナはしばらく黙っていた。わたしが同じことをもっと強い調子で尋ねようとしたとき、彼女は少し慎重になって答えた。

「あなたのお父さんとお母さんだって、あんなふうに喧嘩するのは、仲が悪いからだけじゃないわ。分からないの？　どうしていつも喧嘩ばかりしてるか、分からないの？」

　そのとき突然、隠れ家の外から怒った口調で彼女を呼ぶ声が聞こえて、フィオナは外へ出ていった。わたしがまだ一人で暗いテーブルの下に座っていると、台所でフィオナとお母さんが小声で言い争っているのが聞こえてきた。そのうちに、フィオナが傷ついた様子でこう繰り返した。「だって、どうしていけないの？　どうして話しちゃいけないの？ ほかのみんなが知ってるのに」彼女のお母さんが、まだひそひそ声で答えた。「あの子はおまえより小さいの。まだ小さすぎるの。あの子に話しちゃいけません」

　そんな回想は、フィオナ・ロバーツがわたしに近づいてこう言ったので中断された。

「十時半まで待っていたのよ。仕方なくみんなに、どうぞ食事を始めてちょうだいって言ったわ。もうみんな、おなかがぺこぺこだったから」

「もちろん、当然だ」わたしは力なく笑って車内を見回した。「十時半か。そんな時間なら、みんなぺこぺこになってるはずだ……」

「そのころには、あなたが来ないってことも明らかだったわ。誰ももう、来るとは思っていなかったんだから」

「そうだな。そんな時間になれば、もちろん……」

「最初はうまくいってたの。これまで招待なんかしたこともなかったけど、うまくいってたのよ。みんなそろって、インゲもトルデも、全員がわたしのアパートに来てね。少し不安だったけど、うまくいってたし、ほんとうに楽しみにしてたのよ。なかにはこの夜のために何やかやと用意して、記事の切り抜きや写真をいっぱい集めたフォルダーを持ってきた人もいたわ。でも九時ごろになって、そろそろ落ち着かなくなってきた。そのときよ。わたしが初めて、あなたが来ないかもしれないと思ったのは。わたしは何度も台所まで往復して、コーヒーを注ぎ足したり、おつまみをボウルに追加したり、なんとか間をもたせようとしたわ。みんなひそひそ話を始めたんだけど、それでもわたしはまだ、そう、あなたが来るかもしれないと、たぶんどこかで渋滞にでもひっかかってるんだろうと、思ってた。それからますます遅くなって、とうとうみんな、あからさまに口にするようになったわ。わたしがその場にいるっていうのに。あの自分のアパートに！　だから、食事を始めてちょうだいって言ったの。もう、こんな騒ぎを終わりにしたかったのよ。それでみんなで食卓を囲んだわ。わたしが料理したささやかなオムレツを。だけど食べてる最中だって、ウルリケみたいに、ずっとひそひそ話をしたり、しのび笑いしたりする人もいたわ。でもね、ある意味じゃ、しのび笑いする人のほうがまだましだった。トルデみたいに、同情を装って、最後まで親切ぶってた人たちよりもね。ああ、何ていやな女！　帰るときなんか、心のなかでこう思っているのが見え見えだった。『かわいそうに。彼女は夢の世界に生きてるのね。来ないって分かってたはずなのに』って。ああ、ほんとに憎たらしい女ばかり。そもそもあんな人たちとかかわった自分が、くやしいわ。でもね、この団地に住んで四年になるけど、一人もまともな友達ができなくて、とても寂しかったの。あの女たち、きのうの夜、うちに来た人たちとは、長いこと何のつき合いもなかった。だって、自分たちはこの団地のエリートだと思ってるんだもの。婦人芸術文化財団とか名乗っちゃって、ばかみたい。どこから見ても財団なんて代物じゃないのに、そう言えば立派に聞こえると思ってるわけよ。この町で何かの催しがあると、必ず忙しく立ち回りたがるの。北京バレエ団が来たときだって、歓迎レセプション用の横断幕をつくったのよ。とにかく、あの人たちはとてもお高くとまってて、ついこのあいだまで、わたしみたいな人間とは何のかかわりも持ちたくなかったの。インゲなんか、近所で出会っても挨拶もしなかったんだから。ところが、それがころりと変わったの。もちろん、噂が広まってから、わたしがあなたと知り合いだって聞いてからね。どうやって広まったのかは分からないわ。自慢して言い触らしたりなんかしてないわよ。きっと誰かにふともらしたんでしょうね。とにかく、あなたにも察しがつくと思うけど、それ以来すっかり態度が変わって、あのインゲでさえ、今年に入ったある日、階段ですれ違ったときに、わたしを呼びとめて彼女たちの会に招いたの。ほんとはかかわり合いたくなかったんだけど、わたし行ってみたわ。やっと友人ができるかもしれないと思ったからでしょうね。最初からグループの何人かは、もちろんインゲとトルデをふくめて、わたしがあなたの幼なじみだってことに半信半疑だった。でも、結局は信じたわ。そのほうが、自分のために都合がよかったんでしょうよ。今回のあなたのご両親のお世話をするっていう案は、わたしが言いだしたわけじゃなくて、わたしがあなたと知り合いだってことが、大いに関係していたの。あなたがこの町に来るのを知ると、インゲがフォン・ブラウンさんのところへ行って、財団はいま、北京バレエ団のときに続いて、重要な任務を引き受ける用意があるって話したのよ。とにかく、仲間にあなたの幼なじみがいるからとか何とか、そのたぐいのことを。それで財団がお役目を、つまりあなたのご両親がこの町に滞在中、お世話をするよう、おおせつかって、当然みんなすごいことになったと思ってたけど、なかにはそんな大役にかなり不安になってる人もいたわ。だけどインゲが、それくらいいまの自分たちなら十分にできると言って、みんなに自信をつけさせた。わたしたちは何度も会議を開いて、ご両親をどうもてなすか、アイデアを出し合ったの。インゲはこう言ったわ——もちろんわたしはそれを聞いて、お気の毒に思ったけど——あなたのご両親はいまどちらもご壮健じゃないから、町じゅうを観光して回るといったきつい日程はあまり好ましくないって。だけどたくさん案が出て、みんなかなりわくわくしてきたの。そのあとこの前の会議で、誰かが言いだしたわけ。そう、あなたを招いて、全員で会ったらどうかって。ご両親がどんなことをしたいか、話してみたらって。一瞬、全員が黙りこんだわ。そこでインゲが言ったのよ。『いいじゃないの？　何といっても、わたしたちは彼を招待する特別な資格があるんだから』って。するとみんなが、わたしを見たわ。だからとうとう答えたの。『そうね、きっと忙しいとは思うけど、あなたたちがそうしてほしいなら、尋ねてみてもいいわ』って。そう言ったときの、みんなの興奮した顔ったら。あなたから返事がくると、ええ、それはもう、わたしは王女さまなみ。感謝感謝で扱われて、会えば必ずにっこりされたり、抱きつかれたり、子供たちにはプレゼントをもらうし、わたしにはあれをやりましょうか、これをやりましょうかって申し出があるしでね。そんな具合だったから、きのうの夜、あなたが現れなかったときどうなったかは、言わなくても分かるでしょう」

フィオナは深いため息をつくと、黙ってぼうっと窓の外を通りすぎる建物を見ていたが、やがてまた口を開いた。

「あなたを責めちゃいけないのよね。だって、ずっと会ってもいなかったんですもの。だけどわたしは、あなたがご両親のためにうちに来たいものだと思っていたの。みんなこの町でお二人を接待するのに、あんなにいろんな案を持ってたんですもの。けさは、みんながわたしのことを噂してるでしょう。ほとんど全員が、働きに出てない主婦なのよ。稼ぎのいい旦那がいるから、電話し合ったり訪ね合ったりして、『かわいそうね、自分だけの世界で生きてるなんて。もっと前に分かってあげればよかったのよ。何か力になってあげたいわ。ただし、そう、あんなにうんざりする人じゃなければ』なんて、噂してるに決まってる。いまだって、自分たちですっかり楽しんでる声が聞こえてくるようだわ。それにインゲは、一方ではとても怒っているでしょう。『あのつまらない性悪女にだまされた』って、思ってるはずだわ。だけど半面、それで満足なのよ。安心するのよ。何しろインゲは、わたしがあなたと知り合いだってことがうれしいのと同じくらい、いつだってそれを恐れてたんだから。そうに決まってる。おまけにこの数週間、あなたの返事がきてからずっと、ほかの人たちがわたしをどう扱うかを見て、きっとかちんとくるものがあったでしょうよ。あの女は、大きなジレンマに陥ってたの。ほかの人たちも、みんなね。とにかく、けさはきっと大喜びしてるわよ。わたしには分かってる」

当然ながら、わたしはフィオナの話を聞きながら、昨夜の一件を申しわけなく思うべきだと感じていた。しかし彼女がアパートでの出来事を手に取るように語ったとき、心からすまなかったと思う一方で、そんな約束があったということさえ、きわめておぼろげな記憶しかないのだ。くわえて彼女の言葉から、両親がもうすぐこの町にやってくることをこれまでほとんど考慮していなかった自分に気づいて、かなりのショックを受けた。フィオナが言ったように、どちらもあまり健康がすぐれないのだから、自分のことは自分でしろと二人を放っておくわけにはいかない。実際、この道路の混雑ぶりと車の外を通りすぎるガラスの近代ビルを眺めながら、年老いた両親を守らなければという気持ちがふつふつとわいてきた。たしかに地元の女性グループに世話を任せるのは、願ってもない方法だろうし、彼女たちと会って話す機会を逸してしまったのは、愚かなことだった。両親をどう世話するかについて、不安が込み上げてきて――自分のこの町の訪問に伴うこの問題を、どうしてほとんど考えてもいない事態になったのか――いろんな思いが胸のなかを駆けめぐった。ともに小柄で、頭は白髪になり、加齢とともに腰も曲がった父と母が、とうてい自分たちでは運べそうにない荷物に囲まれ、駅の外に立っている場面が、不意に目の前に浮かんできた。二人が見知らぬ町を眺め、急に、分別よりもプライドの勝った父が、最初は二個の、そして結局は三個のスーツケースを持ち上げるかたわらで、母が無駄だと知りながら、そのきゃしゃな手を父の腕にかけ、なんとか引きとめようと、「だめよ、あなた。そんなには持てないわ。重すぎますもの」と言うところが、想像できるようだった。父は、断固とした表情で母の手を振りほどき、「そんなことを言っても、ほかに誰がこの荷物を持つんだね？　それ以外にどうやってホテルへたどり着ける？　自分で持たずに、この町でほかに誰が助けてくれるというんだ？」と告げる。そのあいだにも、車やトラックが轟音を上げながら目の前を走り去り、おおぜいの勤め人が足早に通りすぎていく。母が悲しそうに引き下がって見ているそばで、父は重い荷物を持ち上げ、よろけながら四歩、五歩と前に進むが、とうとう耐えきれなくなり、スーツケースをおろしてしまう。がっくりと肩を落とし、息づかいは荒い。しばらくして母が父に近づき、やさしく腕に手をかけて、「いいじゃないの。誰か助けてくれる人を探しましょう」と言う。すると父は、今度はおとなしく、たぶん意気ごみだけは示したことに満足して、黙って目の前の雑踏を眺めながら、誰か自分たちを迎えに来て、荷物を持ってくれ、歓迎の言葉を述べてから、快適な車でホテルまで連れていってくれる者がいないものかと、探している。

フィオナが話しているあいだ、わたしの頭のなかはそんな光景でいっぱいになっていて、彼女自身の気の毒な状況にまで、ほとんど考えが及ばなかった。しかしそれから、彼女がこう言うのが耳に入った。

「あの人たち、これからはもっと慎重にやらなくちゃと、きっと話しているでしょうよ。わたしには聞こえるようだわ。『いまやあたしたちとっても栄誉ある地位についたんだから、全力を尽くしてお二人を歓迎するよう努めなくちゃね。こんな大役をおおせつかったのだから、慎重にならないと。あのつまらない性悪女は、反面教師にしましょう』とか何とか言っているのが。まったくもって、これからあの団地でどう暮らしていけばいいのか。子供たちも、あそこで育たなきゃならないし……」

「あのう」わたしは彼女の言葉をさえぎった。「どれほどすまなく思っているか、お詫びの言葉もないよ。しかし実のところ、いまここでくどくど説明するつもりはないが、昨晩はまったく予想もしなかったことが起きてしまってね。もちろん、きみを落胆させてしまったことを心苦しく思っていたんだが、電話さえできなかったんだ。あまり困ったことにならないよう願うよ」

「もう十分に困ったことになってるわ。楽じゃないのよ。育ちざかりの二人の子供を抱えたシングル・マザーには……」

「いいかい。今回の件では、ほんとうにすまなかったと思っているんだ。で、こうしてみてはどうだろう？　いまはあそこにいる新聞記者とやむをえない仕事があるんだが、長くはかからない。できるだけ早く片づけ、終わったらタクシーに飛び乗って、きみのアパートへうかがおう。そうだな、三十分か、せいぜい四十五分くらいで行ける。それからこうしよう。一緒にきみの団地の敷地内を歩いて回れば、住民のみんなが、きみのお隣さんたちが、つまりインゲやトルデが、わたしたちが正真正銘の幼なじみだってことを、自分の目で確かめられる。そのあと、お偉方を訪ねてもいい。インゲのような人たちを。きみはわたしを紹介し、わたしは昨晩のことを詫びて、土壇場でどうしても来られなくなった事情を説明する。一人ずつ説得して、昨晩わたしがかけた迷惑の埋め合わせをする。実際、それがうまくいけば、グループでのきみの立場も、かえって前よりよくなるかもしれない。どうだろう？」

フィオナはしばらく窓の外の景色を眺めてから、ようやく答えた。「最初は本能的に、『もうきれいさっぱり忘れよう』って思ったの。あなたの幼なじみだなんて言っても、わたしはどうにもなりゃしないわ。それにどのみち、インゲの仲間に入る必要なんかないかもしれない。たしかに前はあの団地でとても寂しい思いをしてたけど、あの人たちの振舞いをちょっと知ったいまは、これから先また子供たちだけを相手に暮らしても、それなりに幸せでいられないわけじゃない気がするの。夜は面白い本を読んだり、テレビを見たりできるわ。だけど自分だけじゃなくて、子供たちのことも考えなきゃならない。あの子たちはあの団地で育つしかないのよ、受け入れてもらうしかないの。子供たちのために、あなたの勧めに応じたほうがよさそうね。おっしゃるように、さっきのプランを実行すれば、パーティーが大成功に終わっていた以上に、わたしの立場がよくなるかもしれない。でも、これだけは何が何でも約束してちょうだい。今度こそ、わたしをがっかりさせないって。だってね、あなたのプランを実行するなら、この勤務から家に帰るや電話をかけまくって、二人が訪ねることを伝えなきゃならないわ。ひょいと玄関先に現れるわけにはいかない。そんなお隣さんたちじゃないのよ。だからわたしが訪問の約束をしておきながら、あなたが来なかったらどんな事態になるか、分かるでしょう？　わたし一人でまた一軒一軒訪ねて、あなたが来られなかった理由を言いわけして回るしかないのよ。だから二度とわたしを裏切らないって、約束してちょうだい」

「約束するよ。さっきも言ったように、この野暮用を片づけしだい、タクシーに飛び乗って、きみのアパートへうかがおう。心配はいらないよ、フィオナ。すべてうまくいくから」

そう言ったとき、誰かがわたしの腕に手をかけた。振り返ってみると、ペドロが大きなバッグを肩から下げて立っていた。

「ライダーさま、さあ」と言いながら、彼は出口への通路を指さした。

記者のほうは、もうおりる態勢で前方の出口の近くに立っている。

「ここでおりますよ、ライダーさま」彼は呼びかけ、わたしに手を振った。「よろしいですか」

電車がスピードを落とすのが分かった。わたしは席から立ち上がり、乗客をかき分けながら出口へと向かった。

13

路面電車は、わたしたち三人を吹きさらしの広い野原の真ん中に残して、がたごとと走り去った。風が新鮮に感じられ、しばらくそこにたたずんで、電車が野原の向こうの地平線のかなたへ消えていくのを見送った。

「ライダーさま、こちらです」

記者とペドロは、数歩先で待っていた。わたしが二人に追いつくと、三人でそろって草原を横切ろうと歩きだした。ときおり強風に服を引きはがされそうになり、草がさざ波のようにそよぐ。やがてわたしたちは丘のふもとにたどり着き、そこでしばらく息を整えた。

「ここを少しのぼったところです」記者は丘の上を指さした。

長い草をかき分け苦労して歩いてきたあと、丘にのぼる小道があるのがうれしかった。

「それじゃあ」わたしは言った。「あまり時間がないので、早く行ったほうがいいでしょう」

「もちろんですよ、ライダーさま」

記者は先頭に立って、曲がりくねった険しい小道をのぼりはじめた。わたしはなんとか彼に後れまいと、一、二歩後ろからついていった。ペドロはバッグのせいでペースが遅いのか、たちまち引き離された。小道をのぼりながら、わたしはフィオナのこと、つまりどうして昨晩、彼女を失望させることになったのかと考えていたが、ふと、今回の旅行でいろんな約束をし、どうにかそれをこなしてはきたものの、いくつかの問題で自分の対応が――少なくともわたしの基準からすれば――かなり遺憾な結果に終わっていることに思いあたった。フィオナに迷惑をかけたことはさておくとしても、両親がもうすぐこの町にやってくるというのに、その世話を任された人たちと、両親が必要とする数々の複雑な事柄について話す機会を逸してしまったのは、はなはだ口惜しい。ますます息が苦しくなるにつれて、ゾフィーがわたしの予定に混乱をもたらしたことに、また強いいらだちが込み上げてきた。もちろん、今回のように自分の人生がきわめて重大な局面にあるときに、彼女の混乱にわたしを巻きこまないでくれと頼んでも、さほど図々しいこととは言えまい。そう思うと突然、彼女にぶつけたい言葉が次から次に頭に浮かんできて、これほど息があがっていなければ、わたしはきっと口に出してそれをつぶやきはじめていただろう。

三つ四つ角を曲がったあと、わたしたちは休憩のために立ちどまった。顔を上げると、眼下に広大な田園風景が広がっていた。見わたすかぎり野原が続き、はるかかなたの地平線に何軒か、農家の集落らしいものが見えるだけだ。

「すばらしい眺めだ」記者が息をきらせ、手で髪を後ろに梳《す》きながら言った。「ここへ上がってくるのは、実にいい気分だな。新鮮な空気を吸うと、きょうこれから一日を送る活力がわいてくる。さて、時間を無駄にしないほうがいいでしょう。こんなに気持ちがいいのに残念だが」彼は愉快そうに笑うと、また歩きだした。

さっきと同じようにわたしは彼のすぐ後ろについて歩いたが、ペドロは遅れていた。そのうち山道のとりわけ険しい箇所をあえぎながらのぼっていると、ペドロが下から何か叫んだ。わたしはもっとゆっくり歩いてくれと頼んでいるのだと思ったが、記者は足取りをゆるめず、吹き上げてくる強風に向かって肩ごしに「何だって？」と怒鳴り返しただけだった。

ペドロが必死で追いつこうとする足音が聞こえたあと、彼が叫んだ。

「やっこさんを納得させたらしいな、と言ったんだ。きっと注文どおりやってくれるさ」

「どうだかね」記者は叫び返した。「これまでのところは協力的だが、あの手合いはなかなか気が許せん。だからお世辞を言いつづけろよ。こんな高いところまで上がってきたってのに、大満足のご様子だ。しかし改めて考えれば、あのとんちきは建物がどんな意味を持つかなど知りもせんだろう」

「訊かれたらどう答える？」ペドロが叫んだ。「きっと訊いてくるぞ」

「話題を変えるのさ。別のポーズを注文しろ。演奏会のことなら、どんな話でも関心を向けるはずだ。それでもまだ尋ねてくるようなら、そう、最後には話さなきゃならんだろうが、そのころにはもう写真はたんまりいただき、あっちは手出しできないときたもんだ」

「早いとこ片づけたいよ」ペドロはいっそう苦しそうな息づかいで言った。「まったくもって、あいつがもみ手をしてるところを見ると、むしずが走る」

「あともう少しさ。せっかくこれまでうまくいってるんだ。土壇場でぶち壊さないようにしよう」

「すまないが」わたしは口をはさんだ。「少し休みたいんだ」

「もちろんですよ、ライダーさま。うっかりしていました」と記者が答え、わたしたちは立ちどまった。「わたしはマラソンランナーなんです」彼は続けた。「だから普通の人より強いんですよ。しかしお見受けしたところ、あなたも実に強健なお方だと申しあげなければ。それにお年のわりに——いえね、この手もとのメモで知っただけで、さもなければ推測のしようもありませんでしたが——あの情けないペドロを完璧にしのいでいらっしゃる」それから、彼は追いついてきたペドロに叫んだ。「頑張れよ、のろま。ライダーさまがお笑いだぞ」

「それは不公平じゃないか」ペドロは笑いながら答えた。「ライダーさまは才能がおありのうえに、体力にまで恵まれていらっしゃる。でも誰もがそれほどラッキーじゃないんだよ」

わたしたちはそこに立って、景色を眺めながら息を整えた。記者が言った。

「もうすぐそこまで来ています。さあ、行きましょう。何しろライダーさまには、多忙な一日が待っていらっしゃるんだから」

最後ののぼりは、一番きつかった。山道はますます険しくなり、踏みしめると、これ土のように足がめりこんだ。先を行く記者はペースを落とさなかったが、それでもいまは前のめりになって、懸命にのぼっている。よろよろとそのあとに続きながら、わたしの頭は、またゾフィーに言いたい言葉でいっぱいになりはじめた。「分かっているのか？」と、わたしは自分の歩調に合わせて、食いしばった歯のあいだからひとりごとをつぶやいていた。「分かっているのか？」なぜかそこで終わってしまうのだが、一歩ごとに、ときには心のなかで、ときには小声でこの一文を繰り返し、最後にはその言葉自体が、わたしのいらだちをいっそうあおった。

道はやっと水平になり、丘の頂上に白い建物が見えた。記者とわたしはよろけながら建物に着き、すぐさま壁にもたれて、ぜいぜい息をした。しばらくすると、ペドロも激しくあえぎながら、わたしたちに加わった。壁に向かって倒れこみ、ひざをついて崩れ落ちたものだから、わたしは一瞬、発作でも起こしたのかと心配になった。しかし彼はまだ荒い息をしているというのにバッグのジッパーを開け、最初にカメラを、次にレンズを取りだした。とはいえこの時点で頑張りは限界に達したらしく、ペドロは壁に片方の腕をついてひじの内側に頭を埋めると、息を吸おうと大きくあえぎつづけた。

やっとかなり回復したと思ったとき、わたしは壁から何歩か離れて、建物を眺めてみようとした。強風で壁のほうに押し戻されそうだったが、どうにか全体が見えるところまで下がった。それは背の高い円筒形の、白いレンガづくりの建物で、窓はなく、てっぺんの近くに縦に一本の切れこみがある。まるで中世の城から小塔を一つだけ切り取り、この丘の上まで運んできたようだ。

「ライダーさま、ご用意が整いしだい、始めますよ」

記者とペドロは、建物から十メートルほど離れたところに立っていた。ペドロはもう元気を取り戻したらしく、三脚を据えてファインダーをのぞいている。

「壁を背に立ってくださいませんか、ライダーさま」記者が呼びかけた。

わたしは建物のほうへ少し戻った。「おふたかた」わたしは風にかき消されまいと、大声を張り上げて言った。「撮影を始める前に、どうしてこの場所を選んだのか、具体的に説明してもらえませんか」

「ライダーさま、お願いします」ペドロが手を宙に振りながら叫んだ。「壁のすぐ前に立ってください。片方の腕を壁につくといいかな。こんなふうに」彼は風のなかにひじを突きだした。

わたしは壁に近寄って、注文どおりのポーズを取った。ペドロはときどき三脚を動かしたりレンズを替えたりして、何カットか写真を撮った。記者のほうはペドロのそばで肩ごしにのぞきこみ、何か彼と打ち合わせていた。

「おふたかた」わたしは言った。「説明をお願いしても、さほど失礼ではないと思うんだが……」

「ライダーさま、お願いします」ペドロがカメラの向こうで飛び上がって言った。「ネクタイを！」

ネクタイが風で肩の後ろになびいていた。わたしはそれを直し、ついでに髪も撫でつけた。

「ライダーさま」ペドロが呼んだ。「手をこんなふうに少し持ち上げていただけますか。そう、そう！　どなたかを建物のほうへ案内するように。そうです、それで完璧です、完璧です。いや、もっと誇らしげにほほ笑んでください。とても誇らしげに、この建物をご自慢の種だと思って。ああ、それで完璧です。ええ、すばらしいショットですよ」

わたしはできるかぎり指示に従ったが、強風のせいで、写真向きの愛想のよい顔をずっと続けているのはむずかしかった。

しばらくして、誰かが左手に立っているのに気づいた。黒っぽいコートの男が壁ぎわで身をすくめているようだが、ちょうどポーズを取っていたので、視界の端にちらりと見えただけだった。そのあともペドロは風のなかで次々に指示を出し――あごをもう少し横に向けてとか、もっと大胆に笑ってくれとか——わたしは勝手に体をひねってその姿を確認することができなかった。やっとそちらを向いたとき、男は——彼は長身で、棒のようにひょろりとし、はげ頭で、骨ばっている——すぐさまわたしのほうへ向かってきた。レインコートをしっかりとつかんでいたが、近くに来るとその手を差しだした。

「ライダーさま、はじめまして。お会いできて光栄です」

「やあ、どうも」と答えながら、わたしは男を観察した。「お会いできてうれしいです。えーと……どなたでしたでしょう？」

棒のような男は一瞬驚いた表情になったが、すぐに答えた。「クリストフです。わたしがクリストフです」

「ああ、クリストフさん」そのときとりわけ強い風が吹きつけてきて、互いにしばらく身をすくめたまま動けなかった。そのあいだにわたしはなんとか狼狽を取りつくろった。「ああ、そうでしたね、クリストフさん。もちろんです。お話はいろいろとうかがっていますよ」

「ライダーさま」クリストフは身を乗りだして言った。「まずは、きょうの昼食会へのご出席を承諾してくださって、心からお礼申しあげます。教養の高いお方だと承知しておりましたから、出席のお返事にはまったく驚きませんでした。分かっていたんですよ。少なくともわれわれの声に公正に耳を傾けてくださる方だと。いや、それどころかこちら側の事情について、熱心にお聞きになってくださる方だと。ええ、ですから驚きなどさらさらありませんでしたが、それでも心から感謝していることに変わりはありません。さて、それでは」——彼は腕時計に目をやった——「少し遅くなりましたが、たいしたことではありません。渋滞もさほどひどくはないでしょう。どうぞ、こちらへ」

わたしはクリストフについて白い建物の裏側へ回った。裏に回ると風あたりは少し弱まり、レンガの壁から突きだしたおびただしい数のパイプが、ブーンと低い音でうなっていた。クリストフは相変わらず先に立って、二本の木の門柱が建った場所へと歩いていく。門柱の向こうは急な下り斜面になっているのだろうと思っていたが、いざ着いて見下ろすと、山腹に沿って頼りなげな石の長い階段が、めまいを覚えるほどずっと下まで続いていた。階段ははるか下方で舗装道路と出合い、そこに黒い車がとまっている。たぶんわたしたちを待っているのだろう。

「お先にどうぞ、ライダーさま」クリストフが促した。「どうぞ、ご自分のペースでおりになってください。急ぐ必要はございません」

しかし、彼はまた心配そうに腕時計を見やった。

「遅くなって、まことに申しわけない」わたしは詫びた。「この撮影が予想以上に長びいてしまったものですから」

「ご心配には及びませんよ、ライダーさま。ちょうどいい時間に着くでしょう。どうぞ、お先に」

わたしはくらくらしながら、慎重に最初の数歩を踏みだした。どちら側にも手すりはなく、足を踏みはずして転げ落ちるのではないかという不安から、必死で神経を集中しなければならなかった。しかしありがたいことに風はやや凪いできたらしく、しばらくすると少し自信がついてきて——これも他の階段をおりるときとそう変わらない、と——ときたま足もとから目を離し、眼下の風景を眺める余裕すら出てきた。

空はまだ曇っていたが、太陽が雲間から顔をのぞかせようとしていた。車をとめてある道路は、こうしてはっきり見えるようになると、ちょうど台地のようになっていた。その先は、うっそうと茂った樹木の頂のラインとともにまた下り斜面が続き、はるか下に一面の野原が広がっている。地平線に、町のスカイラインがかすかに見えた。

クリストフは、すぐ後ろに続いていた。最初のうちは、わたしが不安を覚えながらおりているのを知ってか、何も話しかけてこなかった。しかしわたしがリズムをつかむと、彼はため息をついて言った。

「あの森ですよ、ライダーさま。あなたの右手の下の。あれがヴァーデンベルガーの森、この町の金持ちの多くが、山小屋風の別荘を持ちたがるところです。ヴァーデンベルガーの森はとても快適なんです。町へは車ですぐなのに、俗世間から遠く離れた気分になれる。もうすぐ車で山道を下る途中で、あなたもご覧になるでしょう。なかには崖っぷちに建っているものもあります。眺望がすばらしいに違いない。ローザは、そんな別荘が気に入っていたはずなんです。実はお目あての一軒がありましてね。あとで通りかかったときに、お教えしましょう。そう高級な部類ではないんですが、それでも同じようにとても魅力的で。いまの所有者はめったに使っていないんです。せいぜい年に二、三週間でしょうか。いい価格を申しでていれば、本気で考えてくれたと思うんですよ。しかしいまさらそんなことを考えてみても、せんないことですな。すべては終わったんですから」

彼はしばらく口をつぐんでいたが、また後ろから声が聞こえてきた。

「決して豪勢な家じゃありません。ローザとわたしは、なかは一度も見たことさえないんです。しかし何度も車で前を通ったので、およその見当はつきますよ。張りだした高台の、切り立った崖の上に建っていて、ええ、それはもう、空中高く浮かんでいる気分になるでしょうね。部屋から部屋へと歩くときに、どの窓からも雲が見える。ローザはきっと気に入っていたはずなんです。よく二人で通りかかると、その前でスピードを落とし、ときには車をとめて、なかを想像しながら座っていたこともありました。どんなふうになっているのか、一部屋一部屋、思い描きながら。しかしまあ、それもいまや過去の話です。くよく考えてもなんにもならない。いずれにしても、ライダーさま、こんな愚痴ばかり聞くために、貴重なお時間をさいてくださったわけではありますまい。お許しください。もっと大事な話に戻りましょう。われわれ全員、あなたがおみえになってお話しくださることに、それはそれは感謝しております。まったく何たる違いでしょうか、この町の指導者を自任する方とは！　これまでに三度ばかり、あの方たちを昼食会にお招きしたんです。あなたと同じように、おみえになって、この問題について話し合っていただけないかと。ところが、取り合おうともしません。一秒たりとも！　とうていプライドが許さないのです、そろいもそろって。フォン・ヴィンターシュタイン、伯爵夫人、フォン・ブラウン、どなたもです。不安だからですよ。内心、自分たちが何も理解していないのが分かっているので、おみえになってわれわれとまともに話そうとは、絶対にしないんです。三度お招きしたんですが、そのたびに実に無礼にはねつけられましたよ。しかし、おみえになったとしても無駄だったでしょうな。こちらの主張の半分も、分かっていただけなかったでしょうから」

彼はまた口をつぐんだ。わたしは何か言うべきだと思ったが、ふと考えてみれば、振り返って大声で叫ばないかぎり相手に聞こえようはずがなく、まだ自分の足もとから目を離すほどの気にはなれなかった。何分か、わたしたちは黙って階段をおりた。後ろにいるクリストフはますます苦しそうな息づかいになった。そのあと、彼がこう言うのが聞こえてきた。

「まったく公平に見れば、彼らの責任ではありません。現代音楽は、いまや複雑きわまりないものになっています。カザンも、マレリーも、ヨシモトも。わたしのように専門教育を受けた音楽家にとってさえ、いまやそれは難解だ。とても難解だ。ましてやフォン・ヴィンターシュタインや伯爵夫人のような方がたに、どれだけの見込みがありましょう？完全に理解の範囲を超えています。あの方がたにとっては、ただの耳ざわりな雑音、奇妙なリズムの渦なんです。おそらくご本人たちは、そこに何かの感情や意味が聞き取れると、長年信じてきたことでしょう。しかし実のところ、何一つ見いだしてはいない。理解の範囲を超えています。現代音楽の理論など、理解できるわけがありません。かつては、単純にモーツァルト、バッハ、チャイコフスキーでした。そのたぐいの音楽なら、平均的な市民でも妥当な推測をすることができましたよ。ところが現代音楽ときたら！　専門教育も受けていないこんな片田舎の住民が、自分の町にいかに多大な義務感を持っているにしても、どうやったらそれを理解できるというんです？　見込みなしですよ、ライダーさま。何しろ区別もつかないんですからね、カデンツとモチーフとが。あるいはいろいろな変則的な拍子記号とさまざまな休符の連続とが。そしていまでは、このすべての状況を誤解している！　彼らは事態を逆の方向へ進ませたいんです！　ライダーさま、お疲れでしたら、少し休みましょうか？」

実際、わたしは一瞬立ちどまっていた。鳥が一羽、顔にぶつかりそうなくらい近くをかすめ飛んだので、足を踏みはずしそうになったのだ。

「いえいえ、大丈夫です」とわたしは叫び返して、また階段をおりはじめた。

「この階段は汚いので腰かけるのは少々はばかられますが、よろしければいつでも立ちどまって、お休みになってください」

「いえ、ほんとうに、ありがとう。わたしなら大丈夫です」

わたしたちは何分か黙っておりていたが、クリストフが口を開いた。

「とりわけ私心なく見ているときなど、実際、お気の毒に思うほどです。あの方がたを責めるつもりはありません。あれだけの仕打ち、あれだけの非難を受けてきたいまでも、まだ状況を客観的に眺めることがあるんです。そして、いやいや、あの方がたが悪いわけではないんだと、自分に言い聞かせます。音楽がこれほど難解で複雑になったのは、彼らの責任ではありません。こんな町の住民に理解しろと言うほうが無理というものです。にもかかわらずあの方がた、市民の指導者たちは、自分が何をしているのか分かっている振りをしなければならない。それでこうした態度を繰り返しているうちに、いつしか自分がその道の権威だと信じるようになるんです。何しろこんな町ですから、反論する者などおりません。ああ、次の何段かは、十分ご注意なさってください、ライダーさま。縁が少し崩れておりますので」

わたしは次の数段を、とくにゆっくりとおりた。顔を上げて先を見ると、階段はあといくらも残っていなかった。

「どのみち無駄だったでしょうな」後ろからクリストフの声が聞こえた。「たとえ招待を受けていただいても、無駄だったでしょう。半分も分かっていただけなかったはずですから。しかしライダーさま、あなたなら、少なくともわれわれの主張を理解してくださる。たとえ説得できなくとも、こちらの立場に敬意を払って帰っていただけると、わたしは信じているんです。いえ、むろん、説得したいとは思っておりますよ。わたし個人の運命はどうであれ、どんな犠牲を払ってもいまの方向を保たなければならないのだと、あなたを説得したいと。ええ、あなたはすばらしい音楽家、世界じゅうの現役のなかでも、最も才能あるお一人です。しかしあなたほどの力量を持った専門家であっても、ご自分の知識をその土地なりの特別な事情にあてはめなければなりません。どの町にも、独自の歴史と特別な要求がありますからね。もうすぐご紹介するのは、この町でいわゆる知識人と呼ぶに値する、少数の、ごく少数の人たちです。当地の特別な事情を分析する労を取ってきたばかりか――フォン・ヴィンターシュタインなどと違って――現代音楽を真に理解しております。彼らの力添えで、もちろんきわめて礼儀正しく丁重に、あなたがいまのお立場を変えられるよう、わたしは説得に努めたいのです。言うまでもなく、あなたがお会いになる者は、一人残らず、あなたとあなたのご主張に最大の敬意を払っております。しかしいかに鋭い洞察力をもってしても、この町の状況について、まだ十分にご理解されていない部分があると思うのです。さあ、もうすぐですよ」

事実、あと二十段ほどで道路だった。クリストフは残りの階段をおりているあいだ、ずっと沈黙していた。わたしは正直ほっとした。というのも、彼のさっきの言葉にむっとしていたのだ。つまり暗に彼が、わたしは多かれ少なかれこの町の事情にうといから、そうした要因を考慮に入れずに結論を出しかねないと言わんとしたことに、かなり腹が立っていた。思えばこの町に着いてから——ハード・スケジュールにもかかわらず、そして疲れにもかかわらず——わたしは地元の事情を把握するというこの課題に、どれだけ力を注いできたことか。きのうの午後にしても、快適なホテルのアトリウムで、長旅の疲れを癒していてもよかったものを、町の様子を探るために市街へ出かけたのだ。実際、クリストフの言葉を考えれば考えるほど、いらだちがつのった。それでやっと車までたどり着き、クリストフがドアを開けてくれたときも、ひとことも口をきかずに、車に乗りこんだ。

「さほど遅れてはいません」彼は運転席に乗りながら説明した。「渋滞がなければ、あっという間に着くでしょう」

彼がそう言ったとき、わたしは突然、きょう果たさなければならない他の数々の約束のことを思い出した。たとえばフィオナ——彼女は、こうしているあいだにもアパートに帰ってわたしを待っているはずだ。わたしはこの状況に断固たる姿勢で臨まなければならない。

彼は車を発進させた。まもなくわたしたちは曲がりくねった急な坂道を下っていた。クリストフは道を熟知しているらしく、急カーブのたびに自信たっぷりにハンドルを切る。

下るにつれて目が回るようなカーブは少なくなり、さっき彼が話した山小屋風の別荘が、車の左右に現れはじめた。その多くは崖っぷちに危うげに建っている。とうとう、わたしは彼のほうを向いて言った。

「クリストフさん、あなたとお仲間とのこの昼食会を、ずっと楽しみにしていました。あなたの側からお話をうかがうのを。しかし、けさいくつか予期せぬことが起こり、おかげでとても忙しい一日になってしまったのです。実のところ、こうしてお話ししているあいだにも……」

「ライダーさま、ご説明には及びません。最初から、あなたがとてもお忙しくなりそうなのは分かっていましたし、ご安心ください、出席者はきわめて理解のある者ばかりです。一時間半で、いえ、たとえ一時間でお帰りになっても、誰も憤慨などいたしませんよ。みんな立派な、この町で唯一こうしたレベルで考え、感じることのできる者たちなのです。昼食会の結果がどうであれ、ライダーさま、きっとお会いになってよかったとお思いになるでしょう。その多くは、血気盛んな若いころからの付き合いでしてね。一人残らず、立派な人間だと保証できます。かつては、たぶんわたしの弟子をもって任じていた時期もあったでしょう。いまでもわたしを尊敬してくれています。しかし最近では仲間であり、友人、いえ、もっと深い関係にあると言えましょうか。ここ数年は、ますます絆が強まるばかりでしてね。もちろん、何人か去っていった者もいます。いたしかたのないことです。

しかしとどまった者たちには、それはもう、迷い一つありません。わたしは彼らを誇りにしています。心から愛しています。彼らこそ、この町に最善をもたらす希望なのですが、ここではまだ当分、どんな影響力も持てないことも分かっています。ああ、ライダーさま、もうすぐお話ししていた山小屋の前を通りますよ。次の角を曲がったところです。あなたの側に見えますから」

彼は口をつぐんだ。彼を見ると、いまにも泣きだしそうになっている。急に同情の念が込み上げてきて、わたしはやさしく言った。

「未来のことなど誰にも分かりませんよ、クリストフさん。たぶんあなたと奥さまは、いつかこれとよく似た山小屋を見つけるでしょう。この町でなければ、どこか別の町で」

クリストフは首を振った。「親切心でおっしゃってくださっているのでしょう、ライダーさま。しかしほんとうに、もう意味がないんです。ローザとの仲は終わりました。彼女はわたしを捨てるでしょう。しばらく前から、分かっていました。実のところ、町じゅうがそれを知っているんです。きっと噂をお聞きになったでしょうが」

「はあ、たしかに一つ二つ耳にしたかと……」

「いろんな噂が流れているに違いありません。でも、いまそんなものはどうでもいい。重要なのは、ローザがもうすぐわたしを捨てるということです。彼女はこれ以上、わたしとの結婚生活に耐えられない。こんな出来事のあとでは。誤解なさらないでください。わたしたちは二人で長年、愛を育んできました。深い愛を。しかし、わたしたち夫婦にとって、それはつねに理解し合うことだったんですよ、最初から。ほら、あれです、ライダーさま。あなたの右手に。ローザをあなたがいまお座りの席に乗せて、よく二人でゆっくりとこの前を走ったものでした。あるときなど、ほんとうにのろのろ運転ですっかり見とれていたものですから、のぼってきた対向車と危うくぶつかりそうになったほどです。ともあれ、二人のあいだには理解がありました。この町でわたしが栄光の座を享受しているかぎり、彼女はわたしを愛することができました。ええ、そうですとも、彼女はわたしを愛していた、心から愛していましたよ。まぎれもなく確信をもって、そう申しあげられます。何しろローザにとっては、わたしのような地位にある者と結婚していることほど、人生で重要なことはなかったのですから。そう言うと、たぶん少し浅薄な女に聞こえるでしょうね。しかし誤解なさらないでください。あれはあれなりに、自分のやりかたで、わたしを心から愛していたんです。どちらにしろ、何が起ころうと愛が続くと信じるのは、愚かです。ローザの場合は、ええ、彼女の性格では、ある状況のもとでしかわたしを愛せないというだけのことなんですよ。だからといって、彼女のわたしへの愛が偽りだということには、これっぽっちもなりません」

クリストフはまたしばらく口をつぐんで、もの思いにふけっていた。道路は大きなカーブに差しかかり、わたしの窓の外は断崖になっていた。谷を見下ろすと、そこは裕福な人たちの郊外住宅地らしく、それぞれ一エーカーはある広い敷地に大きな家が建ち並んでいた。

「いま思い出していたんです」クリストフが言った。「この町へ初めて来たときのことを。みんながどれだけ興奮していたか。そしてローザが、あの芸術会館でどうやって初めてわたしに近づいてきたか」彼はまたしばし沈黙してから、口を開いた。「いいですか。あのころ、わたしは自分に対して幻想など抱いていなかった。もうあの年頃には、自分は天才ではないと認めていました。いや、とうてい、それに近い存在でさえないと。音楽家にはなっていましたが、いくつか出来事があって、自分の限界を思い知らされていたんです。この町にやってきたとき、わたしの目的は、ひっそりと暮らすことでした――わずかながら個人収入があるので――少しばかり教えるといったことをしながらね。ところがそのあと、この町の人たちが、わたしのささやかな才能を大いに評価してくれたんですよ。わたしがここに来たことを、とても喜んで！　そのあとわたしは考えました。何といっても、わたしはそれまで、現代音楽の手法を受け入れようと懸命に努力してきたんです。懸命に。実際、ある程度、理解もしていました。それでわが身を振り返り、ああ、そうだ、ここで何かの役に立てると思ったんです。このような町で、当時の事情に照らせば、自分がどうすればよいのか、どうすればほんとうにためになることができるのか、分かっていました。さて、ライダーさま、この長い年月のあと、わたしはたしかに有意義なことをやったと思っています。心から、そう思っています。わたしの弟子が――いや、むしろ同僚、あなたが間もなくお会いになる友人と言うべきでしょうな――彼らがわたしにそう思わせただけではないんです。とんでもない。わたし自らがそう信じています。強く信じています、ここで有意義なことをやったんだ、と。ところが、現実はご存じのとおりです。こんな町のことですから、早晩、状況は悪化しはじめ、それとともに市民の生活も悪化する。不満が増大する。そして孤独も。するとこんな人たち、音楽などほとんど分かっていない人たちが、おやまあ、自分たちは何から何まで間違ったことをやってしまったに違いないと、ひとりごとを言う。それならまったく逆のことをやろうじゃないか、と。その結果が、わたしへの囂々《ごうごう》たる非難！　彼らはわたしのアプローチが没個性的だとか、自然な感情を押し殺しているとか言います。ちっとも分かっていやしない！　もうすぐあなたにお見せしますが、ライダーさま、わたしはただ、ある手法を紹介しただけのことなんです。この人たちが、どうにかカザンやマレリーといった作曲家に親しめるようなシステムを。その作品に、意味や価値を見いだすための方法を。ほんとうなんですよ、ライダーさま。わたしが初めてこの町に来たとき、彼らはまさにそれを求めていたんです。何らかの秩序、彼らが理解できるような何らかのシステムをね。ここの市民にはとうてい理解が及ばず、社会は崩壊寸前でした。人々は恐れ、事態は手に負えなくなりそうだと思っていました。記録文書を取ってありますから、もうすぐ、すべてご覧にいれましょう。きっといまの合意がどれほど間違っているか、お分かりになるはずです。たしかに、わたしは凡人ですよ。その点は否定しません。しかしわたしの取ってきた道はつねに正しかったことが、あなたにもお分かりいただけるでしょう。そのささやかな功績が、まずはスタートだった、それが有益な貢献だった、と。これから必要なのは――ライダーさまには、分かっていただきたい、ぜひ分かっていただきたいのです。そうすれば、この町のすべてが失われはしないかもしれません――これから必要なのは、わたし以上に才能があることは当然ですが、わたしがこれまでやってきたことを継続し、その基盤の上に築くことができる人物です。わたしは貢献をしたんです、ライダーさま。その証拠は取ってありますから、着いたらご覧にいれましょう」

車は幹線道路に出ていた。道幅は広く、まっすぐで、目の前には広大な空が開けていた。はるか遠くに二台の大型トラックが内側車線を走っていたが、それ以外に車はなかった。

「変に勘ぐらないでいただきたいんです、ライダーさま」クリストフは言った。「きょうの昼食会にあなたをお招きしたのは、わたしがここでのかつての栄光の座を取り戻そうとする窮余の一策ではないか、などと。その地位にとどまるのは不可能だということくらい、十分に承知しています。それに、わたしにはもう与えるものが残っていない。自分の持てるものすべてを、この町のために出し尽くしたんですから。わたしがいま望んでいるのは、どこかへ行くこと、一人でどこか遠い静かなところへ行って、音楽とはもう縁を切ることです。弟子は、わたしが去れば、むろんがっくり力を落とすでしょう。彼らはまだ納得できずに、わたしが反撃するのを期待しています。わたしのひとことで、彼らは行動に出るでしょう。せいいっぱい努力を払い、一軒一軒訪ね歩くことさえするでしょう。わたしは彼らに現状について話しました。きわめて率直に説明しました。それでも、彼らはまだ納得できない。とてもむずかしいのです。こんなに長年わたしを尊敬し、つねにわたしという人間を通して自分の意味を見つけてきたわけですから。彼らはがっくり力を落とすでしょう。しかし、そんなこととは無関係に、もう終わらせなければならないんです。わたしが終わりにしたいんです。ローザとのことでさえ。わたしたちの結婚生活は、一秒一秒がわたしにとっては貴重でしたよ、ライダーさま。しかしそれが終わると知りながら、実際いつ終わるとも分からずに暮らしているのは――ひどくつらいことでした。わたしは、もうすべてを終わりにしたい。ローザには幸せを祈っています。誰か別の人間、彼女にふさわしい地位にある男を、見つけてもらいたい。彼女には、この町にこだわらずに先のことを考えるだけの分別を持ってほしいと、ただ願うのみです。この町には、彼女が夫として求めるようなタイプの人間はいない。ここの誰も、音楽を正しく理解していない。ああ、わたしにあなたのような才能さえあれば、ライダーさま！　そうすればローザとわたしは、ともに老いることができたでしょうに」

空はどんよりと曇ってきた。交通量はまだ少なく、わたしたちは何度も長距離トラックを追いこして走りつづけた。両側にうっそうとした森が現れ、それからやっと平坦な広い農地に出た。この数日間の疲れがじわりと襲ってきて、目の前に続く道路を見ていると、うとうとせずにはいられなかった。そのうち「さあ、着きましたよ」と言うクリストフの声が聞こえてきて、わたしは再び目を開けた。

14

車は急にスピードを落とし、道路沿いに建っている小さなカフェ——白いバンガロー——に近づいていた。トラックの運転手がサンドイッチを食べに立ち寄るたぐいの店だったが、クリストフが砂利敷きの前庭に車を乗り入れたとき、ほかに車はとまっていなかった。

「ここで昼食を？」わたしは尋ねた。

「ええ。われわれの小さなグループは、もう何年もここをたまり場にしていましてね。万事がくだけた会なので」

わたしたちは車をおりて、カフェへと歩いた。近づくと、日よけの下にいろんな特別料理の品名を書いた明るい色の厚紙がぶら下がっているのが見えた。

「万事がくだけた会なので」クリストフはもう一度言いながら、わたしのためにドアを開けた。「お楽になさってください」

内装はごく簡素だった。大きな見晴らし窓が四方を取り囲み、ソフトドリンクやらピーナッツやらのポスターが、あちこちにセロテープでとめてある。太陽の光で色あせてしまったものもあり、そのうちの一枚は、ただの薄いブルーの紙にしか見えなかった。曇り空のいまでさえ、カフェに差しこんでいる日差しはかなり強烈だ。

すでに八、九人が集まり、全員が奥に近いテーブルに座っていた。それぞれの目の前で、マッシュポテトらしい小鉢が湯気を立てている。長い木のスプーンでがつがつと食べていた全員が、手をとめてわたしを見つめた。一人、二人と立ち上がる者が出てきたが、クリストフは上機嫌で挨拶すると、席に座っているようにと手でとどめ、わたしを見た。

「ご覧のとおり、わたしたち抜きでもう昼食は始まっています。しかし遅れたのですから、お許しくださることと思います。そのほかの者も、そう、まもなく現れるでしょう。どちらにしろ、これ以上時間を無駄にはできません。こちらへおいでください、ライダーさま。ここにいるよき友人たちにご紹介しましょう」

彼の後に続こうとしたとき、縞のエプロンをかけた濃いあごひげの男が、近くのカウンターの向こうからこっそりわたしたちに合図を送っているのに気づいた。

「分かったよ、ゲアハルト」とクリストフは答えると、肩をすくめて彼のほうを向いた。「じゃあきみから始めよう。こちらがライダーさまだ」

あごひげの男は、わたしと握手しながら言った。「昼食はすぐにご用意いたします。きっと腹ぺこでしょう」彼は早口でクリストフに何かつぶやきながら、カフェの奥を見やった。

　クリストフもわたしも、あごひげの男の視線を追った。わたしたちが目を向けるのを待っていたかのように、遠い隅に一人で座っていた男が立ち上がった。でっぷりと太って、頭は白髪まじり、年の頃はおそらく五十代の半ばで、真っ白の上着とシャツを着ている。男はわたしたちのほうへと歩きだし、カフェの真ん中で立ちどまると、クリストフにほほ笑みかけた。

「アンリ」と男は呼びかけ、挨拶しようと両腕を広げた。

　クリストフは冷やかにその男を見つめてから、彼に背を向けた。「おまえになど用はない」

　白い上着の男は、クリストフの言葉を意にも介していないようだった。「眺めていたんだよ、アンリ」彼は愛想よく話しかけながら、窓の外を指さした。「おまえが車からおりて、歩いてくるところを。相変わらず猫背になって歩くんだな。昔は一種の気取りだったが、どうやらいまは本物のようじゃないか。もうその必要はないんだよ、アンリ。物事はおまえの思いどおりに進まないかもしれないが、もう猫背になる必要はないんだ」

　クリストフはその男に背を向けたままだった。

「なあ、アンリ。大人げないぞ」

「言っただろう」クリストフは答えた。「お互いにもう話すことはない」

　白い上着の男は肩をすくめ、数歩前に進みでた。

「ライダーさま」と男は言った。「アンリがわれわれを紹介してくれそうにないので、自己紹介いたしましょう。ルバンスキ博士です。ご存じでしょうが、アンリとわたしはその昔、大の親友でしてね。ところがいまは、口をきこうともしない」

「ここから出ていけ」クリストフは男から顔をそむけたままだ。「おまえを歓迎する者など、ここには誰もいない」

「ほらね、ライダーさま？　アンリには、いつもこんなふうに子供じみたところがあったんです。まったく愚かだ。わたしのほうはとうの昔に、二人が別の道に進んだことを納得したというのに。昔はよくひざを交えて、何時間も話していたものでした。そうだろう、アンリ？　いろんな作品を分析し、あらゆる角度から論じ合っていたじゃないか、ショッペンハウスでビールを飲みながら。いまでも、あのショッペンハウスで過ごしたころを懐かしく思い出すよ。ときには、おまえに反論する良識など持っていなければよかったとさえ思うほどだ。そうすれば今夜、また同じ席で、何時間も音楽のことを、あの曲やらこの曲やらをおまえがどう準備したらいいかを、議論したり話し合ったりして過ごせただろうに。わたしは一人暮らしなんですよ、ライダーさま。ですからお察しがつくでしょうが」

――そこで彼は軽く笑った――「ときどき少し寂しく思うこともあります。そうすると当時のことが頭に浮かんできましてね。またアンリと一緒に座って、彼が準備している楽譜のことを話せたらどんなにいいかと、一人で思ったりするんです。わたしにまず相談せずには、何も進まない時代がありました。そうだったな、アンリ？　なあ、大人げない態度はやめろよ。せめてもう少し紳士的にやろうじゃないか」

「よりによって、なぜこんな日に来た？」突然クリストフが叫んだ。「ここにいる者は誰もおまえになど用はない！　みんなまだ腹わたが煮えくり返っているんだ！　考えてみろ！　考えてみろ、自分のことを！」

ルバンスキ博士はこの罵声を無視して、クリストフとの別の思い出話を続けた。わたしはその話の核心が分からなくなり、ふと気づくと、奥のテーブルから心配そうに様子をうかがっている人たちを見回していた。

彼らのなかに四十歳以上の者はいないようだ。三人は女性で、そのうちの一人が、とりわけ熱心にわたしを見つめていた。三十代の初めで、裾の長い黒い服に身を包み、小さな分厚いレンズの眼鏡をかけている。そのほかの人たちももっと詳しく観察しようと思ったのだが、同時にきょうこれからどんなに忙しい一日が待っているか、そして予定以上に長くここに引きとめられたくないなら、この会の主催者たちにどれだけ断固とした態度で臨まなければならないかを、思い出した。

ルバンスキ博士が一呼吸置いたとき、わたしはクリストフの腕に触れて静かに言った。

「残りの方がたがみえるまでに、まだしばらくかかるのでしょうか……」

「さあて……」クリストフは店内を見回してから言った。「きょうはこれで全員揃ったようですな」

彼は誰かが反論してくれるのを待っているようだったが、誰も何も言わないので、短く笑いながらわたしのほうを振り返った。

「小さな集まりなんですよ。とはいえ、ここにいるのは……ここにいるのは、間違いなくこの町でいちばんの知識人です。ではライダーさま、こちらへどうぞ」

クリストフは仲間たちを紹介しはじめた。自分の名前が呼ばれるたびに、誰もが不安そうにほほ笑んで、挨拶の言葉を述べた。そのあいだに、わたしはルバンスキ博士がその様子からじっと目を離さずに、ゆっくりと奥へと歩いていくのを見のがさなかった。クリストフが最後の一人を紹介しようとしたとき、ルバンスキ博士が大声で笑いだした。クリストフは急に口をつぐみ、彼に冷たい怒った視線を投げかけた。もう隅のテーブルに戻って腰をおろしていたルバンスキ博士は、また笑い声を上げて言った。

「なあ、アンリ、この長い年月に何を失ったにしろ、臆面のなさだけはまだ健在じゃないか。オッフェンバッハの話を、またライダーさまに繰り返すのか？　こともあろうにライダーさまに？」彼は首を振った。

クリストフはかつての親友をにらみつづけていた。いまにも何かひどい反撃の言葉を口にしそうだったが、最後の瞬間に思いとどまり、黙ったままで顔をそむけた。

「放りだしたいなら、やってみろ」ルバンスキ博士は自分のマッシュポテトを食べながら言った。「しかしどうやら」——彼はスプーンを振り回してカフェのなかを指した——「誰もわたしを邪魔者だなんて思っていないようじゃないか。表決でも取ればいいかもしれん。ほんとうにわたしが邪魔者なら、喜んで出ていこう。挙手させるのはどうだ？」

「どうしてもここにいると言うのなら、わたしはちっともかまわんよ」クリストフは答えた。「どうせたいした違いはないんだ。わたしには事実がある。ここにそれを持っている」彼はどこからか出してきた青いフォルダーを持ち上げ、とんとんとたたいた。「わたしの立場は揺らごうはずもない。お好きなようにやってくれ」

ルバンスキ博士はほかの人たちのほうを向くと、まるで「こんなやつを相手にして何になる？」とでも言いたげに、肩をすくめた。分厚い眼鏡の若い女性はすぐに視線をそらしたが、大半はとまどっているらしく、なかには一人二人、おずおずと笑みを返す者さえいた。

「ライダーさま」クリストフは言った。「どうか席でお楽になさってください。ゲアハルトが戻りしだい、昼食をお出ししますから。では」——彼は手をたたくと、大ホールで講演するような口調になった——「紳士淑女のみなさん、まずはきょう、ここにご出席の方がたを代表し、ここ数日のご多忙にもかかわらず、わざわざ出向いてわれわれと話し合うことを承諾してくださったライダーさまに、お礼を申しあげなければなりません……」

「まったくいけしゃあしゃあと言えたもんだ」ルバンスキ博士が奥から叫んだ。「わたしはおろか、ライダーさまの前でさえ、怖じけづきもしないで。たいした度胸だよ、アンリ」

「怖じけづくわけがない」クリストフは言い返した。「わたしには事実があるんだ！　事実は事実だ！　いまここにあるぞ！　証拠がな！　そうだとも。たとえライダーさまでも。ええ、そうです」——彼はわたしを振り向いた——「あなたほど高名なお方でも、事実には敬意を払われるはずです！」

「ほう、こいつは見物だ」ルバンスキ博士はほかの人たちに言った。「片田舎のチェロ奏者が、ライダーさまにご講義とはね。よかろう。聴かせてもらおうじゃないか。聴かせてもらおう」

クリストフは一、二秒たじろいだが、意を決したようにフォルダーを開きながら言った。

「ではまず、ある例からお話ししましょう。これはカノンをめぐる議論の核心に触れることになると思います」

それから数分間、クリストフはフォルダーを繰り、ときどき言葉や数字を引用しながら、ある地元の実業家一族の背景をざっと述べた。かなりの自信をもってこの事例を紹介しているようだが、その口調——必要以上にゆっくりとした物言いや、二度三度と同じことを説明するやり方——には、たちまち神経をさか撫でされる何かがあった。実際、わたしは、ルバンスキ博士にも一理あると思った。たしかに、この負け犬の田舎音楽家がわたしに講義をするなどというところに、どこか不遜な感じがある。

「待てよ、そんなものを事実と呼ぶのか？」ルバンスキ博士は、市議会の議事録を読み上げているクリストフに、横ヤリを入れた。「はっ！　アンリの言う『事実』は、いつだって面白いよ、そうだろう？」

「彼に最後まで話させろ！　ライダーさまの前でアンリにこの例を報告させろ！」

大声を上げた若い男は丸顔で、短い革のジャケットを着ていた。クリストフは、そのとおりだと言わんばかりに彼にほほ笑んだ。ルバンスキ博士は両手を挙げて答えた。「分かったよ、分かったよ」

「彼に言いたいことを話させろ！」丸顔の若い男がまた言った。「そうすれば分かる。ライダーさまがどうお考えになるかが、われわれに分かる。それでけりがつくじゃないか」

クリストフはこの最後の言葉の意味することを理解するのに、数秒かかった。最初はフォルダーを高々と持ち上げたまま身じろぎもしなかったが、やがてまるで初めて見るかのように、自分を取り巻く面々の顔を見回した。カフェにいる全員が、様子を探ろうと彼を凝視している。クリストフは一瞬、ひどく動揺したように見え、顔をそむけると、ほとんどひとりごとのように言った。

「これは厳然たる事実だ。わたしはここに証拠を集めてある。みんな、これを見るといい。じっくりと読めばいい」彼は持っているフォルダーをのぞきこんだ。「わたしは便宜上この証拠をかいつまんで紹介しているだけだ。それだけなんだ」それからなんとか冷静さを取り戻して言った。「ライダーさま、ほんのしばらくお時間をいただきたいのです。事態はもうすぐ、はるかに明快になるでしょう」

クリストフは主張を続けた。声にはかすかに緊張がにじんでいたが、それ以外にさっきとほとんど変わった様子はなかった。彼が話しつづけているあいだ、わたしは昨夜、この町の事情をさらに詳しく調べるために、いかに貴重な睡眠時間を犠牲にしたかを思い浮かべていた。あれほど疲れていたというのに、映画館に座って、この町の指導的立場にある市民といろんな問題を話し合ったのだ。なのにクリストフが、わたしには分かるまいという姿勢を繰り返すので――このいまでさえ、わたしにも完璧に明らかな点をまわりくどく説明しようとしている――しだいに腹にすえかねてきた。

堪忍袋の緒が切れそうなのは、どうやらわたしだけではないらしく、ここに集まっている何人かも、居心地が悪そうにもぞもぞ体を動かしている。分厚い眼鏡の若い女性は、クリストフの顔とわたしの顔を交互に見やり、何度か、もう少しで彼に話をやめさせようとした。しかし結局、口をはさんだのは、わたしの後方に座っていた短髪の若い男性だった。

「ちょっと待て、ちょっと待て。これ以上先に進む前に、一つ問題を解決しておこうじゃないか。今度こそ」

ルバンスキ博士の笑い声が、またカフェの奥から聞こえてきた。「クロードがいつも問題にしている三和音の色づけのことだな！　まだあの問題を解決していなかったのか？」

「クロード」クリストフは言った。「いまはとうてい、そんなときでは……」

「いや！　ライダーさまがここにいらっしゃるいまこそ、解決したいんだ」

「クロード、いまはそんな問題を蒸し返すときじゃない。わたしはこれから、ある議論を提起しようと……」

「ささいなことかもしれない。しかし解決しようじゃないか。ライダーさま、三和音の色づけは、前後の流れとは無関係に、それ自体、感情的な価値を内在しているというのは、ほんとうですか？　ほんとうにそうお考えですか？」

カフェじゅうの視線がわたしに注がれるのを感じた。クリストフは一瞬、嘆願に恐れのまじったような目でわたしを見た。しかしこの質問に込められた熱意を考えると——これまでのクリストフの僭越な態度は言うに及ばず——わたしはきわめて率直に答えてしかるべきだと思った。それでこう言った。

「三和音の色づけには、それ自体の持つ感情的特質などありません。実際、その感情の色合いは、前後の流れによってばかりか、音量によっても、大きく変わりうるのです。それがわたしの個人的な見解です」

誰も口を開かなかったが、わたしの発言の衝撃は明らかに感じられた。一人また一人と、クリストフに厳しい視線を向けていったが、そのあいだクリストフ本人は、フォルダーを読みふけっている振りをしていた。クロードと呼ばれた男がおだやかに言った。

「やっぱりそうか。ぼくにはずっと分かっていたんだ」

「ところがクリストフは、きみが間違っていると言いくるめた」ルバンスキ博士が言った。

「彼はきみに脅しをかけて、きみが間違っていると信じさせた」

「それがどんな関係がある？」クリストフが叫んだ。「クロード、いいかね。きみは話をまったく脇道にそらしてしまった。そしてライダーさまにはお時間がないんだ。オッフェンバッハの件に戻らなければ」

しかしクロードは、何か考えこんでいるようだった。やがて彼は体をひねって、ルバンスキ博士を見た。ルバンスキ博士は、重々しくうなずいて笑みを返した。

「ライダーさまにはお時間がないんだ」クリストフが繰り返した。「だからみなさんがよければ、わたしの持論をかいつまんでお話ししたい」

クリストフは、オッフェンバッハ一家の悲劇に関する重要なポイントを話しはじめた。平然とした様子を装ってはいたが、ひどく動揺しているのは、誰の目にも明らかだった。どちらにしても、わたしはこのころ、彼の話が耳に入らなくなっていた。時間がないと指摘されたことで、急にボリスがあの小さなカフェで待っているのを思い出したのだ。

そういえばボリスをあそこへ残してきてから、もうかなりの時間がたっている。わたしが出ていってすぐ、あの子が飲み物とチーズケーキを前に隅のテーブルに座って、これからの外出に期待で胸をふくらませている場面が、心に浮かんできた。太陽のあふれる中庭の他の客たちを楽しそうに眺めながら、ボリスがときどきその向こうの通りを行き交う車や電車に目を凝らして、いつになったら自分もあれに乗って出かけるのかと考えているところが、目に見えるようだ。彼はまた、あの前のアパートのことを思い出しているだろう。居間の隅に戸棚があり、そこに九番を入れた箱を残してきたことを、ますますはっきりと思い出す。それから何分かすると、いつもどこかに潜んでいた疑念、それまでどうにか抑えこんでいた疑いが、心の表面に浮かび上がってくる。しかしもうしばらく、ボリスは明るい気分でいられるだろう。わたしはただ、どこかで予想外につかまっているだけだ。それとも、アパートへ持っていくお弁当を、どこかへ買いにいったのかもしれない。どっちにしても、きょうはまだ時間がたっぷりあるんだから、と思いながら。それから、あの丸ぽちゃの北欧人らしいウエイトレスが、ほかに何かご注文はと尋ねる。そう言いながら心配している気持ちがうっかり出てしまい、ボリスは間違いなく、それに気づく。彼はまた全然心配などしていない振りをして、たぶん空いばりで、ミルクセーキか何かを頼む。しかしそれから何分かが過ぎる。ボリスは、外の中庭で、自分がここに来てからかなり長居していた客たちが新聞を閉じて立ち上がり、去っていくのに気づく。空が曇ってきて、そろそろ午後になろうとしているのが分かる。彼は再び、あんなに大好きだった前のアパート、居間の隅の戸棚、九番のことを思い浮かべ、残りのチーズケーキをフォークで口に運びながら、今度もまた裏切られた、やっぱりアパートへは行かないんだと、徐々にあきらめはじめる……。

わたしのまわりで、何人かが叫んでいた。グリーンのスーツの若い男は、立ち上がってクリストフを説得しようとしていたし、少なくともあと三人は、指を振り立てて何かを力説していた。

「しかし、それは筋違いだ」クリストフは彼らに向かって怒鳴っていた。「それにどのみち、ライダーさまの個人的な見解にすぎない……」

この言葉に、クリストフへの囂々《ごうごう》たる非難が巻き起こり、カフェにいるほとんど全員がいっせいに反論しようとした。しかしとうとう、クリストフがまた大声を張り上げて、なんとか彼らを静めた。

「そうだ！　そうだとも！　わたしはライダーさまがまさしくどんなお方か、存じあげている！　しかし地元の事情、この町の事情となると、それはまた別問題だ！　ライダーさまはまだ、われわれの特別な事情についてご存知ない！　しかしわたしには……わたしにはここにあるんだ……」

あとの言葉は他の声にかき消されて聞こえなかったが、クリストフは青いフォルダーを頭の上に高々と掲げて、それを振った。

「いけしゃあしゃあと！　よくもまあ！」ルバンスキ博士が笑いながら奥から叫んだ。

「はばかりながら」――クリストフはいま、わたしに直接話しかけていた――「はばかりながら、あなたがこの町の事情をお聞きになることにさほど関心がおありにならないとは、驚きです。実際、驚きです。いくら専門知識がおありでも、あなたがそれほど短絡的に結論に飛びつこうとされるなんて、まったく驚きです……」

また抗議の合唱が、いちだんと激しく巻き起こった。

「たとえば……」クリストフは負けじと声を張り上げた。「たとえば、あなたがサトラー館の前でマスコミに写真を撮らせたのには、まったく驚きました」

びっくりしたことに、この言葉に全員が急に静かになった。

「そうなんだ！」クリストフは見るからに、この自分が口にした言葉の威力に喜んでいた。「そうなんだ！　わたしは現場を見たんだぞ！　さっきお迎えにいったときに。サトラー館の真ん前で立っていた。にこにこ笑って、建物を手で示しながら！」

衝撃の沈黙はまだ続いていた。その場にいた人たちのなかには、とまどった様子の者もいれば、何人かは――分厚い眼鏡をかけた若い女性も含めて――まさかというような目つきでわたしを見つめた。わたしがほほ笑んで何か言おうとしたとき、ルバンスキ博士の声が、今度は抑制のきいた重々しい口調で、奥から聞こえてきた。

「ライダーさまが自らそのような所作をなさるのなら、その示唆するところはただ一つ。誤った指導によるわれわれの害が、考えていた以上に大きいということだ」

全員が見守るなかで、彼は立ち上がってグループに数歩近づいた。ルバンスキ博士はそこで立ちどまり、遠いハイウェーの音に耳を傾けるかのように小首をかしげると、こう続けた。

「彼のメッセージは、われわれ一人ひとりが慎重に検討し、心に深く刻んでおかねばならない。サトラー館！　もちろん、ライダーさまは正しい！　これは決して誇張じゃないぞ、これっぽっちも！　みんな、わが身を振り返ってみるがいい、いまだにアンリの愚かな考えにしがみつこうとしているわが身を！　それがどんなものか現状を見てきたわれわれでさえ、このわれわれでさえ、実のところ、ひとりよがりだったということだ。サトラー館！　ああ、それだ。この町はいま危機的状況にある。危機的状況に！」

ルバンスキ博士がすかさずクリストフの言葉の愚かさを力説し、同時にわたしがこの町の人たちに伝えたかった重要なメッセージを強調してくれたので、溜飲の下がる思いだった。それでもまだクリストフに対する憤りはおさまらず、こうなれば徹底的に彼をやっつけてやろうと決意した。ところがカフェじゅうの人間が、また口々に叫んでいた。クロードという男は、何度も拳でテーブルをたたきながら、サスペンダーをつけ泥だらけの長靴をはいたごま塩頭の男に何ごとか力説していたし、少なくとも四人が、それぞれ違った場所からクリストフに向かって怒鳴っていた。状況がもはや混沌と化す寸前のように思えたとき、ふと、これは立ち去る絶好のチャンスだとひらめいた。しかしわたしが立ち上がったとき、分厚い眼鏡の若い女性が目の前に現れた。

「ライダーさま、お教えください」彼女は言った。「徹底的に解明いたしましょう。アンリは、どんなことがあってもカザンの循環的強弱法《デュナーミク》を放棄してはいけないと言いますけれど、正しいんですの？」

彼女は大声で話していたわけではなかったが、その声はよく通った。それでカフェじゅうの人たちにこの質問が聞こえ、彼らはたちまち静かになった。仲間の何人かが探るような目つきで彼女を見たが、本人は傲然と彼らをにらみ返した。

「いいえ、お尋ねしますわ」彼女は言った。「またとない機会ですもの。見すごすわけにはまいりません。お尋ねしますわ、ライダーさま。お答えください」

「しかし、わたしには事実がある」クリストフは情けない声でつぶやいた。「ほら、ここに。全部揃っているんだ」

誰も彼には注意を向けず、全員が再びわたしを注視していた。次の言葉を慎重に選ばなければと意識して、わたしは少し間を置いてから言った。

「個人的見解では、カザンの場合、形式的な抑制は決してプラスになりません。循環的な強弱法もそうですし、複縦線の構造すらそうです。ただただたくさんの階層、たくさんの感情があるのです、ことに後期の作品には」

わたしは、尊敬の念が波のように押し寄せてくるのを、肌で感じ取ることができた。丸顔の男は、畏怖と言ってもよいほどの表情でわたしを見つめていた。赤いアノラックの女性は、まるで長年、明確にしようと頭を悩ませてきたことをわたしが明言したかのように、「そうよ、そうなのよ」とつぶやいていた。クロードという男は、立ち上がってわたしのほうへ何歩か踏みだし、しきりと大きくうなずいた。ルバンスキ博士もうなずいていたが、ゆっくりと、しかも目を閉じて、「そうだ、そうだ。やっとここに、真実の分かっている人間がいるぞ」とつぶやいているかのようだった。しかし分厚い眼鏡の若い女性は、まだほとんど身動きもしないで、注意深くわたしを見つめていた。

「理解できます」わたしは続けた。「そのような手法に頼りたくなる気持ちは。音楽が自分の力量を超えているのではないかという恐れは、当然ながらあります。しかしその答えは、もちろん挑戦に立つことであり、抑制に頼ることではありません。たしかに、この挑戦がとほうもなく困難なときもあるでしょう。その場合の答えは、カザンには手を出すなということとです。いずれにしても、自分の能力の限界を超えたことをやろうとすべきではありませんね」

この最後の言葉に、カフェにいた者の大半はもはや感情を抑えることができなかった。泥だらけの長靴をはいたごま塩頭の男は盛大に拍手を始め、同時にクリストフを怒りに燃えたまなざしでにらみつけていた。何人かはまたクリストフを罵倒しはじめ、赤いアノラックの女性も、今度はもっと大きな声で、「そうよ。そうなの。そうなのよ」と繰り返した。わたしは奇妙な昂揚感を覚え、興奮のるつぼと化したカフェじゅうに聞こえるように声を張り上げて、こう続けた。

「この傲慢による失敗は、わたしの経験から申しあげると、往々にして他のある種の不愉快な特質と関連しています。内省的なムードへの反感――これは多くの場合、カデンツの多用が特徴的です。それから断片的なパッセージの組み合わせを、むやみやたらに好むこと。そしてもう少し個人的なレベルでは、謙虚で慇懃な物腰の裏に隠れた誇大妄想……」

わたしはここで口をつぐまずにはいられなかった。というのも、カフェにいる全員が、いまやクリストフに怒号を浴びせかけていたからだ。一方クリストフはというと、青いフォルダーを手に、空中でそのページを繰りながら、「事実はここにあるんだ！　ここに！」と叫んでいた。

「もちろん」わたしは喧噪を上回るように声を張り上げた。「これもまたよくある間違いです。フォルダーに何か入れておけば、それが事実になるという考えも！」

この言葉に爆笑が巻き起こったが、その底には妥協の余地のない怒りがこもっていた。分厚い眼鏡の若い女性が立ち上がり、クリストフに歩み寄った。彼女はとても静かに歩きながら、それまでクリストフのまわりに保たれていた小さな空間に侵入していった。

「このくそじじい」彼女は言った。今度も、その声は喧噪のなかでよく通った。「よくもわたしたちを一緒に引きずり落としてくれたわね」それから少し思案したあと、彼女はクリストフのほおを手の甲で殴った。

一瞬、驚きの沈黙が流れたあと、突然みんなが椅子から立ち上がり、押し合いへし合いしながらクリストフに近づこうとした。あの若い女性にならって、自分も早く彼を殴りたいと思っているようだった。わたしは誰かに肩を揺すられているのに気づいていたが、この目の前の出来事にすっかり気を取られて、しばらく振り返ることをしなかった。

「やめろ、やめろ。もう十分だ！」ルバンスキ博士がなぜかクリストフのところへ最初に駆けつけ、彼の両手を持ち上げていた。「やめろ、アンリを放せ！　いったい何をするつもりなんだ？　もういいじゃないか！」

おそらくルバンスキ博士がとめなければ、クリストフは徹底的にたたきのめされていただろう。わたしは一瞬、クリストフのとまどいと恐怖に引きつった顔をかいま見たが、そのあと怒り狂った仲間たちが彼を取り囲んだので、もうわたしのところからは姿が見えなくなった。また誰かに肩を揺すられて振り向くと、エプロンをしたあごひげの男が――たしか、彼の名前はゲアハルトだった――湯気の立つマッシュポテトの小鉢を持っていた。

「昼食をお召しあがりになりますか、ライダーさま？」ゲアハルトは尋ねた。「少し遅くなってしまって、すみません。でも、また最初からつくらなければならなかったんです」

「ご親切にありがとう」わたしは答えた。「しかし、ほんとうにもう、おいとましなければならないんです。小さな子供を待たせているものですから」彼を喧噪の場から連れだしながら、わたしは尋ねた。「正面へ案内していただけないでしょうか」実はそのとき、このカフェとボリスを残してきたカフェが同じ建物のなかにあり、ここは二つの対照的な店――それぞれ別の通りから出入りし、別の客層を相手にしている――が入っている店舗の一つだということを、思い出したのだった。

あごひげの男は、わたしが昼食を断ったので見るからにがっかりしていたが、すぐに気を取り直して言った。「もちろんですよ、ライダーさま。こちらへどうぞ」

わたしは彼の後についてカフェの正面へ行き、サービスカウンターの奥へと回った。そこで彼は小さなドアの掛け金をはずすと、まっすぐ歩いていけばいいと教えてくれた。歩きながら最後に後ろを振り返ったとき、丸顔の男がテーブルの上に立って、クリストフの青いフォルダーを空中で振り回しているのが見えた。怒号のなかで大きな笑いが何度も巻き起こり、ルバンスキ博士が哀れっぽく訴える声が聞こえてきた。「やめろ、アンリにはもうそれで十分だ！　頼む！　頼む！　もうそれくらいにしろ！」

わたしは全面に白いタイルを張った広いキッチンに入った。酢のつんとするにおいがして、大柄な女性がじゅうじゅう音を立てているコンロの上に身をかがめているのがちらりと見えたが、あごひげの男はもうキッチンを通り抜け、反対側にあるもう一つのドアを開けようとしているところだった。

「こちらです」彼は言いながらわたしを促した。

ドアは異常に背が高く、狭かった。実際、あまりに狭いので、横向きにならなければ通れそうにもない。おまけになかをのぞくと真っ暗で、ほうきをしまっておく物置にしか思えない。しかしあごひげの男は、またわたしを促して言った。

「足もとにお気をつけください、ライダーさま」

そのとき三段の階段が——どうやら木箱を積み重ね、釘で打ちつけてあるだけらしい——敷居からすぐに続いているのが見えた。わたしは戸口をそっと通り抜け、慎重に一歩ずつ段をのぼった。最後の段に来たとき、目の前に小さな長方形の光が見えた。二歩前に進むと、わたしはその真ん前に立ち、ガラス窓から太陽の光にあふれたカフェをのぞいていた。テーブルや椅子が見え、たしかにここはボリスを残してきたカフェだと思った。丸ぽちゃの若いウエイトレスが立っていて——わたしは彼女のいるカウンターの後ろからカフェを眺めていた——店の向こうの隅っこで、ボリスが不機嫌そうな表情で宙を見つめている。すでにチーズケーキをたいらげ、テーブルクロスの上でぼんやりとフォークを上下に振っている。窓際に座っている若いカップルのほかに、客はいなかった。

何かに横腹を押された気がして振り返ると、あごひげの男がわたしの後ろに体をねじこみ、暗い床にしゃがんで鍵の束をがちゃがちゃいわせていた。次の瞬間、目の前の仕切りが開いて、わたしはカフェのなかにいた。

ウエイトレスがわたしを見てほほ笑み、ボリスに呼びかけた。「ほら、帰ってきたわよ！」

ボリスはわたしを振り返って、不機嫌な顔をした。「どこへ行ってたの？」彼はうんざりした。「遅かったじゃないか」

「すまなかったね、ボリス」と、わたしは答え、ウエイトレスに尋ねた。「お行儀よくしてましたか？」

「ええ、とってもかわいいお子さんね。以前あなたたちが住んでたところのことを、ずっと話してくれてたの。あの人造湖のそばのアパートのこと」

「おや、そうですか。人造湖ね。ええ、ちょうどこれから、そこへ行こうとしているんです」

「なのに、なかなか帰ってこなかったじゃないか！」ボリスは言った。「もう遅くなっちゃうよ！」

「すまなかったね、ボリス。でも、心配はいらない。まだたっぷり時間はあるんだ。それに前のアパートは、消えてなくなりはしないだろ？　しかしきみの言うとおりだ。いまからすぐに出かけなければ。さて、どうしようか」わたしはウエイトレスを振り返った。彼女はあごひげの男に何か話しかけていた。「すみませんが、人造湖へ行くいちばん簡単な方法を教えていただけませんか？」

「人造湖へ？」ウエイトレスは窓の外を指さした。「あの外で待っているバス。あれに乗れば行けるわ」

彼女が指さした先を見ると、中庭のパラソルの向こうの往来の激しい通り、わたしたちのほぼ真正面にバスがとまっていた。

「もうだいぶ前から待ってるから」ウエイトレスは続けた。「早く飛び乗ったほうがいいわね。もうすぐ発車する時間でしょう」

わたしは彼女に礼を言い、ボリスを促すと、先に立って建物から太陽のもとへ出た。

15

バスに乗りこむや、運転手がエンジンをかけた。彼から乗車券を買うとき、このバスが満員なのに気づいて、心配になった。

「この子と一緒に座れるといいんだが」

「ああ、心配しなさんな」運転手は答えた。「いいお客さんばかりなんだ。わたしに任せなさい」

彼は後ろを振り返り、大声で何か叫んだ。それまでバスのなかではやけに楽しそうな騒ぎが続いていたのだが、急に全体がしんとなった。次の瞬間、あちらでもこちらでも、乗客が自分の席を立って指さしたり手を振ったり、わたしたちがどこに座ればいちばんいいか相談したりしはじめた。大柄な女性が、中央の通路に身を乗りだして言った。「ここよ！　ここに座ればいいわ！」しかし別の場所から、別の声が叫んだ。「小さな男の子がいるなら、こっちのほうがいいよ。酔わないからね。わたしはハートマンさんの隣に移ろう」それからまた、わたしたちがどこに座るかについて相談が始まったようだった。

「ほら、いい乗客ばかりでしょう」運転手が陽気に言った。「新しい乗客は、いつも特別な歓迎を受けるんですよ。さて、お客さんたちが快適な場所に落ち着いたら、出発しますよ」

ボリスとわたしは、二人の乗客が通路に立って座席を指さしているところへ急いだ。ボリスを窓ぎわの席に座らせて自分も腰をおろすや、バスは動きだした。

ほとんど同時にわたしの肩をとんとんとたたく者がいて、後ろの席からお菓子の袋を持った手が伸びてきた。

「その子はこんなものが好きかもしれない」男性の声が聞こえた。

「ありがとう」わたしは礼を言い、今度はもっと大きく、バス全体に聞こえるように言った。「ありがとう、ありがとう、みなさん。ほんとうにとてもご親切な方ばかりです」

「ほら！」ボリスは興奮してわたしの腕をつかんだ。「ノース・ハイウェーに乗るんだよ」

わたしが答える暇もなく、中年の女性が通路を通ってそばにやってきた。彼女はわたしの座席のヘッドレストをつかんでバランスを取りながら、紙ナプキンに包んだケーキを一切れ差しだした。

「後ろの席の男性が持っていた残り物なんですけど」彼女は言った。「ぼっちゃんがお好きならどうぞって」

わたしはありがたくそれを受け取り、もう一度バスの乗客みんなに礼を言った。その女性が姿を消したとき、いくつか離れた席から、こんな声が聞こえてきた。「いいものだね、こんなに仲のいい親子連れを見るのは。ほら、一緒に日帰り旅行に出かけるところなんだ。近ごろめっきり見かけなくなった光景じゃないか」

わたしはその言葉にぐっと誇らしい気持ちが込み上げてくるのを感じて、ボリスを見やった。彼にも聞こえたに違いない。というのも、ボリスもわたしにほほ笑みかけてきたのだが、その笑みには二人でこっそり示し合わせる以上のものがあった。

「ボリス」わたしはケーキを渡しながら言った。「このバスはほんとにすてきじゃないか？　待つだけの価値はあっただろう？」

ボリスはまたにっこりしたが、ケーキに目を奪われていて、何も答えなかった。

「ボリス」わたしは続けた。「ずっと言おうと思っていたんだ。きみがときどき疑問に感じていたかもしれないからね。いいかい、ボリス。こんなことは夢にも思っていなかったよ……」わたしはそこで急に笑った。「ばかばかしく聞こえるかもしれないが、つまり、とてもうれしいって言いたいんだ。きみのことで。一緒にいられて、とてもうれしい」わたしはまた笑った。「きみはこのバスに乗ってるのが楽しくないかい？」

ボリスはケーキで口をいっぱいにしてうなずいた。「楽しいよ」

「わたしももちろん楽しいよ。それに何て親切な人たちだろうね」

バスの後ろで何人かの乗客が歌を歌いだした。わたしはとてもリラックスした気分になり、深々と座席に身を沈めた。外はまた曇り空になっていた。バスはまだ市街地を走っていたが、窓の外を眺めているあいだに、〈ノース・ハイウェー〉と記した道路標識を相次いで二度見かけた。

「失礼ですが」男の声が後方から聞こえてきた。「さっき運転手に、人造湖へ行くとおっしゃっているのを聞きました。お二人とも、そこであまり肌寒い思いをしなければいいんですがね。午後を過ごすのにぴったりの場所をお探しでしたら、いくつか手前の停留所のマリア・クリスティナ庭園でおりるといいですよ。ぼっちゃんが気に入りそうな、ボートに乗れる池がありますから」

声の主はすぐ後ろの席に座っていた。背もたれが高いので、振り返って首を伸ばしてみたが、姿はよく見えなかった。どちらにしろ、わたしは彼に礼を言い――明らかにそれは善意からの言葉だった――わたしたちがこれから人造湖へ出かける目的を説明しはじめた。そう詳しく話すつもりはなかったのだが、いざ口に出してみると、まわりの親しげな雰囲気のせいか、話しつづけずにはいられなかった。それどころか、たまたまそれを切りだしたときの、まじめさと冗談とが完璧に釣り合った口調に、われながら満足を覚えた。そのうえ、わたしの話に敏感に反応して後ろから聞こえてくるつぶやきから、さっきの男性が熱心に、共感を持って耳を傾けているのが分かるのだ。とにかく、ふと気づくと、わたしは九番のことや、それがなぜこれほど大切なのかを説明していた。ちょうどボリスがあの箱を置いてくることになったいきさつを語っていたとき、その乗客が気づかうように咳ばらいをして、話に口をはさんだ。

「あのう」彼は言った。「そのような目的でお訪ねになるのは、少し気がかりでしょう。まったく当然です。しかし差しでがましいようですが、どう考えても、ご心配はいりませんよ」彼は席からぐっと前に身を乗りだしているようだった。というのも、落ち着いた心安らぐその声は、ボリスの肩がわたしの肩に触れているすぐ後ろから聞こえてきたのだ。「その九番とやらは、きっと見つかります。もちろん、いまは不安もおありでしょう。いろんなことが悪い方向に進んでしまうかもしれないと、お考えでしょう。それもしごく当然です。しかしいまうかがったお話から、結局はうまくいくと思いますよ。もちろん、最初にドアをノックしたとき、新しい住人はあなたが誰だか分からないので、少し怪しまれるかもしれません。でも説明なされば、きっと喜んで招き入れてくれますよ。奥さんがドアに出てきたら、『まあ、やっと！　いつおみえになるかと思ってました』と言うでしょう。ええ、わたしはそう思います。そしてご主人を振り返って、『前にここに住んでた男の子よ！』と呼ぶでしょう。するとご主人が出てきて、これまたきっと親切な方で、ちょうどアパートの内装をやりかえていたところかもしれません。そして『おや、やっとか。さあさあ、お入りになって、お茶でもどうぞ』と居間にあなた方を案内し、奥さんは台所に立って飲み物を用意する。そしてあなた方は、この部屋が以前とすっかり変わっているのに気づく。それを見て取ったご主人は、最初は少し申しわけなさそうにします。でも、あなた方が、部屋の様子が変わったことなど全然気にしていないとはっきり伝えると、きっと部屋を一つひとつ案内してくれるでしょう。部屋を回りながら、ここはこう変えた、あそこはああ変えたと説明する。改装の大半は彼が自分で手がけ、そのことをとても誇りにしている。それから奥さんが紅茶とお手製のケーキを持って居間へ入ってきて、みんなでそこに座り、くつろいで食べたり飲んだりしながら、このご夫婦がどんなにこの住まいや団地全体を気に入っているか話すのを聞く。もちろん、そのあいだも、あなた方お二人は九番のことを気にかけていて、ここを訪ねた目的を切りだすタイミングを待っています。しかしわたしが思うに、相手のほうがまずそれを言いだすでしょうね。たぶんあなた方がしばらくおしゃべりしたりお茶を飲んだりしたあと、奥さんが、『ところでおみえになった理由は何だったかしら？　何かお忘れでした？』と尋ねます。それであなた方は、この九番と箱のことを告げる。すると彼女はきっと言うでしょう。『ああ、そうだったわね。わたしたち、あの箱を特別な場所に置いておいたの。何か大事なものだと思ったから』と。そう言いながら、奥さんはご主人に小さな合図を送る。いや、合図をするまでもなく、夫婦というものはこのお二人のように何年も幸せに連れ添って暮らしていれば、ほとんど以心伝心になっているものなんですよ。だからといって口喧嘩しないわけじゃありません。

ええ、それどころか、しょっちゅう喧嘩ばかりしていて、長年のあいだには深刻な状態になったことがあったかもしれません。でも、こんなカップルにお会いになれば、そのうちおのずと問題は解決すること、二人は基本的にはとても幸せな夫婦だということがお分かりになるでしょう。ともかく、ご主人はどこか大切なものを置いてある場所へその箱を取りにいき、部屋へ持ってきます。たぶんそれは薄様紙にくるまれているでしょう。そしてもちろん、あなた方がさっそく箱を開けると、この九番がなかに入っている。入れたときのままの形で、台に接着剤でくっつけてもらうのを待っている。それであなた方は箱にふたをし、親切なご夫婦はもっとお茶はいかがですかと勧めてくれる。やがて、あなた方はそろそろおいとましましょう、あまり長居するのはご迷惑でしょうから、と告げる。でも奥さんは、もっとケーキを召しあがってくださいと引きとめる。そしてご主人のほうは、最後にもう一度アパートを案内して、自分で手がけた改装をほめてもらおうとする。それからやっと二人は玄関へあなた方を見送りにきて、またお近くへ来たときにはいつでもお寄りくださいと言うでしょう。もちろん、何から何までこのとおりになるとは限りませんが、あなたのお話をうかがうと、わたしはおおむねそうなる気がするんです。ですからご心配はいりませんよ。そんな必要はまったくありません……」

耳に届く男の声は、ハイウェーを走るバスの小刻みな揺れとあいまって、わたしをとてもリラックスさせていた。実のところ彼が話しはじめるや、わたしは目を閉じていたのだが、このころには座席に深々と身を沈め、満足してうとうととまどろんでいた。

ふと気がつくと、ボリスがわたしの肩を揺すっていた。「ここでおりるんだよ」目が覚めるとバスはとまっていて、残っている乗客はわたしたちだけだった。最前部では運転手が立ち上がり、我慢づよくわたしたちを待っている。前へと通路を歩いていると、運転手が言った。

「気をつけなさい。外はとても寒いよ。わたしに言わせれば、あの湖は埋め立てるべきだね。厄介以外の何ものでもない。毎年、何人もが溺死するんだ。たしかにそのなかには自殺者もいるし、あの湖がなければ、もっとおぞましい方法を選ぶかもしれない。しかしわたしに言わせれば、あの湖は埋め立てるべきだね」

「ええ」わたしは答えた。「明らかにあの湖は物議をかもしています。もっともわたしは部外者なので、この議論には加わらないようにしているんですが」

「それが賢明というものですよ、お客さん。じゃあ、楽しい一日を」続いて運転手は、ボリスに呼びかけた。「楽しんできなさい、ぼうや」

ボリスとわたしはバスからおり、バスが走り去っていくと、あたりを見回した。わたしたちはコンクリートの広大なすり鉢状の団地の外縁に立っていた。少し離れたこの敷地の中央に人造湖があり、腎臓のようなその形は、かつてハリウッド・スターたちの邸宅にあると評判になった悪趣味なプールを巨大にしたかのようだ。わたしはその湖が――いや、この団地全体が——実に堂々と人工性を主張しているのに、感嘆せずにはいられなかった。どこにも草一本生えていない。コンクリートの斜面にところどころ見られるひょろひょろした木でさえ、すべてスチール製の鉢に植えて、舗装した地面に埋めこんである。そしてわたしたちをぐるりと囲むようにこの全景を見下ろしているのは、高層住宅群のまったく同じ形の無数の窓だった。それぞれの棟の正面はごくゆるやかな曲線を描き、それがつながって、全体がスポーツ競技場を思わせるなめらかな円形構造になっている。しかしこれほどたくさんの住居に囲まれているというのに——少なくとも四百戸はあるだろう——人影はほとんど見えなかった。目を凝らすと、ほんの一人二人、湖の反対側をきびきびした足取りで歩いている姿が見えたが——犬を連れた男性と乳母車を押す女性がいた——ここには、住民を室内に閉じこめておくような異様な雰囲気がはっきりと感じられる。もちろん、バスの運転手が忠告してくれたように気候も快適ではなく、ボリスと二人で立っているあいだも、肌寒い風が水面を吹き渡ってきた。

「さて、ボリス。そろそろ歩きだしたほうがよさそうだよ」

ボリスはすっかり熱意をなくしてしまったらしく、湖をぼうっと見つめたまま動かない。わたしはすぐ後ろにある建物を振り返り、一歩足を踏みだそうとしたのだが、そのとき、この広大な団地のどこに目的の棟があるのか知らないことをはたと思い出した。「ボリス、きみが案内してくれないか？　さあ、どうしたんだい？」

ボリスはため息をついて歩きだした。わたしは彼のあとについて、コンクリートの階段をのぼった。ちょうど踊り場にきて次の階段へと角を曲がろうとしたとき、ボリスが金切り声を上げて、空手の構えをした。わたしは驚いたが、すぐに、この子が襲われる場面を想像しているだけなのだと気づいた。わたしはそっけなく言った。

「うまいよ、ボリス」

そのあとも、彼は踊り場で角を曲がろうとするたびに、金切り声と空手の構えを繰り返した。それからほっとしたことに——わたしは息があがっていた——ボリスが階段から通路に入った。この高さまでのぼると、湖の腎臓のような形が、さっきにもましてはっきりと分かる。空は白っぽく曇り、通路に屋根はあったものの——この真上にさらに二、三階分の通路があるのだろう——風よけにはほとんどならず、強風が激しい勢いで吹きつけてきた。左手には各住戸が並び、通路と居住棟は、濠に小さな橋をかけたように、たくさんの短いコンクリートの階段でつながっている。それぞれの住戸の玄関へは、階段を上がっていく場合もあれば、おりていく場合もあった。歩きつづけているあいだに、わたしはこのドアを一つひとつしげしげと眺めてみたが、どれを何分か見てもかすかな記憶さえ浮かんでこないので、あきらめて湖のほうへ目を向けた。

ボリスはその間ずっと、何歩か先をさっさと歩きつづけ、どうやらこの冒険への熱意を取り戻したようだった。ひとりごとをつぶやいていて、歩けば歩くほど、そのひとりごとは熱っぽくなっていった。それから歩きながら急に飛び上がって、空中で空手の攻撃をまねはじめ、着地するたびに足音がこだました。しかし階段でのように金切り声を上げることはないので、これまで通路で誰とも会っていないのだから、いさめる理由はないだろう。

しばらくしてふと湖を見下ろすと、驚いたことに、さっきとはかなり違った角度から眺めているのが分かった。そのとき初めて、わたしはこの通路が団地をぐるりとめぐっていることに気づいた。これなら、永久にまわりを回りつづけることもできる。わたしは目の前のボリスが急ぎ足で歩きながらふざけた動作を繰り返すのを見て、この子もわたしと同じようにアパートへの道筋を覚えていないのではないかと疑った。考えてみれば、実際、わたしがこの訪問を周到に用意したとは、とうてい言えない。少なくとも事前に、アパートの新しい住人に連絡を取るくらいのことはすべきだったのだ。結局、それを思えば、いま住んでいる人がわたしたちをあまりいい顔で迎えてくれなくとも、しかたがない。わたしはこの訪問のすべてに、悲観的になりはじめた。

「ボリス」わたしは呼びかけた。「よく注意しているんだろうね。アパートの前を通りすぎたくないんだよ」

彼は狂ったようにつぶやくのをやめようともせずに、わたしをちらりと振り返ると、さらに先へと駆けだしてまた空手の動きを始めた。

とうとう、わたしはこれまでとんでもなく長い時間歩いていたことに気づいた。そしてもう一度湖を見下ろしたとき、少なくともここをぐるりと一周してきたのが分かった。前では、ボリスがまだしきりにひとりごとをつぶやいている。

「おい、ちょっと待て」わたしは呼びかけた。「ボリス、待つんだ」

彼は立ちどまると、近づいてくるわたしを不機嫌な顔で見た。

「ボリス」わたしはやさしく言った。「前のアパートがどこだったか、たしかに覚えているのかい？」

彼は肩をすくめてそっぽを向くと、頼りなげに言った。「もちろんさ」

「だけど、一周してしまったようだよ」

ボリスはまた肩をすくめた。彼は片方の靴を夢中であっちへ向けたりこっちへ向けたりしたあと、ようやく言った。「あの人たちは、九番をちゃんと取っといてくれたよね？」

「そう思うよ、ボリス。箱のなかに、大切そうに見える箱のなかに、入れてあったんだ。そんな箱なら、きっと取っておいてくれている。高い棚かどこかにね」

ボリスはしばらく靴を見つめてから言った。「前を通りすぎたんだ。二度通ったよ」

「何だって？　こんなところまで上がってきて、ただいたずらに寒い風のなかをぐるぐる歩き回っていたのか？　どうして言わなかったんだい、ボリス？　わたしにはきみが分からない」

彼は片方の足をあっちに向けたりこっちに向けたりしながら、まだ押し黙っていた。

「なら、戻ったほうがいいと思うのかい？」わたしは尋ねた。「それとも、もう一度湖のまわりを回らなきゃならないのか？」

ボリスはため息をついて、とくと考えた末に顔を上げて言った。「分かったよ。少し戻ったところなんだ。ほんのすぐ後ろ」

わたしたちは通路を少し引き返した。まもなくボリスはある階段の前で立ちどまって、アパートの玄関ドアをちらりと見上げた。しかしすぐさまドアに背を向けて、また靴を眺めはじめた。

「ああ、ここか」わたしは注意深くドアを見上げながら言った。実のところ、そのドアを目にしても――青く塗ってあって、他のドアと見分けがつかない――何の記憶もよみがえってこなかった。

ボリスは肩ごしにアパートを見ると、またすぐ目をそらして、通路をつま先で蹴った。わたしはこれからどうしたものか決めかねてしばらく階段の下に立っていたが、とうとうこう切りだした。

「ボリス、きみはここでちょっと待っててくれるかい？　まずはわたしが上がっていって、誰かいるかどうか確かめてこよう」

少年はまだつま先で地面を蹴っていた。わたしは階段を上がってドアをノックした。反応はなかった。もう一度ノックしても応答がないので、小さなガラスのパネルに顔を近づけてみたが、すりガラスになっていてなかは見えない。

「窓だよ」ボリスが後ろから叫んだ。「窓からのぞいてみて」

左手に一種のバルコニー――実際には建物の正面に沿って張りだしている棚のようなもので、ごく普通の椅子一脚さえ置けないほど狭い――があった。わたしはバルコニーの鉄製のてすりに手を伸ばし、いちばん近い窓からなかをのぞこうと、階段の壁から身を乗りだした。そこは居間兼食堂で、一方の壁にくっつけて置いたダイニングテーブルや、少し年月のたったモダンなインテリアが見えた。

「見える？」ボリスが訊いた。「箱が見える？」

「ちょっと待ってくれ」

下にぞっとする隙間があいているのを意識しながら、わたしはさらに壁から身を乗りだそうとした。

「見える？」

「ちょっと待ってくれ、ボリス」

少しずつ、この部屋に見覚えがある気がしてきた。壁にかけた三角形の時計、クリーム色のフォームラバーのソファ、三段のステレオ・ラック――その部屋にある何かに目をとめるたびに、強く記憶に訴えるものがある。しかし部屋をのぞいているうちに、その後方の部分全体が――それは主要部分からL字形になって延びていた――つい最近、増築されたもので、以前はなかったのだという強い印象を受けた。なのにさらに眺めていると、この同じ後部にたしかに見覚えがある気がしてきて、やがてここはわたしがその昔、両親と一緒に数ヵ月住んでいたマンチェスターの家の居間の後部にそっくりなのだと思いあたった。その家は細長いテラスハウスで、湿っぽく、内装がひどく傷んでいたのだが、父の仕事の都合でもっといいところに移るまでの仮住まいだったので、我慢しなければならなかった。当時九歳のわたしにとって、あの家はたちどころに、わくわくするような変化の象徴であるばかりか、もっと楽しい新生活が家族全員を待っているという希望の象徴にもなったのだ。

「そこには誰もいないよ」男の声が背後から聞こえた。乗り出していた上半身を戻すと、声の主が隣のアパートから出てきていた。わたしのいる階段の最上段と並びの、自分の玄関のドアの前に立っている。五十がらみの、太ったブルドッグのような男だ。髪はぼさぼさで、Tシャツの胸のあたりに丸くぬれたあとがついている。

「はあ」わたしは答えた。「では、ここには誰も住んでいないんですか？」

男は肩をすくめた。「戻ってくるかもしれないね。家内とわたしは、お隣が空き部屋になっているのはいやなんだが、あのごたごたのあとだから、実はほっとしているんだ。近所づき合いは嫌いなほうじゃない。しかしあんな出来事のあとだから、そう、もっと早くいまのようになってほしかったね。つまり空き部屋に」

「はあ。では、しばらく誰も住んでいないんですね。数週間くらい、それとも数ヵ月ですか?」

「そうだな、一ヵ月にはなるだろう。また戻ってくるかもしれないが、戻ってこなくてもうちは結構だね。たしかに、気の毒だと思うときもあったよ。近所づき合いはいやなほうじゃないんだ。それにうちだって、夫婦仲がこじれていた時期が何度かあったしね。しかしあんなことが続くと、それはもう、さっさと出ていってほしいと思うものさ。空き部屋のほうがまだましだ」

「なるほど。もめごとばかりですか」

「ああ、そうだ。公平に言えば、暴力沙汰はなかったと思うよ。それでも夜遅く大声で言い争っているのを聞かなきゃならないのは、まったくいやな気分だったね」

「すみません、ここに……」わたしは一歩彼に近づいて、ボリスが聞こえるところにいることを目配せした。

「そう、家内は一瞬たりとも我慢できなかった」男はわたしを無視して続けた。「喧嘩が始まるたびに、いつも枕で頭をおおったもんだ。あるときなんか、台所でだよ。わたしが帰ってくると、家内が頭に枕をかぶって料理をしていた。いい気分じゃなかったね。ご主人がしらふのときは、いつ会っても実にまともな人間だった。きびきび挨拶して、出かけていったよ。しかしうちの家内は、裏に何があるのかはっきり分かっていたんだ。ほら、酒を飲むと……」

「ちょっと」わたしは境界になっているコンクリートの壁から身を乗りだし、怒りを込めて低い声で言った。「いま息子と一緒なのが分からないんですか？　これはあの子の前で持ちだすような話でしょうか？」

男は驚いた表情でボリスを見下ろすと言った。「だけど、もうそんなに幼くはないじゃないか？　すべてのことから守ってやるなんて不可能だよ。でもまあ、おたくがこの手の話をしたくないのなら、別の話にしましょう。そっちにもっといい話題があるのならね。わたしはただ、どんな様子だったか話していただけなんだ。でもその話をしたくないなら……」

「ええ、むろんしたくない！　そんな話など聞きたくもない……」

「まあ、どうせたいしたことじゃない。ただ、わたしは当然ながら、奥さんよりもむしろご主人の味方だったね。もしほんとうに彼が暴力をふるっていたなら、そう、それならまた話は別だったろうが、そんな証拠は一つもなかった。だからわたしは、どちらかと言えば奥さんのほうが悪いと思っていましたよ。たしかに、ご主人はしょっちゅう留守だった。でもわれわれが聞いた話じゃ、そうしなければならなかった。仕事の関係で。つまりわたしが言いたいのは、それは奥さんがあんなふうに振る舞う理由にはならないってことですよ……」

「頼むからやめてくれないか。常識があるのかね？　子供がいるんだぞ！　あの子に聞こえるじゃ……」

「ああ、たしかにその子が聞いてるかもしれない。だからどうなんだ？　子供だって遅かれ早かれ、しょっちゅうこんな話を聞くことになるんだ。わたしはただ、なぜわたしがご主人の肩を持ちたがり、その結果、なぜうちの家内が飲酒の件を持ちだすことになったか、説明していただけじゃないか。家内が言うには、留守がちなのと飲酒の件は、まったく別問題だと……」

「いいかね、こんなことばかり言いつづけるなら、いますぐここで話をやめなきゃならないぞ。忠告しておく。わたしは本気だ」

「子供を永久に守ってやることはできないよ。その子はいくつだ？　そんなに幼くは見えないが。子供を過保護に育てるのはいいことじゃない。どのみちいずれ世間を受け入れなきゃならないんだ。欠点も何もかも、一切合財《いっさいがっさい》隠さずに……」

「まだその必要はない！　少なくともいまはまだ！　それにわたしは、あなたがどう思おうと知ったことじゃない。あなたにどんな関係があるんです？　あの子はわたしの息子だ。わたしが責任を持つ。何もこんな話をしなくても……」

「どうしてそんなに怒るのか分からんね。会話をしてるだけじゃないか。わたしはただ、うちがどう思ったか話していただけなんだ。あの人たちは悪い人間じゃなかった。嫌っていたわけじゃないが、ときどき行きすぎだと思うことがあったのさ。いいかい、壁伝いに聞こえてくる喧嘩は、いつだって実際以上に悪く聞こえるものなんだろうよ。ほら、それをこの年頃の男の子から隠そうとしても、無駄なことだね。おたくは負け戦《いくさ》をやろうとしてる。それに重要なのは……」

「あなたがどう思おうと知ったことじゃない！　まだあと数年は！　あの子には、あの子には、こんな話を聞かせない……」

「ばかじゃないか。わたしがいま話しているのは、人生でよくある出来事なんだ。家内とわたしにだって、山もあれば谷もあった。だからわたしはご主人に同情していた。どんな気持ちかよく分かるんだよ、初めてはっと気づいたときに……」

「忠告しておく！　こんな話はもう打ち切りにするぞ！　忠告しておく！」

「しかしわたしはいっさい酒はやらん。酒が入ると事情が変わる。留守がちなのはかまわんが、飲酒のような……」

「これが最後の忠告だ！　これ以上話すなら、わたしは帰る！」

「あの人は酒が入ると残酷になった。たしかに暴力こそふるわなかったが、さんざん聞こえてきたんだよ。あの人はたしかに残酷だった。言葉が全部聞き取れたわけじゃないが、わたしたちはよく暗闇に座って聞いてたもんだ……」

「やめろ！　そこでやめろ！　言っただろう！　わたしは帰る！　もう帰る！」

わたしは男に背を向けて、ボリスが立っているところまで階段を駆けおりた。ボリスの腕をつかんでさっさと立ち去ろうとしたが、そのとき男がわたしたちに向かって怒鳴りだした。

「あんたは負け戦をしてるんだ！　その子は現実を知らなきゃならない！　それが人生なんだぞ！　どこに悪いことがある！　それが現実の人生ってもんだ！」

ボリスが少し興味ありげに振り返ったので、わたしは彼の腕をぐいと引っぱらなければならなかった。わたしたちはしばらく、速度を落とさずに歩きつづけた。何度かボリスが歩調をゆるめようとしたが、あの男が追いかけてくるという恐れを完全に消したくて、わたしはそのまま速足で歩いた。やがてペースを落として足をとめたときには、ひどく息ぎれしていた。よろよろと壁のそばへ歩み寄り――その壁は不安になるほど低く、腰のすぐ上までしかなかった――その上に身を乗りだすように両ひじをついて、湖とその向こうの高層住宅群や白っぽい広い空を眺めながら、荒い息づかいがおさまるのを待った。

しばらくすると、ボリスがそばに立っているのに気づいた。彼はわたしに背を向けて、壁の最上部に近いぐらぐらした石をもてあそんでいた。わたしはさっきの出来事に少々ばつの悪い思いがしてきた。何か説明をしなければならない。どう話そうかと考えていたとき、ボリスが相変わらず背を向けたままつぶやいた。

「あの人は怒っていたんでしょ？」

「ああ、ボリス。かんかんだった。錯乱していたかもしれない」

ボリスはまだ壁の石をもてあそんでいたが、やがて言った。「もういいんだ。九番を取りにいかなくても」

「あの人のせいじゃないんだ、ボリス……」

「いいんだ。もういいんだ」ボリスはわたしを振り返ってほほ笑んだ。「きょうはこれまで、すごくいい日だったよ」彼は明るく言った。

「楽しいかい？」

「すごく楽しかった。バスに乗ったことも、どれもみんな。すごく楽しかった」

わたしは腕を伸ばして彼を抱きしめたい衝動にかられたが、はたと、そんなことをすればこの子がとまどい、警戒心さえ抱くかもしれないと思った。それで結局、彼の髪を軽くくしゃくしゃっと撫でてから、また風景に目を向けた。

風はもうおさまっていた。わたしたちは並んでこの団地を眺めながら黙ってそこに立っていた。やがてわたしが言った。

「ボリス、きっと思っているだろうね。つまり、どうして静かに落ち着いて暮らせないんだ、この三人で、と。ああ、きっとそう思っているはずだ。どうしてわたしはいつも家を留守にしなければならないのか、お母さんはそれに腹を立てているのに、と。でも、分かってほしいんだよ。わたしがこうして旅行にばかり出ているのは、きみを愛していないからでも、心から一緒にいたいと思っていないからでもない。ある意味では、きみやお母さんと家にいて、あそこにあるようなアパートでもどこでもいいから一緒に暮らしたいと、何よりも願っているんだ。だけどね、そんなに単純にはいかない。わたしがこんな旅を続けなければならないのは、そう、いつめぐり合うか分からないからなんだ。つまりとても特別な、とても大事な旅——わたしだけでなくすべての人、この全世界のすべての人たちにとっても、とてもとても大事な旅に。ボリス、まだ年端のいかないきみに、どう説明すればいいのかな。いいかい、その旅はうっかり見逃しかねないものなんだ。あるとき、いや、わたしは出かけない、少し休むことにすると宣言する。でもあとになって、それがとても大事な旅だったことを知るわけだ。一度見逃すと、もう取り返しがつかない。手遅れなんだよ。そのあとどんなに必死に旅をしても、もう関係ない。いまさら旅をしても手遅れで、これまで長年やってきたことがすべてふいになってしまう。ほかの人たちがそんな目に遭うのを、わたしは見てきたんだよ、ボリス。毎年旅ばかりで、そろそろうんざりしてきて、たぶん少し怠け心も生まれてね。でもたいていは、そんなときに限って、これがやってくる。だから見逃してしまうんだよ。それから一生、行かなかったことを悔いることになる。つらく、悲しい思いをする。そして死ぬころには、打ちひしがれた人間になっているのさ。だからなんだよ、分かるね、ボリス。だからわたしはもうしばらく、旅行ばかりの生活を続けなきゃならない。わたしたちにとっては、つらい状況だ。ああ、それは分かっている。だけど負けずに、辛抱づよくならなきゃならない。わたしたち三人全員が。きっと、そんなに長くはかからない。もうすぐ大事な旅行とめぐり合う。そうすればすべてが終わって、わたしはゆっくり休むことができるんだ。好きなだけ家にいられる。旅に関係なく、楽しく暮らせるんだよ、わたしたち三人で。それまでできなかったことも、みんなやれるさ。きっと、そんなに長くはかからない。だけど、もう少し辛抱づよくならないとね。ボリス、わたしの言ってることが分かってくれたかな」

ボリスは長いこと口を閉ざしたままだったが、急に背筋を伸ばすと、厳しい口調で言った。「おとなしく立ち去れ。おまえたちみんなだ」そう言うなり彼は数歩駆けだして、また空手の動きを始めた。

わたしはしばらく、壁にもたれて風景を眺めながら、ボリスがしきりとひとりごとをつぶやく声を聞いていた。そしてもう一度彼をちらりと見たとき、彼がこの数週間、何度も繰り返し演じていた空想劇をやっているのだと気づいた。わたしたちが彼の空想した場所のすぐ近くにいるので、どうしても最初から演じたい衝動を抑えられなかったに違いない。実際、その筋書きは、ボリスと祖父のグスタフが、前に住んでいたアパートのすぐ外の、まさにこの通路で、おおぜいの町のゴロツキと闘うというものだった。

わたしは数メートル離れたところでボリスが忙しく動き回るのを眺めた。もうすぐ彼とグスタフが肩を並べてまた襲撃に備える場面になるのだろう。地面にはすでにたくさんの気絶した男たちが転がっているのだが、いちばんしぶといゴロッキどもが再度襲いかかろうと、また集まりはじめている。ボリスと祖父が隣り合って冷静に構えているわきで、ゴロツキどもが通路の暗がりのなかで作戦をささやき合っている。そんな筋書きによくあることだが、空想のなかのボリスは、もう少し年齢が上だった。大人というわけではないが——それでは現実離れしてしまうし、祖父の年齢にも矛盾が生まれる——相手を倒せるだけの技を身につけていても不自然でないほどには、大人びている。

ボリスとグスタフは、いつもゴロツキどもが態勢を整えるだけの時間を与えてやる。それから敵がわっと襲ってくると、祖父と孫は絶妙のチームワークで、四方八方から飛びかかってくる者たちを手際よく、哀れなまでにやっつける。やっと襲撃は終わる——いや、最後の一人が暗闇のなかから、見るも恐ろしい刃を振りかざして飛びだしてくるかもしれない。そこで近くにいたグスタフがとっさに首に空手チョップを食らわせ、闘いはついに終わるのだ。

静けさが戻ると、ボリスとグスタフは、あちこちに転がっているゴロツキたちをしばらく厳しい目つきで見回す。それからグスタフが経験を積んだ目で最後に現場を確かめてからうなずくと、二人はやらねばならなかったことをやり遂げたが楽しくはなかったという表情を浮かべて、立ち去っていく。二人は前のアパートの玄関へ続く短い階段を上がり、最後にもう一度、やっつけた町のゴロツキどもを見やってから——何人かは、うめいたり、這って逃げようとしたりしているのだが――なかへ入る。

「もう大丈夫だ」グスタフは戸口で宣言する。「やつらは去った」

ゾフィーとわたしが、心配そうに玄関ホールに現れる。祖父のあとから入ってきたボリスは、こう言い添える。「でも、まだほんとうに終わっちゃいない。また襲ってくるよ、たぶん夜明け前に」

この状況判断は、祖父と孫にとってはわざわざ話すまでもない自明の理なのだが、わたしとゾフィーは苦悩の表情を見せる。

「いやよ、そんなの我慢できないわ！」とゾフィーは嘆いて、泣き崩れる。わたしは慰めようと彼女を抱きかかえるが、わたし自身もくずおれてしまう。こんな嘆かわしい場面を見ても、ボリスとグスタフは軽蔑のかけらも見せない。グスタフは安心させるようにわたしの肩に手をかける。「心配するな。ボリスとわたしがここにいるんだ。それにこの最後の襲撃で、ほんとうに決着がつくだろう」

「そうだよ」ボリスも同意する。「襲ってこられるのは、せいぜいあと一回だけさ」それからグスタフのほうを向いて、彼は言う。「おじいちゃん。今度は、ぼくがもう一度あいつらを説得してみるよ。手を引く最後のチャンスを与えてやるよ」

「聞く耳を持たんだろう」グスタフは重々しく首を振る。「でも、おまえの言うとおりだ。最後のチャンスを与えてやるべきだな」

ゾフィーとわたしは恐ろしさのあまり、抱き合ってすすり泣きながら、アパートのいちばん奥へと姿を消す。ボリスとグスタフは目を見合わせ、やれやれとため息をついてから、玄関ドアの鍵をはずしてまた外へ出る。

二人が出た通路は、暗くて物音一つ聞こえず、誰もいない。

「われわれも少し休んだほうがいい」グスタフは言う。「先に眠れ、ボリス。やつらがやってくるのが聞こえたら、起こしてやるから」

ボリスはうなずきながら階段のいちばん上段に腰をおろし、玄関のドアにもたれかかって、すぐに眠ってしまう。

やがて誰かが腕に触り、ボリスはぱっと目を覚まして立ち上がる。グスタフはもう、通路に集まってきたゴロツキたちをにらみつけている。これまでになく大人数で、この最後の抗争のために、町じゅうのアジトというアジトから仲間をかき集めてきたのだ。いまや全員が、裂けた革ジャンやアーミー・ジャケット、ごついベルトに身を包み、金属のバールや自転車のチェーンを手にして――ただし、仁義で禁じられている銃は持っていない――集結している。ボリスとグスタフはゆっくりと、たぶん二、三歩ごとに間を取りながら、階段をおりていく。ボリスが、祖父からの合図を受けて、コンクリートの柱の向こうまで届くように、大きな声で話しかける。

「これまで何度も闘ったね。今回はいつになくおおぜいでお出ましのようだ。でも心のなかじゃ一人残らず、絶対に勝てっこないと分かっているはずだよ。今度ばかりは、おじいちゃんもぼくも、大怪我させないとは約束できない。こんな抗争は無意味だ。みんなにも、昔は家族がいただろ。お母さんとお父さん。たぶん兄や弟、姉や妹も。ぼくはこっちの事情を分かってほしいんだ。こんなふうに何度もアパートを襲われて、ママはいつも泣いてばかりさ。いつも神経を張りつめて、いらいらして、だから何の理由もないのにぼくを叱りつける。それにおまえらのせいでパパも長いあいだ家をあけて、ときには外国へも出かけなきゃならないから、ママは不機嫌なんだよ。それもこれも、みんなおまえらがアパートを襲うからだぞ。こんなことをするのは、向こう見ずだからか、崩壊家庭に育って分別がないからだろう。だからぼくは、こっちのほんとうの事情を分かってもらおうとしてるんだ。おまえらの考えのない行動に、どんな迷惑をこうむるかを。そのうち、パパは家に全然帰ってこなくなる。ぼくたちはアパートを出るはめにさえなるかもしれない。だからおじいちゃんを、大きなホテルでの大事な仕事から、ここへ呼んでこなくちゃならなかったんだ。もうこれ以上、こんなことを許してはおけない。だからぼくたちは闘ってきたんだ。さあ、これで事情を説明したから、今度はそっちがじっくり考えて、引き揚げるチャンスだぞ。帰らないなら、おじいちゃんとぼくは、また闘うしかない。こっちはせいぜいおまえらを気絶させて後遺症がないよう努力するけど、大抗争となると、ぼくたちほどの武術の達人でも、何人かは最後にひどい打ち身や、骨折だってさせないとは、保証できない。だからこのチャンスを受け入れて帰れ」

グスタフはこの呼びかけに賛同するようにかすかにほほ笑み、二人はいま一度、目の前に並んだ残忍な顔を見回す。かなりの者がおずおずと顔を見合わせ、分別よりもむしろ恐怖から、襲撃を考え直そうとする。しかしそのとき親分格の何人かが——怖いしかめ面の男たちだ——挑むようなうなり声を上げ、それが少しずつ、下っ端にも広がっていく。それから彼らはいっせいに前に出てくる。ボリスとグスタフはただちに背中合わせに身構え、整然と組んで動きながら、空手や他の武道を取り入れて入念に編みだした技を繰りだしていく。町のゴロツキたちは四方八方から襲いかかるが、驚きと恐怖のうめき声を上げながらきりきり舞いし、よろめき、投げ飛ばされていくだけだ。やがてまたそこらじゅうに、気絶したゴロツキたちが伸びている。ボリスとグスタフが一緒に立って注意深くあたりを眺めながら待っていると、ゴロツキたちは意識を取り戻して動きだし、うめいたり、ここはどこだというように首を振る。このとき、グスタフが一歩前に踏みだして言う。

「さあ、帰れ。これっきりにしよう。二度とこのアパートに近寄るなよ。おまえたちが襲ってくるまで、ここはとても幸せな家だったんだ。今度また戻ってきたら、孫とわたしはおまえたちの骨をへし折るしかないんだぞ」

そんな言葉を吐くまでもない。町のゴロツキは、今度こそ自分たちがこてんぱんにやっつけられ、もっと大きな怪我をしなかっただけ幸運だったと悟る。彼らはやっとの思いでゆっくりと立ち上がり、二、三人ずつ支え合って、大半が痛さにうめきながら、よろよろと立ち去っていく。

最後のゴロツキが足を引きずりながら姿を消すと、ボリスとグスタフは黙って満足そうな視線を交わし、向きを変えて階段の上のアパートへ戻る。二人がなかに入ってくると、窓からずっと様子を見守っていたゾフィーとわたしは、歓声を上げて二人を迎える。「ありがたい、やっと終わってくれた」わたしは興奮して叫ぶ。「ありがたい」

「もうお祝いのごちそうをつくりはじめていたのよ」ゾフィーがうれしそうにほほ笑んで告げる。もう彼女の顔には、緊張のかけらも見られない。「あなたとおじいちゃんに、とっても感謝してるわ、ボリス。今晩はみんなでボードゲームをしたらどう？」

「わたしは帰らなければ」グスタフが答える。「ホテルでたくさんやることがあるんだよ。また何か面倒なことが起きたら、知らせておくれ。でも、きっとあれでけりがついただろう」

わたしたちはグスタフに手を振って、彼が階段をおりていくのを見送る。それからドアを閉めると、ボリスとゾフィーとわたしは今夜のために部屋に戻る。ゾフィーが鼻歌を歌いながら台所に出入りして食事を準備しているあいだ、ボリスとわたしは居間の床に寝そべって、ボードゲームに夢中になっている。一時間ほどゲームをしてゾフィーが部屋から出ていったとき、わたしは急に真剣な顔でボリスを見上げて、静かにこう告げる。

「よくやってくれたね、ボリス。これでもう、元どおりになるよ。昔と同じように」

「ほら！」とボリスが叫ぶので目を向けると、彼はわたしの隣に立って壁ごしに下のほうを指さしていた。「あそこ！　キムおばちゃんだ！」

たしかにはるか下の地面に立って、一人の女性がわたしたちの注意を引こうとちぎれんばかりに手を振っていた。着ているグリーンのカーディガンをしっかりとかき合わせ、髪は風に吹かれて乱れている。彼女はわたしたちがやっと気づいたのが分かって何か叫んだが、その声は強風にかき消された。

「キムおばちゃん！」ボリスは下に向かって叫んだ。

女性は盛んに身ぶりをしながらまた何か叫んだ。

「おりていこうよ」とボリスは言うと、急にまたうれしそうな様子で、先に立って歩きだした。

わたしは、コンクリートの階段を駆けおりていくボリスのあとについていった。地上におりるや強風が吹きつけてきたが、それでもボリスはその女性の前で、パラシュート降下で着地したようによろける格好をして見せた。

「キムおばちゃん」は、四十前後のがっしりした女性で、その少しいかめしい顔には、たしかに見覚えがあった。

「あなたたち、二人とも耳が悪いのね」彼女はわたしたちが近づくと言った。「バスからおりるのを見かけたから何度も呼んだのに、聞こえなかったの？　それからここに探しにきてみたけど、どこにもいなかったわ」

「おやおや」わたしは答えた。「何も聞こえなかったんですよ。そうだね、ボリス？　きっとこの風のせいでしょう。それで」――わたしはあたりを見回した――「ご自分のアパートから、わたしたちを見ていたんですね」

がっしりした女性は、わたしたちを見下ろす無数の窓の一つを漠然と指さした。「ずっと呼んでいたのよ」それからボリスに向かって、彼女は言った。「お母さんがあそこにいるの。あなたにとても会いたがってるわ」

「ママが？」

「すぐに上がっていきなさい。会いたがっているのよ。それに知ってる？　きょうは昼間からずっとお料理をしてたの。今夜あなたがお家に帰ってくるときのために、すばらしいごちそうをつくっておくわって。きっと信じられないわよ。あなたの大好きな物を、思いつくかぎり何から何まで、全部用意したんですって。さっきもそのことばかり話してたわ。それからふと窓の外を見たら、あなたたちがバスからおりるところが見えたの。ねえ、わたしは三十分もあなたたちを探しまわって、凍えそうだわ。こんなところに立ってることないでしょう？」

彼女は手を差しだしていた。ボリスがその手を取り、三人そろって、彼女が指さした建物のほうへと歩きだした。近くに来ると、ボリスは先に駆けだして防火扉を押し開き、なかへと消えた。ドアは、がっしりした女性とわたしが近づいたとき、大きく弧を描いて閉まった。彼女はわたしのためにドアを開けながら言った。「ライダーさん、どこかほかに行くところがあったんじゃないの？　ゾフィーはさっき、午後からずっと自宅の電話が鳴りっぱなしだって言ってたわ。みんながあなたを探してるって」

「ほんとうに？　ああ。でもほら、ここにいますよ」わたしは笑った。「ボリスをここへ連れてきたんです」

女性は肩をすくめた。「自分のやるべきことは分かってるはずよね」

わたしたちは階段の吹き抜けの下の薄暗い空間に立っていた。隣の壁には、郵便受けと消火装置が並んでいる。階段を上がりはじめたとき——少なくともまだ何階かはのぼらなければならなかった——ボリスが駆けている足音が頭上のどこかから響いてきて、そのあと「ママ！」と叫ぶ声が聞こえた。うれしそうな叫びと、さらにまた足音が聞こえ、ゾフィーが「まあ、ボリス。まあ、ボリス！」と呼びかける声がした。そのくぐもった声から、二人は抱き合っているようだった。がっしりした女性とわたしが踊り場についたとき、二人はもうアパートのなかに消えていた。

「散らかってて悪いんだけど」と言いながら、女性はわたしをなかへ案内した。

わたしは小さな玄関ホールを通って、シンプルな現代調の家具を置いた広い部屋に入った。大きな見晴らし窓の正面に、ゾフィーとボリスが立っていた。二人の姿は、灰色の空を背景にして、ほとんど影絵のように見えた。ゾフィーはわたしにちらりとほほ笑むと、またボリスと話しはじめた。二人は何かに興奮しているらしく、ゾフィーはボリスの肩をずっと抱きしめていた。窓の外を指さしている様子から、たぶんゾフィーとがっしりした女性が、さっきどんなふうにわたしたちを見つけたか説明しているのだろうか。しかし二人に近づくと、ゾフィーがこう言うのが聞こえた。

「ええ、ほんとうよ。ほとんどみんな準備できているの。あとは何品か、少し温めればいいだけ。ミートパイやなんかをね」

ボリスは何か答えたが、わたしには聞き取れなかった。ゾフィーが、こう返事をした。

「もちろんできるわ。どれでも、あなたが好きなのをね。お食事がすんだら、どれにしたいか選ぶといいわ」

ボリスは疑わしそうに母親を見た。その物腰には少し身構えるところがあり、ゾフィーが期待していたほどボリスが喜んでいるようには見えなかった。彼が部屋の別のところへ歩いていくと、ゾフィーがわたしに近づいてきて、悲しそうに首を振った。

「ごめんなさいね」彼女は静かに言った。「よくなかったわ。むしろ先月の物件よりひどいくらい。崖っぷちに建っていて、眺めはすばらしいんだけど、つくりが頑丈じゃなかったの。メイヤーさんも最後には認めたわ。強い風が吹いたら、あと数年のうちに屋根が飛んでしまうかもしれないんですって。わたしはまっすぐ帰って、十一時ころには家に着いたの。ごめんなさい。きっとがっかりしたでしょうね」彼女はボリスを見やった。彼は棚にのっているポータブルのテープレコーダーを調べていた。

「がっかりすることはない」わたしはため息まじりに言った。「きっともうすぐ、何か見つかるだろう」

「でも、あたし考えていたのよ」ゾフィーは言った。「帰りのバスのなかで。家があろうとなかろうと、あたしたちがいまから一緒にいろんなことを始められないわけがないわって。だから帰ってくるなり、お料理を始めたの。今夜は盛大なごちそうを、あたしたち三人だけで食べようと思って。昔あたしが小さかったころ、母が病気になる前に、よくそうしていたのを思い出してね。母はよく、いろんなものを少しずつ、何種類もつくって、みんなの前に並べてくれたの。好きなものを選べるように。とっても楽しい夜だったから、あたしは、そうだわ、今夜あんなふうにすればいいじゃない、あたしたち三人だけで、と思ったの。それまで本気で考えてみたこともなかったわ。何しろあの台所だから。だけどよく眺めてみて、自分がばかだったって気づいたの。もちろん理想にはほど遠いけど、それでもかなり使えるのよ。だからお料理を始めたの。午後はずっとお料理をしてたの。いろんなものをつくったわ。ボリスの好きなものばかり。みんなそこにできてるの。あとは温めればいいだけ。今夜はすごいごちそうよ」

「それはいいね。わたしも楽しみだ」

「あのアパートでだって、できないわけはないでしょう。それにあなたはとても理解があったわ……すべてに。あたし、ずっとそのことを考えていたのよ。帰りのバスのなかで。あたしたち、もう過去のことは忘れなきゃ。また一緒に始めなくちゃ。楽しいことをね」

「ああ。まったくきみの言うとおりだ」

ゾフィーはしばらく窓の外を眺めてから言った。「あら、もう少しで忘れるところだったわ。あの女性から、何度も電話があったのよ。あたしがお料理しているあいだじゅう、ミス・シュトラットマンから。あなたがいまどこにいるか分かりませんかって。連絡はついたのかしら？」

「ミス・シュトラットマン？　いや。それで、何だって？」

「きょうのあなたの予定に、何か少し行き違いがあったと思ってるみたいだったわ。丁寧に、何度もお電話してすみませんって詫びてばかりで。あなたはすべてを十分把握してると思うけど、念のために電話しているだけです、まったく心配はしていませんって言うの。だけど十五分もするとまた電話が鳴って、彼女からなのよ」

「それなら、何も心配することはない。そのう……わたしがどこか別のところに行ってるはずだと、言っていたのか？」

「さあ、何が言いたかったのか。とても愛想はよかったけど、しきりと電話してきて、おかげでチキン・パイを焼きすぎちゃったわ。最後に電話があったとき、あたしも楽しみにしてらっしゃいますかって尋ねられたの。きょうの夕方の、カーヴィンスキー・ギャラリーでのレセプションのこと。あなたからは何も聞いてなかったけど、彼女の言葉ではあたしも招待されてるようだったの。だから、ええ、とても楽しみにしてますって答えたわ。するとボリスはって訊くものだから、ええ、彼も、それからあなたもね、あなたもほんとうに楽しみにしていますって答えておいたわ。それで安心したみたい。いえ心配はしていませんね、念のためにただそれだけですって。受話器を置いたとき、最初は少しがっかりしたのよ。このレセプションは、あたしたちのパーティーの邪魔になるかもしれないと思って。でもそのあとで、考え直したの。すっかり準備をしておく時間はあるし、さほど長居する必要がなければ、みんなで出かけて帰ってきてから、まだ一緒に過ごす時間はあるわって。それから、そうね、これはほんとにいいことかもしれないと思ったわ。あたしとボリスにとっても、こんなレセプションに行くのは、いいことかもしれないって」彼女は急に、わたしたちのところへふらふら戻っていたボリスに手を伸ばして、彼を乱暴に抱きしめた。「ボリス、あなたは人気者になるんでしょう？　あのおおぜいの人たちといるのは、いやじゃないわよね。自然に振る舞って、心から楽しめばいいんですもの。きっと人気者になるわ。きっとあっという間に、おうちに帰る時間になって、ほんとにすてきな夜を過ごすのよ、わたしたち三人だけで。全部用意はできてるわ、みんなあなたの好きなものばかり」

　ボリスはうんざりしたように母親の腕をはねのけると、また離れていった。ゾフィーはほほ笑みながら彼を眺めてから、わたしのほうを向いて言った。

「もう出かけたほうがよくないこと？　ここからカーヴィンスキー・ギャラリーまで、かなり時間がかかるかもしれないわ」

「ああ」わたしは答えて腕時計に目をやった。「ああ、きみの言うとおりだ」それから、部屋に戻っていたがっしりした女性のほうを見て言った。「あなたなら教えてくれるでしょう。このギャラリーへ行くのにどのバスに乗ればいいのか、わたしにはよく分からないんです。もうすぐくるかどうか、ご存じですか？」

「カーヴィンスキー・ギャラリーへ？」がっしりした女性は、軽蔑のまなざしでわたしを見たが、ボリスがいるというだけの理由から、皮肉な言葉を口にするのを遠慮したようだった。彼女は続けた。「ここからカーヴィンスキー・ギャラリーへは、バスじゃ行けないわ。いったん町の中心部へ戻らないと。図書館の前で電車を待つのよ。それにしても時間に遅れてしまうわね」

「ああ、それは困った。バスの便があると信じていたんだが」

　がっしりした女性は、またわたしに軽蔑のまなざしを向けて言った。「わたしの車で行きなさい。今夜は使わないから」

「それはご親切に」わたしは答えた。「でも、たしかなんですか？　それしか方法がないと……」

「まあ、つまらないことばかり言ってないで、ライダーさん。車がいるの。カーヴィンスキー・ギャラリーへ時間どおりに行くには、それしかないわ。車でだって、いますぐに出かけなきゃ」

「ええ」わたしは答えた。「わたしも、いまそう考えていたところです。しかし、あなたにご迷惑をおかけするわけには」

「本を何箱か運んでくれればいいのよ。あすの朝、バスで行くことになったら持っていけないから」

「ええ、もちろんですよ。何なりと、できることなら」

「朝になったら、ヘルマン・ロスの店へ車で運んでちょうだい。十時より前ならいつでもいいわ」

「心配しないで、キム」ゾフィーが、わたしが何も答えられないうちに口を出した。「そっちはあたしが面倒を見るから。ほんとに恩にきるわね」

「じゃあ、あなたたち、そろそろ準備したほうがいいわよ。ちょっと、そこのぼうや」――がっしりした女性は、ボリスに手で合図した――「この本を積みこむのを手伝ってくれる？」

それから何分か、わたしはひとりで窓の外の景色を眺めていた。わたし以外は寝室に消え、背後から話したり笑ったりする声が聞こえてきた。そのときふと、わたしもあの部屋で手伝うべきだと思ったのだが、それよりいまのうちに今夜の行事について何か思い出すほうが重要だと考え、相変わらず人造湖をじっと見下ろしていた。子供たちが何人か、湖の反対側にあるフェンスに向かってボールを蹴っていたが、それ以外にあたりに人影はなかった。

やがてがっしりした女性がわたしを呼ぶ声が聞こえ、出かけるのを待っているのが分かった。ホールへ行くと、ゾフィーとボリスがそれぞれ一個ずつ段ボール箱を持って、もう通路へ出ようとしていた。二人は階段をおりながら、何かのことで口論を始めた。

がっしりした女性は、わたしのために玄関のドアを開けて待っていた。「ゾフィーはね、今夜は絶対にうまくやろうと決心してるの」彼女は小さな声で言った。「だからまたがっかりさせちゃだめよ、ライダーさん」

「ご心配なく」わたしは答えた。「万事うまくいくように気をつけますよ」

彼女は厳しい表情でわたしを見たあと、背中を向けて、鍵をじゃらじゃら鳴らしながら階段をおりていった。

わたしは彼女のあとに続いた。ちょうど階段をおりているとき、くたびれた足取りで階段を上がってくる女性と出会った。彼女は身をよけながら「すみません」とつぶやいて、がっしりした女性のわきを通りすぎた。すれ違ったあと、わたしはその女性が、まだ車掌の制服を着たままのフィオナ・ロバーツだったことに気づいた。彼女のほうも、その直前までわたしだと分からなかったようだが——階段の照明はとても暗いので——疲れた顔で振り返り、片手を金属の手すりにのせて言った。

「あら、あなたなの。時間どおりだなんて、うれしいわ。言ってたより少し遅くなってしまって、ごめんなさいね。乗務路線の変更で東まわりの電車に乗ってたから、勤務時間が長引いちゃって。長いこと待たせたんじゃなければいいけど」

「いや、いや」と言いながら、わたしは一、二歩後ろに戻った。「そんなことはないよ。しかしあいにく、次の予定が押してきて……」

「大丈夫よ。無駄な時間は取らせないわ。実は、話しておくことがあるの。相談したように、あの女性たちに電話したのよ。休憩時間に、停車場の食堂から。友人と一緒に訪ねるからって言ったんだけど、実はそれがあなただとは話してないの。最初は打ち合わせどおりに話すつもりだったんだけど、まずトルデに電話してあの声を、つまり彼女が、『あら、まあ。あなただったのね』って言うのを聞いたとたん、あまりに裏のある、慇懃無礼《いんぎんぶれい》な言い方だと思って。あたしには分かったわ。彼女が一日じゅう、どんなふうにわたしのことを噂してたか、次から次に電話をかけて、インゲやほかのみんなとどんなふうに昨夜のことを話していたか。そしてみんなは、わたしのことを気の毒がる振りをして、気づかってあげましょう、やっぱりかわいそうな人なんだから、親切にしてあげるのがあたしたちの義務よなんて、言ってたのよ。分かってるわ。でももちろん、あんな女をグループには残せないわ、あんな人間を、どうやって財団の一員にしておけるかしらって。それはもう、きょうはさんざん楽しんだでしょうよ。聞こえてくるようだわ。わたしが電話したとたん、彼女が『あら、まあ。あなただったのね』って言った口ぶりから。だからわたし、それなら結構、あなたたちに前もって教えてなんかあげないわって、思ったのよ。わたしを信じなかったらどうなるか、いまに見てなさいよって。そんなふうに、一人で考えたの。あなたたちがドアを開けて、わたしの隣に立ってる人を見たとき、ひどくうろたえなきゃいいけどねって。最低の服、たぶんジャージーでも着て、すっぴんだから鼻のわきのこぶまでもろに見えちゃって、髪はときどきやるように後ろにひっつめで、十五は老けて見えるといいわってね。そのうえ部屋のなかは散らかり放題、あのごひいきのくだらない雑誌や、大衆ゴシップ紙やロマンス小説が家具のあいだに散乱していて、仰天のあまり言葉は出ないし、何から何まで体裁が悪くて、おまけにばかなことばかり言ってますますひどいことになればいいのよって。飲み物を出そうとしても買い置きがなくって、わたしの言葉を信じなかったおかげで、自分がとんでもない愚か者に見えるのよ。だからそうしようって、思ったの。それで彼女に言わなかったわ。ほかの人たちにも。ただ、友人と訪ねるからって言っただけなの」彼女はそこで口をつぐみ、少し気持ちを落ち着けてから続けた。「ごめんなさい。復讐心に燃えてるように聞こえたかしら。でも、一日じゅうずっとそうしたいって思っていたのよ。おかげで仕事もこなせたわ。あの乗車券を点検する仕事が。きっと乗客は、どうしてわたしがあんなふうに目を輝かせて回ってるのか、不思議に思ったでしょうね。さて、あなたの予定が詰まってるんなら、いますぐ始めなきゃ。まずはトルデのアパートからね。インゲも彼女のところでしょう。いつもこの時間はあそこにいるから、最初にあの二人を相手にできるわ。ほかの人たちは、どうでもいいの。とにかく、あの二人の顔が見てみたいものだわ。さあ、行きましょう」

彼女は階段をのぼりはじめた。さっきまでの疲れた様子はすっかり消えていた。階段はいくらのぼっても次から次に現れて永久に続くように思え、とうとうわたしは息が切れてきた。なのにフィオナは、まったく平気なようだ。わたしたちがのぼっているあいだも、彼女はまわりで誰かが聞いているかのように、ひそひそ声でしゃべりつづけた。

そのうち、「あなたは、あんまりいろんなことを話さなくていいわ」と、彼女が言った。「しばらく向こうに媚びへつらわせるのよ。もっとも、もちろんあなたはご両親のことを話し合いたいでしょうけど」

やっと階段から通路に出たとき、わたしはひどく息が上がっていて――実際、胸がぜいぜい鳴っていた――まわりの様子にほとんど注意が向けられなかった。暗い通路を案内されて、並んだドアの前を通りすぎているのは分かっていた。フィオナはわたしの苦しさなど気にもとめずに、ずんずん先を歩いていた。それから急に立ちどまり、ドアをノックした。やっと彼女に追いついたときには、ドアの枠に手をついて、頭をうなだれ、息を整えなければならなかった。ドアが開いたとき、わたしは勝ち誇ったようなフィオナの隣で、かなりくたびれた人物に映ったに違いない。

「トルデ」フィオナは言った。「お友達を連れてきたのよ」

わたしはなんとかしゃんと背筋を伸ばして、愛想よくほほ笑んだ。

16

　ドアを開けたのは、五十がらみで小太りの、ショートヘアの白髪の女性だった。ゆったりしたピンクのセーターにだぶだぶの縞模様のズボンをはいている。トルデはわたしをちらりと見やると、格別何かに気づいた様子もなく、フィオナに言った。「あら、まあ。どうぞ、ぜひお入りになって」

　いかにも慇懃無礼な口ぶりだったが、それさえもフィオナの期待感をますます高めたらしく、トルデのあとからなかへ入っていくとき、フィオナはわたしに共謀者に向けるような笑みを投げかけた。「インゲもご一緒かしら？」フィオナはわたしたちが小さな玄関ホールに入ると尋ねた。

「ええ、ちょうど二人で帰ってきたところなの」トルデは答えた。「たまたまたくさん報告することがあるのよ。そこへさっきあなたから電話があったものだから、このニュースを伝えるのはあなたが初めてなの。運がいいわ」

　最後の言葉には何の皮肉もこもっていないようだった。トルデがわたしたちを狭いホールルに残したままドアの向こうに姿を消すと、奥からこんな声が聞こえてきた。「インゲ、フィオナよ。それと誰かお友達も。きょうの午後の出来事を話しておくべきでしょうね」「フィオナですって？」インゲの声は少し怒っているようだった。気を取り直して、彼女は言った。「じゃあ、お入りになってもらったら」

このやりとりを聞きながら、フィオナはまたわくわくしたようにわたしに笑いかけた。トルデがドアの奥から顔を出し、わたしたちは居間へ案内された。

室内は大きさも形も、さっきのがっしりした女性のアパートとほぼ同じようだったが、家具はもう少しごてごてした感じで、大半が花柄だった。そう思ったのは、単にこのアパートが違った角度を向いているためか、それとも外の空が少し明るくなったせいなのだろう。どちらにしろ、午後の太陽が大きな窓から差しこんでいて、光のなかに足を踏み入れたとき、二人の女性がわたしと知って飛び上がるものだとばかり思っていた。フィオナも明らかに同じことを期待していたらしい。というのも、彼女がそのショック効果を弱めないよう、十分に配慮してわきに立っているのに気づいていたからだ。ところがトルデとインゲの表情には何の変化もなく、それぞれ無関心なまなざしでちちりとわたしを見たあと、トルデがどちらかといえば冷淡にわたしたちを招き入れ、お座りになってと声をかけた。わたしたちは隣り合って狭いソファに腰をおろした。フィオナは最初とまどっていたが、この予想外の展開も真実が分かったときのショックを増すだけだと判断したらしく、またわたしににんまりと小さな笑みを向けた。

「わたしから話しましょうか、それともあなたが？」インゲが尋ねた。

トルデは、明らかに若いほうの女性に譲ろうとして言った。「ええ、あなたから話してちょうだいな、インゲ。当然そうすべきだわ。でもねフィオナ」――そこで彼女はわたしたちを向いた――「まだほかの人たちに言いふらしちゃだめよ。今夜の集まりまで秘密にしておきたいの。そうしないと不公平ですもの。あら、今夜の集まりのこと、まだお話ししてなかったかしら？　そうね、でもいま話したとおりなの。お暇なら、ぜひお顔を見せてちょうだいな。でも、お友達がおみえのようだから」――彼女はわたしに向かってうなずいた――「出られなくても、あたしたち、よく分かっていることよ。じゃあインゲ、あなたから話して。ほんとに、それが順当だわ」

「ねえ、フィオナ、きっとあなたも関心がある話だと思うんだけど、あたしたち、とってもすばらしい一日を過ごしてきたの。ご存じのように、きょうフォン・ブラウンさんがあたしたちをオフィスに招いて、ライダーさまのご両親のお世話をする計画をじきじきにご相談しようとなさったのよ。あら、知らなかった？　何でもご存じだと思っていたのに。それで今夜は、その結果を詳しく報告することになっているんだけど、とにかくいまは、とってもうまくいったってことだけ、お話ししておくわ。もっとも、予定より少し早く切り上げなきゃならなかったんだけど。ええ、もちろんフォン・ブラウンさんは、この上なくすまながっていらしたわ。そうよね、トルデ？　早目にお出かけにならなきゃならないのを、申しわけないとお思いだったようだけど、その理由をうかがったら、あたしたちも十分に納得できたの。だってね、動物園へ行くっていう大事なご用がおありだったんですもの。ああ、あなたは笑うかもしれないけど、フィオナ、これはただの動物園行きじゃないの。公式のグループが、ええ、もちろんフォン・ブラウンさんもふくめて、ブロッキーさまをお連れすることになっていたのよ。ブロッキーさまが一度も動物園へいらしたことがないなんて、ご存じだったかしら？　でも重要なのは、ミス・コリンズが、ぜひご一緒にっていう説得に応じられたってことなの。そうなの、動物園でよ！　そんなこと考えられる？　こんなに長い年月がたったあとで！　ほかならぬブロッキーさまのためなら当然ですわって、あたしたち二人ともすぐさまお答えしたのよ。ええ、ミス・コリンズも、あの方たちが到着するころにお着きになって、申し合わせた場所で待っている。それで市の公式のグループに出会って、ブロッキーさまとお言葉を交わすっていう手筈だったの。すっかりお膳立ては整っていたわ。ほんとに考えられる？　あのお二人が顔を合わせて、こんなに久方ぶりにお話しするなんて！　あたしたち、この会談を切り上げなければならないのは、ようく分かりますわと申しあげたんだけど、フォン・ブラウンさんはご親切にも、あたしたちにほんとうにすまないとお思いになったらしくて、こうおっしゃったのよ。

『あなた方もご一緒に動物園へいらっしゃってはいかがです？　公式のグループにお入り

くださいとは申しあげられませんが、少し離れたところからご覧になるならかまいませんよ』って。あたしたちは、感激ですわってお答えしたの。するとまたおっしゃったのよ。『もちろん、そうなさればブロツキーさまがこの長い別離のあと奥さまと初めて再会される場面を目にできるだけではありません。そればかりか』――彼は少し間を置いて、そうよね、トルデ？　そこで一呼吸置いてから、冷静におっしゃったの――『ライダーさまをすぐおそばで拝見できるんですよ。ご親切にも、この公式の訪問団に加わってくださるとお返事いただいたものですからね。そして機会があれば、これは保証のかぎりではありませんが、わたしがあなた方お二人に合図を送りますから、ライダーさまにお引き合わせすることもできましょう』って。あたしたち、ほんとに驚いたの！　だけどもちろん、あとで帰り道にそのことを考えてみると、いまもそう話していたところなんだけど、よく考えてみると、さほど驚くほどのことじゃなかったのね。何といっても、あたしたちここ数年、何やかやと一生懸命に骨を折ってきたんですもの。北京からのお客さまのために横断幕を用意したり、アンリ・ルドゥーの昼食会にサンドイッチをつくったり……」

「北京バレエ団、あれがほんとうの意味で変わり目だったわね」トルデが口をはさんだ。

「ええ、あれが変わり目だった。だけどあたしたち、一度も立ちどまってそのことを考えずに、どんどん前進しつづけたわ。ひたすらに。そしてたぶん、ずっと努力を続けた結果、誰からも尊敬されるようになっていたのに、気づいていなかったのね。ほんとうはあたしたち、正直に言って、もうこの町の生活に欠かせない存在になっているんだわ。そろそろそれに気づいてもいいころじゃないかしら。よく考えてみて。だからフォン・ブラウンさんがじきじきにあたしたちをオフィスに招いてくれたし、最後にはきょうのようなお誘いもかけてくださったのよ。『機会があれば、彼にお引き合わせしましょう』って。そうおっしゃったのよね、トルデ？『ライダーさまも、あなた方お二人にお目にかかればきっとお喜びでしょう。ご両親のお世話をしてくださるんですから。これはあの方にとって何より大事な問題でしょう』って。もちろん、あたしたち、これまでもいつだって話してきたじゃない？このお役目を申しつかったら、ライダーさまに紹介していただくチャンスは十分にあるわって。だけどこんなに早く実現するなんて思ってもいなかった。だからとってもうれしかったの。フィオナ、どうかしたの？」

フィオナはずっとわたしの隣で、しゃべりつづけるインゲの言葉をさえぎろうと、じれったそうにもぞもぞ体を動かしていたのだが、やっとインゲが口をつぐんだので、ひじでそっとわたしの腕を突きながら、「さあ！　いまがチャンスよ！」というような目でわたしを見た。しかしあいにく、わたしは階段を上がってきたあとでまだ少し息ぎれし、そのせいでおそらくためらっていたのだろう。とにかく、しばらく気まずい雰囲気が漂うなかで、三人の女性がそろってわたしを見つめていた。わたしが何も言わないので、インゲがまた話を続けた。

「じゃあフィオナ、あなたがよければ、いま話してたことを最後まで続けるわ。あなたにもあたしたちに聞かせたい面白いお話がたくさんあるでしょうし、あたしたちもぜひうかがいたいわよ。きっと電車でとても面白い一日を過ごしてきたんでしょうから。あたしたちが町の中心部でこれからお話しすることをやってるあいだに。でももう少し待ってくだされば、あなたにとっても興味深い出来事をお聞かせできるの。何といっても」――ここでわたしには、彼女の声にこもっていた皮肉が礼儀を欠く領域にまで踏みこんだと思われた――「これはあなたの幼なじみ、そう、あなたの幼なじみのライダーさまにかかわることなんだから……」

「インゲったら！」とトルデが口をはさんだ。その唇には薄ら笑いが浮かんでいて、二人はすばやく得意げなにやにや笑いを交わした。

フィオナはまたわたしをつついていた。彼女はいまにも堪忍袋の緒が切れそうで、いやみなあてこすりを言う二人に当然の仕返しをしてやるのに、もう一刻も待てないと言いたげだった。わたしは身を乗りだして咳ばらいをしたが、言葉が出てくる前に、インゲがまた話しはじめた。

「そう、さっき言おうとしてたのは、それを考えれば、あたしたち、もうこれくらいの処遇を受けても当然だってことなのよ。とにかく、フォン・ブラウンさんは明らかにそう思ってらっしゃるわ。終始とても親切で、丁重に接してくださったの、そうよね？　公式グループに加わるためにシティ・ホールへ出かけなきゃならないのを、申しわけなさそうにしてらして。『あと三十分ほどで動物園にまいります』と、言いつづけていたのよ。『あなた方もぜひいらっしゃいますように』って。公式グループから五、六メートル離れたところまでなら、近寄ってもかまわないっておっしゃったわ。要するに、まるであたしたちがただの市民じゃないみたいに！　あら、ごめんなさいね、フィオナ。あたしたち、フォン・ブラウンさんに、自分たちのグループの一人が、つまりあなたのことだけど、グループの一人がライダーさまのとても親しいお友達だって、昔からのとても親しいお友達だって、話そうとしなかったわけじゃないのよ。何とかそのことを伝えようとしたんだけど、なんだかその機会がめぐってこなくって。そうよね、トルデ？」

ここでまた二人はにやりとし合った。フィオナは怒りのこもった冷たい視線で二人をにらみつけていた。このときわたしは事態が度を超してしまったと思い、話に割って入ろうと決心した。しかしすぐさま、そのために二つの手段のどちらを取るべきかという迷いが生じた。一つは、インゲが続けようとしていた話の流れにすんなり入っていくかたちで、わたしが誰かという点に注意を向けることだ。たとえば冷静な口調で、「さあて、残念ながら動物園ではお目にかかれませんでしたが、あなたの快適なお住まいでその機会を得たわけですから、これで十分ではありませんか？」とか何とか言って割りこんでみる。もう一つは単純に、いきなり立ち上がり、腕を突きだしながら、ぶっきらぼうに「わたしがライダーです！」と名乗る。当然ながら、わたしは最も効果の大きい手段を選びたかったのだが、迷っているうちに今度もまたタイミングを逸してしまい、インゲが再び話しだした。

「あたしたち動物園に着いて、そこで待っていたの。そう、二十分ほどだったかしらね、トルデ？　コーヒーが飲める小さなスタンドのそばで二十分ほど待ったとき、何台かの車がゲートの前でとまって、とても威厳のある紳士の一団がおりてきたの。全部で十人か十一人。フォン・ヴィンターシュタインさんもいらしたし、フィッシャーさんとホフマンさん、それからもちろんフォン・ブラウンさんもね。その方がたに取り囲まれてブロッキーさまが歩いていらして、ほんとうにとてもご立派に見えたわ。そうよね、トルデ？　以前のあの方とは似ても似つかなかった。もちろん、あたしたちはすぐにライダーさまを探したの。でも、そこにはいらっしゃらなかったわ。トルデと一人ひとりお顔を確かめたけど、いつもの議員さんばかり。あたしたち、ライトマイヤーさんが車からおりてらっしゃるのを見て、一瞬ライダーさまかと思ったんだけど、とにかく、あの方はご一緒じゃなかったわ。それであたしたち、たぶん少し遅れておみえになるのよ、何しろお忙しい日程なんだからって、話していたの。それから紳士方が、小道を歩いてらしたの。みなさん黒っぽいオーバー姿だったけど、ブロッキーさまだけはグレーのコートで、おそろいの帽子をかぶられて、とても威厳がおありだった。みなさんでカエデの木立ちのそばを通りすぎて、ゆっくりとしたペースで最初の檻に近づいていったの。どうやらフォン・ヴィンターシュタインさんがご案内役らしくて、ブロッキーさまにあれこれ指さしては、それぞれの檻の前で動物の説明をしてらしたわ。だけどみなさん、とても動物どころじゃなくて、ブロッキーさまとミス・コリンズの再会が気がかりで、とっても緊張してたの。あたしたちも、じっとしていられなかったわ。そうよね、トルデ？　それで先回りして、中央コンコースの角まで来たとき、やっぱりそこにミス・コリンズが、たったお一人でキリンの前に立って、見物をしていらしたの。ほかにも何人かぶらぶら歩いてる人はいたけど、もちろん何も知らなかったわ。公式グループが角を曲がってやってきたとき、ようやくみんな何かあるんだなと気づいて、うやうやしく引き下がったの。それでミス・コリンズはますます一人ぼっちで、キリンの前に立ったまま、公式グループが近づいてくるのをちらちら見ていらしたわ。とても冷静なご様子だったけど、心のうちは分からない。ブロッキーさまは、あたしたちにもその表情が見えたんだけど、とてもこわばったお顔で、ミス・コリンズのほうを何度もこっそり見ていらした。お二人の距離はまだかなり遠くて、そのあいだにサルやらアライグマやらの檻が並んでいたの。フォン・ヴィンターシュタインさんは、ブロッキーさまに全部の動物を紹介なさってるようだったわ。まるで動物たちが晩餐会の公式のお客さまか何かみたいに。そうよね、トルデ？　あたしたち、あの紳士方がどうしてまっすぐキリンとミス・コリンズのところへ行かないのか分からなかったけど、きっと前もってそう決めてあったんでしょうね。それはもう、どきどきする、とても感動的な場面だったものだから、あたしたち、ライダーさまがおみえになるかもしれないってことさえ、しばらく忘れていたの。ブロッキーさまの吐く息が白い霧みたいになって見えたし、ほかの紳士方の息もね。それから残りの檻があと少しになったとき、ブロッキーさまは動物なんかそっちのけで、帽子をお脱ぎになったの。とっても古風な、敬意の表現だったわ、フィオナ。あたしたち、あそこであんな場面が見られて、光栄だった」

「いろんなことが読み取れたのよ」トルデが口をはさんだ。「ブロッキーさまの振る舞いに。あの方は帽子を胸の前に持っていったの。まるで愛の告白と謝罪とを一度になさるみたいにね。とっても感動的だったわ」

「でも悪いけど、話してたのはあたしよ、トルデ。ミス・コリンズはとても上品で、遠目にはとてもあんなお年には見えなかった。すごく若々しくてね。彼女はほんとうに何気なく、ブロッキーさまを振り返ったの。檻一つほど先にいる彼を。このときまでに、あたりにいた人たちはみんなさっと後ろに下がっていたわ。トルデとあたしは、フォン・ブラウンさんが五メートルほどの距離までならとおっしゃったのを思い出して、ぎりぎりまで前に出たんだけど、これはお二人だけのとても大切な時間だと思ったから、あまり近づきすぎてはいけないと遠慮したの。最初、お二人はうなずき合って、何かごく普通のご挨拶を交わされたわ。そのあとブロッキーさまが急に何歩か前に出て、さっと手を差しだしたのよ。トルデが言うには、まるで事前に計画していたみたいだと……」

「ええ、何日も一人でリハーサルしてたみたいだったわ……」

「ええ、そんなふうだった。あたしも同感よ。ほんとにそんなふうだった。手を差しだしてミス・コリンズの手を取ると、とてもそっと、うやうやしくキスしてから、その手を離したの。するとミス・コリンズは、ただ上品にお辞儀をしてから、すぐにほかの紳士方のほうを向いて、にっこりほほ笑みながら挨拶なさったわ。もっともあたしたちには遠すぎて、みなさんが何をおっしゃってるのか聞こえなかったけど。そんなわけで、みなさんそこに集まって、次に何をしたらいいのか分からないって感じだったわ。それからフォン・ヴィンターシュタインさんが口火を切って、ブロツキーさまとミス・コリンズのお二人に、キリンについて何か説明を始められたの。まるでご夫婦に話しかけているみたいに――そうよね、トルデ？　お二人が最初からそろってここにいらした、仲睦まじい老夫婦だっていうように。それでブロツキーさまとミス・コリンズは、あんなに長い年月のあとで、隣同士にお立ちになって、体は触れずにただ隣同士にお立ちになって、二人でキリンを眺めながら、フォン・ヴィンターシュタインさんのご説明に耳を傾けていたの。それがしばらく続いたあと、ほかの紳士方がこれからどうなるんだろうとささやき合っているのが分かったわ。それから知らず知らずのうちに少しずつ、紳士方全員が後ろに下がっていったの。それはそれはとてもうまく、洗練されたやり方で。みなさん互いに会話しているふうを装って少しずつ下がっていったものだから、最後にはブロツキーさまとミス・コリンズだけがキリンの前に残ったわけなの。もちろん、あたしたちは細心の注意を払ってお二人を観察してたし、ほかのみなさんもそうだったと思うけど、見て見ない振りをしていたのよ。ブロッキーさまはとても上品にミス・コリンズのほうをお向きになって、キリンの檻を手で示しながら、何かお話しになったの。とても心あたたまるお言葉らしくて、ミス・コリンズはほんの少し頭を下げられたわ。彼女でさえ、感動せずにはいられなかったのね。それからブロッキーさまは話を続けて、ときどきこんなふうにとてもやさしく、またキリンのほうを手で示すのが見えたの。キリンのことを話しているのか、ほかのことを話しているのか、あたしたちには分からなかったけど、とにかく檻のほうに手を伸ばしつづけていらしたわ。実際、ミス・コリンズは胸を打たれたご様子だったけど、あれほど上品なご婦人だから、まっすぐ背筋を伸ばしてほほ笑み返すと、お二人でほかの紳士方がお話しになっているところへゆっくり歩いてこられたの。ミス・コリンズは紳士方とふたことみこと言葉を交わされて、とても楽しそうに丁重に、とりわけフィッシャーさんとは長くお話しされてたみたい。そのあとみなさんに一人ずつ順番に、さようならのご挨拶をなさったの。ブロッキーさまに小さく頭を下げたあと、ブロッキーさまがどんなにお喜びかは、誰の目にも明らかだったわ。まるで夢でも見ているように、帽子を胸にあてたままあそこにお立ちになっていらした。ミス・コリンズはその場を離れ、小道を通って飲み物の売店に差しかかり、噴水を通りすぎて北極グマの檻の向こうに消えていったの。彼女が行ってしまうと、紳士方はさっきまでの遠慮をかなぐり捨ててブロツキーさまを取り囲んだのよ。それはもう、誰もかれもとってもうれしそうに大はしゃぎで、あの方を祝福しているようだったわ。ああ、ブロツキーさまがミス・コリンズに何ておっしゃったのか、どんなに知りたかったことか！　もっと大胆に、あと何歩か近づいていたら、せめてひとことふたことは聞こえていたかもしれない。だけどあたしたち、いまの立場が立場だからもっと控えめにしていなくちゃね。ともかく、すてきだったわ。それにあの動物園の木々は、この季節だからとても美しくてね。それにしても、ほんとにあのお二人は、どんなお言葉を交わしたのかしら。トルデは、お二人がこれからまた一緒にやり直すだろうって言うのよ。あの方たちが実は離婚していなかったなんて、あなたご存じだった？　面白いことじゃない？　こんなに長い年月がたって、おまけにミス・コリンズはずっとミス・コリンズと呼んでほしいとおっしゃってたのに、離婚していなかっただなんて。ブロツキーさまはまた彼女を取り戻す資格がおありだわ。あら、ごめんなさい。すっかり興奮して、あたしたち肝心なことをまだ切りだしてさえいなかったわね！　ライダーさまのことを！　あのねえ、ライダーさまは公式グループとご一緒じゃなかったものだから、あたしたち前に出てはいかれないと思ったの。ミス・コリンズがお帰りになったあとでもね。だってフォン・ブラウンさんは、ライダーさまにお引き合わせするとき前に出てくるようにって、おっしゃったんですもの。どっちにしても、あたしたちフォン・ブラウンさんを注意深く観察してたし、彼がすぐそばにいらしたときも何度かあったんだけど、一度もあたしたちのほうをご覧にならなかったの。たぶんブロッキーさまのことで頭がいっぱいだったんでしょう。だからあたしたちは前に出ていかなかったの。だけどそのあと、あの方たちがお帰りになるのでゲートを通ろうとするのを見ていたとき、全員が足をとめて、そこにどなたか男の方が加わったの。もうとても遠くに行ってたから、はっきりとは見えなかったのよ。でもトルデは、あの合流した方がライダーさまに違いないって——彼女はあたしより遠目がきくし、あたしはコンタクトレンズをつけてなかったものだから——絶対にそうだと思ったの。そうでしょ、トルデ？　あれがきっとライダーさまで、変に事態をこじらせまいと、ブロッキーさまとミス・コリンズのお邪魔にならないよう気をきかせてらしたんだけど、やっとゲートのところで公式グループに加わったのに違いないって。あたしは最初、あれはブラウンタールさんだと思ったんだけど、コンタクトレンズをしてなかったし、トルデはライダーさまだって確信してたの。あとでその場面を思い返したとき、あたしも、あれがたぶんほんとにライダーさまだったんだって思ったわ。そんなわけであたしたち、彼にご紹介いただくチャンスを逃してしまったの！　もうそのころには、はるか遠くの、ゲートのそばまで行っていて、運転手たちが車のドアを開けて待ってたんですもの。あわてて駆けだしたところで、きっと間に合わなかったわ。だからあたしたち、厳密に言えば、ライダーさまにはお目にかからなかったの。だけどついさっきもそのことを話してたんだけど、トルデとあたしは、どう考えても、つまり肝心な点という意味で言えば、きょうライダーさまにお目にかかったと言ってもいいはずでしょ。結局のところ、彼が公式グループとご一緒だったなら、もちろんあのときキリンの檻のそばで、ミス・コリンズがお帰りになったすぐあとに、フォン・ブラウンさんがご紹介くださったに違いないんですもの。ライダーさまがあんなに気をきかせてゲートのところでお待ちになってるのが見抜けなかったからって、とうていあたしたちの責任じゃないわ。要するに、あたしたちがご紹介いただいて当然だったことは、疑いようがないわ。そこが肝心なのよ。そもそもフォン・ブラウンさんは明らかにそうお考えだったわけだし、いまのあたしたちの立場を考えれば、ご紹介いただいて当然だったのよ。それにねえ、トルデ」――彼女は友人のほうを向いた――「いまにして思えば、あたしもあなたと同感だわ。今夜の集まりで、あたしたち、彼に実際にお目にかかったと断言してもいいと思うの。あなたが言うように、そのほうが事実に近いわ、お目にかからなかったって言うよりも。それに今夜はたくさんやることがあるから、また一からすべて説明するだけの時間がないんですもの。とどのつまり、あたしたちが正式にご紹介を受けなかったのは気まぐれな運命のせい、ただそれだけのことよ。どの点から見ても、あたしたちはライダーさまにお会いしたわ。あの方がまだあたしたちのことを聞いていないとしても、当然これからお耳に入るでしょうし、どんなふうにご両親のお世話が予定されているのか、詳しくお尋ねになるでしょうよ。だからあたしたち、ライダーさまにお目にかかったのも同然なのよ。それにあなたが言うように、ほかのメンバーがそうじゃないって考えるほうが、むしろ的《まと》はずれだわ。あら、でも、ごめんなさいね」――イングは急にフィオナを見た――「うっかりしてたわ、これはあなたの幼なじみのライダーさまのことだって。たいしたことでもないのに、あたしたち、とんだ大騒ぎをしてるように見えるでしょうね、あなたの幼なじみのことで……」

「インゲ」トルデが言った。「かわいそうに、フィオナが困り果ててるじゃないの。彼女をからかうのはおよしなさいな」彼女はフィオナにほほ笑みかけながら言った。「大丈夫よ、あなた。ご安心なさって」

トルデがそう語りかけているとき、わたしの脳裏に、フィオナと子供のころに育んでいたあたたかい友情の思い出がよみがえってきた。ウースターシャーのあのぬかるみ道を少し歩いたところに彼女が住んでいた小さな白い家があり、わたしたちは彼女の家のダイニングテーブルの下にもぐりこんで何時間も遊んでいたものだ。怒りと混乱を覚えながらあの家にふらふらと遊びにいったわたしを、そのたびに彼女がどれだけ巧みに慰め、逃げだしてきたばかりのどんないやな場面でも、たちどころに忘れさせてくれたことか。いま目の前で、あのときと変わらぬこの大切な友情がばかにされているのだと思うと、ぐっと憤りが込み上げてきて、インゲがまた話しはじめていたものの、わたしはもう一秒たりともこの状況を放ってはおくまいと決心した。今度こそ、さっきのようにうやむやにしておくなどという失敗を繰り返してはならない。わたしは決然と前に身を乗りだした。インゲの言葉をさえぎって大胆に自分が誰かを名乗り、その場の衝撃がおさまれば、またソファに深く体を沈めるつもりだった。ところがいざ横ヤリを入れようと力んでみても、口からもれてくるのは、押し殺したような小さなうめき声だけだった。それでもインゲが口をつぐみ、三人の女性がわたしに注目するだけの効果はあった。気まずい一瞬が流れたあと、フィオナは明らかに、とまどっているわたしに助け船を出そうとして——たぶん子供のころにわたしを守ろうとしてくれた気持ちが、一時的に目覚めたのだろう——怒鳴り声を張り上げた。

「あんたたち、自分がどんなにばかげて見えるか、思いもつかないのね！　なぜだか分かってる？　いいえ、そんなはずないわ。二人とも自分がどんなに愚かか、いま、どれだけお話にならないほどばかげて見えるか、分かってるわけがない。ええそうに決まってるわよ。あんたたち二人はいつもそう、いつもそうなのよ！　ええ、あたしはずっと前から、そう、初対面のときから言ってやりたかったけど、いまなら自分でも気がつくはずよ。自分がばかかどうか、考えてみることね。ほらご覧なさい！」

フィオナはぐいとわたしのほうに顔を向けた。インゲとトルデは、二人ともとまどった様子でもう一度わたしを見つめた。わたしは自分の名を名乗ろうと全身の力を込めたが、情けないことに、かろうじて喉から出てきたのは、さっきよりは大きいものの、相変わらず意味のないうめき声だけだった。パニックに襲われそうになったわたしは、大きく息を吸ってからもう一度名を告げようとした。しかし今度ももう少し長い、苦しそうなうめき声しか出てこなかった。

「いったいこの女はあたしたちに何が言いたいの、トルデ？」インゲが言った。「このつまらない性悪女が、どうしてあたしたちにこんなふうな口をきくの？　よくもまあぬけぬけと？　まったく何を考えてるのよ？」

「あたしの責任だわ」トルデが言った。「あたしが間違っていたの。グループに誘ったのは、あたしの考えだったんだから。だけどライダーさまのご両親がお着きになる前に化けの皮がはがれて、よかったじゃない。妬《ねた》んでるの、ただそれだけよ。あたしたちがきょうライダーさまにお会いしたのを、妬んでるのよ。自分には哀れっぽい、つまらない話しかないもんだから……」

「きょう彼に会ったって、どういうこと？」フィオナは怒りを爆発させた。「さっき自分で、会わなかったって言ったばかりじゃないの……」

「だって会ったも同然だわ！　そうよね、トルデ？　あたしたち、いまは完璧に、お目にかかったって言う資格があるわ。あなたもその事実を認めなきゃね、フィオナ……」

「そこまで言うなら」──いまやフィオナは、ほとんど金切り声で叫んでいた──「あんたたちもこの事実を認めなさい！」彼女は舞台への登場を思いきり劇的に告げるかのように、わたしに向かって腕を振った。わたしはいま一度、何とか彼女の期待に応えようとした。今度はわたし自身のなかにも込み上げてきた怒りといらだちにたきつけられて、押し殺したようなうめき声にいっそう力がこもり、そのあまりの迫力にソファが振動するのさえ感じられた。

「あなたのお友達はどこかお悪いの？」インゲが急にわたしに気づいて尋ねた。しかしトルデのほうは、何の注意も向けなかった。

「あんたの話なんか、そもそも聞くべきじゃなかったのよ」彼女は憎々しげにフィオナに告げていた。「最初から、あんたなんかケチな嘘つきだって分かってたはずだった。なのにうちの子供たちまで、あんたのガキどもと遊ばせたりなんかして！　あいつらだって、どうせケチな嘘つきに決まってるわ。それにいまごろは、うちの子供たちみんなに嘘のつき方を教えてるんでしょうよ。きのうの夜のパーティーなんて、ほんとにばかげてたったらありゃしない。それにあの部屋の飾りつけときたら！　まったくお笑い草！　けさはみんなで笑いころげていたわ……」

「少しは助けてくれたらどう！」フィオナが突然、初めてわたしに直接話しかけてきた。「いったいどうしたの、どうして何もしてくれないの？」

実際、わたしはそのあいだもずっと、どうにかしようと必死で力んでいた。そしてちょうどフィオナがわたしのほうを向いたとき、反対側の壁にかかった鏡に、ちらりと自分の姿が見えた。その顔は紅潮し、豚のようにくしゃくしゃで、胸のあたりで握りしめた拳は、胴体とともにわなわな震えていた。そんな自分の姿を見た瞬間、わたしは急に全身の力が抜けて気力も萎え、荒い息をしながらソファの端にへたりこんでしまった。

「ねえ、フィオナ」インゲが言っていた。「あなたとこの……このお友達は、そろそろお帰りになったほうがいいんじゃないの。今夜の会合には出席なさらなくて結構だと思うわ」

「そんなの論外よ」トルデが怒鳴った。「いまのあたしたちには責任があるの。彼女みたいな翼のもげた小鳥にかかずらわってる余裕なんかないわ。あたしたち、もうただのボランティア・グループじゃないのよ。やらなきゃいけないとっても大事なお役目があるんだから、期待に沿えない人には引っこんでてもらわなきゃ」

フィオナの目に涙がにじんだ。彼女が今度は悲痛な表情を浮かべてまたわたしを見たので、もう一度だけ名を名乗る努力をしてみようかと思ったが、さっき鏡のなかにかいま見た自分の姿を思い出し、やはりやめておくことにした。かわりにわたしはよろよろとソファから立ち上がって、出口を探した。全身の緊張からまだ激しく息ぎれしていて、ドアのところへたどり着いたときには、その枠につかまってしばらく息を整えなければならなかった。背後から、二人の女性が相変わらず激しい口調で話している声が聞こえてきた。やがて、インゲの声が聞こえた。

「それにあんないけすかない男を、あなたのアパートへ連れてくるなんて」わたしはなんとか力を振り絞り、あわてて狭い玄関ホールへ出ると、必死で入口のドアの鍵をいじくった末に、ようやく外の通路へ飛びだした。ほとんど同時に気分はよくなりはじめ、わたしは少し落ち着きを取り戻して、階段のほうへ歩いていった。

17

何階か階段をおりながら腕時計を見ると、もうカーヴィンスキー・ギャラリーへ出かけなければならないぎりぎりの時間だった。もちろん、フィオナをこのままにして去らなければならないのはかなり心苦しかったが、明らかにわたしが優先すべきは、今夜の重要な催しに時間どおりに着くことだ。それでも、フィオナの問題はいずれ近いうちに対処しようと心に決めていた。

ようやく一階までおりたとき、壁に〈駐車場〉と書いた標識と方角を示す矢印があった。わたしはいくつか並んだ収納庫の前を通って、出口から外へ出た。

そこは建物の裏手にあたり、人造湖の反対側だった。夕日が沈みかけていた。正面には、ゆるやかな緑の斜面が遠くまで続いている。すぐ目の前の駐車場は、草地を長方形に柵で囲っただけのもので、アメリカの牧場の囲い地のようだ。地面はコンクリート舗装ではなく、出入りする車で草がすりきれて、ほとんど土がむきだしになっている。おそらく五十台ほどのスペースがあるのだろうが、いまとまっている車は七、八台しかなく、それぞれがかなり離れていて、夕日が車体に反射していた。駐車場のいちばん奥のほうで、がっしりした女性とボリスがライトバンのトランクに荷物を積んでいるのが見えた。そちらへ向かって歩いていると、ゾフィーが助手席に座って、窓からぼんやり夕日を眺めていた。

わたしが近づいたとき、がっしりした女性はトランクを閉めていた。

「すみませんね」わたしは彼女に言った。「こんなにたくさん積みこむ荷物があるとは知らなかった。分かっていれば手伝ったんだが、ただ……」

「いいのよ。この子が、必要な手助けは全部やってくれたわ」がっしりした女性はボリスの頭をくしゃくしゃと撫でてから、彼に言った。「だから心配しなくていいのよ、いい？ きっとすてきな夜になるわ。ほんとよ。お母さんはあなたの大好物をいろいろつくってくれたの」

彼女は身をかがめてボリスを安心させるようにぎゅっと抱きしめたが、ボリスは夢でも見ているように、どこか遠いかなたを見つめているだけだった。がっしりした女性は、車のキーをわたしに渡した。

「ガソリンはたっぷり入ってるわ。運転に気をつけて」

わたしは礼を言い、彼女がアパートの棟のほうへ歩いていくのを見送った。ボリスを振り返ると、彼は夕日を見つめていた。わたしは彼の肩を抱えて、車のまわりを反対側まで歩いた。ボリスはひとことも言わずに後部座席に乗りこんだ。

どうやら夕日には催眠効果があるらしく、わたしが運転席に乗りこんだとき、ゾフィーもまだぼうっと遠くを見つめていた。わたしが戻ってきたことにさえほとんど気づいていないようだったが、そのあと計器類を確かめていると、彼女が静かに言った。

「こんな家の問題なんかで滅入ってるわけにはいかないわ。そんな余裕はないの。いつになるか分からないんですもの、今度あなたがあたしたちのところに戻ってくるのは。家が見つかっても見つからなくても、あたしたち始めなきゃ。楽しいことを一緒に始めなきゃ。あたし、けさそう気づいたの、バスで戻ってくるときに。あのアパートでだっていいわ。それにあの台所でだって」

「ああ、そうだ」とわたしは答えて、キーをイグニッションに差しこんだ。「さてと。ギャラリーへの道筋が分かるかい？」

この言葉を聞くと、ゾフィーは催眠状態からわれに返った。「あら」彼女はふと何か思い出したように両手を口もとに持っていくと言った。「たぶん町の中心部からなら分かるでしょうけど、ここからじゃだめだわ」

わたしは深いため息をついた。またもや事態が手に負えなくなりそうな気配だ。ゾフィーがわたしの生活にこんな混乱をもたらしたのだという、けさ感じていた強いいらだちがまた少し頭をもたげてくるのを感じた。しかしそのあと、彼女がそばで明るく言った。

「駐車場の管理人さんに尋ねてみたら？　知ってるかもしれないわ」

彼女は駐車場の入口を指さしていた。なるほど、たしかにそこには小さな木造の小屋があり、なかに制服姿の上半身が見えた。

「分かった。行って聞いてこよう」

わたしは車からおり、小屋へと歩いた。駐車場から出ていこうとする車が小屋の前でとまっていて、わたしが近づくと、管理人――はげ頭の太った男――が身を乗りだし、運転席ににこやかに笑いかけながら身ぶりを交えて何か言っていた。二人の会話はしばらく続き、わたしがそこに割りこもうとしたとき、やっと車が動きだした。そのあとも、管理人は、車が団地の敷地をめぐる長いカーブした道路を走り去っていくのを目で追っていた。実際、彼も夕日に魔法をかけられたようになっていて、わたしが小屋の真下で咳ばらいをしたというのに、まだぼんやりと車を見送っているのだった。わたしはとうとう、「こんにちは」と大声で叫んだ。

小太りの男は驚いてわたしを見下ろすと、「おや、こんにちは」と答えた。

「お邪魔してすみませんが、ちょっと急いでいるんです。カーヴィンスキー・ギャラリーへ行かなくちゃならないんだが、この町の者じゃないものだから、ここからどの道を走っていけばいちばん早く着けるのか、分からないんですよ」

「カーヴィンスキー・ギャラリーかね」男はしばし考えてから答えた。「そうだな。正直なところ、道筋はかなり複雑だよ。たったいま出ていった紳士を追いかけていけば、いちばん簡単だね。あの赤い車に乗ってる人を」彼は遠くを指さした。「あの人は、都合のいいことに、カーヴィンスキー・ギャラリーのすぐ近くに住んでいるんだ。もちろん道筋を教えてあげてもいいんだが、それにはまずここに座って、あちこち曲がる箇所を説明しなきゃならないんでね。とくに最後の部分を。つまりハイウェーをおりたあと、農場のあたりの細い道を探さなきゃならないのさ。それよりずっと簡単なのは、あの赤い車の男性のあとをついてくことだ。わたしの記憶違いでなければ、彼はカーヴィンスキー・ギャラリーから二つ三つ先の角を曲がったところに住んでるから。とても快適な地域でね、あの人と奥さんは大いに気に入ってる。田園地帯だよ。なんでもしゃれた田舎家を持っていて、裏庭でニワトリを飼い、リンゴの木も一本あるそうだ。美術ギャラリーにはうってつけの地域だね、ちょっと遠いのが難点だが。でも、車で走るだけの価値はある。あの赤い車の男性は、毎日ここまで通ってくるのはかなりの距離だが、引っ越そうなんて思わないと言ってるよ。ああ、そうだとも。彼はここで働いてるんだ。ここの管理棟でね」——管理人は急に小屋から身を乗りだして、後方の窓を指さした——「あの建物だよ。ああ、ここは全部が住宅じゃないんだ。とんでもない。これだけの規模の団地を運営していくには、事務処理もたくさん必要だからね。あの赤い車の男性は、水資源会社がここにアパートを建設しはじめた最初の日から、働いているんだ。そしていまは、この団地のメンテナンス一切を監督してる。大事な仕事だ。毎日通ってくるにはかなり遠いが、もっと近くに越そうなんて、一度も思わないそうだよ。無理もないね。あっちはとてもいいところだから。おや、わたしは無駄話ばかりしてしまった。あなたもお急ぎなんでしょう。悪かったね。いま言ったように、あの赤い車のあとを追いかけていきなさい。それがいちばん簡単だ。カーヴィンスキー・ギャラリーでは、きっと楽しく過ごせるでしょう。何しろいい場所にあるし、ギャラリーのなかにも、すばらしく美しい展示品があるっていう話だから」

わたしは彼に簡単に礼を言って、車に戻った。運転席に乗りこんだとき、ゾフィーとボリスはまた夕日をじっと見つめていた。わたしは無言でエンジンをかけた。駐車場の小屋の前を揺れながら通りすぎたあと——そのときわたしは管理人にすばやく手を振った——やっとゾフィーが尋ねた。

「それで、道は分かったの？」

「ああ、まあね。さっき出ていった赤い車についていけばいいいだけだ」

そう答えながら、わたしはまだ彼女にひどく腹を立てている自分に気づいた。しかしそれ以上は何も言わずに、団地のまわりをめぐっている道路へ車を向けた。

わたしたちはアパート群のわきを次々に通りすぎた。夕日が無数の窓に反射していた。それから団地が消えて、両側にモミの森の続くハイウェーに乗った。道路はがらがらで見通しがよく、まもなく例の赤い車が、遠くに小さな点のようになってゆっくりと走っているのが目に入った。これだけ交通量が少なければぴったり後ろについてあの車を追いかける必要もなかろうと、わたしもそこそこの車間距離をとってスピードを落とした。ゾフィーとボリスは、ずっと夢でも見ているように黙りこくったままだった。わたしもとうとう、この閑散としたハイウェーの向こうに沈んでいく夕日を眺めながら、静かな雰囲気にひたっておだやかな気持ちになりはじめた。

ふと気づくと、わたしは頭のなかで、何年か前のワールドカップの二次リーグで、オランダのサッカー・チームがイタリア・チームを相手に二点目を入れたときのプレーを再現していた。それは実に見事なロングシュートで、いろんなスポーツの記憶のなかでもとくにお気に入りの場面だったが、いらだたしいことに、ゴールした選手の名前がどうしても思い出せない。レンセンブリンクという名が心に浮かび、彼があの試合に出場していたのは確かだと思ったが、結局、やっぱりゴールしたのは彼ではないと確信した。わたしは再びボールが太陽に映えて空中に浮かび、奇妙に立ちすくむイタリア人ディフェンダーのわきを次々に抜けて、ゴールキーパーの伸ばした手をかすめネットに飛びこむところを思い浮かべた。こんなささいなことを忘れてしまったのが何ともいらだたしく、当時のオランダ・チームの全選手の名前を、一人ひとり思い出そうとした。そのとき、ボリスが不意に後ろから声をかけた。

「センターラインに近づきすぎだ。ぶつかっちゃうよ」

「そんなばかな」わたしは答えた。「大丈夫だよ」

「違う、大丈夫じゃない！」ボリスはわたしの座席の背もたれをたたいていた。「センターラインに近づきすぎだ。対向車がきたら、ぶつかっちゃうよ！」

わたしは黙ったまま、車を少し端に寄せた。それでボリスは安心したらしく、また静かになった。続いてゾフィーが言った。

「ねえ、あたし認めなきゃならないわ。最初に聞いたとき、あまりうれしい気がしなかったの。つまり、このレセプションのことよ。あたしたちみんなで過ごすはずの夜が、台なしになっちゃうと思って。だけどもう少し考えて、今夜の夕食をとりやめなくてもすむんだって気づいたら、そうね、これもいいことだと思ったの。ある意味で、あたしたちにまさに必要なことだわって。あたしはレセプションをうまくこなせるのが分かってるし、ボリスもそうよ。二人ともうまくこなせたら、家に戻ってお祝いができるのねって。今夜が終わったら、ほんとにあたしたちの絆が固まるかもしれない」

わたしが何か答える前に、ボリスがまた叫んだ。

「センターラインに近づきすぎだ！」

「これ以上、中央には寄らないよ」わたしは答えた。「このままで絶対に大丈夫だ」

「怖がってるのかもしれないわ」ゾフィーが静かにわたしに告げた。

「怖がってなんかいないよ」

「ぼくは怖いよ！　大きな事故になっちゃうよ！」

「ボリス、頼むから静かにしてくれないか。わたしは完璧に安全運転してるんだ」

　わたしがかなりきっぱりとそう言ったので、ボリスは口をつぐんだ。しかし運転を続けていると、ゾフィーが不安そうにわたしをちらちら見ているのに気づいた。ときどき彼女は後ろのボリスを振り返ってから、またわたしに視線を戻す。とうとう、彼女は静かに言った。

「どこかでとまったら？」

「どこかでとまるって？　どうしてそんなことがしたいんだ？」

「ギャラリーへは十分余裕をもって着けるわ。何分か休んでも、遅れないでしょう」

「それより、ギャラリーを見つけるのが先決だ」

　ゾフィーはしばらく黙っていたが、何分かたつと、またわたしのほうを向いて言った。

「とめてちょうだいよ。そうすればみんなで何か飲んで、軽食が取れるじゃない。あなたも冷静になれるでしょうし」

「冷静になるって、どういうことだ？」

「とめてよ！」ボリスが後部座席から叫んだ。

「冷静になるって、どういうことだ？」

「今夜はあなたたち二人がまた喧嘩しないってことが、とっても大事なの」ゾフィーが言った。「また始まりそうだわ。でも、今夜はやめて。そうはさせない。みんなで出かけて、リラックスするんだから。まともな気分にならなくちゃ」

「どういうことだ、まともな気分になるって？　誰もそんな必要はないじゃないか」

「とめてよ！　ぼくは怖いんだ！　気分が悪いよ！」

「ほら見て」――ゾフィーは通りすぎる標識を指さした――「もうすぐ休憩所があるわ。お願いだから、そこに寄って」

「そんな必要はまったくない……」

「あなた、ほんとうに機嫌が悪くなってきたわね。でも、今夜はとっても大事なの。今夜はだめよ」

「とめてよ！　ぼく、トイレに行きたい！」

「ほら、もうすぐだわ。お願いだから、とまりましょう。これ以上ひどくならないうちに、まともにしておきましょうよ」

「何をまともにすると言うんだね？」

ゾフィーは答えず、相変わらず心配そうな顔で窓の外を眺めている。いま走っているのは山のなかだ。モミの森はもう姿を消して、両側にはごつごつした岩肌の斜面が迫っている。地平線に休憩所が見える。高い崖の上に組み立てた宇宙船のような建物だ。ゾフィーへの怒りがまた新たな激しさでよみがえっていた。にもかかわらず――ほとんど自分の意志に反して――わたしは車のスピードを落とし、内側の車線に入った。

「大丈夫よ、もうすぐとまるから」ゾフィーはボリスに話しかけた。「心配しないで」

「その子は最初から心配なんかしていない」わたしは冷たく言い放ったが、ゾフィーは聞いていないようだった。

「さっと軽いものでも食べましょう」彼女はボリスに告げていた。「そうすればみんな、ずっと気分がよくなるわ」

わたしはハイウェーからおりる標識に従って、険しい上り坂の狭い道路に入った。いくつかヘアピン・カーブを過ぎると道路は水平になり、わたしたちは野外の駐車場に車を乗り入れた。何台かトラックが並び、乗用車も十数台とまっている。

わたしは車からおりて両腕を伸ばした。後ろを振り返ると、ゾフィーがボリスに手を貸して車からおろしていた。ボリスは眠そうな顔でアスファルト舗装の上を何歩か歩くと、自分で目を覚まそうとするかのように空を見上げ、ターザンのような雄叫びを上げた。いやそればかりか、叫びながら、自分の胸をぼこぼこたたいた。

「ボリス、やめなさい！」わたしは叫んだ。

「だけど、他人に迷惑はかけていないわ」ゾフィーが言った。「誰にも聞こえないもの」

たしかに、わたしたちは高い崖の上の、ガラス張りの休憩所からかなり離れたところに立っていた。夕日が真っ赤に燃えて、建物のガラスの壁一面が光を反射している。わたしはひとことも言わずに二人のそばを通りすぎて、入口に向かった。

「ぼくは誰にも迷惑かけてないよ！」ボリスが後ろから叫んだ。それからまたターザンの雄叫びが聞こえ、今度はヨーデルのように長々と尾を引いて消えた。わたしは振り返らずに、そのまま歩きつづけた。入口に来たところでようやく立ちどまり、重いガラスのドアを開けて二人を待った。

わたしたちは公衆電話の並んだロビーを突っ切り、もう一度ガラスのドアを通ってカフェに入った。グリルした肉のいいにおいが漂ってきた。カフェは広々としていて、楕円形のテーブルの列が続いている。どちらを向いても大きなガラス窓に囲まれていて、その窓ごしに広大な空が見える。どこか遠い下のほうから、ハイウェーの車の音が聞こえてきた。

ボリスは急ぎ足でセルフサービスのカウンターへ近づくと、トレーを取った。わたしはゾフィーにミネラル・ウォーターを注文しておいてくれと頼んでから、テーブルを選びにいった。あまり客はいなかったが――ふさがっているテーブルは四つか五つだけだ――真っ直ぐテーブルの長い列のいちばん奥へ行き、雲を背にして腰をおろした。

しばらくすると、ボリスとゾフィーがトレーを持って通路を歩いてきた。二人はわたしの真向かいに座り、奇妙に黙りこくって、飲み物と軽食をテーブルに並べはじめた。それからゾフィーがボリスをちらちら見ているのに気づき、きっと彼女がカウンターのところで、わたしに何か――さっきの口論で気まずくなった雰囲気を修復するようなことを――

言いなさいと説得したのだろうと想像した。このときまで、ボリスといわゆる仲直りが必要だなどと思ってもいなかったので、下手なおせっかいを焼こうとするゾフィーを見ると、むっとした気分になった。何とか明るいムードにしようと、まわりの未来派のインテリアについてちょっとおどけたことを言ってみたのだが、ゾフィーは上の空で返事をすると、またボリスを見やった。ここまであからさまにやらせようとするなら、ひじで彼をつついたほうがまだましだ。ボリスは当然ながらそれに従う気もないらしく、相変わらず不機嫌そうに、買ってきたナッツの袋をいじくっているだけだった。とうとう、彼は顔も上げずにつぶやいた。

「フランス語の本を読んでたんだ」

わたしは肩をすくめて、窓の外の夕焼けに目を向けた。ゾフィーがボリスにもっと何か言うよう促すのが分かった。ようやく、彼はふくれっ面で言った。

「フランス語の本を読み終えたんだ」

わたしはゾフィーに向かって言った。「どうもフランス語とはずっと相性が悪くてね。日本語より、もっとてこずっているくらいだよ。ほんとうに。東京のほうが、パリよりもまだうまくやっていける」

ゾフィーはこの返事に不満だったらしく、わたしを鋭い目でにらみつけた。彼女の高圧的な態度にいらだったわたしは、視線をそらしてまた肩ごしに夕焼けを眺めた。しばらくすると、ゾフィーの声が聞こえてきた。

「ボリスはこのごろ、いろんな言語に上達してきたのよ」

ボリスもわたしも返事をしないので、彼女はボリスのほうに身を乗りだして言った。

「ボリス、これからもっと努力をしなくちゃね。もうすぐギャラリーに着くわ。そこにはおおぜい人がいるの。なかにはとても偉い人だって思う方もいるかもしれないけど、あなたは怖がったりなんかしないわよね？　ママは怖がったりしないし、あなたもそう。あたしたち、とっても立派に対応できるってところを、みんなに見せてあげましょう。きっと大成功よ、そうでしょ？」

ボリスは小さな袋を指でひねり回していたが、やがて顔を上げると、ため息をついた。

「心配しないで」ボリスは答えた。「どうすればいいかは分かってるんだ」彼は上半身を起こすと、言葉を続けた。「片手はポケットに入れる。こんなふうに。それからもう一つの手で飲み物を持つんだよ。こんなふうにね」

彼はたいそう気取った表情を浮かべて、その姿勢を保っていた。ゾフィーはぷっと吹きだした。わたしもほほ笑まずにはいられなかった。

ボリスは続けた。「それからいろんな人が近づいてきたら、何度も繰り返すのさ。『実にすばらしい！　実にすばらしい！』って。でなけりゃ、こう言ってもいいんだよ。『とても面白い！　とても面白い！』って。それからウエイターがトレーに何かのっけてやってきたら、こうすればいいのさ」ボリスは顔をしかめて、指を横に振った。

ゾフィーはまだ笑っていた。「ボリス、あなたったら、今夜は大の人気者になるわ」

ボリスは自分に満足したらしく、にっこりと笑った。それから急に立ち上がって言った。

「ぼく、トイレに行ってくる。行きたいってこと、忘れてたんだ。すぐ戻ってくるよ」

彼はわたしたちに向かってもう一度、尊大に指を振ってみせてから、急いでテーブルから離れていった。

「あの子はときどきとても面白いことをやるな」

ゾフィーは後ろを向いて、ボリスが通路を抜けていくのを見ていた。「あっという間に大きくなっていくわ」彼女はそう言うと、ため息をつき、考えこむような表情になった。

「もうすぐ大人になってしまう。あたしたちには、もうあまり時間がないの」

わたしは何も答えずに、彼女が言葉を続けるのを待っていた。ゾフィーは体をひねってずっとボリスを見ていたが、やがてわたしを振り返ると、静かに言った。「いまあの子は子供時代を過ごしているけど、気づかないうちに過ぎていくわ。もうすぐ大人になってしまって、こんな時代しか知らずに終わるのよ」

「まるでいまみじめな時代を送っているような口ぶりだな。どこから見てもいい生活をしてるじゃないか」

「そうね、分かってる。あの子の生活はそう悪くないわ。でも、いまがあの子の子供時代よ。どうあるべきか、あたしには分かってるの。だって、どんなふうだったか覚えているもの。あたしがとても小さくて、母が病気になる前のことを。あのころは幸せだったわ」彼女は振り返ってわたしの正面を向いたが、視線は背後の雲を見ているようだ。「あの子にも、同じような幸せを与えてやりたいの」

「だったら心配しないことだ。もうすぐすべて解決する。それまで、ボリスはうまくやっていくよ。心配する必要はない」

「あなたもほかのみんなと同じなのね」その声には、かすかに怒りが感じられた。「まるでこの世の時間が永久に続くみたいに行動してる。ほんとに分かっていないの、そうでしょう？　パパはまだゆうに何年かは生きるかもしれないけど、決して若返ることはないのよ。ある日逝ってしまったら、遺されるのはあたしたちだけ。あなたとあたしとボリスだけ。だからあたしたち、急いでやらなくちゃ。すぐにも自分たちのために何かを築かなくちゃ」彼女は深いため息をつくと、目の前のコーヒーカップに視線を落として頭を振った。「あなたは分かっていない。急いでやらないと世界がどんなに寂しいところになるか、分かっていないのよ」

反論しても無意味だと思い、「じゃあ、そうしよう」とわたしは答えた。「すぐに何かを見つけよう」

「あなたは時間がどんなに限られてるのか、分かっていない。あたしたちを見て。まだほとんど何も始めていないのよ」

彼女の声のとがめる調子が強くなった。なのに、自分自身の行動が、わたしたちが「急いでやる」のを少なからず妨げていることに、まったく気づいていないじゃないか。わたしは彼女にいろんなことを言ってやりたい衝動にかられたが、結局は黙っていた。どちらも沈黙したまましばらく時間が過ぎたあと、わたしはこう言いながら立ち上がった。

「ちょっと失礼するよ。やはり何か食べようと思うんだ」

ゾフィーはまたじっと空を見つめていて、わたしが席を立ったことにもほとんど気づいていないようだ。わたしはセルフサービスのカウンターへ行って、トレーを取った。そしてペイストリーを選ぼうとしていたとき、カーヴィンスキー・ギャラリーへの道筋を知らないし、さしあたりあの赤い車だけが頼りだったことを不意に思い出した。あの赤い車はいまもハイウェーを走りつづけてますます遠ざかっているのだから、こんな休憩所でこれ以上ぐずぐずしてはいられない。実際、一刻も早くまた出発しなければ。トレーを元に戻して自分のテーブルに戻ろうとしたとき、近くのテーブルにいた二人がわたしのことを話しているのが聞こえてきた。

そちらに目を向けると、上品な装いの中年のご婦人がいた。二人はテーブルに向かい合い、頭をくっつけるようにしてひそひそ声で話していたが、見たかぎりでは、話題の主がいまちょうどこんな近くに立っているなどとは思いもよらないようだ。名前が頻繁に出てきたわけではないので、最初は自分のことを話しているのだと確信できなかったが、まもなく、それはわたし以外の人物ではありえないと思った。

「ええ、そうなの」片方の女性が言っていた。「あのシュトラットマンさんと、それはもう何度も連絡を取ってたわ。彼女が、あの方はもうすぐ下見におみえになりますって安心させるんだけど、いまだにみえないのよ。ディーターはそう気にかけてはいないって言うの。どんどん進めていかなきゃならない仕事がないみたいに。でも、いまにも彼が現れると思って、みんな緊張しきっているの。もちろん、シュミットさんはたびたび顔をのぞかせて、ここを片づけておけって怒鳴り散らすの。たったいまあの方が現れて、こんなありさまの市民コンサートホールをご覧になったらどうするんだって。ディーターの話だと、みんなひどく神経質になってるらしいわ。あのエドムンドでさえね。だってあの手の天才ときたら、どんなことに文句をつけるか分からないでしょう。みんなまだ、イゴール・コピリャンスキーが下見にきたとき、隅から隅まで念入りに点検したのを覚えているの。みんなが遠巻きに彼を取り囲むなかで、ステージに四つん這いになってあちこち動き回り、床板を一枚一枚たたいたり耳を押しつけたりするのを眺めてたときのことをね。この二日間、ディーターはまるで人が変わったみたいよ。仕事に出かけるときにはとってもいらいらして。あの人たち全員にとっては、ほんとに悪夢ね。彼が約束の時間に現れないと、そのたびに一時間ばかり待って、シュトラットマンさんにまた電話する。すると彼女はいつもとってもすまなそうに必ず何かの言いわけをして、また別の時間を設定するの」

この会話を聞きながら、この数時間に何度も心に浮かんできた考えが、また頭をもたげてきた。つまり、これまで以上にミス・シュトラットマンに頻繁に連絡したほうが賢明だろうということだ。実際、わたしはさっきロビーで見かけた公衆電話から、電話をかけようかとさえ思った。しかしそのことをもっと考える暇もないうちに、くだんの女性が話を続けた。

「それにね、この問題に先立ってはあのシュトラットマンさんって女性が何週間も、彼がどんなにこの下見に熱心か、ただ音響とかその他もろもろの一般的な問題だけじゃなくて、ご両親のことについて、つまりあの夕べのホールでのお世話のし方についても、とても気にかけているって言いつづけてきたのよ。ご両親はお二人ともあまり健康がすぐれないようだから、特別なお席に特別な配慮、どちらかが万一発作か何か起こされたときにもすぐお世話ができる専門のスタッフを、近くに待機させる必要があるの。手配はとても複雑だし、シュトラットマンさんによれば、あの方はスタッフ全員と細かな点まで逐一打ち合わせなさりたいらしかったの。ええ、そのこと自体はとても心を打たれるわ。年老いたご両親へのたいへんな気づかいは。ところがそのあと、何とその場に現れなかったのよ！　もちろん、それはあの方のせいじゃなくて、シュトラットマンさんって人の責任かもしれないわ。ディーターはそう考えているの。どなたにうかがってもあの方の評判はすばらしくて、こんなふうにひとさまに迷惑をかけつづけるタイプにはとうてい思えないんですもの」

わたしはこのご婦人たちにかなり腹を立てていたので、むろんこの最後の言葉を聞いてほっとした。しかし二人の会話で、わたしの両親に関すること——二人のために必要な、いろんな特別な手配——を耳にしたいま、ミス・シュトラットマンに一刻も早く電話をしなければならないと確信した。わたしはトレーをカウンターに放りだし、ロビーへ急いだ。

わたしは電話ブースに入り、ポケットのミス・シュトラットマンの名刺を探した。名刺が出てきたので、その番号をダイヤルした。電話には、すぐ本人が出た。

「ライダーさま、よかったですわ、お電話いただいて。何もかもとても順調で、うれしいかぎりです」

「はあ。それで、何もかも順調だとおっしゃるんですね」

「ええ、すばらしく！　あなたはどこでも大人気ですのよ。みんなとても興奮してますわ。それに昨夜の晩餐のあとのスピーチ、ええ、あれはウィットに富んでいて楽しかったと、いい、誰もかれもが噂しています。恐れながら、あなたのような方とご一緒にお仕事ができて、とても光栄ですわ」

「それはありがとう、ミス・シュトラットマン。ご親切なお言葉です。わたしとしても、こんなによくお世話していただいて、うれしいですよ。実はいまお電話しているのは、そのう、わたしの予定に関して、いくつか確認したいことがあったからなんです。もちろん、きょうはよんどころない事情で遅れが出てしまって、一つ二つ申しわけない結果になったようですが」

わたしはそこでミス・シュトラットマンが何か答えるのを待ってみたが、電話口の相手は黙ったままだった。わたしは小さく笑って、言葉を続けた。「しかしもちろん、わたしたちはいまカーヴィンスキー・ギャラリーへ向かっているところです。つまり、その途中なんです。もちろん十分時間に余裕をもって着きたかったし、ほんとうに楽しみにしているんですよ。ギャラリーのある田園地帯は、とてもすばらしいとうかがっていますし。そうです、いまわくわくしてそちらへ向かっているところなんです」

「うれしいですわ、ライダーさま」しかしミス・シュトラットマンは半信半疑のようだった。「ほんとうに今夜の催しをお楽しみになられるとよろしいんですけど」それから彼女が唐突に言った。「ライダーさま、わたくしどもが何かお気に障るようなことをしたのでなければと」

「気に障ること？」

「他意はございませんでしたのよ。けさ伯爵夫人のお屋敷へお出かけになるようお勧めしたことです。あなたがブロッキーさまの業績に通じていらっしゃるのは、重々承知しておりました。全員そう信じておりましたの。ただ、あのレコードのなかにはとても珍しいものもございますから、伯爵夫人とフォン・ヴィンターシュタインさんのお考えで……いえ、ほんとうに、お気に障ったのでなければと、ライダーさま！ ほんとうに他意はございませんでした」

「気に障ったなど、とんでもない、ミス・シュトラットマン。それどころかわたしのほうこそ、うかがえなかったので伯爵夫人とフォン・ヴィンターシュタインさんに失礼なことをしてしまったのではと気がかりで……」

「まあ、その点はどうかご心配なさらないでください、ライダーさま」

「お二人にはぜひお目にかかってお話ししたかったのですが、よんどころない事情でどうしても当初の予定をすべてこなせなかったものですから、ご理解いただけたらうれしいのです。とくに、いまあなたがおっしゃったように、実際、わたしがブロッキーさんのレコードを聴く必要はなかったので……」

「ライダーさま、伯爵夫人もフォン・ヴィンターシュタインさんも、事情はよくお分かりのことと思いますわ。いずれにしましても、いまから思えば、そもそもあなたのお時間が限られていますのに、あのような予定を入れたのが差しでがましいことでした。ほんとうに、お気に障ったのでなければよろしいのですけど」

「その点はまったくご心配なく。しかし、実はミス・シュトラットマン、いま電話しているのは、いくつかのこと、つまりわたしの当地でのスケジュールの別の問題について、お話ししたかったからなんです」

「何でしょう、ライダーさま?」

「たとえば、コンサートホールの下見の件です」

「ああ、そうですわね」

わたしは彼女の詳しい説明を期待して待っていたが、何も言わないので言葉を続けた。

「そのう、わたしはただ、その準備が万全かどうか、確認したかったのです」

ミス・シュトラットマンは、とうとうわたしの不安げな声に応えて言った。「ええ、分かりますわ。おっしゃりたいことは。たしかにあなたご自身で下見なさるお時間は、あまりお取りしませんでした。でも、ご存じのように」——彼女は口をつぐみ、受話器からかさこそと紙の音が聞こえてきた——「ご存じのように、コンサートホール訪問の前後に、とても大事なお約束が二つございますでしょう。ですからどこかで少し時間を削らなければならないとすれば、コンサートホールだと思いましたの。ほんとうにその必要があれば、コンサートホールへは別の機会にいつでもお戻りになれます。ですけれど、お分かりのように、ほかのお約束の時間を切りつめるわけにはまいりませんでしょう。たとえば市民相互支援グループとの会合ですけれど、これはあなたが影響を受けた一般市民の関係者とお会いになるのをとても重視されていましたから……」

「ええ、もちろん、おっしゃるとおり。あなたのお言葉にはまったく同感です。ご指摘のように、もう一度コンサートホールへ出向くのは、のちほどいつでもスケジュールに入れられますしね。そうです、そうです。少し気がかりだったのは、そのう、いろんな手配のことなんです。つまり、わたしの両親のための」

受話器の向こうで、また沈黙が流れた。わたしは咳ばらいをして言葉を続けた。

「つまり、ご存じのように、両親はともにかなりの高齢でしてね。コンサートホールで特別な配慮が必要になると思うのです」

「ええ、ええ、もちろんですわ」ミス・シュトラットマンは少しとまどっているようだった。「何か緊急の事態が起きたときのために、近くに医療スタッフを控えさせておくこと。ええ、すべて手配ずみです。下見なさるときに、ご自身で確認できますでしょう」

わたしはこのことをしばらく考えてから言った。「わたしの両親。いま話しているのは、両親のことなんです。この件で行き違いはないんでしょうね」

「全然ございませんわ、ライダーさま。どうぞご安心を」

わたしは彼女に礼を言い、電話ブースから離れた。カフェに戻ったとき、入口のそばでしばらく立ちどまって考えた。夕日が室内に長い影をつくっていた。二人の中年のご婦人はまだ熱心に話しこんでいたが、いまもわたしのことを話しているのかどうかは分からなかった。遠い奥のテーブルで、ボリスが何かゾフィーに説明しているのが見え、二人とも楽しそうに笑っていた。わたしはそこにたたずみ、さっきのミス・シュトラットマンとの会話を心のなかで反芻した。よく考えてみると、伯爵夫人がわたしの前でブロッキーの古いレコードをかければわたしのためになると考えたことに、たしかに差しでがましいところがある。彼女とフォン・ヴィンターシュタインは、その音楽を逐一わたしに解説するのを、楽しみに待っていたに違いない。そう思うと腹が立ってきて、約束をすっぽかさざるをえなかったのはかえって好都合だったという気になった。

腕時計に目をやると、ミス・シュトラットマンにあれほど断言したにもかかわらず、カーヴィンスキー・ギャラリーでの約束の時間に遅れてしまいそうだった。わたしは自分のテーブルまで歩いていき、腰もおろさずに言った。

「もう出かけなきゃならない。そうとう長居をしてしまった」

わたしがかなり切迫した口調でそう言ったにもかかわらず、ゾフィーはただ顔を上げて、こう答えただけだった。

「ボリスはね、このドーナツがこれまで食べたなかでいちばんおいしいって。そう言ってたのよね、ボリス？」

ボリスを見ると、彼はわたしを無視していた。そのとき、ふとさっきの小さな口論のことを思い出し——いままですっかり忘れていた——何か仲直りのきっかけになるような言葉をかけるのがいちばんだと考えた。

「ほう、そのドーナッツがおいしいって？」わたしは彼に言った。「わたしにも一口食べさせてくれるかな？」

ボリスは相変わらずそっぽを向いたままだ。わたしはしばらく待ってから、肩をすくめた。

「分かった」わたしは言った。「きみが話したくないなら、それでいい」

ゾフィーはボリスの肩に手を置いて何か促そうとしたが、わたしは背を向けた。「さあ、もう出発しなきゃならないぞ」

ゾフィーはボリスをもう一度つつくと、必死の気持ちをにおわせる声でわたしに言った。「もう少しだけいましょうよ。あなたったら、ほとんど一緒に座ってもいないのよ。それにボリスは、ここで楽しんでるわ。そうでしょ、ボリス？」

今度も、ボリスは聞こえたそぶりさえ見せない。

「いいかい。もう出発しなきゃならないんだ。時間に遅れてしまう」

ゾフィーはまたボリスを見てから、怒りのこもった表情でわたしに視線を戻し、ようやく腰を上げようとした。わたしは向きを変えて、後ろを振り返ることもせずにカフェの出口へと向かった。

18

曲がりくねった急坂の道路を下ってまたハイウェーに乗るころには、太陽はとても低く傾いていた。交通量はますます少なくなり、わたしは赤い車が見えないかと地平線に目を凝らしながら、しばらくかなりのスピードで車を走らせた。数分もすると、わたしたちは山を抜けて広大な田園地帯を通っていた。ハイウェーの両側には、見渡すかぎり農地が広がっている。赤い車が再び目に入ったのは、平坦な土地を道路が大きく長いカーブを描いているときだった。車はまだ先にいたが、さっきと同じようにのんびりと走っていた。それでわたしもスピードを落とし、やがて目の前に広がる風景を楽しむだけの余裕が出てきた。夕暮れの畑、遠い木々の向こうできらめく夕日、ときどき立ち現れてくる農家の集落——そしてわたしたちの前を走る赤い車が、カーブを曲がるたびに視界に入ってきたり消えたりする。隣でゾフィーが尋ねた。

「何人くらい集まるのかしら？」

「レセプションに？」わたしは肩をすくめた。「知らないね。どうもきみはひどく緊張してきたようだ。よくあるただのレセプション、それだけじゃないか」

ゾフィーは相変わらず窓の外の風景に見入っていたが、やがて答えた。「今夜はおおぜいの人が集まるわ。きっとルスコーニの晩餐会のときと同じような顔ぶれなんでしょうね。だから不安になってるの。あなたも分かってると思ったんだけど」

わたしは彼女が口にした晩餐会のことを思い出そうとしたが、聞き覚えのない名前だった。

「あたし、こんなレセプションにすごく慣れてきてたのよ、あのときまで」ゾフィーは続けた。「なのにあの人たちにとてもひどい仕打ちをされたの。まだ完全に立ち直ってはいないわ。今夜もきっと同じ顔ぶれがたくさん集まるんでしょうね」

わたしはまだその出来事を思い出そうと、甲斐のない努力をしていた。「つまり、客に失礼な対応をされたというわけか？」

「失礼ですって？　ええ、そう言ってもいいでしょうね。たしかにあの人たちは、あたしをとんでもなくつまらない、みじめな人間に思わせたわ。今夜もまたあの全員がそろっていなければいいのに」

「今夜、誰かがきみに失礼な振る舞いをしたら、すぐわたしに言ってくれ。わたしとしては、きみが同じように失礼なことをやり返してもかまわないよ」

ゾフィーは体をひねって、後部座席のボリスを見た。あの子は眠りこんでしまったようだ。ゾフィーはもうしばらく彼を見守ってから、わたしのほうに向き直って言った。

「あなた、どうしてまたあんなことを始めようとしてるの？」彼女はさっきとは打って変わった口調で訊いた。「それがあの子をどんなに怒らせるか、分かってるはずよ。なのにまた始めるなんて。今度はどれくらい続けるつもり？」

「続けるって何を？」わたしはうんざりして尋ねた。「いったい何の話なんだ？」

ゾフィーはわたしを見つめてから視線をそらした。「あなたは分かっていないのよ」彼女はひとりごとのようにつぶやいた。「あたしたちには、こんなことをやってる時間はないの。ほんとうに分かっていないのね、そうでしょ？」

堪忍袋の緒が切れそうだった。きょう一日じゅう、振り回されてきた混乱が最初からまたよみがえってきて、わたしは思わず大声で怒鳴っていた。

「いいかい、いったいきみは何の権利があって、こんなに四六時中わたしを批判するんだ？　気づいていないのかもしれないが、わたしはいまたいへんな重圧にさらされているんだぞ。なのにきみはわたしを支えるどころか、よりによって批判、批判、批判じゃないか。おまけにこれからこのレセプションで、わたしをがっかりさせようと手ぐすね引いているようだ。少なくとも、周到にその準備をしているようじゃないか……」

「分かったわ！　それならあたしたちはなかに入らない！　ボリスと車で待ってるわ。あなた一人でレセプションにお出になったら！」

「そんな必要はないじゃないか。わたしが言いたかったのは、ただ……」

「本気よ！　あなた一人でお出になって。そうすれば、あなたをがっかりさせることもないんだから」

わたしたちは黙って数分間走っていたが、とうとうわたしから口を開いた。

「いいかい、悪かったよ。きみはたぶん、今夜のレセプションでうまくやれるだろう。実のところ、わたしはそう信じている」

彼女は何も答えなかった。わたしたちは相変わらず無言で走りつづけ、わたしがゾフィーを見やるたびに、彼女は前方の赤い車をぼうっと見つめていた。奇妙な不安感がまたつのってきて、ついにわたしは言った。

「いいかい。たとえ今夜またうまくいかなくても、そうさ、どうってことはないじゃないか。つまり、大事なことには何も響かない。こんなばかげた言い争いをする必要はないだろう」

ゾフィーはまだじっと赤い車を見つめていたが、やがて言った。「あたし、少し太ったみたい？　正直に答えて」

「いいや、全然。きみは奇麗だ」

「でも、太ったの。少し体重が増えたのよ」

「そんなことはどうでもいい。今夜何が起ころうと、何も変わりはないんだ。いいかい、心配する必要はない。もうすぐすべて解決する。家のことも、何もかも。だから心配する必要なんかないんだよ」

そう言ったとき、彼女がさっき口にした晩餐会の記憶が、少しよみがえってきはじめた。とりわけゾフィーが深紅のイブニングドレスで、おおぜいの客でにぎわう部屋の中央にぎこちなくぽつんとたたずみ、そのまわりで客たちが小さなグループをつくって談笑している場面が、脳裏に浮かんできた。ふと気づくと、わたしはゾフィーが耐えしのんだに違いない屈辱のことを考え、彼女の腕にやさしく触れた。ほっとしたことに、彼女はわたしの肩に頭をもたせかけてきた。

「いいこと」彼女はささやくように言った。「あたし、あなたに見せてあげるわ。それにボリスもよ。今夜、誰が来ていようと、あたしたち、あなたに見せてあげるわ」

「ああ、ああ。わたしはそう信じている。きみたちは二人とも、立派にやれるさ」

何分かたったとき、赤い車がハイウェーをおりようとウインカーを出した。わたしは少し車間距離を縮め、やがてこの案内役の車について、草原のなかの静かな上り勾配の道路を走っていた。道路をのぼるにつれてハイウェーの騒音は遠ざかり、そのあと近代的な車にはとうてい似合わない泥道を走った。こんもりとした生け垣が車体の片側をこすったと思うと、すぐにまた壊れたトラクターやらコンバインやらでいっぱいのぬかるんだ廃車置場を揺れながら突っ切ることになった。それから畑のなかをぬっている平坦な、もう少し立派な田舎道に出て、またスピードを上げた。とうとうゾフィーが、「ほら、ここよ！」と叫んだ。〈カーヴィンスキー・ギャラリー〉と書いた板切れが木から下がっていた。わたしはすぐにスピードを落として、ゲートに近づいた。二本のさびた門柱はまだ残っているが、ゲートそのものはなくなっている。赤い車がさらに走りつづけて視界から消えたとき、わたしは門柱を抜けて、草が伸び放題の広い野原に車を乗り入れた。

草むらの真ん中に舗装していない小道が通っている。わたしたちはしばらくのんびりとこの上り坂の小道を走った。高台に着くと、眼下にすばらしい眺めが開けた。草の生えたなだらかな斜面を下っていった先の窪地に、フランスの古城のような威風堂々たる屋敷が建っている。太陽が後方の木立ちのかなたに沈もうとしていた。この距離からでさえ屋敷が古めかしい魅力にあふれているのが見て取れ、ゆっくりと零落していったどこかの夢のような地主一族がしのばれた。

わたしはギアをローにして、慎重に斜面を下った。バックミラーに、ボリスがぱっちりと目を覚まし左右を眺めている様子が映ったが、草丈が高いので、両側の窓からは何も見えない。

さらに屋敷に近づくと、まわりの野原の広い一画が車で埋まっているのが見えた。斜面をおりきってから、わたしはそこへ車を向けた。全部で百台近くとまっているだろうか。

その多くは、今夜のためにぴかぴかに磨いてある。わたしは適当な駐車場所を探して少しあたりを乗り回したあと、中庭を囲む崩れそうな塀からそう遠くないところに車をとめた。

わたしは車からおりて手足を伸ばした。振り返ると、ゾフィーとボリスも車から出て、ゾフィーがボリスの服装にかまっていた。

「よく覚えておいて」ゾフィーが彼に話しかけるのが聞こえた。「この会場で、あなた以上の重要人物はいない。そう自分に言い聞かせるのよ。どちらにしても、あたしたち、そんなに長居はしないわ」

屋敷のほうへ歩きだそうとしたとき、何かが視界の隅に入った。顔を向けると、すぐそばの草むらに、一台の古い壊れた車がうち捨ててあった。他の客たちは、みんなそのさびや荒廃が自分の車にうつっては困るとでも言わんばかりに、まわりを避けて駐車している。

わたしはその廃車に歩み寄った。少し地面に埋まり、まわりに草が生えているので、夕日がボンネットに反射していなければ気づきもしなかっただろう。タイヤはなく、運転席のドアはちょうつがいのところでもぎ取られていた。塗装は何度となくほどこされ、最後には家庭用のペンキを塗ろうとして、途中で投げだしたらしかった。後ろのフェンダーは、左右とも車種の違う別の車のものが取りつけてある。にもかかわらず、そしてこれ以上詳しく調べるまでもなく、わたしにはこの車が、かつて父が何年も乗っていたわが家の愛車の残骸だと分かった。

もちろん、最後に目にしたのはずいぶん昔のことだ。そのあわれな姿と再び出合ったおかげで、わたしはこの車の最後の日々のことを思い出した。ひどくおんぼろになったのに両親がまだ乗り回そうとするものだから、とても気恥ずかしい思いがしたものだ。たしか最後には、何とか一緒に乗らずにすむように、巧妙な策をひねりだすようになっていた。それくらい、この車に乗っているところを級友や先生に見られるのがいやだったのだ。しかしそれは最後のころだけの話で、わたしは長年、このわが家の愛車が——かなり安物の車だったにもかかわらず——なぜか道路を走っているたいていの車より立派だし、だからこそ父は他の車に乗り換えようとしないのだと思いこんでいた。わたしはこの車がウースターシャーの小さなわが家の私設車道に、ペイント部分も金属部分もぴかぴかに磨いてとめてある場面や、たいそう誇らしげにまじまじとこの車を眺めていた自分のまなざしを、思い出すことができた。そして午後になると——とくに日曜日には——車のなかやそのまわりで何時間も遊んでいた。ときどきおもちゃを持ちだしてきて——たぶんプラモデルの兵隊のコレクションまで——後部座席に並べることもあった。しかしそれ以上に、車が登場する終わりのない物語を考えだして、窓からピストルを撃ったり、ハンドルを握って猛スピードのカーチェイスを演じたりしたものだ。母親がたびたび家から出てきては、車のドアをばたんと閉めるんじゃありません、その音を聞くといらいらするの、今度それをやったら「生きたまま皮をはぐわよ」と叱られた。母がわが家の裏口に立ち、車に向かって怒鳴っている姿を、いまでも鮮明に思い出すことができる。家そのものは小さかったが、遠い田舎の半エーカーの広い敷地に、草むらに囲まれて建っていた。門の前には村の農場へと続く一本の道があり、一日に二度、泥まみれの棒を持った農家の少年たちが追う牛の群れが通りすぎた。父はいつも車の後部をこの道路に向けて私設車道にとめていたので、わたしはよく遊びを中断して、後ろの窓から牛の行列を眺めたものだ。

「私設車道」と呼んでいたのは、家のわきにあるただの草地だった。コンクリートで舗装したことはなく、大雨が降ると、車のまわりに深い水たまりができた――これがさびの一因で、おそらくいまのような状態になるのをいっそう加速したのだろう。しかしわたしは子供だったものだから、雨の日がとりわけ好きだった。雨は車内をとても居心地のいい雰囲気にしてくれたばかりか、乗り降りするたびに水たまりを飛び越えるという挑戦まで、提供してくれたのだ。両親は最初のうち、車内をあちこち汚すからと、この遊びを許してくれなかったが、買ってから何年かたつと、もうとやかく言わなくなった。しかしドアをばたんと閉める音のほうは、わたしたちがこの車を持っているあいだ、母をいらいらさせた。これは残念なことだった。というのも、ドアの音はわたしのつくった筋書きを演じるさい、緊張の高まるドラマチックな場面に欠かせない重要な要素だったのだ。さらに困ったことに、母は数週間、ときには数ヵ月もドアのことで文句を言わず、わたしは叱られることをすっかり忘れてしまう。ところがある日、何かの筋書きに夢中になって遊んでいるとき、母が急にかんかんに怒った顔で現れて、今度それをやったら「生きたまま皮をはぐ」と言うのだ。何回か、ちょうどドアを半開きにしているときにこの脅し文句を言われ、ドラマを演じ終えたあともそのままにしておくべきか――そうすればドアは夜じゅう、開いていることになるかもしれないが――それとも覚悟してできるだけそっと閉めるべきか迷ったことがある。わたしはこのジレンマに悶々として、車のなかで残りのドラマを演じているあいだも、ちっとも楽しめなかった。

「何してるの？」というゾフィーの声が、背後から聞こえた。「あたしたち、なかへ入らなくちゃ」

彼女が話しかけているのは分かっていたが、わたしはかつてのわが家の愛車を見つけたことにすっかり気をとられ、上の空で何か返事をした。すると彼女がこう言った。

「いったいどうしたの？　まるでそれに恋しちゃったみたいよ」

そのとき初めて、わたしはその車を抱きかかえて抱擁せんばかりになっていたことに気づいた。屋根にほおずりし、赤さびだらけのボディを両手で丸く撫でるようにしていたのだ。わたしはあわてて笑い声を上げ、体を起こした。振り返ると、ゾフィーとボリスがじっと見つめていた。

「恋をしたって？　冗談だろう」わたしはまた笑った。「こんなふうにガラクタを放置しておくなんて、まるで犯罪だよ」

二人が相変わらずわたしを見つめているので、「何てむかつくポンコツ車だ！」と怒鳴って、何度か車を蹴ってみせた。これで二人はようやく納得したらしく、そろって視線をそらした。そのあとゾフィーは、わたしをせかした張本人だというのに、まだボリスの身だしなみにかかりきりで、今度は彼の髪を梳《と》かしていた。

　わたしはさっき蹴り飛ばしたせいでどこかを傷つけたかもしれないという不安にかられて、もう一度あの車に目を向けた。詳しく観察してみると、さびた破片がぱらぱら落ちた程度だと分かったが、あんなぞんざいな扱いをしたと思うと、心は自責の念でいっぱいだった。今度は草むらを歩いて車の反対側に回り、後部座席横の窓からなかをのぞきこんだ。何かが窓にぶつかったような形跡があったが、ガラスはまだ割れてはいなかった。わたしはクモの巣の隙間から、その昔、何時間も楽しい時間を過ごした後部座席をまじまじと見つめた。座席はほとんどカビにおおわれ、クッションとひじあての境目に雨水がたまっている。ドアを引っぱってみると案外すんなりと開いたが、途中で茂った草につっかえてしまった。それでも乗りこむくらいの開口部はあり、少しもがいた末に、なんとか座席に身をねじりこませた。

　なかに入ると、座席の一方の端が車の床を突き抜けて落ちこんでいて、体が不自然に低く沈みこんだ。頭にいちばん近い窓から、草の葉とピンクに染まった夕空が見えた。座り直してドアを引き寄せ、もう一度ほぼ完全に閉めてから――何かにつかえてぴったりとは閉まらなかった――わたしはしばらくかなり快適な姿勢で座っていた。
まもなく深い安堵感に満たされてきて、わたしはしばし目を閉じた。そうしていると、この車で一家そろって遠出した楽しい思い出がよみがえってきた。わたしのために中古の自転車を探そうと、あの田舎を走り回ったときのことだ。太陽の輝く日曜の午後、わたしたちは村から村へとめぐりながら、自転車を次々に物色した。両親が前の座席で熱心に話している後ろで、わたしはまさにこの座席に座り、窓の外を通りすぎるウースターシャーの風景を眺めていた。あれはイギリスのどの家庭も電話を引くようになる前の時代のことで、母は物を売りたい人の住所がのった地元の新聞をひざの上に置いていた。事前の約束はいらず、訪ねた家の玄関先で「男の子用の自転車の件でうかがったんですが」と告げれば、裏の納屋に案内されて品物が見られた。気さくな人ならお茶でもいかがと誘ってくれたが、父はいつも同じユーモラスな返事でそれを断っていた。それでもある老婦人は――実は「男の子用の自転車」ではなく、亡くなったご主人の自転車を売りたいのだと分かったのだが――ぜひお入りくださいと譲らなかった。「いつもとてもうれしいんですのよ。あなた方のようなお客さまをお迎えするのは」と、彼女は告げた。ティーカップを前に、光あふれるその小さな応接間に座っていたとき、老婦人はもう一度わたしたちのことを、「あなた方のようなお客さま」と言った。そのとき父がわたしくらいの年齢の男の子にいちばんふさわしい自転車について話すのを聴くかたわらで、突然、この老婦人には、両親とわたしが理想的な幸せな家族に映っているのだと思いあたった。それに気づくやわたしは大きな緊張感を覚え、その家にいた三十分ばかりに、緊張感はますます高まるばかりだった。いつもながら仲睦まじい夫婦を装っている両親がそのうちぼろを出すのを恐れたからというより――いちばん罪のないたぐいの口論でさえ、あの二人がここで始めたりするわけはなかった――いまにも何かのしるし、たぶん何かのにおいでさえもがきっかけとなって、この老婦人が自分のとんでもない勘違いに気づくだろうと確信していたからだ。わたしは彼女が目の前で急に恐怖に凍りつく瞬間を恐れながら、みんなの様子を眺めていた。

昔の車の後部座席で、わたしはあの日の午後がどんなかたちで終わったのか思い出そうとしたのだが、ふと気づくと、心はまったく別の日の午後、どしゃぶりの雨が降っていた午後をさまよっていた。その日わたしが外に出て、この車の、この後部座席という聖域に座ったとき、家のなかでは大喧嘩が始まっていた。あの日の午後、わたしは座席に仰向けに寝そべって、頭をひじかけの下にもぐりこませていた。その角度から窓ごしに見えるのは、窓ガラスを伝い落ちる雨だけだった。そのときわたしは心の底から、誰にも邪魔されずにここで何時間も寝そべっていたいと、ひたすら願っていた。しかしそれまでの経験から、父がいつか家から出てきて車のそばを通り、ゲートを抜けて小道へ出ていくのが分かっていたので、長い時間そこに寝そべったまま、裏口のドアの掛け金をがたんと開ける音がしないかと、雨のなかで必死に耳をすましていた。とうとうその音が聞こえたとき、わたしは飛び起きて芝居を始めた。落としたピストルを奪おうと猛烈な取っ組み合いをしている場面をまねて、この遊びに夢中なあまり何も気づかなかった振りをしようとしたのだ。父が濡れた地面を歩いていく足音が車道のはずれに達したとき、わたしは大胆にも芝居をやめた。それからすばやく座席の上にひざをついて、父が行ってしまわないうちにと、後部の窓から用心をしながら外をのぞいた。レインコート姿の父はゲートのところで立ちどまり、少し前かがみになって傘を広げた。次の瞬間、彼はきっぱりとした足取りで小道に出て、姿を消した。

しばらくうとうとしていたに違いない。びくっとして目が覚めると、わたしは真っ暗闇のなか、壊れた車の後部座席に座っていた。かすかに不安を覚え、いちばん近くのドアを押してみた。最初、ドアはつかえて動かなかったが、少しずつ押し広げ、やっと何とか身をよじって外に出ることができた。

服のほこりを払いながら、わたしはあたりを見回した。屋敷には明るい照明がともり――高窓から天井のシャンデリアがきらめいているのが見えた――乗ってきた車の隣では、ゾフィーがまだボリスの髪をいじっていた。わたしは屋敷からの光の届かないところに立っていたが、ゾフィーとボリスはまばゆい光に照らされていた。二人を眺めていると、ゾフィーがかがみこむようにサイドミラーをのぞいて、化粧の最後の仕上げをした。

わたしが光のなかに現れると、ボリスがこちらを見た。「ずいぶん遅かったじゃないか」と彼は言った。

「ああ、すまない。そろそろなかへ入らなければ」

「ちょっと待って」ゾフィーはまだ鏡の前に身をかがめて、上の空でつぶやいた。

「ぼく、おなかがすいてきたよ」ボリスがわたしに言った。「いつおうちに帰るの？」

「心配しないで。長居はしないわ。おおぜいの人たちが、あたしたちに会うのを待ってるの。だからなかに入って、ご挨拶しましょうね。だけどすぐに失礼するのよ。おうちに帰って、楽しい夜を過ごすの。あたしたちだけで」

「将軍ゲームで遊べる？」

「もちろんだ」わたしはボリスがもうさっきの口論を忘れてしまった様子に、うれしくなって言った。「それとも、きみが好きなほかのゲームでもいい。どれかを始めた途中で、飽きたとか負けそうだとかでいやになって別のゲームがしたくなったら、それでもいいぞ、ボリス。今夜は、どれでもきみがやりたいゲームに変えよう。そしてゲームなんか全部やめて、話が、たとえばサッカーの話とかが、したくなったら、そのときはそうしよう。すばらしい夜になるよ、わたしたち三人だけの。しかしまずはなかに入って、用事を片づけてしまおうね。そう悪くはないはずだ」

「オーケー。準備できたわ」ゾフィーは言ったが、また最後にもう一度、サイドミラーをのぞきこんだ。

わたしたちは石づくりのアーチをくぐって中庭に入った。正面玄関まで歩いていく途中、ゾフィーが言った。「あたし、いまはほんとに楽しみになってきたの。いい気分だわ」

「それはよかった」わたしは答えた。「ただリラックスして、きみらしくしていればいいんだ。何もかもうまくいくだろう」

19

ドアを開けたのは、ずんぐりしたメイドだった。広い玄関ホールに入っていくと、彼女がつぶやいた。

「またお目にかかれてうれしいですわ」

その言葉を聞いて、わたしはようやくこの屋敷に以前来たことがあるのに気づいた――実際、それはホフマンがきのうの夜、わたしを連れてきた屋敷だった。

「ああ、そうだね」わたしはオーク材を張った壁を見回しながら答えた。「わたしも、またお訪ねできてうれしいです。お分かりのように、今度は家族を連れてきましたよ」

メイドは返事をしなかった。それはたぶん敬意の表現なのだろうと思ったが、ドアのそばで不機嫌そうに立っているその女性をちらりと見たとき、敵意を感じずにはいられなかった。傘立ての隣の、丸い木のテーブルの上に広げた雑誌や新聞のなかから、わたしの顔写真がのぞいているのに気づいたのは、そのときだった。わたしはテーブルに歩み寄り、地方紙の夕刊とおぼしき一部を引き抜いた。第一面いっぱいに、わたしの写真がのっている——吹きっさらしの野原で撮った一枚だ。それから背景の白い建物を見て、けさ丘の頂上で写真を撮ったことを思い出した。わたしは新聞をランプに近づけ、黄色い光で写真を照らした。

強風のせいで髪は後方に乱れたなびき、ネクタイもはためいて、耳の後ろからぴんと突きだしている。上着も後ろに吹き流されて、まるでケープを着ているようだ。もっと不可解なことに、わたしの姿は怒りをむきだしにしているかのように拳を風のなかに突き上げ、戦士の雄叫びでも上げているさなかに見える。いったい全体、どうしてこんなポーズになったのだろうか。その見出しには——第一面にはそれ以外に文章はなかった——〈ライダーの鬨《とき》の声〉とある。

不安を覚えながら新聞をめくると、今度はもう少し小さな写真が六、七枚のっていて、どれもが第一面の写真のバリエーションだった。二枚をのぞいて、わたしはいかにも喧嘩腰に見え、そうでない二枚では、後方の白い建物を紹介するかのように、誇らしげに腕を差しだしている。顔には奇妙な笑みを浮かべ、下あごの歯はむきだしだが、上あごの歯はまったく見えない。写真の下の本文に目を走らせると、マックス・サトラーという人物の名が何度も出てきた。

この新聞をもっと詳しく読めばよかったのだが、さっきのメイドの態度はまさにこの写真のせいなのだろうと思うと、にわかに落ち着かない気分になってきた。それでまたあとでじっくりこの記事を読もうと心に決めて新聞を戻し、テーブルから離れた。

「そろそろなかに入ろうか」わたしはホールの中央でうろうろしていたゾフィーとボリスに声をかけた。メイドに聞こえるくらい大きな声を出したので、てっきりレセプションの会場へ案内してくれるものだと思っていた。ところが彼女は動こうともせず、気まずい時が流れた。とうとう、わたしはメイドにほほ笑みながら、「もちろん、きのうのきょうだから覚えているよ」と告げて、先に立って奥へと向かった。

実のところ、屋敷は昨晩の記憶とはすっかり様子が違い、たちまちわたしにはほとんど見覚えのない、板壁の長い廊下に出た。しかし、問題はなかった。つまり少し先へ進むとすぐざわめきが聞こえてきて、まもなくわたしたちは、夜会服姿でカクテルグラスを手にしたおおぜいの客でごった返す狭い部屋の戸口に立っていた。

一瞥すると、この部屋は昨晩客が集まっていた大宴会場より、はるかに小さいようだった。もっと詳しく眺めてみると、ここはそもそも部屋などではなく、元は廊下か、せいぜいのところ大きくカーブした長い玄関ホールだったらしい。戸口から見ただけでは定かではなかったが、どうやら全体は半円形の構造になっているようだ。外側の大きな窓は、いまはカーブに沿ってカーテンが引いてあり、一方、内側の壁にはいくつものドアが並んでいる。床は大理石で、天井からシャンデリアが下がり、あちらこちらに、台座にのせたり優雅なガラスの飾り棚に入れたりした美術品が展示してあった。

わたしたちは入口で立ちどまり、この光景を眺めた。歩み寄ってきてなかへ案内してくれるか、場合によってはわたしたちの到着を告げてくれる人物がどこかにいないものかと、見回してみたが、しばらく眺めていたにもかかわらず、誰もわたしたちのところへは来なかった。ときどきこちらへ急ぎ足でやってくる者はいたものの、結局はほかの客を迎えにきたことが分かるのだった。

わたしはゾフィーを見やった。彼女はボリスに腕を回して、二人して不安そうに客たちを眺めている。

「さあ、なかへ入ろう」わたしは何も気にしていないふうを装って促した。三人そろって何歩か前へ進んだが、なかに入ったところでまた立ちどまった。

ホフマンか、ミス・シュトラットマンか、それともほかの顔見知りがいないかと探してみたが、誰もいない。それからまだそこに立って一人ひとり顔を眺めていたとき、ここにいる客の大半が、たぶんゾフィーが無礼な扱いを受けたレセプションに来ていた連中なのだと思いあたった。急に、ゾフィーが我慢しなければならなかった屈辱の場面がいっそうまざまざと目に浮かび、わたしは心のなかに危険な怒りが込み上げてくるのを感じた。実際、会場を見回すと、少なくともあるグループ――ちょうどわたしから見えるカーブのいちばんはずれに集まっている人たち――は、ほぼ間違いなく彼女を侮辱した張本人たちだろう。わたしは客のあいだからその一群を観察した。自己満足の笑みを浮かべた男たちは、まるでこの手の集まりにいかに場慣れしているかを全員に見せびらかすかのように、尊大にズボンのポケットに手を入れたり出したりしているし、女たちもばかげたドレスに身を包み、どうしようもないわというふうに首を振りながら笑っている。こんな連中が誰かを、ましてやゾフィーのような女性を、鼻であしらったり見下げたりするなど、とうてい信じられないと——いや、まったくもって不遜だと——わたしは思った。実際、すぐにでもあの連中のところへ行って、ほかの客たち全員の注視のなかで、厳しくとがめてやって当然だろう。わたしはゾフィーの耳もとで安心するようにと短く言葉をかけてから、彼らのほうへ歩きだした。

客のあいだを歩いていると、この会場が思ったとおりゆるやかにカーブした半円形になっているのが分かった。内側の壁に沿って、ウエイターが飲み物やカナッペのトレーを手に、歩哨のようにずらりと立っている。ぶつかった相手から愛想よく詫びを言われたり、人ごみをかき分けて逆方向に進もうとする誰かと笑みを交わしたりしたが、不思議なことに、わたしが誰か気づいた者は一人もいないようだった。何かに失望したように頭を振っている三人の中年の男性のそばをよけながら通ったとき、そのうちの一人が例の夕刊をこわきにはさんでいるのに気づいた。吹きさらされたわたしの顔が、彼のひじの後ろから突きでているのが見え、わたしはぼんやりと、あの写真の容貌のせいで、わたしたちの到着が奇妙に無視されてきたのだろうかと考えた。しかしもう、目あての一団のすぐ近くに来ていたので、それ以上考えるのをやめた。

近づいてくるわたしに気づいたグループの二人が、歓迎するかのように場所を空けた。どうやら彼らはまわりに陳列してある美術品のことを話していたらしく、わたしが輪に入っていったとき、最後に発言した人物の言葉に全員がうなずいていた。女性の一人が言った。

「ええ、この部屋に一線が引けるのは明らかですわ。あのヴァン・ティロの後ろに」彼女はそう言いながら、すぐ近くにある台の上の白い小さな彫像を指さした。「オスカルぼっちゃまには見る目がございませんでした。それに公平に申しあげれば、ご自分でもそれがお分かりでしたけど、義務を、ええ、ご自分の一族への義務を感じてらしたのよ」

「お言葉ですが、わたしはアンドレアスに賛成せざるをえませんな」男の一人が言った。「オスカルはあまりに気位が高かった。誰かに任せればよかったんですよ。もっとよく分かっている者に」

するともう一人の男が、愛想のいい笑みを浮かべてわたしに言った。「それで、あなたはどうお考えですか？　つまり、オスカルのこのコレクションへの貢献について？」

わたしは一瞬この質問に面くらったが、いまは話をそらされて我慢できるような気分ではなかった。

「ここにおいでの紳士淑女のみなさんが、オスカルの力不足を取り沙汰なさるのも結構です」わたしは切りだした。「しかしもっと重要なのは……」

「あんまりですわ」女性が口をはさんだ。「オスカルぼっちゃまのことを力不足だなんておっしゃるのは。あの方のご趣味はお兄さまとはたいへん違っていらしたし、たしかに変てこな間違いもなさいました。でも全体としては、このコレクションに歓迎すべき一面をお加えになったと思いますのよ。荘厳さを和らげたとでも申しあげたらいいかしら。それがなければ、ええ、このコレクションは、デザートのないおいしいディナーのようになってしまいますでしょう。たとえば、あの毛虫の花入れですけど」――彼女は客たちのかなたを指さした――「あれはほんとうに、かなり魅力的ですわ」

「みなさんが取り沙汰するのも結構ですが……」わたしはまた意気込んで切りだしたが、次の言葉を口にする前に、ある男がきっぱりと言った。

「あの毛虫の花入れは唯一、彼が選んだ作品のなかで唯一、ここに置くのにふさわしいものだ。彼の欠点は、コレクション全体を見るセンス、つまりバランス感覚がなかったことですな」

わたしは我慢の限界にきていた。

「いいかね」わたしは怒鳴った。「もうここらへんでやめないか！　一秒でいいから、こんな無意味なおしゃべりはやめろ！　一秒でいいからやめて、誰かに、このほほんと過ごしている閉鎖的な狭い世界の外にいる誰かに、話をさせたらどうなんだ！」

　わたしは一瞬間を置いて、彼らをにらんだ。強い口調はそれなりに効果があったらしく、全員が――男性四人と女性三人――あっけにとられた顔で、わたしを見つめている。やっと彼らの注意を引いたので、わたしの怒りは、いまや慎重に繰りだすことができる兵器のように、うまく掌中に収まった。わたしは声を落として――実は思いのほか大きな声を張り上げてしまったので――言葉を続けた。

「みなさんがこの小さな町で、こうしたありとあらゆる問題、一部の方の言葉を借りるならこの危機に直面しているのも、まったく当然ではありませんか？　これほど多くの市民が、実にみじめな思いで不満を抱えているのも？　外部の者がこの現状に疑問を持つとでもお思いですか？　それが驚きだと？　わたしたちのような、もっと大きな広い世界から見ている者が、とまどって頭をかくとでも？　わたしたちが、こんな町がいったいどうしてと、つぶやくとでも？」――誰かが腕を引っぱるのを感じたが、いまや言うべきことを言ってやるぞと決意していた――「この町、このような地域社会が、どうしてそんな危機に陥ったのかと？　わたしたちが驚いて頭を抱えるでしょうか？　とんでもない！　これっぽっちも！　ここにやってきた者は、たちまち何に出合います？　みなさんのような紳士淑女の代表、そう、ここにいらっしゃるみなさんのような代表ですよ！　みなさんは典型だ――わたしが公平を欠いていて、もっとぞっとする気味悪い怪物がこの町の岩や舗道の下に潜んでいるとおっしゃるなら、おあいにくさまだが――わたしの目には、あなたのような紳士、あなたのようなご婦人が、そうです、言いにくいがあえて申しあげるなら、たしかにあなた方が、この町がこれほどひどくなった原因のすべてを代表しているんです！」このとき、わたしの袖を引っぱっているのは、わたしが話しかけていたご婦人たちの一人の手だと気づいた。その女性は、なぜかわたしの隣の男性の後ろから手を伸ばしていた。わたしは一瞬そちらを見てから、また話を続けた。「一つには、あなた方は基本的な礼儀に欠けている。お互いの接し方を見るといい。わたしの家族への扱いを見るといい。あなた方はこのわたし、この著名な、あなた方が招いた客でさえ無視して、ほら見なさい、オスカルの美術収集のほうにずっとご執心だ。つまり、みなさんが地域社会と呼ぶこの狭い世界の内輪のつまらないもめごとに、あまりに、あまりに気を取られていて、わたしたちに最低限の礼儀を尽くすことすらしないじゃないですか」

わたしの腕を引っぱっていた女性は、いまやすぐ後ろに回ってきた。そしてわたしをこの場から引き離そうと、小さな声で何かささやいていたが、わたしは無視して言葉を続けた。

「おまけによりによって、ここでですよ。何という残酷な皮肉だ！　そう、ここ、この町なんです、わたしの両親が来なくてはならないのは。よりによってこの町で、みなさんのいわゆる歓待を受けるわけですよ。何という皮肉、何という残酷。よりによって、これほど長い年月のあと、こんな町で、あなた方のような人たちに！　そしてわたしの気の毒な両親は、こんなにはるばる遠くまでやってきて、初めてわたしの演奏を聴くというのに！　あなた方は、それでわたしの仕事がやりやすくなると思うんですか。みなさんのような、あなたや、あなたや、あなたのような人たちに、両親の世話を任せなければならないことで？」

「ライダーさま、ライダーさま……」ひじの後ろにいる女性は、かなりしつこく腕を引っぱっていたのだが、いまやっと目を向けると、それはほかならぬミス・コリンズだった。それに気づくやわたしは気勢をそがれ、何がなんだか分からぬまま、彼女にそのグループから引き離された。

「おや、ミス・コリンズ」わたしは少しとまどって言った。「こんばんは」

「ねえ、ライダーさま」ミス・コリンズは相変わらずわたしを引っぱりながら言った。「わたくし、ほんとうに驚いておりますのよ。つまり、みなさんの大騒ぎぶりに。友人からついさっき聞きましたけど、町じゅうがあの噂でもちきりなんですってね。彼女が言いますには、噂なんて生やさしいものではないんですって！　でも、わたくしほんとうに、どうしてみなさん、そんな大騒ぎをなさっているのか分かりませんの。わたくしがきょう動物園に行っただけで！　ほんとうに理解できませんわ。承知したのは、あの方たちに、それが全員のためだと、ええ、レオがあすの夜、成功するためだと、説得されたからにすぎませんのに。ですからあそこへ行くことを承諾しましたのよ、ただそれだけ。正直などころ、レオに何か励ましの言葉をかけたいという気持ちもあったと思いますわ。もうお酒をやめて、こんなに長いんですもの。それを何かのかたちで認めてあげるのは、もっともなことだと思いましてね。はっきり申しあげておきますが、ライダーさま、彼がこの二十年の別の時期に、これくらい長くお酒を断っていれば、きっと同じことをしたはずですわ。ただ、それがいままで起こらなかっただけのこと。ほんとうに、わたくしがきょう動物園に出かけたことに、それ以上の意味はございませんでしたのよ」

彼女はもう引っぱるのをやめ、わたしと腕を組んで、客たちのあいだをゆっくりと歩いていた。

「きっとおっしゃるとおりでしょう、ミス・コリンズ。それに念のために申しあげると、いまさっきあなた方のところへ行ったとき、あなたとブロッキーさんの話題を持ちだすつもりなど、毛頭なかったのです。この町の大多数の市民と違って、わたしにはあなたのプライバシーに首を突っこむ気などまったくありません」

「それはありがたいですわ、ライダーさま。でもいずれにしろ、申しあげているように、きょうの午後の再会はたいした結果にはなりませんでしたのよ。それが分かれば、みなさん、きっとがっかりなさるでしょう。真相は、レオがわたくしのところに来て、『きょうのきみはとても奇麗だ』と言っただけですの。この二十年間、酔っぱらって暮らしたあと、まさにレオが言いそうなことですわ。それに、あれはみなさんがおおぜいいらっしゃる前でしたから。もちろんわたくしは彼にお礼を述べて、以前見かけたときよりお元気そうねと申しました。するとレオは足もとに視線を落としましたの。若いころには、一度もなかったことです。当時はあんなもじもじした振る舞いなど、決してしませんでしたから。ええ、彼の火は燃え尽きてしまったんです。分かりましたわ、わたくしには。でも、そのかわりに何かを、重厚な何かを身につけたみたいで。とにかく、彼が足もとを見つめている少し後ろで、フォン・ヴィンターシュタインさんやほかの紳士方が、わたくしたちのことなど忘れてしまったみたいによそ見をしながら、ぶらぶらしていらしたわ。わたくしがレオにお天気の話をすると、彼は空を見上げて、そうだね、木立ちがとても美しいと答えました。それから、いまさっき見たなかでどの動物がいちばん気に入ったか話しはじめましたの。彼がまったく上の空で見物していたのは明らかでした。だって、『この動物たちはみんな大好きだ。ゾウもワニもチンパンジーも』って言いましたのよ。そうなの、サルの檻は近くにありましたから、その前は通ってきたはずですけど、ゾウやワニのところなど通ったわけがないんですもの。ですからわたくし、レオにそう言いました。でもレオは、まるでわたくしがまったく無関係なことを持ちだしたみたいに、その話を無視しましたわ。彼は少しあわてたようでした。たぶん、そのときフォン・ヴィンターシュタインさんが、お近くに来ようとされていたからでしょう。ほら、最初の取り決めでは、わたくしがふたことみこと、文字どおりほんのふたことみこと、レオに言葉をかけるというだけでしたでしょう。フォン・ヴィンタ―シュタインさんは、一分もすればわたくしのところにやってくるからって、お約束なさっていましたのよ。ええ、それがわたくしの条件でしたの。でも、いざレオと話しはじめてみると、ほんとうにとても短い時間に思えましたわ。わたくしも、フォン・ヴィンタ―シュタインさんがお近くをうろうろなさっているのを見て、少し不安になりはじめましてね。とにかくレオは、わたくしたちにほとんど時間がないことに気づきましたの。というのも、そのとき単刀直入に言ったんですのよ。『もう一度やり直してみたらどうだろう。一緒に住んで。いまからでも遅すぎることはない』って。お分かりになっていただきたいんです、ライダーさま。あれだけ長年たったあとで、これはちょっとぶしつけでした。いくらこの日の午後、時間がなかったにしましてもね。わたくしはただ、『だけど一緒に何をするんですの？　もうほとんど共通点なんかありませんのに』って答えたんです。一、二秒、彼は困ったようにあたりを見回していましたわ。彼がそれまで一度も考えたこともない問題を、わたくしが持ちだしたみたいに。それから彼が正面の檻を指さして、こう言いましたの。『動物を飼ってもいいじゃないか。一緒にそいつをかわいがって、世話ができる。たぶん、それがまだ二人でやっていないことだ』わたくしはどう答えたらよいか分かりませんでしたから、二人でただそこに立っておりました。フォン・ヴィンタ―シュタインさんがこちらへ向かってくるのが見えましたけど、レオとわたくしが立っている様子から、何かお察しになったに違いありません。なぜって、こちらに来るのをやめてまた離れていき、フォン・ブラウンさんとお話を始められたんです。レオは空中に指を突きだして、あれは大昔からのくせなんですけど、彼が指を突きだして、こう言ったんです。『知ってのとおり、わしは犬を飼っていたんだが、そいつがきのう死んでしまった。犬はよくない。長生きする動物にしよう。二十年か二十五年。そうすれば、うまく世話するかぎり、こっちのほうが先に死ぬだろう。それなら、悲しまなくてすむじゃないか。子供はいなかったんだから、そうしよう』それでわたくしは答えました。『あなた、よく考えもしないでそんなことを。可愛がる動物はわたくしたちより長生きするかもしれないけど、二人が同時に死ぬわけがないじゃありませんの。動物の死は嘆かずにすむとしても、そう、たとえばわたくしがあなたより先に逝ったら、わたくしの死を嘆くことになりますのよ！』すると彼は、すぐにこう言いましたわ。『そのほうが、きみが死んだあと誰も嘆いてくれないよりいいじゃないか』って。『だけど、わたくしはそんなこと、ちっとも恐れていませんわ』と、わたくしは答えて、長年この町でおおぜいの方に力をお貸ししてきたから、死んだときに嘆いてくださる方にはこと欠きませんと申しましたの。すると彼は言いました。『先のことは分からない。これからは、わしの状況もよくなるかもしれない。わしだって、死んだときにはおおぜいが嘆いてくれるかもしれない。何百人もが』そしてこう続けました。『だがそのうちの誰一人として、ほんとうにわしのことを気づかっていてくれないなら、そんなことが何になる？　わしはそいつら全員と交換してやるぞ。自分が愛し、自分を愛してくれた誰かと』正直に申しあげますとね、ライダーさま、この会話にわたくしは少し悲しくなりまして、ほかにどう答えればいいのか分かりませんでしたの。するとレオが言いました。『あのころ二人に子供たちがいたら、いまいくつになっているだろう？　もう美しくなっているだろうな』って。まるで美しくなるのに何年もかかるみたいに！　それから彼がまた言いましたの。『わしたちに子供はいない。だからかわりに、動物にしよう』って。彼がもう一度そう言ったとき、ええ、たぶんわたくしは混乱してしまったのでしょうね。それでレオの肩ごしにフォン・ヴィンターシュタインさんをちらりと見ると、すぐに彼が冗談を言いながらやってきたんです。それっきり。わたくしたちの会話はそこで終わりでしたの」

わたしたちはまだ腕を組んで、ゆっくりと会場を歩いていた。わたしは、彼女がいま話したことをしばらくかみしめてから言った。

「ちょうど思い出していたんですがね、ミス・コリンズ。この前お会いしたとき、あなたはご親切にも、ご自分のアパートでわたしの悩みを聞こうとおっしゃってくださいました。皮肉なことに、いまやあなたのほうが、人生で下さなければならない決断についてお話しになることがたくさんあるようです。これからどうなさるのでしょうか。失礼ながら、あなたはいわば岐路に立っておられます」

ミス・コリンズは笑った。「まあ、ライダーさま。わたくしはどんな岐路に立つにも、年がいきすぎておりますわ。それに、レオがいまさらこんなことを持ちだしても、もう遅すぎます。せめて七、八年前でしたら……」彼女はため息をつき、一瞬、顔に深い悲しみをよぎらせた。それからまたあのやさしい笑顔を取り戻して言った。「いまから新しい希望や恐れや夢を抱えてやり直すことなど、とうていできませんわ。ええ、ええ、あなたはあわてて、わたくしはまだそんな年寄りではない、人生はまだ終わっていないとおっしゃるでしょう。分かっております。でも実際のところ、もうほんとうに遅すぎますし、その、何と申しますか……いまから事態をいっそう込み入らせると、面倒なことになると。ほら、あのマザースキー！　いつ見てもすてきですわ」彼女はちょうど通りかかったところにあった台にのっている赤い粘土の猫を指さした。「レオはもう十分に、わたくしの生活を混乱させてくれましたわ。一人だけの生活に落ち着いてから、もうずいぶんになりますし、この町の市民にお尋ねになれば、大半の方はわたくしがかなり立派に自分の責任を果たしているとおっしゃってくださるでしょう。この町の状況がしだいに苦しくなっていくあいだに、たくさんの市民に大いに力を貸してきましたと。もちろんライダーさま、あなたのような貢献にはとうてい及びもつきませんけれど、だからと言ってわたくしが過去を振り返って、自分にできたことを思い出すとき、ある種の満足感を覚えないわけではございません。ええ、わたくしはおおむね、レオと別れたあとの生活に満足しておりますし、これからもいまのままで過ごすことに何の不満もございませんのよ」

「たしかにそうでしょうが、ミス・コリンズ、少なくとも現状を慎重にお考えになってみるべきではありませんか。わたしには理解できません。なぜあなたが、これほど立派なお仕事をなさったあと、その晩年を——失礼を承知で申しあげるなら——ある意味でまだ愛していらっしゃると思われる男性とご一緒に過ごされることを、すばらしいご褒美だとお考えにならないのか。そう申しますのも、そう、でなければどうしてこれほど長年、この町に住みつづけてきたのでしょうか？　あるいは、どうしてほかの方との再婚を考えられなかったのでしょうか？」

「あら、再婚を考えたことはございますわ、ライダーさま。この長い年月に、三人ほどは、あっさりプロポーズに応じていたかもしれない男性がおりましたのよ。でも、その方たちは……だめでした。たぶんあなたがおっしゃることに、たしかに一理はございましょう。レオが近くにおりましたから、このほかの方たちには、とうてい十分な愛情が持てませんでしたもの。まあ、いずれにしましても、大昔のことです。あなたがお尋ねになりたいのは——たぶん妥当な疑問でもあるのでしょうけど——わたくしがなぜいまレオとの過去を水に流さないのかということですの？　そうね、しばらく考えさせてくださいな。レオはいまお酒を断って、落ち着いていますわ。これから先、ずっとこのままでいくでしょうか？　おそらくね。その可能性があることは認めましょう。とりわけ、もし彼がいまからこの町で認められて、また大きな責任を担う名士になるのでしたら。でも、わたくしが彼のもとに戻ることに同意するかどうか、そう、それはまた別問題です。少したてば、彼は自分が築いてきたものをすべて壊そうとするでしょう。この町はどうなります？　まさにこの前と同じように。そうなると、みなさんはどうなります？　実のところライダーさま、わたしはむしろ、彼のこのような申し出を受けないことが、市民としての義務だと思っておりますのよ」

「失礼ですがミス・コリンズ、わたしにはどうしても、あなたがご自分でおっしゃっていることに、ご自分が望むほど納得されていないように思えてなりません。あなたはどこか心の奥で、かつての生活、つまりブロツキーさんとの生活をまた始められることを、ずっと待ちつづけてこられたのではありませんか。あなたがおっしゃる立派なお仕事にしても、わたしはこの町の方がたがつねに感謝なさっていることをいささかも疑うものではありませんが、それにしても、あなたは基本的にこのお仕事を、待っているあいだ何とかうまく切り抜けていく手段だとお考えになっていたのでは」

ミス・コリンズは首をかしげ、楽しそうな笑みを浮かべて、しばらくわたしの言葉を考えていた。

「たぶん、あなたのおっしゃることに一理はありましょう、ライダーさま」彼女はようやく言った。「たぶんわたくしは、どんなに時が速く過ぎ去るのか気づいていませんでしたのね。ほんとうに光陰矢のごとしだとはっと胸をつかれたのは、つい最近、ええ、去年のことですのよ。わたくしたち二人ともこんなに年を取ってしまって、過去を取り戻すことを考えるには、たぶんもう遅すぎるのねって。ええ、あなたのおっしゃるとおりかもしれませんわ。わたくしが初めて彼のもとを去ったとき、別離がこんなに長く続くなんて、考えもしませんでしたから。でもわたくしは、あなたがおっしゃるように待っていたのかしら？　ほんとうに分かりませんの。わたくし、一日一日の単位でしか、物事を考えてきませんでした。そしていまやっと、こんなに長い年月が過ぎ去ってしまったことに気づきましたの。でも、いますべてを振り返ってみると、わたくしの人生、わたくしがそこでやってきたことは、それほど悪いものには思えませんわ。わたくしはこのままで物事を終わらせたいのです、いまのままで。どうしていまさらレオや彼の飼う動物にかかわらなければなりませんの？　そんなこと、あまりにわずらわしすぎます」

わたしはもう一度、できるだけおだやかな表現で、彼女が自分の本心を語っているとは思えないと告げようとしたが、そのときボリスがわたしのひじのあたりにいるのに気づいた。

「もうすぐおうちに帰らないと」彼は言った。「ママが怒りだすよ」

わたしは彼が指さしている先を見た。ゾフィーは、わたしがさっき残してきた場所からほんの数歩離れたところにぽつんと一人で立っていて、誰とも話をしていなかった。顔には力ない笑みを浮かべていたが、その笑みを向ける相手もいない。少し前かがみになって、いちばん近くにいる客の一団の足もとをじっと見つめている。

　明らかにどうしようもない状況だった。わたしはこのレセプションへの憤りを抑えながら、ボリスに言った。「ああ、ほんとにきみの言うとおりだ。もう帰ったほうがいいね。お母さんをここに連れておいで。誰にも気づかれないようにこっそり帰ろう。顔を出したんだから、誰にも文句は言わせない」

　わたしは昨晩の出来事から、この屋敷がホテルに続いているのを思い出した。ボリスが客たちのなかに消えたとき、わたしは壁にずらりと並んでいるドアを振り返って、シュテファン・ホフマンと一緒にホテルの廊下へ出たドアはどれだったか、思い出そうとした。しかしそのときミス・コリンズが、わたしに腕をからませたまま、また歩きだして言った。

「正直に、まったく嘘いつわりなく申しあげると、それを認めなければなりませんわ。ええ、理性を少し忘れたときに、それはずっとわたくしの夢でした」

「はあ、何がです、ミス・コリンズ？」

「そうね、すべてですわ。いま起きていることのすべて。レオが立ち直って、この町で彼にふさわしい立派な地位を見つけること。何もかもがまたすばらしくなって、おぞましい過去が永久に消え去っていくこと。ええ、わたくし、それを認めなければなりませんわね、ライダーさま。昼間は賢く理性的でいられますけど、夜になれば話は別です。長年のあいだに、何度も深夜、暗闇のなかで目を覚まして、そのことを考えながら横になっていましたわ。まさにこんなことが起こるのを考えながら。そしていま、いざそれが現実になりはじめてみると、少しうろたえますわね。でもよく考えてみれば、それはほんとうに起きてはいませんのよ。ええ、もちろんレオは、ここで何か成し遂げられるかもしれません。かつては才能にあふれていたんですもの、そのすべてが消え去ってしまったはずがありません。それにたしかに、彼はこれまで、わたくしたちがいた町で、一度も機会に、まともな機会に、恵まれませんでしたの。だけどわたくしたち二人にとっては、もう遅すぎます。彼が何と言おうと、絶対に遅すぎます」

「ミス・コリンズ、この件についてはじっくりあなたとお話ししたいのです。しかしあいにくと、いまはもう帰らなければなりませんので」

実際そう告げているとき、ゾフィーとボリスがこちらに向かってくるのが見えた。わたしはミス・コリンズの腕をほどくと、後ろに下がって、このカーブした壁の裏側を探るように、もう一度どのドアだったか考えてみた。一つずつ眺めていると、どのドアもかすかに見覚えがある気がしてきたものの、どれも確信が持てなかった。誰かに尋ねてみようかとも思ったが、わたしたちが早々に辞去することに気づかれるのを恐れて、やはりやめることにした。

わたしは途方に暮れたまま、ゾフィーとボリスを連れてドアのほうへ向かった。どういうわけか、頭のなかに無数の映画の場面が浮かんでいた。それは登場人物がなんとか目立って退場しようと、間違ったドアを開けて物置のなかに入っていく場面だった。わたしの場合はまさにそれと正反対の理由からだが——つまり自分たちがこっそり気づかれずに出ていって、あとでその話が出たとき、いつ帰ったのか誰にも分からないように——そんな大失敗を避けるのが、同じように重要だった。

とうとうわたしは、ただいちばん堂々としているという理由で、真ん中にあるドアに決めた。分厚い木の扉には真珠の象眼細工がはめこまれ、両側に石の柱がついている。そしてこのとき、両側の柱の前には、それぞれ制服姿のウエイターが歩哨のように気をつけの姿勢で立っていた。このようなドアなら、たとえまっすぐホテルにたどり着けなくとも、きっとどこか重要な場所につながっていて、そこから客たちに見つからずに外へ出られるだろう。

わたしはゾフィーとボリスについてくるよう合図してからそのドアへ歩み寄り、制服姿のウエイターの一人に軽くうなずいた。「騒ぐことはない。わたしは自分のやっていることがよく分かっているんだ」とでも言うように。それからドアを引き開けた。そのとたん、ぞっとしたことに、いちばん恐れていた事態が起きた。わたしが開けたのは、掃除道具の倉庫だったのだ。おまけに収納能力以上につめこんであったものだから、いくつものモップが転がりでてきて大理石の床に派手な音を立て、黒いけばだったモップがそこらじゅうに散らばった。ちらりとなかをのぞくと、バケツやら油布やらエアゾールの缶やらが、乱雑に積み上げてあった。

「これは失礼」わたしはいちばん近くにいた制服姿のウエイターにつぶやいた。彼があわてて散らかったモップを拾い集め、非難の視線を向けるのを尻目に、わたしは隣のドアへと急いだ。

二度と同じ失敗はすまいと、わたしはこの二つ目のドアを慎重に開けようとした。とてもゆっくりと、少しずつ。おまけに背後からたくさんの視線を感じ、ざわめきが高まるなか、すぐ近くで「おやまあ、あれはライダーさまじゃないか？」という声まで聞こえてきたのだが、パニックになるのをなんとか抑え、隙間から何も転がりでてこないのを確かめながら、少しずつドアを手前に引いた。ほっとしたことにドアが廊下につながっているのを確認するや、わたしはさっと戸口を通り抜け、ゾフィーとボリスに早くおいでと合図を送った。

20

わたしは後方のドアを閉め、三人であたりを見回した。たった二度目で正しいドアを見つけ、いまやホテルの談話室やロビーへと続く長い暗い廊下に立っているのが分かって、いささかしてやったりという気分だった。あのギャラリーの喧噪から急にこんなひっそりしたところに入ったものだから、最初はみんな少したじろいでじっとしていたが、やがてボリスがあくびをして言った。「ほんとに退屈なパーティーだったね」

「まったく不愉快だ」わたしはまたあの会場にいた客の一人ひとりに怒りを覚えて言った。

「何て情けない連中だろう。たしなみのかけらも知らない」それからこうつけ加えた。「お母さんはあそこにいた誰よりも、ずっと奇麗だった。そうだろう、ボリス？」

ゾフィーが暗闇のなかでくすくす笑った。

「お世辞じゃない。誰よりもずっと奇麗だったよ」

ボリスが何か言おうとしたが、ちょうどそのとき三人揃って、暗闇のなかから何かを引きずるような物音がするのに気づいた。やがて暗さに目が慣れてきたとき、廊下のずっと先のほうから、大きな獣のようなものが、動くたびに音を発しながらゆっくりと近づいてくるのが見えた。ゾフィーとボリスも同時にその存在に気づいて、わたしたちは一瞬立ちすくんだ。しかしそのあと、ボリスが小さな声でつぶやいた。

「おじいちゃんだ！」

そのときわたしにも、その獣がグスタフだと分かった。前かがみになってスーツケース一個を片方のわきに抱え、もう一個を手に提げ、三個目を引きずりながら――これがあの音の原因だった――彼はこちらへ向かっていた。しばらくのあいだ、グスタフはまったく前に進まずに、ただゆっくりとしたリズムで体を揺すっているだけのように見えた。

ボリスがうれしそうに彼のほうへ駆けだした。ゾフィーとわたしも、少しとまどいながらあとを追った。近づくと、グスタフはようやくわたしたちに気づいたらしく、立ちどまって少し背筋を伸ばした。暗いので表情は見えなかったが、元気そうな声で彼がこう言った。

「ボリスか。これはうれしい驚きだね」

「おじいちゃんだ！」ボリスはまた叫んでから言った。「いま忙しいの？」

「ああ、たくさん仕事があるんだよ」

「とっても忙しいんだね」ボリスの声は奇妙に緊張していた。「とっても、とっても忙しいんだね」

「そうだよ」グスタフは息を整えながら答えた。「とっても忙しい」

　わたしはグスタフに近づいて告げた。「仕事中にお邪魔をしてすまないね。いまレセプションに出席して、これからうちへ帰るところなんだ。盛大な夕食を取りに」

「ああ」ポーターはわたしたちを見て答えた。「ああ、さようですか。まことに結構ですな。こんなふうにお揃いのところに出くわして、わたくしもとてもうれしいです」それから彼はボリスに話しかけた。「元気にしていたかい、ボリス？　ママはどうだ？」

「ママはちょっと疲れてる」ボリスは答えた。「ぼくたちみんな、夕食を楽しみにしてるんだ。あとで将軍ゲームをやるんだよ」

「それはいいね。きっと楽しいよ。さてと……」グスタフは口ごもってから言った。「もう仕事に戻ったほうがよさそうだ。いまとても忙しいのでね」

「うん」ボリスは静かに答えた。

　グスタフはボリスの髪をくしゃくしゃと撫でると、また前かがみになってスーツケースを運んだ。わたしはボリスに手を伸ばし、グスタフの通り道から彼をどかせた。わたしたちが見ていたせいか、それとも短い休憩のおかげで元気を取り戻したのか、グスタフはわたしたちのわきを通って暗がりのなかへ向かうとき、ずっとしっかりした足取りになったようだった。わたしは二人の先に立ってロビーへ向かおうとしたが、ボリスはなかなかついてこようとせず、後ろを振り返って、前かがみになった祖父の姿がまだ見える廊下をじっと見つめていた。

「さあ、急ごう」と言いながら、わたしは彼の肩に手をかけた。「みんな腹ぺこになってきた」

わたしが歩きだしたとき、ゾフィーが後ろで「違うわ。こっちよ」と呼ぶのが聞こえた。振り返ると、彼女はそれまでわたしが気づかなかった小さなドアの前で、身をかがめていた。実際、もし気づいていたとしても、ただの収納庫の扉だと思っただけだろう。それはわたしの肩のあたりまでしかない、小さなドアだった。なのにいまゾフィーはそれを開けて待っていて、ボリスはまるで何度もそうしたことがあるかのように、ドアの奥に入っていった。ゾフィーがまだドアを開けているので、わたしもためらいがちに、身をかがめてボリスに続いた。

トンネルのように四つん這いになって進まなければならないかと半分疑っていたのだが、実際に出たところは、また別の廊下だった。さっきいた廊下よりむしろ広いくらいだが、明らかに従業員専用の通路のようだ。床に絨毯は敷いていないし、壁に沿ってむきだしのパイプが走っている。あたりはまたほとんど暗闇に近かったが、少し先で細長い蛍光灯が床を照らしていた。そこまで歩いたとき、ゾフィーがまた立ちどまって、そばの非常用ドアを押し開けた。次の瞬間、わたしたちは建物の外の静かな通りに出ていた。

たくさんの星の見える美しい夜だった。通りを眺めても人影はなく、店もみんな閉まっている。わたしたちが歩きだしたとき、ゾフィーがそっとつぶやいた。

「驚いたわね、あんなふうにおじいちゃんに出会うなんて。そうでしょ、ボリス？」

　ボリスは返事をしなかった。彼は前をどんどん先に進みながら、小さな声でひとりごとをつぶやいていた。

「あなたも、きっとおなかがぺこぺこでしょう」ゾフィーはわたしに話しかけた。「量が足りるといいんだけど。昼間はあれこれいろんな料理をつくるのに夢中で、たっぷり準備するってことを考えていなかったのよ。きょうの午後にはたくさんあると思っていたんだけど、いま思うと……」

「ばかな。大丈夫だよ。どちらにしても、いまのわたしはまさにそんなふうに食べたい気分なんだ。いろんなものを少しずつ、次から次に。ボリスがそんな食事を喜ぶ気持ちが、よく分かるね」

「母はいつもそうしてくれたの。あたしが小さかったころ、家族のための特別な夜にね。誕生日とかクリスマスとかじゃないの。そのときは、世間の人たちと同じだったわ。でも、三人だけの特別な夜にしたいとき、母はよくそんなふうにしてくれたの。何種類ものおいしいものを、少しずつ、次から次に出してね。だけどそれから引っ越して、母は具合が悪かったものだから、あたしたちはそのあと一度もそんな食事をしなかったわ。量が足りればいいんだけど。二人とも、とってもおなかがすいてるに決まってるもの」そして彼女は、急にこう言い添えた。「ごめんなさい。あたし、きょうはあまり立派に振る舞えなかったわ、そうでしょう？」

おおぜいの客のなかで力なく一人ぽつんと立っていたゾフィーの姿がまた目の前に浮かんできて、わたしは彼女の体に腕を回した。彼女も応えるように身を寄せてきて、わたしたちは何分か、そんなふうに黙って寄り添って歩きながら、人気のない脇道をいくつも通った。そのうちボリスが隣に並んで、こう尋ねた。

「今夜はソファに座って食べてもいい？」

ゾフィーはちょっと考えてから答えた。「ええ、いいわ。今夜の食事なら、ええ、いいわよ」

ボリスは何歩かわたしたちと並んで歩いてから、また尋ねた。「床に寝そべって食べてもいい？」

ゾフィーは笑った。「今夜だけよ、ボリス。あすの朝の食事のときは、テーブルにつかなきゃだめよ」

ボリスはこの言葉がうれしかったらしく、待ち遠しそうに先に駆けだした。

わたしたちは理髪店とパン屋に窮屈そうにはさまれたドアの前で、やっと立ちどまった。道路がもともと狭いうえに、たくさんの車が歩道に乗り上げて駐車しているので、ますます狭くなっている。ゾフィーが鍵を探しているあいだに建物を見上げると、店舗の上にさらに四階分のアパートがあった。窓のいくつかは明かりがついていて、かすかにテレビの音が聞こえてきた。

わたしは二人について階段を上がった。ゾフィーが玄関の鍵を開けたとき、ふと、わたしはこのアパートをよく知っているように振る舞うべきなのだろうと考えた。しかし半面、同じように、客として振る舞うのが当然のようにも思われた。それで三人でなかに入ったとき、ゾフィーの様子を注意深く観察して何か手がかりを得ることにした。ところが、彼女は玄関のドアを閉めるや、オーブンを温めなくちゃと言い残して、奥へと姿を消してしまった。ボリスのほうは上着を脱ぎ捨て、パトカーのサイレンのような音を立てながら駆けだしていった。

玄関ホールに一人取り残されたわたしは、この機会にまわりをじっくり眺めてみた。ゾフィーとボリスが、わたしがすっかり様子が分かっていると思っているのは、ほとんど疑いようもなかった。そしてたしかに、そこに立って、目の前の半開きになったドアや、花模様が消えかかっている汚れた黄色い壁紙や、コートかけの後ろで床から天井まで延びているむきだしのパイプなどを一つひとつ見つめているうちに、この玄関ホールの記憶が少しずつよみがえってきた。

何分かあと、わたしは居間に入った。いくつか見覚えのない家具もあったが——使っていない暖炉の両側に置いてある一対の古いへこんだひじかけ椅子は、間違いなく最近買ったもののようだ──玄関ホールよりこの部屋のほうが、やや鮮明に記憶に残っている気がした。壁にくっつけて置いてある大きな楕円形のテーブル、台所へ続く二つ目のドア、不格好な黒っぽいソファ、すり切れたオレンジ色の絨毯は、どれもはっきりと見覚えがあった。壁から突きだした明かり──電球に更紗木綿の笠をかぶせてある──が部屋じゅうに影模様をつくっていたので、壁紙のそこここに見えるしみが湿気でできたものかどうかは定かではなかった。ボリスは部屋の真ん中に寝そべっていて、わたしがさらになかへ入っていくと、仰向けにひっくり返った。

「実験してみることにしたんだ」ボリスはわたしにというより、天井に向かって宣言した。「首をこんなふうにしてじっとしてる」

足もとを見ると、彼はあごが鎖骨につきそうなくらい首をすくめていた。

「なるほど。どれくらいそんな格好でいられるのかな?」

「二十四時間はだいじょうぶさ」

「すごいね、ボリス」

わたしは彼をまたいで台所へ入っていった。細長い部屋で、ここもたしかに見覚えがあった。すすけた壁、コーニスの近くに残ったクモの巣のあと、古ぼけた洗濯機など、どれもこれもが強く記憶に訴えてきた。ゾフィーはエプロン姿でオーブンの前にひざまずき、何かを並べ替えていた。わたしが入っていくと、彼女は顔を上げて料理のことをつぶやき、オーブンを指さして明るく笑った。わたしも笑ってもう一度台所を見回してから、居間へ戻った。

ボリスはまだ床に寝ころがったままで、わたしが戻ってくるや、また首をすくめた。わたしは彼を無視して、ソファに座った。近くの絨毯の上に新聞があり、自分の写真がのっていたあの夕刊かもしれないと思いながら、それを拾い上げた。実のところ、それは何日か前のものだったが、かまわず読んでみることにした。第一面の記事――フォン・ヴィンターシュタインが旧市街の保存計画について取材に答えている――を読んでいるあいだ、ボリスは相変わらず絨毯の上に黙って寝ころがって、ときどきロボットのような小さな音を立てていた。こっそり彼を見るたびにまだ首をすくめているので、わたしは少なくとも彼がこのばかげたゲームをやめるまで、ひとこともロをきくまいと決心した。この子が、わたしが見ようとする気配を察してそのたびに首をすくめているのか、それともずっとそんな格好をしたままなのかは分からなかったし、すぐにそんなことはどうでもよくなった。

「それならそのまま寝かせておくだけだ」とひそかに考え、わたしは新聞を読みつづけた。

二十分ほどして、やっとゾフィーが料理を盛った大皿を持って入ってきた。ミートパイやセイボリーの包みといったとりどりのパイが、どれも手のひらくらいの大きさに、趣向を凝らしてつくってある。ゾフィーはその大皿をダイニングテーブルの上に置いた。

「とても静かなのね」彼女は部屋を見回しながら言った。「さあ、三人で楽しくいただきましょう。ボリス、見て！　まだこれと同じくらいのお料理が、もう一皿分あるのよ。みんなあなたの大好物！　さあ、ママが残りのお料理を取ってくるあいだに、どのボードゲームにするか選んできたら？」

ゾフィーが台所に消えるや、ボリスは飛び上がってテーブルに歩み寄り、パイを一個、口にほうりこんだ。わたしは、ほら首が戻ったぞと言ってやりたい気になったが、結局は何も言わずに新聞を読みつづけた。ボリスはまたサイレンのような音を立てながら忙しく部屋を駆け回り、遠い隅にある背の高い戸棚の前で立ちどまった。わたしは、ここにボードゲームを全部しまってあったことを思い出した。いくつものひらべったい箱が、ほかのおもちゃや家庭用品の上に無造作に積み上げてあるのだ。ボリスはしばらく戸棚を眺めてから、急にその扉を開けた。

「どのゲームにする？」ボリスは尋ねた。

わたしは聞こえなかった振りをして、まだ新聞を読んでいた。視界の隅で、彼がまずわたしのほうを向き、返事をしないのが分かると、また戸棚に向かうのが見えた。ボリスはしばらくそこに立って、ボードゲームの山をじっと見つめながら、ときどき手を伸ばしてどれかの箱に触っていた。

ゾフィーがさらに料理を持って戻ってきた。彼女がテーブルに食事を並べようとしたとき、ボリスがテーブルへ歩いていった。二人が静かに言葉を交わすのが聞こえた。

「床で食べていいって言ったじゃないか」ボリスは言っていた。

しばらくすると、彼はまたわたしの目の前の絨毯にどさっと座りこみ、山盛りにした小皿を自分のわきに置いた。

わたしも立ち上がって、テーブルへ行った。小皿を手に、どれを取ろうかと料理を眺めているそばで、ゾフィーは心配そうにうろうろしていた。

「とてもおいしそうだよ」わたしは料理を取り分けながら言った。

ソファに戻ったとき、小皿をそばのクッションの上に置けば、食べながら新聞が読めると思った。さっきこの新聞を念入りに、地元企業の広告にまで逐一目を通そうと決めていたので、わたしは紙面から目を離しもせずに、ときどき小皿に手を伸ばした。

かたやゾフィーはボリスのそばの絨毯に座って、ときどき彼に何か尋ねていた――このミートパイはおいしいかとか、学校の友達のこととか。しかし彼女がそんなふうに会話を始めようとするたびに、ボリスは口いっぱいに食べ物をつめこんでいて、もごもごいう音しか聞こえてこないのだ。そのうちにゾフィーが言った。「それでボリス、どのゲームにするか決めたの？」

わたしはボリスの視線を感じた。彼が静かに答えた。

「どれでもいいよ」

「どれでもいいですって？」ゾフィーは信じられないという声を上げた。長い沈黙のあと、彼女はまた口を開いた。「ならいいわ。あなたがどれでもいいのなら、ママが選ぶわよ」

彼女が立ち上がる音がした。「これからママが選ぶわよ」

この戦略は、さしあたりボリスに勝ったらしかった。彼も少し意気ごんで立ち上がり、母親のあとから戸棚のところへ行ったのだ。二人が箱の山を前に相談する声が聞こえてきた。それは新聞を読んでいるわたしを気づかっているような、ひそひそ声だった。やっと二人が戻ってきて、床に座った。

「さあ、これを広げましょう」ゾフィーが言った。「食べながらゲームを始められるわ」

次に二人を見下ろしたとき、絨毯にゲーム盤が広げられて、ボリスはかなり熱心にカードとプラスチックのチップを並べていた。それで数分後にゾフィーのこんな声が聞こえてきたとき、わたしは驚いた。

「どうしたの？　あなたがこれがやりたいって言ったのよ」

「言ったよ」

「じゃあどうしたのよ、ボリス？」

ややあって、ボリスは答えた。「ぼく、すごく疲れちゃったんだ。パパみたいに」

ゾフィーはため息をつくと、急に明るい声になった。「ボリス、パパがあなたに買ってくれたものがあるの」

わたしは新聞の縁から二人をのぞかずにはいられなかった。そのとき、ゾフィーがわたしに示し合わせるような笑みを投げかけた。

「いまあげてもいいかしら？」彼女はわたしに尋ねた。

ゾフィーが何のことを言っているのか見当もつかず、わたしはとまどった顔で彼女を見返したが、彼女は立ち上がって部屋から出ていった。ゾフィーはすぐに、わたしがきのうの夜、映画館で買ったぼろぼろの工作手引書を持って戻ってきた。ボリスは疲れていると言ったことも忘れて飛び上がったが、ゾフィーはじらすように本を高く掲げた。

「パパとママは、きのうの夜一緒に出かけたの。とてもすてきな夜だったわ。そのときパパがあなたのことを思い出して、これを買ってくれたのよ。こんなの、持ってなかったでしょう、ボリス？」

「そんなにすごいものだなんて言わないでくれよ」わたしは新聞の陰から言った。「ただの古い手引書なんだ」

「パパはとっても思いやりがあるわね？」

わたしはまた様子をぬすみ見た。ゾフィーはもうボリスにあの本を渡し、彼はひざまずいてそれを見ようとしていた。

「すごいや」彼はページを繰りながらつぶやいた。「これ、ほんとにすごいや」ボリスはページをめくるたびにその手をとめて、じっと見入った。「何でもやり方が書いてあるよ」

彼はさらに何枚かページを繰ったが、そのときめりめりと鋭い音がして、本の背綴じの部分が二つに割れてしまった。それでもボリスは何事もなかったかのように、ページをめくりつづけた。ゾフィーは本に手を伸ばそうとしていたが、ボリスの反応を見て手を引っこめ、体を起こした。

「何でもやり方が書いてあるんだ」ボリスが言った。「ほんとにすごいよ」

彼はわたしに話しかけようとしているのだと、はっきり意識した。それでもまだ新聞を読みつづけていると、ゾフィーが静かに言った。「セロテープを取ってくるわ。それさえあれば平気よ」

ゾフィーが部屋から出ていく音が聞こえたが、わたしは新聞から目を離さなかった。視界の隅で、ボリスがまだページを繰っているのが見えた。少しすると、彼はわたしのほうに顔を上げて言った。

「壁紙を貼る特別な刷毛《はけ》を売ってるんだってさ」

それでもわたしは新聞を読みつづけた。やがて、ゾフィーがふらっと戻ってきた。

「変ねえ。セロテープが見つからないの」彼女はつぶやいた。

「この本はすごいよ」ボリスは彼女に言った。「何でもやり方が書いてあるんだ」

「変ねえ。使いきっちゃったのかしら」ゾフィーは台所に戻っていった。

わたしはおぼろげに、いろんな種類の接着テープがゲーム盤を入れてある戸棚の、右手の隅のいちばん下の小さな引き出しにしまってあった気がした。新聞を置いて探しにいこうかと考えていたが、そのうちにゾフィーがまた戻ってきた。

「心配しないで」彼女は言った。「朝になったらテープを買ってくるから、本を直しましょう。さあ、ボリス、そろそろゲームを始めないと、ベッドに行く時間までに終わらないわよ」

ボリスは返事をしなかった。彼が絨毯に座って、まだページを繰っている音が聞こえていた。

「さあて、と。あなたがゲームをしないなら、ママがひとりで始めるわよ」ゾフィーが言った。

コップのなかでサイコロの転がる音がした。わたしはまだ新聞を読みながら、今夜がこんな具合になってしまったことで、ゾフィーに少しすまない気持ちにならずにはいられなかった。しかし改めて考えると、彼女はあれほどの混乱をもたらしたのだから、わたしたちが何らかの代償を払わなければならないと分かっていて当然ではないか。おまけに、彼女は腕によりをかけて料理をつくったとも思えなかった。たとえば、トーストした小さな三角形のパンにイワシをのせたカナッペも、チーズとソーセージのカバブも、用意しようとは考えなかった。オムレツのたぐいも、チーズをつめたジャガイモ料理も、フィッシュボールもつくっていなかったし、ピーマンの肉詰めもなかった。アンチョビ・ペーストをぬった小さな四角いパンも、縦にスライスしたキュウリも、ジグザグに切った固ゆで卵でさえも。それからデザートに、プラムの薄切りも、バタークリームをつけたフィンガー・ビスケットも、イチゴ入りのスイスロールもなかったではないか。

ゾフィーが異様に長いあいだサイコロをかたかた鳴らしているのが、しだいに気になってきた。実際、その音は最初のころとは鳴り方が変わって、いまや彼女は頭のなかで流れるメロディーに合わせているかのように、ゆっくりと頼りなげにサイコロを振っている。わたしは不安を覚えて新聞をおろした。

絨毯の上では、ゾフィーが片方の腕を突っぱって体を支えていた。前のめりになって長い髪が肩からおおいかぶさり、表情はまったく見えない。ゲームにすっかり夢中になっているらしく、体重が妙に前にかかって、盤の真上で体全体がゆっくりと揺れている。ボリスはむくれた顔で彼女を見つめたまま、二つに割れてしまった本の綴じ目を手でなぞっている。

ゾフィーは三十秒も四十秒もサイコロを鳴らしつづけ、やっと自分の前に転がした。それをぼうっと眺めてからゲーム盤の上のコマをいくつか動かすと、またサイコロを鳴らしはじめた。わたしはこの雰囲気に何か危険なものを感じて、何とかしようと決心した。そこで新聞をわきに置き、両手をたたいて立ち上がった。

「さあ、そろそろホテルに帰らなくては」わたしは宣言した。「きみたち二人も、もう絶対に寝たほうがいい。みんな長い一日だったんだから」

わたしは大股で玄関ホールへ歩きながら、ゾフィーの驚いた表情をちらりと見た。そのすぐあと、彼女は後ろに立っていた。

「もう帰るの？　だけど、おなかはいっぱいになったかしら？」

「悪いね。きみが一生懸命に準備してくれたのは分かっている。でも、もうとても遅い。わたしはあすの朝、予定がびっしりなんだ」

ゾフィーはため息をつき、がっかりしたようだった。「ごめんなさいね」彼女はようやく言った。「今夜があまりうまくいかなくて。ごめんなさいね」

「心配するな。きみのせいじゃない。みんなかなり疲れていたんだよ。さあ、ほんとうに、わたしは帰らなければ」

ゾフィーはあすの朝電話するわと言いながら、むっつりした顔でわたしを送りだした。

何分か、わたしはホテルへ帰る道を思い出そうと、人気のない通りをさまよった。やっと見覚えのある通りに出たとき、むしろこの夜の静けさと、一人きりでただいろんなことを考えながら自分の足音を聞いていられる時間が、楽しくなってきた。しかししばらくすると、今夜がこんなかたちで終わったことに、またある種の後悔の念がわいてきた。とはいえ改めて思い返せば、実際ゾフィーは、他のもろもろとともに、わたしの慎重に組んであった予定を、まんまと大混乱に陥れたのだ。そしていま、この町に来て二日目が終わろうとしているのに、自分が見定めなければならないこの町の危機について、まだごくごく表面的な識見しか得られていない。そういえば、けさの伯爵夫人と市長との約束まで、すっぽかす羽目になってしまった。せめてあの会合に出ていれば、多少なりともブロッキーの音楽を自分の耳で聴く機会があったはずなのに。もちろん、わたしが挽回できる時間は、まだ十分に残っている。予定されているいくつかの重要な会合——たとえば市民相互支援グループとの——は、きっとこの町の事情をはるかに明確に把握する助けになってくれるだろう。とはいえ、わたしがかなりの重圧を受けてきたのはまぎれもない事実なのだから、最高にくつろいだ気分できょう一日が終えられなかったとすれば、ゾフィーには文句など言う資格はないはずだ。

そんなことを考えながら、わたしはぶらぶらと石橋を渡っていた。途中で立ちどまって橋の下の水面をのぞきこみ、運河に沿った通りの街灯の列に目を向けたとき、ふとある考えが頭に浮かんだ。そうだ、ぜひ自宅を訪ねてくれというミス・コリンズの招きに応じる道が、まだ残されているではないか。たしかに彼女は、わたしの力になれる特別な立場にあると言ってくれたし、ここでの残りの時間がますます少なくなってきたいま、彼女とじっくり話せば事態が急展開して、ゾフィーに振り回されなければいまごろ自分で集めていたはずの情報を、実質的に一つももらさず提供してもらえるかもしれない。わたしはもう一度、ミス・コリンズの応接間、あのベルベットのカーテンと古びた家具を思い出し、急にいまこの瞬間にもあの部屋にいたい気持ちが込み上げてきた。わたしは再び歩きだし、あすの朝いちばんに彼女を訪ねようと決心して、橋から暗い通りへと足を進めた。

Ⅲ

21

目が覚めると、明るい陽の光が縦型ブラインドの隙間から差しこんでいた。たいへんな朝寝坊をして時間を無駄にしてしまったかと、わたしはあわてふためきそうになった。しかしきのうの夜、ミス・コリンズを訪ねようと決めていたことを思い出し、ずっと落ち着いた気持ちでベッドから出た。

今度の部屋は前よりも狭く、はるかに息苦しい気がして、わたしをここへ移らせたホフマンにまた腹が立ってきた。しかし部屋がどうこうという問題は、もはやきのうの朝ほど重要なことには思えず、顔を洗って着替えをしながら、ミス・コリンズに会いにいくという大事な行動のほうにきっぱりと考えを向けることができた。いまやその訪問に大きな命運がかかっているのだ。部屋を出るころには、自分が寝坊したことも気にならなくなり——睡眠は、長い目で見ればとても貴重なものだと分かっていた——うまい朝食を取るのが楽しみになっていた。そのあいだに、ミス・コリンズにどんな問題を相談すべきか、考えをまとめることができるだろう。

朝食を取ろうとカフェテリアへおりていくと、驚いたことに、掃除機をかける音が聞こえてきた。閉まっていたドアを少し押し開けると、オーバーオール姿の女性二人が絨毯を掃除しているのが見えた。テーブルや椅子は壁ぎわに片づけてある。朝食抜きであの大事な相談に出向かなければならないと思うと不愉快になり、わたしは少なからずむっとした気分でロビーに戻った。アメリカ人観光客の一団のそばを通って、フロントデスクに歩み寄ると、フロントマンは雑誌を読みながら椅子に座っていたが、わたしの姿を認めるや立ち上がった。

「おはようございます、ライダーさま」

「おはよう。朝食が取れないようなので、少々がっかりしているんだ」

フロントマンは一瞬けげんな顔をしてから答えた。「いつもでしたら、この時間でも朝食をお出ししているのですが、何しろきょうがきょうなものですから、もちろん当ホテルの従業員も、おおぜいがコンサートホールへ出向いて、準備のお手伝いをしているのです。ホフマンも、朝早くからそちらへまいっております。そんなわけで、ただいまは半分ほどの人数で切り盛りしているしだいで。あいにくとアトリウムも、昼食の時間まで閉めておかねばなりません。もちろん、コーヒーとロールパン程度でよろしければ……」

「いや、それなら結構」わたしは冷やかに答えた。「準備ができるまで、ここでぼうっと待っているような暇はないんだ。けさは朝食抜きですませるしかないだろう」

フロントマンはまた詫びを言いはじめたが、わたしは手を振ってそれをとどめ、歩き去った。

わたしはホテルの外の、太陽のもとに出た。そして渋滞した道路に沿ってしばらく歩いたとき、ようやく、自分がミス・コリンズのアパートへの道筋をよく知らないことに気がついた。シュテファンの車であのアパートへ行った夜は十分に注意を払っていなかったし、おまけに歩道も車道もこんなに混雑しているいまの時間帯では、何も見覚えのあるものがない。わたしは歩道に立ちどまって、通りがかりの人に道を尋ねてみようかと考えた。ミス・コリンズはこの町でよく知られた人のようだから、誰に訊いても教えてくれるだろう。実際、もう少しで、こちらに向かってくるビジネススーツの男性に道を尋ねようとしたのだが、ちょうどそのとき、背後から誰かが肩に手をかけた。

「おはようございます」

振り返ると、そこにグスタフが立っていた。上半身がほとんど隠れるほど大きな段ボール箱を抱えている。荒い息をしていたが、それが重い荷物のせいなのか、それともわたしを急いで追いかけてきたせいなのかは、定かではなかった。どちらにしても、彼に挨拶をしてどこへ行くのかと尋ねたところ、答えはすぐには返ってこなかった。

「ああ、この箱をコンサートホールまで持っていくところだったのです」ようやく彼が答えた。「大きな荷物はきのうの夜、すべてバンで運んだのですが、まだまだ必要なものがありましてね。けさ早くから、ホテルとコンサートホールを行ったり来たりでございますよ。あちらでは、みなさんもうすっかり興奮しておりまして。ええ、さようです。もう、その雰囲気になっております」

「それはよかった」わたしは言った。「わたしもきょうの催しが待ちどおしいよ。ところで、ちょっと助けてもらいたいことがあるんだ。そのう、けさミス・コリンズのアパートを訪ねる約束をしたんだが、道がよく分からなくなってしまってね」

「ミス・コリンズですか？　それなら、ここからそう遠くはございません。こちらです。よろしければ、わたくしがご一緒いたしましょう。いえいえ、ご心配なさらないでください。たまたま同じ方向ですから」

彼の持っている箱は、たぶん見かけほど重くはなかったのだろう。歩きだすと、グスタフは隣でしっかりと歩調を合わせてついてきたのだ。

「こんなふうに偶然お会いできて、うれしゅうございます」彼は続けた。「率直に申しますと、お頼みしたかったことがあるのです。実は最初にお目にかかったときから、ずっとそう思っていたのですが、あれやこれやでなぜか機会を逃してしまいました。そしてもう今夜が目前に迫ってきたというのに、まだあなたにそのお願いをしておりません。ほかでもない、つい数週間前、ハンガリアン・カフェで持ち上がったことなのです。わたくしどもの例の日曜の会合で。あなたがこの町におみえになると聞いたすぐあとのこととて、もちろんほかのみなさんと同じように、わたくしどももそのことを話しておりました。そのとき誰かが――あれはたしかジャンニだったと思いますが――その者が、どこかで読んだところによると、あなたがプリマドンナのようなタイプとは大違いの、立派なお方だとか、ごく普通の市民のことをとても気にかけてくださるともっぱらの評判だとか、そんなことをあれこれ話しておりましたのです。あの夜ヨセフはいませんでしたから、たしか八、九人でテーブルを囲んで、広場の向こうに太陽が沈んでいくのを眺めておりましたとき、全員がたぶん同じことを考えていたと思います。最初は、みなただ黙って座っているだけで、誰もあえてそれを口にする者はおりませんでした。そこでとうとうカールが、あれはまさしく彼らしいのですが、カールが全員の考えていたことを口にしたのです。『あの方にお願いしてみたらどうだろう？　だめでもともとだ。お願いするくらい、いいじゃないか。どうやら、あのもう一人とは大違いの方のようだから、もしかしたら引き受けてくださるかもしれない。あの方にお願いしてみたらどうだろう、これが最後のチャンスかもしれないぞ』と。それで急に誰もかれもがそのことを話しだし、それからというもの、顔を合わせれば必ずその話題が出ずにはすまなくなったのでございます。もちろん、ほかのことも話しましたし、みなごやかに笑ってはおりましたが、そのうちふと会話がとぎれると、またそのことを考えていたのです。だからなのでございますよ、自分で情けない気がしてきましたのは。何しろわたくしは何度もあなたにお目にかかって、ありがたいことにお話もしましたのに、一度もお願いする勇気がなかったわけですから。そしていまや、この一大行事が数時間後に迫っているというのに、わたくしはまだお願いをしておりません。それを日曜日に、あの仲間たちにどう言いわけできましょうか？ 実際、けさ起きたとき、わたくしは、どうしてもあなたを見つけなければ、ライダーさまにせめてお願いするだけでもしてみなければ、仲間たちはそれを頼りにしているのだと、自分に言い聞かせたのです。しかし何やらかやらでとても忙しくなってしまい、あなたのほうもたくさんご予定がおありでしょうから、さよう、わたくしにはその機会がないかもしれないとがっかりしておりました。ですからこんなふうにお会いできて、ほんとうにうれしゅうございます。わたくしの口からお願いしてもよろしいでしょうか。いえ、もちろん、とうていご無理だとお考えでしたら、それで結構でございます。仲間たちも納得しますでしょう。ええ、さようですとも」

わたしたちは角を曲がって、混雑した大通りへ入った。信号のある交差点を渡りはじめるとグスタフは急に口をつぐみ、道路を横断してイタリアン・カフェの続く通りを歩きだしたとき、ようやく口を開いた。

「何をお願いするつもりなのか、もうお察しのことと思いますが、ただほんの少し言及してはいただけないでしょうか。それだけでございます」

「ほんの少し言及する？」

「ほんの少し言及していただくだけです。つまりご存じのように、わたくしどもの多くは、長年、自分たちの職業にたいするこの町の姿勢を変えようと努力してまいりました。多少は成果があったかもしれませんが、全面的に状況を変えるまでには、とうてい至っておりません。それでそのう、当然のことながら、あせりが生じてまいりましてね。仲間の誰一人として若返るわけはございませんし、このままでは事態はほとんど変わらないのではないかと案じているのです。ですが今夜、ひとことなりとも言及していただければ、未来がすっかり変わるかもしれません。この職業に就いている者にとって、それが歴史的な転機になるやもしれません。そのように仲間たちは見ているのです。なかにはこれが最後の機会かもしれないと考える者もおります。少なくとも、わたくしの世代にとりましては。これほどの機会に、またいつめぐり合えますでしょうか？　みなそう問いつづけてきたのです。それでいま、わたくしがお願いしているわけなのです。もちろん、そんなことは場違いだとお思いになるのでしたら、わたくしも納得いたします。何と申しましても、あなたはとても重要な問題について講演なさるために、この町におみえになったのですから、それとくらべれば、わたくしがいまお話ししていることなどささいな問題です。わたくしどもには重大事ですが、全体として見れば、分かっておりますとも、ささいな問題でございますよ。ですからご無理だとお思いなら、どうかそうおっしゃってください。二度と口にはいたしません」

わたしは彼が箱の後ろから食い入るように見つめているのを意識しながら考えた。

「きみが提案しているのは」わたしはややあって答えた。「わたしがほんの少しきみたちに言及するということなんだね……そのう、わたしがこの町の市民の前でスピーチをするときに？」

「ふたことみことで結構でございます」

この老ポーターと仲間を助けるという考えには、たしかに心に訴えてくるものがあった。わたしはしばらく考えてから答えた。「分かった。喜んで、あなた方のことに言及しましょう」

グスタフは、この返事の衝撃をかみしめながら大きく息を吸いこむと、きわめて冷静に告げた。

「ご恩は一生忘れません」

彼はさらに何か言おうとしたが、なぜかわたしは、礼を述べようとする彼をじらしてやりたくなった。

「ああ、少し考えてみよう。どうすればいいだろうか？」わたしはとっさに考えこむような振りをして言った。「そう、演壇に近づいて、こう言うのはどうかな。『スピーチを始める前に、小さいながら重要な問題を一つお話ししておきたいのです』そんなふうに切りだしてみる。そうだ、それならまあ簡単じゃないか」

そのとき、わたしの頭に、屈強な老人たちがカフェのテーブルを囲んでいるところで、グスタフがこのニュースを発表したときの彼らの表情――信じられないという思いと、はかり知れない喜びに満ちたその顔――が浮かんだ。そしてわたしが彼らの真ん中へ黙って慎ましく入っていくと、彼らが振り向く場面を想像した。グスタフがわたしと肩を並べて歩きながら、一刻も早く礼を言い終えたくてうずうずしているのは分かっていたが、わたしはなおも話を続けた。

「そう、そう。『小さいながら重要なことがある』と切りだすといい。『わたしはこれまで世界じゅうの数々の都市を訪れてきましたが、この町に来てやや異様に感じたことがあるのです……』いや『異様』という言葉では、少し強すぎるかもしれない。『奇妙に』のほうがいいだろう」

「ええ、さようですね」グスタフが口をはさんだ。「『奇妙に』は、すばらしい表現でございます。仲間の誰も、反感を買いたいとは思っておりませんから。しかしそれこそ、あなたがわたくしどもにとってめったにない機会を提供してくださる所以《ゆえん》なのです。と申しますのも、あと何年かのあいだに、どなたか別の著名な方がこの町へのご訪問を承諾されて、わたくしどものために何かお話しくださるようお願いできたとしても、あなたほどの機転をお持ちになっている可能性がどれほどございましょうか？　『奇妙に』は、まさに当を得た言葉でございます」

「そう、そう」わたしは続けた。「それからたぶん一呼吸置いて、ややとがめるような目つきで会場を見回す。そうすれば誰もが、つまり会場内の全員が静まり返って、次の言葉を待つでしょう。そこでようやく、わたしが何かを言う。ああ、たとえば、そうだな。『ここにお集まりの紳士淑女のみなさん、この町に長年住んでこられたあなた方にとってはごく普通のことに思われても、外から訪れた者にはたちまち目につくことがあります』……」

そのときグスタフが急に立ちどまった。わたしは最初、彼が謝意を表したい気持ちに圧倒されたのかと思った。しかし様子を見ると、そうではなさそうだ。彼は舗道で身動きできなくなり、必死で箱を支えようと、その片側にほおを押しつけていた。目をかたく閉じ、これから頭のなかでむずかしい計算でも始めようとするかのように、かすかに顔をしかめている。わたしがじっと見つめていると、彼ののどぼとけがゆっくりと上下した——一度、二度、三度と。

「大丈夫かい？」わたしは一方の腕で彼の背中を支えながら尋ねた。「何てことだ。どこかに腰をおろしたほうがいいんじゃないか」

わたしは箱を受け取ろうとしたが、グスタフはかたくなに手を箱から離そうとしない。「いえ、いえ、とんでもない」彼はまだ目を閉じたまま答えた。「わたくしなら大丈夫でございます」

「ほんとうに？」

「ええ、ええ。わたくしなら大丈夫でございます」

彼は黙って突っ立っていたが、やがて目を開いてあたりを見回すと、かすかな笑い声を上げて再び歩きだした。

「わたくしどもにとってこれがどれほど大きな意味を持つか、あなたにはご想像もつきますまい」グスタフは並んで何歩か歩いたあと言った。「それもこれだけ長い年月のあとで」彼は笑顔で首を振った。「真っ先にこのニュースを仲間に伝えましょう。けさはたくさん仕事がございますが、ヨセフに電話をすればすむことです。彼が残りの全員に知らせてくれましょう。これがどれだけの意味を持つか、ご想像になれますか？　ああ、しかし、あなたはここでお曲がりになったほうがよいのです。わたくしはもう少し先まで行かなければなりません。いえ、ご心配には及びません。わたくしなら大丈夫ですから。ミス・コリンズのアパートは、ご存じのようにここを右手に入ってすぐのところにございます。ほんとうに、何とお礼を申しあげたらよいか。仲間たちも、今夜はこれまでの何にも増して待ち遠しいことでしょう。分かっております」

わたしは別れの言葉を告げて、彼が教えてくれた角を曲がった。何歩か歩いて振り返ると、グスタフがまだその角に立って、大きな箱の端からわたしを見送っていた。わたしが振り返ったのを認めると、彼は必死で首を振ってから――箱を抱えているので、手は振れなかった――コンサートホールへ歩きだした。

わたしが入ったのは、いわゆる住宅街だった。数ブロック行くとあたりはますます静かになり、シュテファンの車で来た夜に見たスペイン風バルコニーのあるアパートが見えてきた。そんな建物が何ブロックも続いているので、わたしは歩きながら、あの夜、ボリスと二人で前で待っていたアパートが分からないのではないかと、不安になりはじめた。しかしふと気づくと、はっきりと見覚えのある玄関の前に来ていた。わたしは一度立ちどまってから玄関への階段を上がり、ドアの両側にあるガラスのパネルから、なかをのぞいてみた。

玄関ホールにはごく月並みな家具が整然と置いてあるだけで、ここがあのアパートだという確証は得られなかった。それからあの夜、シュテファンとミス・コリンズが奥の部屋に入っていく前に、表に面した応接間で話をしているのを眺めていたことを思い出した。わたしは泥棒に間違えられるのを覚悟で低い壁に片足をかけ、身を乗りだして、いちばん近い窓からなかをのぞきこんだ。太陽が明るいせいでなかは見にくかったが、それでもどうにか、白いシャツにネクタイ姿の小柄なずんぐりした男性が、ほぼこの窓に顔を向けて一人でひじかけ椅子に座っているのが見えた。彼はわたしをじっと見つめているようだったが、その表情はうつろで、はたしてわたしの存在に気づいたのか、それともただもの思いにふけりながらぼうっと窓のほうを見つめているだけなのか、まったく分からなかった。これだけでは自信が持てなかったものの、足を戻し後ろに下がってもう一度ドアを眺めてみたとき、やはりここは間違いなくミス・コリンズのアパートだと確信し、わたしは一階のアパートの呼び鈴を押した。

しばらく待っていると、ミス・コリンズがこちらへ向かってくる姿がすりガラスにぼんやりと浮かび、ほっとした。

「まあ、ライダーさま」彼女はドアを開けながら言った。「けさお会いできるかしらと思っておりましたのよ」

「ごきげんいかがですか、ミス・コリンズ。迷った末に、お訪ねくださいというあなたのご親切なお言葉に甘えることにしたのです。しかし、けさはもう客人がおみえのようですね」わたしは表に面した応接間を指さした。「また別の機会にお訪ねしたほうがよろしいのではありませんか」

「お帰りになるなんておっしゃらないで、ライダーさま。わたくしが忙しそうだとお思いかもしれませんけど、いつもの朝にくらべれば、これでもきょうは暇なほうですのよ。お分かりのように、お待ちの方は一人だけですから。いまは若いカップルのお相手をしておりますす。もう一時間ばかり話しているのですけれど、何しろ根が深い問題ですからまだまだ話すことがありますし、やっときょうお話しする機会ができたもので、せかす気分にはなれませんでね。でも、正面のお部屋でしばらく待ってもかまわないとおっしゃるのでしたら、そう長くはかからないと思いますわ」それから急に声をひそめて、彼女は言った。「いまお待ちの男性は、お気の毒にほんとうにみじめで孤独な方なの。何分かそうした愚痴を聞いてさしあげればいいだけ、それだけですのよ。長くはかかりません。早目にお帰りになっていただきますわ。ほとんど毎朝おみえになるので、たまにせかされても、お気を悪くなさったりはしませんの。いつも十分にわたくしの時間を取っている方ですから」彼女はまた元の声に戻って続けた。「では、どうぞお入りになってください、ライダーさま。さあ、そんなふうにそこでお立ちになってらっしゃらないで。たしかにとても気持ちのいい日ですけれど。よろしければ、そのころお待ちの方がいなければ、シュテルンベルク公園に散歩に出かけることもできますわ。ここからすぐのところですし、きっとたくさんお話しすることがありますでしょう。実はわたくし、もうあなたのお立場について、いろんなことを考えましたのよ」

「それはご親切に、ミス・コリンズ。けさはあなたがお忙しいかもしれないと思って、少し急を要する用件でなければ、こんなふうにお邪魔をするつもりはなかったのです。ですが、実は」――わたしは深いため息をつき、頭を振った――「実は何やかやの理由で、最初の心づもりがすっかり狂ってしまいまして、そのうえいまや、ここでも時間がどんどん過ぎていきますし、それに……そのう、一つには、あなたもご存じのように、わたしは今夜みなさんの前でスピーチをしなければならないというのに、きわめて正直に申しあげると、ミス・コリンズ……」わたしはやはりそこでやめておこうかと思ったが、彼女が思いやりのある表情でわたしを見つめているのに気づいて、どうにか言葉を続けた。「正直に申しあげると、あなたのご助言をいただきたい問題が、この町の問題が、多々あるのです。そのう……草稿を仕上げる前に」――わたしは声の震えを抑えようと、息をついだ――「スピーチの草稿を仕上げる前に。何しろこの町の市民に、大いに頼りにされているようなので……」

「ライダーさま、ライダーさま」――ミス・コリンズはわたしの肩に手をかけた――「お気持ちを落ち着けて。そしてほんとうに、なかへお入りになってください。そのほうがよろしいわ。どうぞ。さあ、ご心配はいりません。あなたがいま少し不安に思われるのは、よく理解できます。ええ、それも当然ですわ。実際、あなたがそんなにご心配になるのは、むしろご立派なことですのよ。この問題、地元の問題については、すべてご相談にのれますから、ご心配なさらないで。もうすぐお話しできますから。ですけれど、これだけはいま申しあげておきましょう、ライダーさま。あなたはご心配のしすぎですわ。たしかに、今夜はあなたの肩にたいへんな責任がかかってはいます。でもこれまでだって、同じような経験を何度もなさったでしょうし、そのたびにどなたから見ても立派に切り抜けてこられたでしょう。今回に限って、どこが違いますの？」

「しかし申しあげているように、ミス・コリンズ」わたしは口をはさんだ。「今回はかなり事情が違うんです。今回は自ら問題に取り組めなかったもので……」わたしは、また大きなため息をついた。「それでいつものようには、自分の意見を準備できなかったのです……」

「そのことについては、もうすぐお話しできますわ。でもライダーさま、きっと必要以上に深刻にお考えになってらっしゃるのよ。何をそんなにご心配なさることがありますの？比類ない技量をお持ちの、世界的に名を知られた天才のあなたが、ほんとうに、何を恐れてらっしゃるの？ここだけの話」――彼女はまた声をひそめた――「このような町の市民は、あなたのお言葉なら何でもありがたく拝聴いたしますわ。あなたがお受けになった一般的な印象を、ただお話しになればよろしいのよ。市民は文句など言うわけがありませんわ。ですから、何も不安になることはございませんでしょ」

わたしは彼女の指摘もしごくもっともだと思ってうなずき、たちどころに緊張がほぐれていった。

「でも、じっくりとお話しするのは、もう少しだけ待ってくださいね」ミス・コリンズはわたしの肩に手をかけたまま、表に面した応接間へと案内していた。「お約束します。長くはかかりません。どうぞおかけになって、くつろいでいらしてね」

わたしは花が生けてある日あたりのいい小さな四角い部屋に入った。いろんなひじかけ椅子を取り合わせて置いてあるのも、コーヒー・テーブルの上に雑誌がのっているのも、歯科医院の待合室を思わせた。ミス・コリンズの姿を目にすると、ずんぐりした男はそれが礼儀だと思ったのか、それとも自分が居間へ案内される番だと考えたのか、さっと椅子から立ち上がった。わたしは紹介されるものだと思っていたが、どうやらこの部屋での慣例はまさに待合室のそれらしく、ミス・コリンズはその男性にほほ笑んだだけで、明らかにわたしたち二人に向かって、「もうすぐ終わりますからね」と申しわけなさそうにつぶやきながら、奥へ続くドアの向こうに消えていった。

ずんぐりした男はまた椅子に座って、じっと床を見つめていた。わたしは彼が何か話しかけてくるのを期待していた。だが、相変わらず黙りこくったままなので、さっきわたしがのぞきこんでいた日あたりのいい出窓の前の籐の長椅子に腰をおろした。そこに座ると、編んだ籐が安心させるようにきしきしと音を立てた。広い光の帯がひざの上にあたって、顔のそばにはチューリップを生けた大きな花瓶があった。わたしはすぐさま居心地がよくなり、ついさっきドアの呼び鈴を鳴らしたときとは打って変わった気分で、目前に控えたスピーチのことを考えていた。たしかにミス・コリンズの言うとおりだ。このような町なら、わたしが何を言ってもありがたく受け入れてくれるだろう。論点をいちいち詮議したり批判したりすることなど、とうてい考えられない。そしてこれもミス・コリンズが指摘したとおり、わたしはこれまでにも数えきれないほど、そんな立場に立ったことがあるのだ。思ったほど十分に自分の意見を準備できなかったとしても、そこそこに権威あるスピーチができるに違いない。その部屋に差しこむ日光のなかに座っているうちに、わたしはいっそう心が落ち着いていくのを感じて、われながら、いったいさっきまでどうしてあんな不安にかられたのかと、ますます不思議な気がしてきた。

「ちょうど尋ねようと思っていたんだがね」ずんぐりした男が、突然わたしに話しかけてきた。「まだ昔の友人と連絡を取っているかい？　トム・エドワーズとか？　クリス・ファーリーはどうだ？　フラディド・ファームハウスに住んでいた二人の女性は？」

そのとき、このずんぐりした男が、イギリスでの学生時代に顔見知りだったジョナサン・パークハーストだったことにやっと気づいた。

「いや」わたしは答えた。「残念ながら当時のみんなとは、ほとんど音信不通になってしまった。外国を旅してばかりの身だから、まず不可能なんだ」

彼は笑顔も見せずにうなずいた。「さぞたいへんなんだろうな。だけど、あっちのほうはみんなおまえのことを覚えているぞ。ああ、そうだとも。去年イギリスに帰ったときに、何人かと会ったんだ。あっちじゃ、一年に一度くらい顔を合わせているらしい。うらやましくなるときもあるが、たいていは、あんな仲間に縛られていないのはありがたいと思うね。だからここで暮らすのが好きなのさ。ここなら自分がなりたい人間になれるし、他人から年がら年じゅう、道化になれなんて期待されてもいない。だけど、里帰りして連中とパブで会ったときには、たちまちあっちのほうが始めやがった。『よう、あのパーカーズじゃないか！』と、みんなが叫んだんだ。いまだにおれをそう呼ぶんだよ、昔からこれっぽっちも時間がたっていないみたいに。『パーカーズ！　あのパーカーズじゃないか！』ってね。実際、初めてパブに足を踏み入れるや、例の大きな軽蔑のわめき声でお出迎えときたもんさ。まったく、どんなにぞっとしたことか。そのとたん、自分がまたあのあわれな道化になっていくのが分かった。それがいやでここに逃げてきたっていうのに、あいつらがはやしたてたとたんに、また逆戻りさ。断っておくが、そこはなかなかいい雰囲気の店だったんだよ。典型的なイギリスの田舎風のパブで、本物の暖炉があるし、レンガの棚のあちこちには小さな真ちゅうの置物、マントルピースの上には古い刀剣が飾ってある。気のいい亭主は陽気な言葉をかけてきて、何から何までひどく懐かしかったよ。ほんとうに、あそこでの暮らしに戻りたいくらいだった。ただしそのほかのことは、いやはや、まったく考えるだけでもぞっとする。あいつらは例のはやし声を立てて、おれがまたテーブルに飛びのってふざけ回るのを期待していやがった。夜どおし、連中は次から次へと名前を挙げていくのに、そいつの噂をするどころか、ただまたうるさく騒ぎたてるか、でなけりゃ別の名前が出るたびに大笑いするだけなのさ。そう、たとえばサマンサって名が出ると、みんなで笑ってはやしたてて、やじを飛ばす。また別の人物、たとえばロジャー・ピーコックの名を叫ぶと、たちまちサッカーの応援か何かみたいに騒ぎたてる。まったくぞっとしたよ。だけど最悪だったのは、みんなが、おれがまた道化みたいに振る舞うのを期待していて、どうにも手のほどこしようがなかったことなんだ。すっかり別人になってるなんて、まるで考えもつかないとでも言うように。だからおれはまた一から始めてやったさ。おかしな声、おかしな顔。ああ、そうだとも。ふと気づくと、おれはまたみごとにやってのけていた。きっとあいつらには、おれがここであんなふうに暮らしちゃいないなんて、思いもよらなかったんだろう。実際、あのなかの一人が、まさにそう言ったのさ。たしかあれはトム・エドワーズだったと思うが、そのうちみんなぐでんぐでんに酔っ払ってきて、そのとき、あいつがおれの背中をどんとどやしつけて言ったんだ。『パーカーズ！おまえはあっちでも人気者なんだろうなあ！　よう、パーカーズ！』ってね。あれはたしか、連中のためにまたふざけ回ってやったすぐあとだった。たぶんここでの生活のことを少し話して、少しばかり道化の役回りを演じて。いや、とにかく、あいつがそう言うと、残りの連中が笑いに笑った。ああ、そうだとも。おれは大の人気者だった。みんなずっと言いつづけていたんだ。どんなにおれに会いたかったか、おれがいつもどんなに面白かったか。ああ、誰かにそんなことを言われるなんて、あんなふうに受け入れられるなんて、実に久しぶりだったよ。まったくもってあたたかい、気のおけない扱いだったというわけさ。だけどいったい、おれは何のためにまたあんなことをやったんだ？　二度とあんなことはしないぞと誓って、だからこそここへ移ってきたのに。あのパブまでの道を歩いているときでさえ、ずっと自分に言い聞かせていたんだ。とても寒い、霧が出ているとても寒い夜で、歩いてるあいだも、ずっと自分に言い聞かせていたんだ。あれは大昔の話だ、いまはもうそんな人間じゃない、いまのおれを見せてやるぞ、と。自分が強くならなければと、何度もそればかり繰り返していたのに、パブに入ってあのあたたかい火を見て、あいつらにあの軽蔑のはやし声で迎えられるや、ああ、おれはここで何て孤独だったんだろうと思ったのさ。そうとも、ここでのおれは、あのおかしな顔をしたり、おかしな声を出したりせずにすむが、少なくともあれはみんな効き目があった。たしかに耐えがたかったかもしれんが、効き目はあったんだよ。みんなおれを愛してくれた。あの古い大学時代の友人、あの情けないやつらは、おれがまだそんなふうだと信じていやがる。想像さえしないのさ、近所の人たちはおれをくそまじめな、どっちかと言えば退屈なイギリス人だと思っているとは。礼儀正しいかもしれんが死ぬほど退屈な男、ひどく孤独で死ぬほど退屈な男だと思っているとは。ああ、少なくともそのほうが、またパーカーズになるよりはましだ。あの軽蔑のはやし声、ああ、まったくぞっとする。中年男があんなはやし声を立てて、おれはおかしな顔をつくり、あのおかしな声を出し、ああ、冗談じゃない、まったくもってむかついたよ。なのに、そうせずにはいられなかった。あんなふうに友人に囲まれるなんて、もう何年もなかったことだったのさ。おまえはどうなんだ、ライダー？　たまにはあの時代が懐かしくならないか？　こんなに出世したおまえでも？　ああ、そうだ。さっきそれを言おうとしていたんだ。おまえはもうあの連中を覚えていないかもしれんが、あっちのほうはしっかりおまえを覚えているんだよ。あのささやかな同窓会をやるたびに、どうやら夜のなにがしかの時間を、もっぱらおまえの噂話にあてているようだぜ。ああ、そうだとも。おれはこの目で見たんだ。あいつらはまず、ほかの連中の名前をたくさん挙げる。すぐにはおまえのことを話題にはせずに、まずは十分ウォーミングアップをするってわけなのさ。実際、みんなちょっとしたポーズをつけるんだ。もうこれ以上、当時のクラスメートの名前を思い出せないって振りをする。それからようやく、誰かが言いだす。『ところでライダーはどうしてる？　誰か最近、あいつから連絡があったか？』ってね。すると全員がどっと騒ぎだして、あざけりともゲロともつかないような、いやでたまらん音を立てまくる。全員で、何度も何度も。まったく、おまえの名前が出てから一分ほどは、それだけをやりつづけるんだ。それから笑いころげて、みんなでピアノを弾くまねを始める。こんなふうに」――パークハーストは尊大な表情をして、いかにも気取ったふうに鍵盤に指を走らせる格好をした――「あいつら全員でこれをやると、またゲロを吐くような音を出すのさ。それからいろんな話を始める。おまえのことで覚えているささいな話をネタになな。おまけに、もう何度となくお互いにそんな話をしてきたのが、見えすいているんだ。みんな、話がどこにきたらあの大騒ぎをすればいいのか、どこで『何だって？　冗談だろう！』などと合いの手を入れたらいいのか、分かっているようだったから。それはもう、腹の底からお楽しみだ。おれがあの場にいたときは、いつか期末試験が終わった日の夜、大騒ぎをしようと出かける用意をしてるところへ、くそまじめな顔で通りを歩いてくるおまえに出会った話をしていたよ。それで『おい、ライダー。一緒にどんちゃん騒ぎをしにいこうぜ！』と声をかけると、おまえがこう答えたってところを、もちろん誰かその話をしていたやつが、こんなふうにして言ったのさ」――パークハーストはまた尊大な表情をすると、いかにも気取った口調で言った――「『そんな暇はないな。今夜は練習をさぼるわけにはいかない。このいまいましい試験のおかげで、二日間も練習ができなかったんだから！』そこでまた全員があのゲロを吐くような音を出し、ピアノを弾くまねをして、今度は……まあ、あいつらがやってることの全部は、ここでおまえに話さないことにするよ。まったくもってふとどきな輩たち。ぞっとするほどおぞましい、不幸せな、たいていが不満と怒りのかたまりになった連中だ」

パークハーストがこう話しているあいだに、学生時代の記憶の断片がよみがえっていた。それで最初はとてもおだやかな気持ちになり、おかげでしばらくは、パークハーストの話の内容も気にならないほどだった。わたしが思い出していたのは、ちょうどきょうのような心地よい朝、やはり日あたりのいい窓辺の長椅子でくつろいでいる場面だった。わたしは、ほかの四人の学生と住んでいたあの古い寮の小さな自室にいた。ひざの上には一時間ばかり漫然と研究していた誰かの協奏曲の楽譜がのっていて、そろそろ、足もとの床の上に山積みになっている十九世紀の小説のどれかを読もうかと考えていたときだった。開け放った窓からそよ風が入り、外では学生が何人か伸び放題の草むらに座って、哲学か詩か何かについて議論していた。その小さな部屋には長椅子のほかにたいしたものはなかったが——床にじかに置いたマットレスと、部屋の隅にある小さな机と椅子だけだった——わたしはとても気に入っていた。床にはたいてい本やら雑誌やらが散らばっていて、あの日のような長い午後には、それを拾い読みした。ドアは前を通りかかった学生が話をしに立ち寄れるよう、いつも半開きにしてあった。わたしは目を閉じたまま、あの広い野原のなかの、丈高の草むらでくつろぐ仲間たちに囲まれた小さな学生寮に戻りたいという強い郷愁にひたっていたが、そのうちパークハーストがいま目の前で話している内容が、少しずつ頭のなかに入ってきた。そのときやっと、パークハーストがいま話している連中の何人かが、いまや顔も誰が誰だか分からなくなってしまったあのクラスメートの一部——あるとき、ドアからわたしの部屋をのぞきこんだ彼らを大喜びで招き入れ、どこかの小説家だかスペインのギタリストだかの話をしながら、気楽に一、二時間を過ごした相手だと、思いあたった。しかしパークハーストの言葉を聞いているときでさえ、日あたりのいい出窓のそばのミス・コリンズの籐の長椅子でくつろぎ、官能的とも言えるほどの快さにひたっていたので、かすかにぼんやりと不快感を覚えるだけだった。

彼はまだ話を続けていたが、わたしはとっくに聞いてはいなかった。そのとき、誰かが後ろのガラス窓をたたく音がして、わたしははっとした。パークハーストはその音を無視して話を続けていたし、わたしも心地よい熟睡のさなかに目覚まし時計が鳴ったときのように、その音を無視しようとした。しかし窓をたたく音がやまないので、パークハーストはとうとう話を中断して言った。「何てことだ。あのブロッキーとかいう男じゃないか」

わたしは目を開けて、肩ごしに窓を振り返った。たしかにそこにはブロッキーが、夢中でなかをのぞきこんでいた。外の光が明るいからか、それとも視力のせいなのか、室内の様子が見づらいようだ。窓ガラスに顔を押しつけ、目の上に両手をかざしているのだが、それでもまだわたしたちの姿が見えないらしい。彼はこの部屋にミス・コリンズがいると思って窓ガラスをたたいているようだ。

とうとう、パークハーストが立ち上がって言った。「何の用件か聞いてきたほうがいいだろう」

22

パークハーストがドアを開ける音がしたあと、玄関ホールで言い争う声が聞こえてきた。やがてパークハーストは部屋に戻ってくると、やれやれという目つきでわたしを見て、ため息をついた。

ブロッキーがあとから入ってきた。この前、混雑した宴会場で見かけたときより長身に見えた。今度もまた例の奇妙な姿勢をしていたが――いまにも転びそうに、かすかに体が前に傾いている――完全にしらふだということも見て取れた。真紅の蝶ネクタイに、おろしたてらしいかなりダンディーな黒いスーツ。白いシャツの襟は外側にはねているが、もともとそういうデザインなのか、糊がききすぎているせいなのかは分からない。花束を手にし、まなざしは疲れがにじんでいて、悲しそうだ。ブロッキーは敷居のところで立ちどまり、ためらいがちになかをのぞいた。たぶんミス・コリンズがここにいると思ったのだろう。

「彼女は忙しいんです。そう言ったでしょう」パークハーストが言った。「いいですか。

わたしはたまたまミス・コリンズの親友ですが、彼女はあなたにお目にかかりたくないと、自信をもって申しあげます」パークハーストは、自分の言葉に同意を期待したのか、こちらをちらりと見やったが、わたしはこの問題にかかわるまいと心に決めていたので、ただブロッキーに力なくほほ笑んだ。そのとき、ブロッキーはようやくわたしに気づいた。

「ライダーさん」と言いながら、彼はわたしに重々しく頭を下げると、パークハーストのほうを向いた。「彼女がいるなら、行って呼んできてくれないか」そこで彼は、これを渡すためにどうしても彼女に会いたいのだとでも言うように、花束を見せた。「お願いだ」

「だから言ったでしょう。お力にはなれません。彼女はあなたには会わない。それに、いまは客と話しているところなんだ」

「そうか」ブロッキーはつぶやいた。「そうか。わしに力を貸せないと言うんだな。そうか」

そう言うと、彼はさっきミス・コリンズが姿を消した奥へと続くドアへ向かおうとした。パークハーストがすぐその前に立ちはだかったので、長身のひょろりとしたブロッキーと小柄なずんぐりしたパークハーストは、しばらくそこでもみ合っていた。パークハーストの戦法は、ただブロッキーの胸もとを両手で押し返すだけだった。かたやブロッキーのほうはパークハーストの肩に手をかけ、まるで群衆のあいだから前にいる誰かを礼儀正しくのぞこうとするかのように、彼の肩ごしに奥のドアを見つめていた。そのあいだずっと地団駄踏んで、ときどき「お願いだ」とつぶやくのだった。

「分かったよ！」とうとうパークハーストが叫んだ。「分かった。わたしが奥へ行って、彼女に話してみよう。返事は明らかだが、分かった。分かった！」

二人が体を離すと、パークハーストが指を立てて言った。

「だが、ここで待っているんだぞ！　絶対に、ここで待っているんだぞ！」

パークハーストはブロッキーをもう一度にらみつけてから、身をひるがえしてドアを開け、ぴったりとそれを閉めた。

最初、ブロッキーは立ったままじっとドアをにらみつけていた。わたしは彼がいまにもパークハーストを追っていくのではないかと思ったが、結局、彼は向き直って椅子に腰かけた。

ブロッキーはときどき唇を動かし、頭のなかで何かのリハーサルでもしているふうだったので、話しかけるのがはばかられた。そしてすべてがこれにかかっているのだからほんの小さな欠点でもあれば一大事だと言わんばかりに、ときたま花束をじっと眺めた。そうやってしばらく二人で黙って座っていたあと、彼がわたしのほうを向いて言った。

「ライダーさん、やっとお目にかかれて光栄だ」

「はじめまして、ブロッキーさん」わたしは答えた。「お元気なんでしょうね」

「ああ……」彼はぼんやりと手を振った。「元気だとは言えんよ。わしには、ほれ、この痛みがあるんだ」

「はあ？　痛みですって？」彼が何も答えないので、わたしは尋ねた。「つまり、心の痛みということですか？」

「いや、違う。傷だよ。何年も前の古傷なんだが、そいつがいつもわしを苦しめる。ひどい痛みさ。たぶん、それで深酒するようになったんだろう。飲めば痛みがまぎれる」

わたしはさらに言葉を待ったが、それっきり彼は口をつぐんでしまった。しばらくして、わたしは尋ねた。

「心の傷のことをおっしゃってるんでしょう、ブロツキーさん？」

「心だと？　心のほうはそう痛まん。いやいや、わしが言っているのは……」そこで彼は急に大声で笑った。「そうか。ライダーさん、どうやらあんたは、わしを詩人だとお思いのようだな。いやいや、わしが言っているのは、ただの傷だ。怪我をしたんだよ。何年も前に、ひどく、ロシアでね。医者がやぶだったもんで、お粗末な治療をされた。そんなわけで痛みもひどい。いつまでも治らんのだよ。もうずいぶんになるが、それでもまだ痛む」

「それはお気の毒です。きっとわずらわしいでしょう」

「わずらわしい？」彼はその言葉を考えたあげくに、また笑った。「そうとも言えるだろうな、わが友人のライダーさん。わずらわしい、か。わしにとっては、まったくとんでもなくわずらわしいよ」彼は急に自分が花束を持っているのを思い出したらしく、その香りをかいで、深く息を吸いこんだ。「だが、この話はよそう。あんたが元気かと尋ねたから答えたが、その話をするつもりはなかったんだ。傷のことでは、わしは勇ましくあろうと努めている。長年、決して口にしなかったが、いまは老いぼれて酒も飲まなくなったから、ひどく痛むんだよ。いっこうに治らん」

「もちろん何か方法はあるでしょうに。医者には診せましたか？　どこかの専門医にでも？」

ブロッキーはまた花束を見てほほ笑んだ。「わしはまた彼女と寝たい」彼はほとんどひとりごとのようにつぶやいた。「この傷が悪化せんうちにな。また彼女と寝たい」

異様な沈黙が流れたあと、わたしは言った。

「傷がそんなに古いのなら、ブロッキーさん、これ以上悪くはならないと思いますが」

「この古傷」彼は肩をすくめた。「こいつは何年もずっとそのままだ。どの程度の傷なのか、分かっていると思うだろう。ところが年を取ると、また大きくなりはじめる。しかし、いまのところは、さほど痛まん。たぶんまだ寝ることはできるだろう。年は取ったが、まだときどきは……」彼は内緒話をするように、前に身を乗りだした。「試してみたんだ。つまり、自分一人で。わしはまだやれる。痛みを忘れられる。飲んだくれていたときは、あっちのほうもな、まるで使いものにならなんだ。そんなことを考えもせんかった。排泄のためだけ、それだけだったよ。だが、いまはやれるぞ。たとえあの痛みが襲ってきても。試してみたんだ、おとといの夜もな。途中まででも、ほれ、そのう、最後までいかずともいいんだ。あっちのほうもポンコツで、長いこと、そうとも、排泄のためだけの道具だった。ああ」彼は椅子の背にもたれ直して、わたしの肩ごしに外の日光に目を向けた。思いこがれるような表情が、彼の目に浮かんだ。「わしはどうしてもまた彼女と寝たい。だが、二人でここには住まんぞ。このアパートには。わしはいつもここを嫌っていた。昔はよくここへ来たもんだ。ああ、それは認めよう。夜遅く、誰にも気づかれん時間に、よくここまで歩いてきたもんだ。彼女は知らんだろうが、よくここへ来て、そこに立って建物を眺めておった。この通りも、このアパートも、昔は大嫌いだったんだ。だから二人でここには住まん。いいかね、このぞっとするアパートのなかに入ったのは、きょうが初めて、まったくの初めてなんだよ。どうして彼女は、こんな場所を選んだんだ？　気に入るようなところではないのに。わしたちは町の外に住む。彼女がいまの田舎家がいやなら、それでもいい。どこかほかを見つけよう、たぶん別の小さな家でも。草や木々に囲まれて、飼っている動物にも楽しいところに。二人で飼う動物は、こんなところを気に入るはずがない」彼は壁や天井をしげしげと眺め回した。おそらく、このアパートの取り柄を改めて考えてみようと思ったのだろう。彼はこう結論した。「だめだ。二人で飼う動物が、こんなアパートで楽しく暮らせるわけがない。住むのは、どこか草や木や野原のあるところだ。

何しろあと一年か半年して、耐えられんほど痛みがひどくなり、あっちが役立たずになって、もう彼女と寝られんようになっても、わしはかまわん。あと一回だけ、彼女と寝られさえすれば。いや、一回だけでは足りん。元に戻らなけりゃならんな。ほれ、昔やっていたように。六回、それだよ。六回やれば、二人は何から何まで思い出せる。わしはそれだけでいいんだ。そのあとは、かまわん、かまわん。もしも誰かが、たとえば医者が、そう、あと六回だけ彼女と寝られますが、それで終わりです、あなたは年を取りすぎていて、傷がひどく痛むから、そのあとはもうできませんよ、トイレで使うだけですと言ったとしても、わしはかまわん。答えてやるよ。分かりました、それで結構です、と。またこの腕に彼女を抱けるなら、六回で十分だ。だから昔のように、あのころのように、また戻れるなら、わしはかまわん。あとはどうなっても、かまやせん。どっちにしても動物がいる。寝る必要などないんだよ。セックスはお互いをまだよく知らん若い者同士のためだ。お互いに憎み合ったあと、もう一度愛し合ったことのない若い者同士のためだ。だがな、わしだってまだできる。試してみたんだ、自分一人で、おとといの夜に。最後までは無理だったが、かたくすることはできた」

彼は口をつぐみ、真剣な表情でわたしに向かってうなずいた。

「ほんとうに」わたしはほほ笑みながら言った。「それはすばらしい」

ブロッキーは椅子の背に体をもたせかけ、また窓の外をじっと見たあと言った。

「違っていたよ、若いときとは。若いときは売春婦のことを考える。ほれ、売春婦がいやらしいことをする場面とか、そんなこんなを想像する。しかしわしは、もうそのたぐいのことには関心がない。いまやわしが自分の息子にやらせたいのは、ただ一つ。昔のように、別れる前のように、彼女と寝ること、それだけなんだ。そのあと息子が休みたければ、それでいい。わしはそれ以上は求めん。だが、わしはまたやりたい。六回だけ、それで十分。昔やっていたように。若いころは、いい夫婦とは言いがたかった。どこでも手あたりしだいにやったりなんぞはせんかった。いまの若い者はたぶんそうなんだろうが、違うかね。しかしわしたちは、そのう、よく理解し合っていたんだ。そうとも、たしかに若いころは、いつも同じやり方に飽きてきたときもあった。だが彼女のほうは……彼女はほかのやり方をいやがったから、わしはよく彼女に腹を立てたもんだが、彼女にはその理由が分からなかったな。でもいまは、あの昔のやり方を一つずつ、まさに二人がやっていたとおりにやりたいんだ。おとといの夜に、わしが、そのう、わしが試していたときは、売春婦のことを想像したよ。もちろん架空の、とんでもないことをやるとんでもない売春婦のことを。ところが、そいつがさっぱり役に立たん。それで思ったんだ。ああ、当然だろうと。わしの老いぼれ息子には唯一、最後のお勤めしか残っとらんのだから、いまさらあの手この手の売春婦を想像してみたところで、息子がどうなるというもんでもないじゃないか？　最後のお勤めはただ一つ、わしはそのことを考えるべきだったんだ。だから、わしはそうしたよ。暗闇のなかに寝そべって、必死で思い出そうとした。それで昔、二人がどうやっていたかが、順番に思い出せた。それが、これからまた二人でやることだ。もちろん、いまは二人とも肉体は老いぼれたが、わしはその行為を最後まで想像したぞ。これから昔と同じように、それをやるんだ。そして彼女のほうも思い出す。きっと忘れちゃおらんだろう、やっていたことの一つひとつを。その昔は暗がりのなかで、シーツの下にもぐってやった。大胆じゃなかったんだ。何しろそういう女だから、しとやかだから、そんなふうにしたがった。当時のわしはそれが不満で、いつも彼女に言いたかった。『どうして売春婦のようになれんのだ？　明るいところで体を見せんのだ？』と。しかし、いまはかまわん。ただ、昔のようにしたいんだよ。眠るような振りをして、十分か十五分、静かに横になっている。それから急に、わしが何か言う。何か大胆で卑猥なことを、暗がりのなかでな。『おまえの裸をあいつらに見せてやりたい』と、わしが言う。『バーの酔いどれ水夫たちに。港町の酒場の、酔っ払ったいやらしい男ども、あいつらに、おまえが裸で床に寝ているところを見せてやりたい』と。そうとも、ライダーさん、昔はよく、出し抜けにそんなことを言ったもんだ。眠るような振りをしてしばらく横になっていたあと、急に沈黙を破ってな。そこが肝心なんだ、急にってところが。もちろん、あのころ彼女は若かった。美人だった。いまじゃ奇妙に聞こえるかもしれんな、酒場の床に老女が裸で寝ているなんぞ。だがどっちにしても、わしは言うぞ。昔は、いつもそうして行為が始まったんだ。彼女が何も答えんから、わしはさらに言う。『みんなにおまえをじろじろ見させたい。おまえが床に這いつくばっているところを』と。だが、想像できるかね？　体の弱った老女がそんな格好をしているところを？　酔いどれ水夫は、いま何と言うだろうか？　いや、しかし連中とて、わしたちと一緒に年老いとるかもしれん。あの港町の酒場の水夫どもの心の目にも、彼女が当時のままに映って、ちっとも気にせんかもしれん。『そうだ。みんながおまえをじろじろ見るぞ！　全員が！』と言って、わしは彼女に触る。その腰のわきだけに。覚えておるんだよ。彼女はわしが腰のわきに触るのが好きだったから、ちょうど昔のように彼女に触って、そばに寄ってこうささやく。『売春宿で働かせてやるぞ。毎晩だ』想像できるかね？　だが、わしはそう言うぞ。昔がそうだったんだから。それからベッドカバーをはぎ取って、彼女の上にのしかかる。そして両脚を開かせる。ひょっとしたら音がするかもしれんな。太ももと腰の関節が、ぽきぽき小さな音を立てるかもしれん。彼女は腰を痛めたらしいから、いまじゃ大きくは広げられまい。それでも、できるだけのことはやろう。何しろそれが次にやることとなんだから。わしは体をかがめて、彼女の陰部にキスをする。あのころと同じにおいがするとは、思ってはおらん。いや、そのことをとっくりと考えてみたが、腐った魚みたいにくさいにおいがするかもしれん。ひょっとすると体全体が。そのことを真剣に考えてみたんだ。それに自分を、いまのこの体を眺めてみても、たいして自慢できるもんじゃない。皮膚からは、何だか分からんがウロコみたいなものが、いつもはがれ落ちてくる。去年そうなりだしたときには、ただのフケだったんだよ。髪を梳《と》かすと、魚のウロコみたいなこの大きな透明のフケが、ぱらぱらはがれ落ちてくるのが見えた。最初はただの頭のフケだったんだが、いまや体じゅう、ひじからひざから、胸からさえ落ちてくる。においまで魚くさいんだ、このウロコみたいなものは。そう、いつもいつもはがれ落ちてきてとまらんから、彼女はそれを我慢せにゃならん。だから彼女の陰部がにおうが、両脚をまともに開かせるのに骨が鳴ろうが、文句は言わんし、怒りもせん。壊れた道具みたいに無理やり開かせるようなことは、わしはせんよ。とんでもない。まさにその昔、やっていたとおりにやるんだ。それにわしの老いぼれ息子は、半立ちかもしれんが、その段階がくれば、彼女が手を伸ばしてこうささやく。『ええ、見せてあげるわ！　その水夫たちみんなに、見せてあげるわ！　そしてもうこれ以上我慢できなくなるまで、じらすのよ』想像できるか？　いまの彼女が？　だが、わしたちはかまやせん。それにどのみちさっき言ったように、水夫どものほうも一緒に年を取ったかもしれん。彼女はそれに、わしの老いぼれ息子に、手を伸ばす。あのころはとてもかたくなったし、何が起ころうが萎えたりはせんかった。ただし……いや、だが、いまは半分しか立たんかもしれんな。このあいだの夜はそれがせいぜいだったが、誰に分かる？　最後までいけるかもしれんし、そうしたら挿入してみる。彼女は貝のようにかたいかも分からんが、それでもやってみる。そしてちょうどいい頃合いに、ああ、分かるんだ。たとえ下のほうはどうにもなっておらんでも、この段階をどう終えるかは覚えておる。そのころにはよく思い出しているはずだから、もう何があろうとわしたちをとめられはせん。たとえ下のほうはどうにもなっておらんでも、ただ二人で抱き合っているだけだとしても、そんなことはかまわん。それで、ちょうどいい頃合いにこう言うのさ。『あいつらがおまえを奪うぞ！　あいつらがおまえを奪うぞ！　おまえが長いことじらしすぎたからだ！』すると彼女も『ええ、あの人たちがわたしを奪うわ。あの水夫たちがみんなでわたしを奪うわ！』と叫ぶ。たとえ下のほうはどうにもなっておらんでも、まだ二人で抱き合うことはできる。まだ二人で抱き合って、昔のようにそう言うんだ。それでかまわん。もしかしたら傷の痛みがひどくて老いぼれ息子が役に立たんかもしれんが、それでもかまわん。彼女は二人で昔どうやっていたか思い出すよ。こんなに長年たっても、それでも彼女は思い出す。やっていたことを一つひとつ。ライダーさん、あんたに傷はないのかね？」

彼は突然わたしを見ていた。

「傷ですか？」

「わしにはこの古い傷がある。酒を飲むのはそのせいかもしれん。傷がたいそう痛むんだよ」

「お気の毒に」短い沈黙のあと、わたしは言葉を続けた。「その昔、サッカーの試合で、つま先をひどく怪我したことはあります。わたしは十九歳だった。さほどの重傷ではありませんでしたが」

「ポーランドでは指揮者だったがな、ライダーさん、そのときでさえ、わしはこの傷が癒えるとは一度も考えたことがなかった。自分のオーケストラを指揮するときはいつもその傷口に触って、撫でさすっていたもんだ。ちょいと端をつまみ上げたり、指と指でぎゅっとはさんでみることさえあった。癒えそうにない傷は、すぐに分かる。わしが指揮者をしていたときでさえ、音楽はただそれだけのものだと分かっておった。つまり、ただの慰めにすぎんと。音楽はいっときの助けにはなった。傷をぎゅっとつかんでいる感じが好きだった。うっとりしたよ。いい傷ならば、それができる。うっとりなれる。毎日少しずつ違って見えるのさ。おやこいつは変わったのかと、考える。ひょっとしたら、最後には癒えるのかもしれんと。鏡のなかでそいつを見ると、違って見える。だが触ってみると、前と同じ、古いおなじみの傷だ。何年も何年もそんなことを繰り返したあと、やっぱりこの傷は癒えないと分かって、最後には飽きてくる。ほんとうにうんざりしてくる」彼はそこで沈黙し、また花束を眺めてから言葉を続けた。「ほんとうにうんざりしてくるんだ。あんたはまだうんざりしとらんかね、ライダーさん？　ほんとうにうんざりしてくるんだよ」

「もしかしたら」わたしはためらいがちに答えた。「ミス・コリンズには、あなたの傷を癒す力があるのでは」

「彼女に？」彼は急に笑うと、黙りこんだ。しばらくして、彼は静かに言った。「彼女は音楽のようなものさ。慰めになってくれる。すばらしい慰めに。いまわしが求めているのは、それだけだ。慰めさ。しかし傷を癒せるかって？」彼は首を振った。「わしがいまその傷を見せたら、もちろんいまここで見せることもできるんだが、そんなことは不可能だと、あんたにも分かるよ。医学的に不可能。わしが欲しいのは、わしがいま求めているのは、慰めだけだ。たとえいま言ったように半分しか立たずに、ダンスするのと同じだとしても、あと六回、それで十分だ。あとは傷のお好きなように。そのころには動物もいるだろうし、草むらや野原もあるだろう。どうして彼女はこんなアパートを選んだんだね？」

彼はもう一度部屋を見回して、首を振った。今度はかなり長く、たぶん二、三分ほど、黙りこくっていた。そしてちょうどわたしが何か言おうとしたとき、彼が急に椅子から身を乗りだした。

「ライダーさん、わしにはブルーノという犬がいたが、死んじまった。わしはまだ……まだあいつを埋葬していない。箱に入れたままなんだ。いわば棺桶に。いい友人だった。ただの犬ころだが、いい友人だった。わしはささやかな葬式を出してやるつもりだった。ただ別れを告げるために。何も特別なものじゃない。ブルーノはいまや思い出になってしまったが、ささやかな葬式を出して別れを告げてやっても、不都合はないだろう？　ライダーさん、あんたにお願いがある。ちょっとした頼みを聞いてくれんか、わしとブルーノのために」

そのとき不意にドアが開いて、ミス・コリンズが入ってきた。ブロッキーとわたしが立ち上がったとき、パークハーストが彼女のあとから入ってきてドアを閉めた。

「ほんとうにすみません、ミス・コリンズ」と言いながら、彼はブロッキーに怒りの視線を向けた。「あなたの私生活を尊重するよう申しあげたんですが、聞こうともしないんです」

ブロッキーは部屋の真ん中で、身をかちかちにして立っていた。ミス・コリンズが近づくと、彼はお辞儀をした。その様子に、その昔、彼が持っていたに違いないかなりの品格の名残りを見ることができた。彼はこう言いながら花束を差しだした。「ささやかなプレゼントだ。自分で摘んできた」

ミス・コリンズは花束を受け取るには受け取ったが、それに目をやろうともしなかった。「こんなふうにここへおみえになると予想しておくべきでしたわ、ブロッキーさん」と、彼女は言った。「わたくしがきのう動物園へ出かけたので、もうどんなぶしつけな行動を取ってもいいとお思いなのね」

ブロッキーは目を伏せた。「しかし、もうほとんど時間がないんだ。いまここで時間を無駄にしている余裕はない」

「何の時間を無駄にするんですの、ブロッキーさん？　こんなふうにあなたがここへみえるなんて、ほんとにばかげています。朝はわたくしが忙しいのを、ご存じのはずでしょう」

「お願いだ」彼は手を上げてミス・コリンズをとどめた。「お願いだ。わしたちはもう年寄りだ。昔のように、こんなふうに口論せんでもいいじゃないか。わしはただ、花を贈るために寄っただけだ。そして単純な提案をするために。それだけだ」

「提案ですって？　どんな提案ですの、ブロッキーさん？」

「きょうの午後、聖ペテロ墓地でわしと会ってほしい。三十分だけでいい。二人だけで、いくつか話したいことがある」

「だって、話すことなんか何もありませんでしょう。わたくしがきのう動物園へ行ったのは、明らかに間違いでした。それに墓地でとおっしゃいました？　いったいどうしてそんな場所で会おうなんて提案なさるの？　ほんとうに非常識じゃなくて？　レストランとかカフェとか、どこかの公園とか湖とかならまだしも、あなたは墓地でとおっしゃったのよ！」

「申しわけない」ブロッキーは心からきまり悪く思っているようだった。「考えなかった。忘れていたんだ。つまり、聖ペテロ墓地が墓地だということを」

「ばかなことをおっしゃらないで」

「つまり、わしはしょっちゅうあそこへ行って、とても安らかな気持ちになっていたもんだから。ブルーノとわしは。こんなふうに最悪の事態のときでさえ、あそこにいると、さほどみじめな気分にはならなんだ。のどかでとても美しく、わしたちはとても気に入っていた。だからそう言ったんだ。ほんとうに、忘れていたんだよ。あそこに死人が埋葬されていることを」

「そこでわたくしたち、何をするおつもりでしたの？　墓石に腰かけて、昔を懐かしむんでしょうか？　ブロツキーさん、何か提案をなさるときには、ほんとうにもっとよくお考えにならなくちゃ」

「だが、わしたちはあそこが気に入っていたんだ。ブルーノとわしは。だからきみもきっと気に入ると思って」

「まあ、そうですの。あなたの犬が亡くなったので、わたくしにそのかわりをしてほしいとおっしゃるのね」

「そんなつもりで言ったんじゃない」ブロツキーは控えめに見せかけていた表情を急に崩して、一瞬いらだちがその顔をよぎった。「まったくそんなつもりで言ったんじゃない。分かるだろう。きみはいつもこうだった。わしが二人のために何かいいことを見つけようと長いあいだ頭をひねっても、きみは、きみはそれを軽蔑し、あざ笑い、ばかげたことにしてしまう。相手が誰かほかの人物なら、何てすてきな考えかしらと言うくせに。きみはいつもそうだった。たとえば、わしがコビリャンスキーのコンサートで最前列の席を手配したときも……」

「あれは三十年以上も前のことですわ。どうしていまさらそんなことを蒸し返すの？」

「しかし同じこと、まったく同じことじゃないか。わしが何か、二人にとって何かいいことを思いつく。きみは普段と少し違うことが好きだと、わしは心底よく知っているからな。ところがきみは、その考えをはなからあざ笑う。この墓地の話のように。たぶんわしが言いだしたからなんだろうが、ほんとうはとても気に入っているんだ、心の底では。そしてきみは、わしがきみの心を理解しているのが分かっている。だからきみはそうじゃない振りをして……」

「ばかばかしい。わたくしたちがこんなことを議論する理由は、どこにもありませんわ。もう遅すぎます。わたくしたちが話し合うことなど、何もございません、ブロッキーさん。わたくしが気に入ろうが入るまいが、あなたと墓地ではお会いできません。お話しすることは何もございませんから」

「わしはただ説明したかったんだ。どうしてすべてがこうなってしまったのか、わしがどうしてああだったのか……」

「それにはもう遅すぎますのよ、ブロッキーさん。少なくとも二十年はね。おまけにわたくしは、あなたがまた最初から謝ろうとするのを聞きたくもございません。いまでさえ、あなたの口から詫びを聞くと、ぞっと身震いせずにはいられませんわ。何年も何年も、あなたの詫びは、終わりではなく始まりでしたもの。また新しい、苦痛と屈辱の始まり。ああ、どうしてもうわたくしを一人で放っておいてくださらないの？　ひとえに、もう遅すぎます。おまけにお酒を断ってから、あなたはとんでもない服装をなさるようになったのね。最近お召しになるようになったその服は、いったい何ですの？」

ブロッキーは少しためらってから答えた。「勧められたから着ているんだ。わしを助けてくれる人たちから。また指揮者になるんだから、人からもそう思われるような格好をしなけりゃならん」

「わたくし、きのう動物園で、もう少しで口にしそうになりましたわ。あのばかげたグレーのコート！　誰があんなものをお勧めになったの？　ホフマンさん？　ほんとうに、もう少しご自分の装いのセンスを磨くべきですわね。取り巻きたちが着せ替え人形みたいにあなたに服を着させて、あなたのほうも他人の言うがまま。それにいまだって、ご自分の姿をごらんなさい！　そのばかげたスーツ。そんなもので芸術家らしく見えるとお思いなの？」

ブロッキーは傷ついたまなざしで自分の服装を眺め、顔を上げると言った。「きみは年寄りだ。いまの流行のことなど分かっちゃおらん」

「若者の服装を嘆くのは、年寄りの特権ですわ。だけどあなた、あなたがそんな格好をするなんて、ばかげてるじゃありませんの。ほんとに無駄、あなたには似合いませんことよ。正直に言って、この町の市民たちは、あなたが数ヵ月前にお召しになってた服のほうが、まだしも気に入ると思いますわ。つまり、そこそこ上品なボロのほうが」

「わしを笑わんでくれ。もうそんな人間じゃないんだ。もうすぐ、また指揮者に復帰するかもしれん。これがいまのわしの服装なんだよ。自分を眺めて、これでいいと思ったんだ。きみは忘れている。ワルシャワで、わしがちょうどこんな格好をしていたことを。こんな蝶ネクタイをしていたことを、きみはもう忘れている」

ミス・コリンズは一瞬、目に悲しげな表情を浮かべた。

「もちろん忘れていますわ。どうしてそんなこと覚えていなきゃなりませんの？　それから長年のあいだに、もっと鮮明に思い出すことがたくさんありますのに」

「きみのドレス」彼が唐突に言った。「それはとてもいい。とても上品だ。しかしきみの靴、こっちはいままでにも増してひどい。最悪だ。きみは足首が太いのを絶対に認めようとしなかった。きみほどやせた女性にしては、足首がいつも太かった。それにいまでも見てごらん、やっぱり太い」彼はミス・コリンズの足を指さした。

「子供じみたまねはやめて。あなたはまだワルシャワ時代のように、出かける間ぎわのそんなひとことで、わたくしの装いをすっかり変えられるとお思いなの？　まあ、何て長いこと過去にひたって生きているのかしら、ブロツキーさん！　あなたがわたくしの靴をどう思うかなんて、わたくしにとっては何の意味もないのがお分かりですの？　それにいまのわたくしが、直前までわざと批判を口にしないのがあなたの手だって、気づいていないとでも？　もちろん、あのころは上から下までそっくり取り替えて、大あわてで何かまとって出かけてましたわ。そして車に乗りこんだり、コンサートホールに座ったときになって、やっと気づいたものです。アイシャドーがドレスの色に合っていないとか、ネックレスが靴に全然似合わないとか。おまけにそんなことが、当時のわたくしにはとっても大事でしたのにね。指揮者の妻！　そのことがわたくしにはとても大事だったと、あなたもご存じだったくせに。いまのわたくしに、あなたのもくろみが見抜けないとでもお思いなの？『いいよ。いいよ。とてもすてきだ』と、出かける数分前までほめていたと思ったら、そのあと急にこんなふうに言いだすのよ。『きみの靴は最悪だぞ！』って。まるで通ぶって。いまの流行のことが、この二十年酒びたりだったあなたに、どれだけお分かりなのかしら？」

「それにしても」ブロッキーは反論した。いまやその表情には、かすかに見下したような気配があった。「それにしても、わしの指摘は正しい。その靴は、きみの下半身をばかみたいに見せている。それはたしかだ」

「そのばかげたスーツをご覧になって！　イタリア仕立てね、きっと。若いバレエダンサーが着るたぐいのものですわ。なのにあなたは、それがこの町の市民の信頼を回復する助けになると、お考えになってらっしゃるの？」

「そのばかげた靴ときたら。おかげできみは、倒れないように台のついたおもちゃの兵隊みたいだ」

「もうお帰りになって！　図々しくこんなふうにここにきて、わたくしの朝を邪魔するなんて！　奥の若いお二人は、とても悩んでらっしゃるのよ。けさはどうしてもわたくしに相談なさりたくてみえたのに、おかげで時間を無駄にしてしまいましたわ。お話はもうこれっきり。きのう動物園でお会いしたのが、そもそもの間違いでしたわね」

「墓地で」ブロツキーが急に絶望的な声になって言った。「きょうの午後わしと会ってくれ。たしかに、わしは考えていなかった。死人のことを。だが、それは説明したじゃないか。どうしても話がしたいんだ……きょうの夜までに。それ以外に、わしにどうやって、どうやってやり遂げられる？　今夜がどれほど重要か、きみには分からんのか？　どうしても話がしたい。わしと会ってくれ……」

「いいかね」パークハーストが前に出て、ブロツキーをにらみつけた。「いまミス・コリンズがおっしゃったことを聞いただろう。彼女の住まいから帰ってくれと頼んでいるんだ。彼女の目の前から消えろ。彼女の生活から消えろ。本人は礼儀をわきまえすぎていてそう言えないから、かわりにわたしが言ってやるよ。これまでのいきさつを考えたら、おまえにはさっきの頼みなど口にする権利のかけらもありゃしない。どうして会ってくれなどと言えるんだ、何事もなかったみたいに？　飲んだくれていたから何一つ覚えていない振りをするのかね。さあて、それなら思い出させてやろう。さほど大昔のことじゃないぞ。そこの通りでこのアパートの外壁に立ち小便をしながら、まさにこの窓に向かって卑猥な言葉を叫んでいたのは。とうとう警察がおまえをどかせて引っぱっていったときも、ミス・コリンズのことで下劣きわまりない言葉をわめいていたじゃないか。あれからまだ一年もたっていないぞ。ミス・コリンズに、もうすっかり水に流してくれとでも言うつもりか。だが言っておくがな、あの事件などほんの一例だ。それにさっきの服装のことで言えば、たしかあれから三年もたっていないよな？　ゲロまみれの服を着て市民公園で気を失って倒れていたおまえが、聖三位一体教会に運びこまれてシラミがわいてると分かったのは。そんな男に、ミス・コリンズの服装のセンスをとやかく言う資格があるのかね？　現実を見ろよ、ブロッキーさん。おまえさんみたいにいったんどん底まで落ちた人間は、もう二度と元の地位には戻れない。二度と再び、女性の愛など得られない。これだけは自信を持って言ってやる。彼女の尊敬さえ、取り戻すのは不可能だ。哀れみなら買えるかもしれんが、それがせいぜいさ。指揮者だって！　この町の市民が、おまえさんをむかつく落ちぶれた男以外にどう見ると思うんだ？　言っといてやろう、ブロッキーさん。四年前、いやもう五年になるかもしれないが、おまえさんはバーンホフ広場の近くでミス・コリンズに襲いかかろうとして、そのときたまたま通りかかった二人の学生がいなけりゃ、もちろん彼女に大怪我をさせていたはずだった。それにいつもいつも彼女を殴ろうとしたり、下劣きわまりない言葉をわめいたり……」

「やめろ、やめろ、やめろ！」ブロッキーは突然叫んで、頭を振りながら耳をおおった。

「下劣きわまりない卑猥な言葉をわめいていた。いやらしい変態の言葉を。それで刑務所にぶちこもうって案もあったんだ。もちろん、あのティル通りの電話ボックスでの話も……」

「やめろ、やめろ！」

ブロッキーがパークハーストの襟首をつかんだので、パークハーストは恐れをなして後ずさりした。しかしブロッキーはそれ以上は攻撃せずに、パークハーストの襟に、命綱のように必死にかじりついているだけだった。パークハーストはしばらくブロッキーの指を振りほどこうともがいていた。とうとう彼が指を振りほどいたとき、ブロッキーの体はがっくりと沈みこんだ。老人は目を閉じてため息をつくと、身をひるがえし、黙って部屋から出ていった。

最初、わたしたち三人はどうしたらいいのか、何を言えばいいのか分からぬまま、黙って立っていた。それからブロッキーが玄関のドアをばたんと閉める音にはっとわれに返り、パークハーストとわたしは窓にかけ寄った。

「帰っていくぞ」パークハーストが窓ガラスにひたいを押しつけて言った。「心配いりませんよ、ミス・コリンズ。もう戻ってきませんから」

ミス・コリンズは聞いていなかったらしく、ふらふらとドアに歩み寄ってから、こちらを振り返った。

「失礼しますわ。わたくし……わたくし……」彼女は上の空で窓に近づき、外を見た。「失礼しますわ。わたくし……わたくし……そのう、お分かりいただきたいの……」

彼女は、とくにわたしたちのどちらにも話しかけてはいなかった。それから動揺をあらわにして言った。「パークハーストさん、レオにあんな口をきく権利は、あなたにはございませんでしたわ。彼はこの一年、信じられない勇気を見せてきたのですから」彼女はパークハーストを射るような目つきでにらむと、急いで部屋から出ていった。次の瞬間、ドアが閉まる音がした。

わたしはまだ窓ぎわにいたので、ミス・コリンズが通りを足早に歩いていく姿が見えた。ブロッキーがもうかなり先に行ってしまったのが分かると、彼女はすぐ小走りになった。おそらく待ってと呼びかけるのは屈辱的だと思って、避けたかったのだろう。しかしブロッキーはあの奇妙に傾いた姿勢で、驚くほど速く歩きつづけていた。見るからに気が動転していて、彼女があとを追いかけているとはまったく思ってもいないようだ。

ミス・コリンズは息をきらせてアパートが続く通りを追いかけ、通りのはずれの何軒かの店の前までやってきたが、距離はほとんど縮まってはいなかった。ブロッキーは相変わらずどんどん先に進み、いまやわたしが先刻グスタフと別れた角を曲がって、広い大通りのイタリアン・カフェの前を通りすぎた。グスタフと歩いたときより歩道はもっと混雑していたが、ブロッキーは顔も上げず、通行人にぶつかりそうになりながら、ひたすら歩いていた。

ブロッキーが横断歩道に近づくころには、ミス・コリンズはもう追いつけないと悟ったようだった。彼女は立ちどまって両手を口に持っていったが、そのあと最後のジレンマに陥ったらしかった。おそらく「レオ」と呼ぼうか、それともさっきの会話のあいだずっと呼んでいたように「ブロッキーさん」にしようか、迷っていたのだろう。しかしいまや事は一刻を争うと本能的に察知したらしく、彼女は「レオ！　レオ！　レオ！　待って！」と叫んだ。

ブロッキーが驚いた表情で振り返ると、ミス・コリンズは急いで彼のほうに向かった。彼女はまだあの花束を手に持っていた。混乱したブロッキーは、彼女からそれを受け取ろうとするように両手を差しだした。しかしミス・コリンズは花束をしっかりと握ったまま、息をはずませてはいるがきわめて冷静な口調で言った。「ブロッキーさん、お願い。待ってください」

二人はまわりにいる人たちを急に意識して、きまり悪そうにしばらくそこに立っていた。通行人の多くが二人に目を向けはじめ、なかには好奇心を丸だしにする人もいた。それからミス・コリンズは自分のアパートのほうを指さして、やさしく言った。「シュテルンベルク公園は、いまの季節はとても美しいの。そこでお話ししませんこと？」

ますますおおぜいの通行人が見守るなかで、ミス・コリンズが一、二歩ブロッキーの先に立って、二人は公園へと歩きだした。どちらも、目的地に着くまで話をせずにすむ明らかな理由があることを、ありがたく思っていた。二人は角を曲がって彼女のアパートの通りに入り、またいくつもアパートの前を通りすぎた。それから一ブロックほど手前の、歩道から引っこんだ目立たない小さな鉄のゲートの前で、ミス・コリンズが立ちどまった。

彼女は掛け金に手を伸ばしたが、しばらく開けるのをためらっていた。そのときわたしは、ふと思いあたった。ミス・コリンズにとっては、さっきからこうして二人が歩いてきたことと、いま隣り合ってシュテルンベルク公園の入口に立っているという事実が、このときのブロッキーには想像さえできない、はるかに重要な意味を持っていたのだ。実のところ彼女は、この長い年月のあいだに——ある真夏の日の午後に、大通りの宝石店の前で二人がばったり出会って以来——こうして二人であのにぎやかな大通りからこの小さな鉄のゲートまで一緒に歩いてくる場面を、数えきれないほど何度も思い描いていたのだから。そしてその長年のあいだに、あの日、ブロッキーが宝石店のウィンドーに飾ってある何かに気を取られる振りをして顔をそむけたときのわざとらしい無関心な表情を、片時も忘れることはなかった。

あのときは――飲酒とののしりが始まる一年以上前のことだ――まだそんなそしらぬ振りをするのが、もっぱら二人の関係のかたちだった。そしてあの午後までに、彼女はもう何度もなんらかの方法で仲直りをしようと決意していたのに、自分のほうも顔をそむけて、そのまま歩きつづけたのだった。あの通りをかなり歩いてイタリアン・カフェを過ぎたところで、彼女はとうとう好奇心に負けて後ろを振り返った。ブロッキーが自分のあとを追っていたのに気づいたのは、そのときだった。彼はまたウィンドーをのぞく振りをしていたが、それでもすぐ近くまで来ていた。

いずれブロッキーが追いついてくるだろうと、彼女は歩調をゆるめた。自分の通りに入る角に来たとき、彼がまだ追いついてこないので、もう一度後ろを振り返った。あの日も、きょうのように日のあたった広い歩道に人があふれていたが、ブロッキーがほどよい歩調で距離を保ちながら近くにある花売りスタンドを向くところがはっきりと見えて、彼女は満足だった。唇に笑みが浮かび、自分の通りへ入ったときには、気分が浮き浮きしていることにうれしい驚きを感じた。いまや歩調はとてもゆっくりとなり、自分も店のウィンドーをのぞいたりした。ケーキ屋やおもちゃ屋や服地屋――あのころ、本屋はまだなかった――をかわるがわるのぞきながら、そのあいだずっと頭のなかで、彼がとうとう追いついてきたときどう話しかけようかと考えていた。『レオ、お互いに何て大人げなかったんでしょうね』と言えばいいだろうか。しかしそれではあまりに常識的な、ものの分かった言い方のような気がして、何かもっと皮肉のこもった言葉を考えた。『どうやら同じ方向に歩いてるみたいですわね』などと言ってみるのはどうだろう。それから彼が角のところに、色鮮やかな花束を持って現れた。彼女はすばやく向きを変えて、今度はほどほどのペースで歩きだした。そして自分のアパートに近づいたとき、その日初めて、彼女はブロッキーにいらだたしさを覚えた。午後の予定はきっちりと立ててある。よりによってなぜこんな日に、話しにくるの？　玄関のドアまで来たときもう一度こっそり通りを振り返ってみると、彼はまだ二十メートルほど後ろにいた。

彼女はドアを閉めてから、窓からのぞきたい気持ちをぐっと抑えて、建物の奥にある寝室へと急いだ。鏡の前で身なりを整え、気持ちを落ち着けた。そのあと寝室から廊下に出ると、驚いて立ちどまった。廊下のはずれのドアが半開きになっていて、隙間から、日あたりのいい応接間の出窓の外の通りで、こちらに背を向けたブロッキーが、まるでこの場所で誰かと待ち合わせでもしているかのように、うろうろしているのが見えた。いまにも彼が振り返り、ガラス窓ごしに自分の姿を見つけるかもしれないと急に心配になって、しばらく身じろぎもしなかった。それから彼の姿が窓から消え、ふと気づくと、彼女は向かいの家々の玄関をじっと見つめたまま、ドアの呼び鈴が鳴らないかと一心に耳をすましていた。

一分ほどたってもまだ彼が呼び鈴を押さないので、また怒りが込み上げてくるのを感じた。そうだ、きっとあの人は、自分が玄関に出ていって招き入れるのを待っているのだ。彼女はもう一度気持ちを落ち着け、この状況を慎重に考えてみた結果、彼が呼び鈴を鳴らすまでは絶対に行動を起こすまいと決心した。

それから何分か、さらに彼女は待っていた。もう一度用もないのに寝室に戻ってから、廊下へ出た。そしてとうとう、ああ彼は帰ってしまったのだと思ったときに、ゆっくりと玄関ホールまで出てみた。

ドアを開けて左右を確かめたとき、ミス・コリンズはブロッキーがそこにいた形跡すらないのに驚いた。何軒か先でうろうろしているか、せめて花束くらいは玄関先に置いてあると思っていたのに。とはいえその瞬間に、後悔の念はわいてこなかった。正直なところ少しほっとしたし、やっと仲直りのきっかけができたという昂揚感でいい気分にこそなれ、後悔のかけらも感じなかった。実際、あの表に面した応接間に座っていたとき、自分の信念を貫いたことに、勝ち誇った喜びさえ感じていたのだ。こんなささやかな勝利こそがとても大切だし、過去の過ちを繰り返さない助けになるのだと、彼女は自分に言い聞かせた。

数カ月たって、彼女はようやく、あの日、自分は過ちを犯したのだと気づいた。その思いは最初とてもぼんやりとしていて、詳しく考えることもしなかった。しかし月日がたつにつれて、あの夏の午後の出来事を、ますます気に病むようになっていった。自分がアパートに入ってしまったのが大きな失敗だったと、彼女は結論した。アパートに入ったことで、彼に少し過大な要求を突きつけてしまったのだ。せっかく大通りの角から店の前までずっと彼を導いてきたのだから、あの小さな鉄のゲートのところで立ちどまり、自分の姿がよく見えているのを確かめてから、シュテルンベルク公園に入ればよかったのに。そうしていれば、きっと彼もついてきただろう。そしてたとえしばらくは黙って植えこみのあいだを散歩していたとしても、いずれ話を始めていただろう。そのうちきっとあの花束も、渡してくれていたに違いない。以来この二十年あまり、ミス・コリンズはあの鉄のゲートを見るたびに、心のどこかが引きつるのを感じずにはいられなかった。だからこそきょうの朝、彼女がついにブロッキーをあの公園へ案内したとき、どことなく儀式めいた様子があったのだ。

シュテルンベルク公園はミス・コリンズの心のなかで重要な位置を占めるようになったものの、これといった魅力のあるところではなかった。スーパーマーケットの駐車場ほどの大きさの、コンクリート舗装をした四角い広場で、近所の住民に美と憩いの場を提供するというより、園芸学の関心のためだけにあるようだった。草むらも木立ちもなく、ただ花壇の列が続いている。この時間帯には、照りつける太陽のもとで日陰一つない。それでもミス・コリンズは花やシダを目にして、うれしそうに手をたたいた。ブロッキーは後ろの鉄のゲートを慎重に閉めると、無関心に公園を眺めたが、自分たちを見下ろすアパートの窓を別にすれば完全にプライバシーが守られているのに気づいて、満足したようだった。

「うちにおみえになった方を、ときどきここへご案内しますのよ」ミス・コリンズは言った。「とても魅力的なところ。ヨーロッパではここでしか見られない種類の花がありますの」

彼女は誇らしげにまわりに目をやりながらゆっくりと歩き、その二、三歩後ろを、ブロツキーがうやうやしくついていった。ついさっきまでお互いに見せていたぎこちなさはもうすっかり消え、誰かがゲートのところからこの二人の様子をのぞけば、何十年も連れ添った老夫婦が、日光のもとで仲よくいつもの散歩をしていると勘違いしたかもしれない。

「ですけど、もちろん」ミス・コリンズが植えこみのそばで立ちどまって言った。「あなたはこんなお庭が好きじゃありませんでしたわね、ブロツキーさん？　こんなふうに自然をすっかり手なずけようとするのを、軽蔑していましたもの」

「レオと呼んでくれないのか？」

「いいわ、レオ。そうですわね、あなたはもっと野生のものがお好みでした。だけど、ほら、ここにある品種のなかには、細心の管理と計画のもとでなければ生き残れないものがありますのよ」

ブロツキーは、ミス・コリンズが触れている葉を真剣なまなざしで見た。「覚えているかね？　日曜の朝、いつもプラーガで一緒にコーヒーを飲んだあと、よくあの本屋へ出かけたものだ。どっちを向いても、ほこりをかぶったたくさんの古本が山のように積んであった。覚えているかね？　きみはよくかんしゃくを起こしていた。だがどっちにしても、日曜ごとにプラーガでコーヒーを飲んでから、いつも出かけていたな」

ミス・コリンズは何秒か黙っていたが、やがてくすっと笑って、またゆっくりと歩きだした。

「あのオタマジャクシみたいな店主」

ブロッキーはほほ笑んだ。「あのオタマジャクシみたいな店主」彼はうなずきながら、その言葉を繰り返した。「そうだった。いままた訪ねたら、まだ座っているかもしれん。テーブルの向こうに、あのオタマジャクシみたいな店主が。彼に名前を尋ねたことがあったかね？　いつもわしたちにとても礼儀正しかった。一冊も本を買ったことがないのに」

「でも、怒鳴られた朝がありましたわ」

「わしたちが？　それは覚えがないな。オタマジャクシみたいな店主は、いつもとても礼儀正しかった。なのに一冊も本を買わなかった」

「ええ、そうなの。一度店へ入ったときに、ちょうど雨が降っていたので、しずくで本をぬらさないようにとても気をつかって、ドアのところでコートを振るいましたのよ。だけどあの朝はあの方のご機嫌が悪くて、怒鳴られたの。覚えてらっしゃらない？　わたくしがイギリス人だというので、怒鳴られましたのよ。ええ、それはもう、とても無礼に。だけどそれはあの朝だけで、次の日曜には何にも覚えていないようでしたわ」

「それは変だな」ブロッキーが言った。「わしには覚えがない。あのオタマジャクシ男は、わしの記憶ではいつもおとなしくて礼儀正しかった。きみが話している出来事には、覚えがない」

「わたくしの記憶違いかもしれません。誰かほかの方と混同しているのかしら」

「そうだろう。あのオタマジャクシ男は、いつも丁重だった。彼がそんなことをするはずがない。きみがイギリス人だってことに？」ブロッキーは首を振った。「そんなはずがない。あの男はいつも丁重だった」

ミス・コリンズは立ちどまって、しばらくシダに見とれていた。

「あのころは、とてもたくさんそんな方がいましたわ」彼女はようやく口を開いた。「いつもとても礼儀正しくて、長いあいだじっと耐えしのんで。格別ひとさまに親切にしようと、いろんなことを犠牲にしますのに、ある日わけもなく、お天気とか何かのことで、急に爆発するんです。それからまたけろりと元に戻るの。そんな方がたくさんいましたわ。アンジェイのように。彼もそんなふうでしたわね」

「アンジェイは普通じゃなかった。そういえば、どこかで読んだよ、自動車事故で亡くなったと。ああ、そうだ。ポーランドの雑誌だ。五、六年前に。自動車事故で亡くなったと」

「お気の毒に。きっと当時のわたくしたちの知り合いも、もうたくさん亡くなっているんでしょうね」

「アンジェイとはうまが合った。ポーランドの雑誌で読んだんだ。訃報欄に、ただ自動車事故で死亡と書いてあるのを。路上での事故。悲しかったよ。昔のアパートに座って過ごしていた夜のことを思い出した。毛布にくるまり、一杯のコーヒーを分け合って飲みながら、本やら雑誌やらが散らばっているなかでよく議論をしたものだ。音楽や文学のことを、何時間も、天井を眺めながら話しつづけた」

「わたくしは早く寝室に引き取りたかったのに、アンジェイが帰ろうとしないんですもの。夜明けまでいたこともありましたわね」

「そうだ。議論に負けそうになると、帰ろうとしなかった。自分が勝っていると思うまで帰らない。だからときどき、夜明けまでいたんだ」

ミス・コリンズはほほ笑んでから、ため息をついた。「亡くなったなんて、何て悲しいこと」

「あれはオタマジャクシ男じゃない」ブロッキーが言いだした。「画廊の男だ。怒鳴ったのはそいつだよ。変わり者で、いつも、わしたちが誰だかも知らない振りをしていた。覚えているかい？　あの《ラフカディオ》の公演のあとでさえもだ。ウエイターやタクシーの運転手だってわしに握手を求めてきたというのに、わしたちが画廊に行ったとき、何の反応も見せなかった。石のような表情で、ただわしたちを見ただけだ。まったくいつもと同じに。それから最後に、事態がひどくなっていたころ、あの画廊に入っていった。その日は雨で、わしたちは怒鳴られた。床をびしょぬれにしていると、彼が怒ったんだ。いつもそうだったんだよ、雨の日は。何年も、わしたちはずっと床をびしょぬれにしていて、とうとう彼はそれに我慢ができなくなった。怒鳴ったのはあいつだ。きみがイギリス人だと言って怒鳴ったのは、あの男だよ。オタマジャクシ男じゃない。オタマジャクシ男は、最後までずっと丁重だった。覚えているよ。オタマジャクシ男は、わしたちが町を出ていく直前に、わしと握手をした。覚えているかい？　あの本屋へ行ったとき、彼はこれでお別れだと分かっていて、テーブルの奥から出てきてわしと握手をしたんだ。あのころ、もうたいていの連中はわしと握手などしたがらなかったが、彼は手を差しだした。オタマジャクシ男は、いつだって丁重だった」

ミス・コリンズは目の上に片手をかざして公園の遠くの隅を眺め、またゆっくりと歩きだして言った。「こんなことを思い出すのは楽しいですわ。でも、過去に生きることはできません」

「しかし、きみは覚えている」ブロツキーは言った。「きみは覚えている。あのオタマジャクシ男も、本屋も。あのクローゼットも覚えているだろう？　ドアがはずれてしまったクローゼットを？　わしと同じように、きみも覚えているはずだ」

「覚えていることもあれば、当然忘れてしまったこともありますわ」彼女の声には、少し身構えるところがあった。「いくらあの時代の思い出でも、忘れるのがいちばんってこともありますし」

ブロッキーはこの言葉を考えているようだったが、やがて言った。「きみの言うとおりかもしれん。過去にはいろんな思い出がつまりすぎている。わしは恥じているんだ。いいかい、わしは恥じている。だからもうやめよう。過去の話は。かわりに、どの動物を飼うか考えよう」

ミス・コリンズは、今度は何歩かブロッキーの前を歩きつづけた。やがて立ちどまって、彼を振り返った。「きょうの午後、墓地にまいりますわ。あなたがそれをお望みなら。でも、だからって、何かの意味があると誤解なさらないでね。わたくしがあなたの動物やら、ほかのことやらに同意しているわけじゃありませんのよ。でも、あなたが今夜のことがとても心配で、誰かに不安を打ち明けたい気持ちはよく分かりますから」

「この数カ月、わしは毛虫を見たが、それでもやめないでどんどん続け、準備を進めてきた。きみが戻ってこないなら、それも無意味だ」

「わたくしはただ、きょうの午後、少しのあいだ、あなたと会ってもいいと申しあげているだけですわ。半時間くらいなら」

「しかし、考えておいてくれ。会うまでに、そのことを。考えておいてくれ。動物のことも、ほかのことも」

ミス・コリンズはよそを向いて、立ったまま長いあいだ別の植えこみをしげしげと眺めていたが、とうとう答えた。「いいわ、考えておきましょう」

「わしがどんな思いをしてきたか、きみにも分かるだろう。どんなに苦しかったか。あまりの過酷さに死にたいと、こんなことはもうやめたいと思ったときもあったが、それでもわしは続けた。今度ばかりは、道が見えたと思ったからだ。また指揮者になる。きみが戻ってくる。そうすればまた昔のように、いや、昔以上に、よくなるかもしれないと。毛虫がぞっとするほどひどいときもあったが、わしが証明してみせるのにこれ以上の機会はないと思ってね。わしたちには子供がいなかった。だから動物を飼おう」

ミス・コリンズはまた歩きだした。今度はブロツキーが隣に並んで、真剣なまなざしで彼女の顔をのぞきこんでいた。ミス・コリンズが口を開こうとしたちょうどそのとき、パークハーストが突然わたしの背後で言った。

「おれは絶対に加わらないぞ。つまり、あいつらがあんなふうにおまえのことを言いはじめてもだ。笑いもしない。にこりとも。加わるもんか。どうせ口先だけだと思うかもしれないが、これは本心だ。あいつらのやり方には、まったくむかつく。それにあの軽蔑のはやし声！　パブに一歩足を踏み入れるや、またあのはやし声だ！　たった一分、たった六十秒の時間さえくれないのさ。おれが別人になったことを証明しようとしても。『パーカーズ！　パーカーズ！』と、まったく胸くそが悪い……」

「いいかね」わたしは急に彼にひどくいらついてきて言った。「それほどあの連中がいやなら、本音をぶちまけたらどうだ？　今度は立ち向かっていったらどうなんだ？　はやしたてるのはやめろと言えばいい。そして、なぜわたしをそんなに嫌っているのか、尋ねてみればいい。どうしてわたしの成功が、そんなに気に入らないのかと。ああ、そう尋ねてみろ！　実際、いちばんいい効果を上げたければ、きみがふざけ回っている最中に、そのことを持ちだしてみたらどうだ？　そうだよ、きみが奇妙な声や顔でお得意の道化役をやっているときに、訊いてみるんだ。きみがちっとも変わらないと大喜びで、大笑いしてきみの背中をたたいているときに、それを持ちだしてやれ。突然、訊いてみろよ。『なぜだ？　なぜライダーの成功にそんなに腹が立つんだ？』と。それがいい。そうすればわたしのためになるばかりか、そのばか連中になんとも気の利いた方法で、いまも昔も、きみの道化の仮面の下にずっとずっと奥深い人間がいるんだと、証明してやることになるじゃないか。やすやすと操られたり、妥協したりしない人間がここにいるんだと。それがわたしの助言だよ」

「結構毛だらけの話じゃないか！」パークハーストは怒って叫んだ。「おまえが口でそう言うのは実に簡単なこった！　失うものは何もないし、どのみちあいつらはおまえを嫌っているんだよ！　だがな、あいつらはおれのいちばん古い友人なんだ。ここでこうして大陸人ばかりに囲まれていても、たいていはうまくやっていける。だけど、たまに何か不愉快なことがあると、自分で自分にこう言うのさ。『だから何なんだ？　それがどうした？

しょせんみんな外国人じゃないか。おれの母国にはいい友人がいる。故郷に帰りさえすれば、みんながそこで待っていてくれる』と。結構毛だらけだよ、おまえがそんな都合のいい助言を持ちだすのは。いや待て。よく考えたら、おまえにとってもまったく結構なことじゃないかもしれんぞ。なのにどうして、そんなにのうのうとしていられるんだ。おまえだって、おれ以上に古い友達をないがしろにはできんだろうに。たしかに、あいつらの言うことにも一理はあるな。おまえはまったくのうのうとしているが、いつかはそのツケが回ってくるんだ。たかが有名になったというだけで！　あいつらにも一理はあるぞ。『立ち向かっていったらどうなんだ？』だと。まったく偉そうに！」

パークハーストはしばらくそんなことをわめいていたが、わたしはもう聴いてはいなかった。「のうのうとして」と言われたことが引き金になって、急に、両親がもうすぐこの町にやってくることを思い出した。そしてこのミス・コリンズのアパートの表に面した応接間で、ぞっとする不安がいまにも手で触れられそうな実感となった。考えてみれば、わたしは今夜両親の前で演奏する曲をずっと練習していない。それどころか、もう何日も、いや何週間も、ピアノに触ってすらいない。この何よりも大事な演奏がたった数時間後に迫っているというのに、いまだこんなところにいて、リハーサルの手配さえしていない。自分が置かれたこの状況を考えれば考えるほど、いよいよこれはたいへんな事態だと思われてきた。やらなければならないスピーチに気を取られるあまり、奇妙なことに、なぜかそれよりもっと大事な演奏のことを、まったく考えていなかったのだ。実のところしばらくは、どの曲を弾くことにしていたのかさえ、思い出せなかった。わたしが弾くのは、ヤマナカの《地球の構成――オプションII》だったか、それともマレリーの《石綿と繊維》だったか？　その二曲を思い起こそうとしたが、不安になるほどぼんやりとしたイメージしか浮かんでこない。どちらにもきわめて複雑な部分があったことは覚えていたが、もっと詳しく思い出そうとしても、ほとんど何も出てこないのだ。一方、たしか両親は、もうこの町に着いているはずだ。これ以上は一分たりとも時間を無駄にできない。ほかのどんな用件を頼まれようと、まずはとにかく二時間ばかり、まともなピアノに向かって静かに一人で練習できる環境を、確保しなければならない。

パークハーストはまだ熱っぽく話しつづけていた。

「ちょっと、きみには悪いんだが」わたしはドアに向かいながら声をかけた。「いますぐ失礼しなければならない」

パークハーストはぱっと立ち上がると、懇願するような声で言った。

「おれは加わらないよ。ああ、とんでもない。おれはこれっぽっちも加わらない」彼はわたしの腕にすがりつかんばかりに、あとを追いかけてきた。「にこりとさえしない。まったくむかつくんだ。おまえのことを話すときの、あいつらのやり方が……」

「それは結構。ありがとう」わたしは彼から遠ざかりながら言った。「でも、ほんとうにもう帰らなければならないんだ」

ミス・コリンズのアパートを出て、わたしは通りを急いだ。いまはホテルに戻って、あの談話室のピアノに向かわなければということしか、頭になかった。実際、そのことばかり考えていて、あの小さな鉄のゲートの前を通ったときも、ちらりと目を向けることすらせず、歩道に立っていたブロッキーにぶつかって押し倒しそうになるまで、彼が目の前にいることにも気づかなかった。どうやらブロッキーはかなり前からわたしが近づいてくるのを見守っていたらしく、冷静に一礼して言った。

「ライダーさん、またお目にかかったね」

「ああ、ブロッキーさん」わたしは足もとめずに答えた。「申しわけないが、いまとても急いでいるのです」

ブロッキーはわたしと肩を並べ、しばらくそのまま黙って歩いた。彼がこんなふうについてくるのはどこか変だと思ったが、自分のことを考えるのがせいいっぱいで、話しかける気にもならなかった。

わたしたちは一緒に角を曲がって、大通りに出た。このあたりの歩道はますます混雑がひどくなって――昼休みのビジネスマンが繰りだしていた――足取りをゆるめなければならなかった。そのとき、隣でブロッキーが話しかけてきた。

「このあいだの夜の、あのいろんな話だがね。大がかりな葬式とか。銅像とか。とんでもないぞ。わしたちにそんなものはいらん。ブルーノはあの連中をみんな嫌っていた。わしはあいつをひっそりと埋葬する。わしだけで。それでどこが悪い？　けさ、場所を見つけたんだよ。埋葬する小さな場所を、わし一人で。あいつは、ほかに誰もいてほしくはなかろう。みんな嫌っていたんだから。ライダーさん、わしはそのとき音楽を聴かせてやりたかった。最高の音楽を。静かな小さな場所でな。けさ、わしはそれを見つけた。ブルーノもきっと気に入るだろう。わしが穴を掘る。そう深くは掘らずともすむ。それから墓のそばに座って、あいつのことを思い出す。一緒にやってきたことをな。そのあと別れを告げて、それで終わりだ。わしがあいつを思い出しているときに、音楽を聴かせてやりたかった。最高の音楽を。わしのために、あんたがそれをやってくれんかね、ライダーさん？　わしとブルーノのために？　お願いだ、ライダーさん。頼まれてくれんか」

「ブロツキーさん」わたしは早足に歩きながら答えた。「あなたが具体的に何をお頼みになっているのかよく分かりませんが、これだけは申しあげておきます。もうこれ以上、どなたにもわたしの時間はさけません」

「ライダーさん……」

「ブロツキーさん、あなたの犬のことは、ほんとうにお気の毒に思います。しかし実のところ、わたしはいろんな方の頼みに応じてきたあまり、いまやこの町にやってきたいちばん重要な目的を、何とかして片づけなければならない立場に追いこまれているんです……

…」そこで急にいらだちがつのってきて、わたしは不意に立ちどまった。

「正直に言って、ブロッキーさん」わたしはほとんど怒鳴り声で言った。わたしは不意に立ちどまった。「あなたにしてもほかのどなたにしても、わたしにいろんな頼みごとを持ってくるのをやめてくれませんか。もういい加減にやめてください！　やめてください！」

ブロッキーは、少しけげんな表情でしばらくわたしを見つめていたが、やがて目を伏せ、がっくりした様子を見せた。わたしはたちまち急に怒鳴りだしたことを後悔した。この町に来てから数えきれないほどよけいな用件に対処させられてきたことをブロッキーのせいにしたのも、いかにも理不尽だった。わたしはため息をついて、もう少しおだやかに答えた。

「いいですか、こうしてはどうでしょう。いまはホテルに戻って練習をしなければなりません。少なくとも二時間は、誰にも邪魔されずに集中したいんです。しかしそのあとなら、練習の出来にもよりますが、あなたの犬のことでもっと詳しくお話しできるかもしれません。確約はできませんが……」

「あいつはただの犬ころだった」ブロッキーが唐突に言った。「だが、別れを言ってやりたい。最高の音楽を聴かせてやりたかった」

「よく分かりましたよ、ブロッキーさん。でも、いまは急いでいるんです。ほんとうに時間がないのです」

わたしは歩きだした。きっとブロツキーもさっきのように隣に並んで、またついてくるものだとばかり思っていたが、今度は彼は動かなかった。彼をこの歩道に置き去りにするのは少々気がひけたので、わたしは一瞬ためらった。しかし改めて考えてみれば、いまやこれ以上、横道にそれるような余裕はないのだ。わたしは急ぎ足でイタリアン・カフェの前を通りすぎ、横断歩道の手前で信号が変わるのを待つ段になって、ようやく後ろを振り返った。最初は行き交うおおぜいの人でよく見えなかったが、そのあとブロツキーが、さっき別れた場所から一歩も動かず、少し前のめりになって、車の流れをじっと見つめているのが見えた。そのとき、はたと思いあたった。さっきわたしが立ちどまったところは実は路面電車の停留所で、ブロツキーは電車を待ってそこに立っているだけなのだ。しかし信号が変わり、大通りを渡りはじめると、わたしはそれよりはるかに重要な今夜の自分の演奏のことに、また考えを向けた。

23

ホテルに戻ると、ロビーが混雑しているように思ったが、もう練習の手配のことで頭がいっぱいで、あたりを見回すことすらしなかった。実のところ、フロントデスクに身を乗りだしてフロントマンに話しかけようとしたとき、もしかしたら何人か前に並んでいる客を押し退けさえしたかもしれない。

「すまないが、いまどなたか談話室をお使いだろうか？」

「談話室ですか？　はあ、それはそのう、ライダーさま。お客さま方は昼食のあと、あのお部屋でくつろがれるのがお好きですので、おそらく……」

「ホフマンさんにすぐお目にかかりたい。緊急の用件なんだ」

「はい、もちろんです、ライダーさま」

フロントマンは受話器を取り上げ、ふたことみこと言葉を交わした。それから受話器を置くと告げた。「ホフマンはいま手がはなせません、ライダーさま」

「そうですか。しかしかなり緊急の用件なんだ」

そう言っている途中、誰かがわたしの肩に手をかけた。振り返ると、そばにゾフィーが立っていた。

「ああ、きみか」わたしは彼女に言った。「ここで何をしているんだ？」

「届けものをしにきたのよ、ほら、パパにね」ゾフィーは照れたような笑い声を立てた。

「でも、いまは忙しいらしいの。コンサートホールに行ってるんですって」

「ああ、あのコートか」わたしは彼女が包みを抱えているのに気づいて答えた。

「少し肌寒くなりそうだから、持ってきたの。でもコンサートホールへ行ったきり、まだ戻ってこないのよ。あたしたち、もう三十分ほど待ってたんだけど。あと何分か待っても戻らなければ、きょうはここに預けて帰るしかないわね」

ボリスがロビーの反対側のソファに座っていた。ちょうどその中間に立っている観光客の一団に隠れて姿はよく見えなかったが、わたしが映画館で買ったあのぼろぼろの手引書を読みふけっているのは分かった。ゾフィーはわたしの視線を追うと、また笑った。

「あの本にすっかり夢中なの」彼女は言った。「きのうの夜、あなたが帰ってからも、ベッドに入るまで眺めていたわ。それからけさも、起きてからずっとよ」彼女はもう一度笑って、またボリスのほうを見た。「ほんとにいい思いつきだったわ。あの子のためにあの本を買ったのは」

「気に入ってくれて、わたしもうれしいよ」と答えて、わたしはフロントデスクを振り返った。フロントマンに手を挙げてホフマンがどうなったか尋ねようとしたのだが、ちょうどそのとき、ゾフィーがわたしに一歩近づくと、さっきと打って変わった口調で言った。

「あとどのくらいこれを続けるつもり？　あの子、ほんとに動揺してきたの」

わたしはけげんな顔で彼女を見返したが、彼女は厳しい目つきでじっとわたしをにらんでいた。

「いまの状況があなたにとって苦しいのは分かってるわ。それにあたし、あまりあなたの力にもなれなくて。それは分かっているの。だけど、現にあの子は動揺して、心配してる。あとどのくらい続けるつもりなの？」

「何のことなのか、よく分からない」

「いいこと、あたしは自分にも責任があるのを認めてるって言ったのよ。何も起きていないように振る舞う意味が、どこにあるの？」

「何が起きていないように振る舞うって？　きっとキムの入れ知恵なんだろう？　わたしのところへやってきて、こんなふうに責め立てるのは」

「実はキムはね、あたしがもっと率直にあなたに話すのがいちばんだって、いつも言ってるの。だけど今度のことは、彼女とは関係ないわ。あたしがこのことを持ちだしたのは……それは、ボリスが心配するのを見ていられないからよ」

わたしは少し当惑して、またフロントマンのほうを向こうとした。しかし彼がわたしに気づく前に、ゾフィーが言った。

「いいこと、あたしはあなたを責めてはいないわ。あなたは何にでも、ほんとに理解があったもの。これ以上、理性的になってなんて言えないくらいに。あたしに怒鳴ったことさえ、一度もなかった。でも、ずっと分かっていたわ。きっと何かに怒っているし、それがいつかこんなかたちで出てくるだろうって」

わたしは笑った。「それが、きみがあのキムと話す父親の心理ってやつなのか？」

「あたしにはずっと分かっていたわ」ゾフィーはわたしの言葉を無視して言った。「あなたは何にでも、とても理解があった。誰も考えつかないくらいに。キムでさえ、それは認めてる。だけど、一度も現実的じゃなかった。あたしたち、ただこんなふうに、何事もなかったみたいに、永久に続けてはいかれないわ。あなたは怒ってる。それも当然ね。いつかは何かのかたちで出てくるだろうって、あたしにはずっと分かっていたの。ただ、こんなふうになるなんて、思ってもみなかっただけ。かわいそうなボリス。自分が何をしたかも分かっていないのよ」

わたしはまたボリスが座っているあたりに目を向けた。彼はまだ手引書にすっかり夢中になっている。

「いいかい、きみが何のことを言っているのか、まだよく分からない。たぶんボリスとわたしが、お互いに態度を少し変えてきたことを指しているんだろう。しかしもちろん、この状況ではそうするしかなかった。わたしがこのところ彼に少しよそよそしかったのなら、それはただ、いまのわたしたちの生活の本質を、あの子に誤解してほしくないからだ。みんながもっと慎重になるべきだな。こうなったからと言ってわたしたち三人の未来がどうなるかなど、いったい誰に分かる？　ボリスはもっと逆境に耐え、独立心を持つことを学ばなきゃならない。きっと彼も彼なりに、わたしと同じようにそのことを理解しているだろう」

ゾフィーは顔をそらして、何かを考えているようだった。そしてわたしがもう一度フロントマンの注意を引こうとしたとき、彼女が不意に言った。

「お願い。さあ、あそこへ行きましょ。あの子に何か言葉をかけてやってちょうだい」

「あそこへ行くだって？　いや、あいにく、わたしはいま片づけなきゃならない緊急の用件があるんだ。だからホフマンが現れしだい……」

「お願い、ほんのふたことみことでいいの。それだけでもあの子にとっては、とても大きな意味があるのよ。お願い」

彼女はわたしを食い入るように見つめていた。わたしが肩をすくめると、彼女はくるりと背を向け、先に立ってボリスのほうへとロビーを歩きだした。

近づくと、ボリスはちらりと顔を上げてわたしたちを見たが、すぐにまた真剣な表情で本を読みだした。きっとゾフィーが何か言うだろうと思っていたのだが、いらだたしいことに彼女はただ意味ありげな目でわたしを見ると、ボリスの座っているソファのそばを通りすぎ、窓ぎわの雑誌棚のところへ行った。結局、わたしは一人でボリスの脇に立ち、ボリスは本を読んでいた。わたしはひじかけ椅子を引き寄せて、彼の真向かいに座った。

ボリスはわたしに気づいた様子もなく、まだ手引書を読みふけっていた。それから顔も上げずに、ひとりごとをつぶやいた。

「この本はすごいや。何でも教えてくれるよ」

どう答えたらいいのか迷っていると、ゾフィーの姿が目に入った。彼女はわたしに背を向けて、いま棚から取った雑誌を読んでいる振りをしていた。急に怒りが込み上げ、彼女についてロビーをここまで歩いてきたのが、ひどく悔やまれた。きっと、彼女はあれこれ画策してなんとかこの状況をつくりだし、わたしがいまからボリスに何と言おうと、まんまと自分の主張を認めさせたとほくそ笑むのだろう。わたしはもう一度、彼女の背中に目を向けた。雑誌に夢中になっているふうに見せかけようと、やや前かがみになって背を丸めている。わたしの怒りは少しずつ高まっていった。

ボリスは次のページをめくって、さらに手引書を読みつづけた。しばらくすると、彼がまた顔も上げずにつぶやいた。「浴室のタイル貼り。これでもう、ぼくだって簡単にできる」

そばのコーヒー・テーブルに新聞が何種類か置いてあったので、わたしもどれかを読んでどこが悪いという気になった。それで一紙を手に取って、目の前に広げた。しばらく沈黙のときが流れた。やがてわたしがドイツの自動車業界についての記事に目を走らせていたとき、ボリスが突然こう言うのが聞こえた。

「ごめん」

彼が少し挑戦的な口ぶりでそう言ったので、最初は、わたしが新聞を読んでいるあいだにゾフィーが彼をつついてそう言わせたか、それとも何かの合図を送ったのだろうと思った。しかしゾフィーを盗み見たとき、彼女はまだこちらに背中を向けたままで、動いた気配もまったくなかった。そのときボリスが言った。

「ごめん。ぼくがわがままだった。もうこれからはしないよ。九番のことは二度と話さない。ぼく、あのゲームをするには、もう大きすぎるんだ。この本があれば簡単にやれる。これはすごいよ。ぼく、もうすぐ何でもできるようになる。もう一度浴室のタイルを貼るんだ。前は知らなかった。でも、ここに書いてあるんだ、何でも。九番のことは二度と話さないよ」

その口調は、丸暗記して練習したせりふを言っているかのようだった。それでも声にそれなりの感情がこもっていたので、彼を抱いて慰めてやりたい気持ちがぐっとわいてきた。しかしゾフィーの肩が上下するのを見ると、彼女に腹を立てていたことを思い出した。それに長い先のことを考えれば、今回のようにゾフィーが事態を思いどおりに操るのを許しては、わたしたちの利益になるまい。

わたしは新聞を閉じて立ち上がり、後ろを振り返って、どこかにホフマンの姿が見えないかと探した。そのとき、ボリスがまた口を開いた。今度の声は、明らかにあわてているようだった。

「約束するよ。何でもできるように勉強するって、約束する。もうこれからは簡単にやれるよ」

その声は少し震えていたが、わたしがもう一度彼を見下ろしたとき、目はまだ開いた本のページに見入っていた。そして顔は奇妙に真っ赤になっていた。そのときロビーの反対側で何かの動きが目に入った。ホフマンがフロントデスクのそばでわたしに手を振っている。

「もう行かないと」わたしはゾフィーに声をかけた。「とても大事な用があるんだ。じゃあ、またあとで」

ボリスはページをめくったが、顔は上げなかった。

「またすぐに」わたしはこちらを向いたゾフィーに言った。「またすぐに、もっと話し合おう。しかし、いまは行かないと」

ホフマンはロビーの中央まで歩いてきて、心配そうにわたしを待っていた。

「お待たせして申しわけございません、ライダーさま。こんな会合の前には、十分お時間に余裕をもっておいでになる方だと心得ておくべきでした。わたしはたったいま会議室から戻ったばかりでして、この者たち、つまり一般の男女市民は、あなたがじきじきにお会いになってくださるというので、それはもう、たいへんに感謝しております。彼らの口から体験談をお聞きになるのがどれだけ重要か、ライダーさま、あなたがお分かりになっていることに」

わたしは厳しい目で彼を見た。「ホフマンさん、何か誤解があるようですね。わたしはこれから二時間、練習をしたいんです。二時間、完全に一人きりで。できるだけ早急に、談話室を空けていただきたいんだが」

「はあ、談話室ですか」彼は笑い声を上げた。「申しわけございませんがライダーさま、おっしゃる意味がよく分かりません。ご承知のように、ただいま市民相互支援グループの委員たちが会議室であなたをお待ちしておりまして……」

「ホフマンさん、どうも急を要する事態だということがお分かりになっていないようだ。次から次に予想外の出来事が起きたせいで、わたしはもう何日も、ピアノに触る暇さえなかったんです。だからどうしても、できるだけ早急にその機会をつくっていただきたい」

「はあ、さようですね、ライダーさま。もちろん、そうおっしゃるのもごもっともでございます。でしたら、できるかぎりお力になりましょう。しかし談話室をお使いになるのは、現段階ではご無理ではないかと。何しろ、いまはおおぜいのお客さまがいらっしゃいますので……」

「ブロッキーさんには、すぐ貸し切りにするようだが」

「ああ、さよう、おっしゃるとおりです。それでは、このホテルのほかのピアノではなく、どうしても談話室のピアノでなければとおっしゃいますなら、もちろん喜んでそういたします。いまからわたしがまいりまして、お客さま全員に席をお立ちくださるようお願いいたしましょう。たとえまだコーヒーをお飲みになっていようが、何をなさっていようが。はい、どうしてもとおっしゃるなら、そういたします。しかしそのような最後の手段を取ります前に、ほかの方法もお考えになってはいただけませんでしょうか。よろしいですか。談話室のピアノは、このホテルで最上のものというわけではございません。実は低音部の鍵盤のいくつかが明らかに調律が狂っておりましてね」

「ホフマンさん、談話室がだめなら、もちろんほかの部屋で結構ですから、わたしが使えるピアノを教えていただきたい。とくに談話室に固執しているわけではないんです。ただ、いいピアノと一人きりになれる環境を用意していただければ」

「練習室のほうが、むしろはるかにその条件にかないましょう」

「結構です。それでは練習室で」

「承知いたしました」

彼は先に立ってわたしを案内しようとした。それからほんの数歩進んだところでまた立ちどまり、身を乗りだしてわたしに耳打ちした。

「つまりライダーさま、この会合が終わりしだい、すぐに練習室をお使いになりたいとおっしゃるんですね？」

「ホフマンさん、くどいようですが、これは急を要することなんだ……」

「ああ、さようさよう、ライダーさま。ごもっとも、ごもっともです。よく分かっております。ですから……あなたは会合の前に練習をなさりたい。ええ、ええ、よく分かっております。問題はございません。あの者たちなら、少々遅れても喜んでお待ちするでしょう。ええ、大丈夫ですとも。こちらへどうぞ」

わたしたちは、それまでわたしが気づかなかったエレベーターの左手にあるドアからロビーを出て、まもなく従業員用らしい通路を歩いていた。壁には何も飾りつけがなく、頭上の蛍光灯がすべてをくっきりと、明暗鋭く照らしだしている。いくつか大きな引き戸の前を通りすぎたとき、その奥から、厨房のいろんな物音が聞こえてきた。一ヵ所ドアが開いていたのでなかをのぞくと、無情な蛍光灯の光に照らされたその部屋には、木の台の上に金属製の缶が何列も積み重ねてあった。

「今夜のために、このホテルで大半の調理をうけたまわらなければなりません」ホフマンは言った。「ご承知のように、コンサートホールにはとてもお粗末な厨房設備しかございいませんので」

わたしたちは廊下を曲がって、ランドリーらしいいくつかの部屋の前を通った。やがて二枚扉の前を通りかかったとき、その奥から、二人の女性が毒々しい言葉でわめき合う声が聞こえてきた。それなのにホフマンは、何も聞こえなかったかのように黙って歩きつづけた。そのうち彼がこうつぶやくのが聞こえた。

「いやいや、あの市民たちのことだから、たとえ時間に遅れても、ありがたく思うだろう。少しくらいの遅れなら、きっとまったく気にすまい」

彼はようやく何も表示のないドアの前で立ちどまった。わたしはてっきりドアを開けてくれるものだと思っていたが、彼はドアから視線をそらし、背まで向けてしまった。

「そちらです、ライダーさま」彼は肩ごしに、こそこそと後方のドアを手で示した。

「ありがとう、ホフマンさん」わたしはドアを押し開けた。

ホフマンはまだ視線をそらしたまま、身をかたくして外に立っていた。「わたしはここでお待ちしております」と、彼はつぶやいた。

「いや、その必要はないよ、ホフマンさん。帰り道は自分で分かるでしょう」

「ここでお待ちしておりますから、どうぞご心配なく」

反論などしている暇はないと思い、わたしは急いでドアからなかへ入った。

そこは細長い部屋で、床は灰色の石づくり、壁は天井まで白いタイル貼りだった。左手には流しの列があるような気がしたが、このときは一刻も早くピアノに向かいたかったので、そんな細かなことにはほとんど注意を払わなかった。ともあれ、わたしはすぐ、右手の小さな木の個室に目を向けた。個室が三つ並んでいて、ドアは蛙のようないやな緑色に塗ってある。両側の二つの個室はドアが閉まっていたが、中央の個室は――ここはほかの個室よりほんの少し広そうだった――ドアが半開きになっていて、なかから鍵盤の蓋を開けたままのピアノがのぞいていた。わたしはとやかく言わずになかへ入ろうとしたが、実際、それはいらだたしいほど難儀な作業だった。ドアは個室の内側に開くのだが、それがピアノにつかえて、完全に開ききらない。そしてなかへ入ってからまたドアを閉めるには、自分の体を隅にねじこんでから、ゆっくりとドアを引いて胸の前を通過させなければならない。それでもやっとのことでドアを閉めて鍵をかけ、それからまたこの狭い空間のなかで苦労しながら、何とかピアノの下からスツールを引きだした。しかしいったんスツールに腰かけると、かなり居心地よく感じ、鍵盤に指を走らせると、このピアノの鍵盤は色あせ本体は傷だらけだが、音色は柔らかく繊細で、調律も完璧だった。おまけに個室の音響は、予想したような狭苦しいこもった響きとはほど遠かった。

それが分かると全身に大きな安堵感が広がり、急に、この一時間ばかり自分がどれだけ神経をとがらせていたかに気づいた。わたしは何回かゆっくりと深呼吸をし、いつにもまして重要なこの練習に入る心の準備を整えた。そのときになってようやく、まだ今夜どちらの曲を弾くか決めていなかったことを思い出した。わたしの母なら、きっとヤマナカの《地球の構成――オプションⅡ》の中心楽章を、とりわけ感動的だと思うだろう。しかし父のほうは、当然マレリーの《石綿と繊維》を好むはずだ。実のところ、父なら、ヤマナカの作品にはあまり賛成しないかもしれない。わたしはしばらく座って鍵盤をじっと眺めた末に、今夜はマレリーを弾こうと決心した。

そう心に決めるとますます気分がよくなり、冒頭のあの激情的なコードをまさに弾きはじめようとしたとき、何かかたいものが肩の後ろに触れた。振り返ってみると、ぎょっとしたことになぜかこの個室のドアの鍵が外れて、ドアがぬうっと開いていた。

わたしは身をよじりながらやっとのことで立ち上がり、ドアを押し閉めた。そのとき、ドアの木枠に取りつけてある掛け金が、逆さまになって垂れ下がっているのに気づいた。さらに詳しく具合を調べ、少しばかり工夫をして、何とか掛け金を元どおりに固定したのだが、鍵をかけ直したすぐあとでさえ、これでは一時しのぎにしかならないのは明らかだった。掛け金は、いまにもまたすべり落ちてきそうだ。これから《石綿と繊維》を弾いている途中で――たとえば、第三楽章のこのうえなく激しい数小節を弾いているときに――いとも簡単にまたあのドアがぬうっと開いて、この個室の前を通りかかった誰かに、練習しているところを見られてしまうかもしれない。そしてもちろん、どこかの鈍感な人間が、わたしがいることに気づかずになかに入ってこようとすれば、あの鍵はひとたまりもなく開いてしまう。

スツールに座り直したとき、そんなこんなの考えが頭をよぎった。しかしほどなく、せっかくのこの機会を十分に活用しなければ、もう二度と練習できないかもしれないという結論に達した。それにこの環境はとうてい理想的とは言いがたいが、ピアノ自体のコンディションはどこから見ても申し分ないのだ。わたしはかなりの覚悟で、この難のある後ろのドアのことを心配するのはやめ、もう一度マレリーの出だしの数小節を練習しようと心に決めた。

それからちょうど鍵盤の上に指をかまえたとき、物音――靴とか服がこすれるときのような、小さなきしみ――が、ぎくりとするほど近くで聞こえた。わたしはスツールを回して後ろを振り返った。そのとき初めて、ドアは閉まっているものの上部のパネルがそっくりなくなり、ここがいわば厩《うまや》のようになっているのが分かった。さっきは壊れた掛け金にばかり気を取られて、なぜかこのまぎれもない事実にまったく気づかなかったのだ。いま改めて眺めてみると、ドアはちょうど腰のあたりから上がぎざぎざになって取れていた。誰かが無謀な暴力をふるってもぎ取ったのか、それとも改装しようとしている途中なのかは分からない。どちらにしても、こうして座った位置からさえ、少し首を伸ばせば、外の白いタイルの壁と流しの列がはっきりと見えるのだ。

ホフマンは臆面もなく、よくぞこんなところへわたしを連れてきたものだ。たしかにこれまでは誰もこの部屋へ入ってこなかったが、いまにも六、七人の従業員グループがやってきて流しを使いだすとしても、何の不思議もない。こんなところではとうてい練習などできそうにないと、怒ってここから出ようとしたとき、上のちょうつがいのそばの柱の釘に、ぼろ布を引っかけてあるのが目に入った。

しばらくそれを眺めたあと、もう一方の柱にも、ちょうど同じ高さに釘が打ちつけてあるのに気づいた。わたしはすぐさまあの布と釘の意味を推測して、もっとよく見てみようと立ち上がった。ぼろ布のように見えたのは、使い古したバスタオルだった。それを広げて釘にかけてみると、ちょうどうまい具合に、なくなったドアの部分をおおうカーテンがわりになった。

わたしはずっとすっきりした気分で再びスツールに腰かけ、もう一度冒頭の数小節を練習しようと、態勢を整えた。それからまさに弾きだそうとしたとき、また何かがきしむ音がして、手をとめた。もう一度きしむ音が聞こえ、それが左手の個室からの音だと分かった。そうなのか。いままでずっと隣に誰かがいたばかりか、個室と個室のあいだの防音効果はなきに等しい。これまで隣に人がいるのに気づかなかったのは——どんな理由にしろ——相手がひたすら鳴りをひそめていたからにすぎないのだ。

わたしはかっとなってまた立ち上がり、ドアを引くと、また掛け金がはずれてタオルが床に落ちた。身をよじって外に出るとき、隣の男はもうこれ以上じっと我慢している必要はないと思ったのか、うるさく咳ばらいをした。わたしは完全に腹を立て、急いでこの部屋を出た。

ホフマンが廊下で待っていたのには少し驚いたが、思い返せば、現に彼はそう約束していたのだった。彼は壁に背をもたせかけて立っていたが、わたしが現れるや背筋を伸ばし、気をつけの姿勢になった。

「それではライダーさま」彼はほほ笑みながら言った。「ご案内しましょう。紳士淑女のみなさんが、ぜひお目にかかりたいとお待ちしております」

わたしは冷淡に彼を見た。「どこの紳士淑女ですか、ホフマンさん?」

「おや、委員会のメンバーでございますよ、ライダーさま。市民相互支援グループの……」

「いいですか、ホフマンさん……」わたしは激怒していたのだが、事情を説明するには微妙な配慮が必要だと思って、はたと口をつぐんだ。ホフマンはようやく何か不都合があったらしいと気づいたらしく、廊下の真ん中で立ちどまって、心配そうにわたしを見た。

「いいですか、ホフマンさん。この会合のことはほんとうに申しわけないが、どうしても練習が必要なんです。まず練習をしてからでなければ、ほかのことは何もできない」

ホフマンはキツネにつままれたような顔をした。「恐れながら」彼は慎重に声をひそめて言った。「たったいま練習なさったのでは?」

「いや、していない。わたしは……できなかったんだ」

「おできにならなかった？　ライダーさま、万事順調なのでございましょう？　つまり、ご気分がお悪いわけではございませんよね？」

「わたしなら完璧に大丈夫。いいですか」――わたしはため息をついた――「言いにくいことですが、わたしが練習できなかったのは……ええ、率直に申せば、あのような状態では、必要なプライバシーが十分に確保できないからです。だめだ。言わせていただくなら、あれではプライバシーが不十分です。なかにはあれで満足なさる方もいるかもしれませんが、わたしには……そのう、実はこういうことです、ホフマンさん。率直に申しましょう。子供のころから、ずっとそうなんです。わたしは完全に一人きりになれなければ、練習ができません」

「さようですか？」ホフマンは深刻な表情でうなずいていた。「分かりました、分かりました」

「ええ、どうかご理解いただきたい。あの状態では」――わたしは首を振った――「とていわたしの求める水準には及びません。ですから要するに、わたしが満足できる設備をぜひとも提供していただかないと……」

「はい、はい、ごもっともです」ホフマンは同情するようにうなずいた。「それでしたら、解決策がございます。別館の練習室なら、完全なプライバシーが確保できると存じます。

ピアノのコンディションもよろしいですし、プライバシーという点では、これはもうわたしが保証できます。ほとんど人気のないところですから」

「結構。それならぴったりのようだ。別館とおっしゃいましたね」

「さようです。わたしがお連れいたしましょう。この市民相互支援グループとの会合が終わりしだい……」

「いいかね、ホフマンさん！」わたしは彼の胸ぐらをつかみたい衝動をどうにか抑えて、怒鳴り声を上げた。「よく話を聞くんだ！　わたしはこの市民グループのことなど、どうでもいい！　どんなに長時間待たせてもかまわない！　ほんとうのところ、わたしが練習できないなら、いますぐ荷物をまとめてこの町を出ていくぞ、一時間以内に！　そうだ、ホフマンさん。講演もなければ、演奏も、何もない！　分かったかね、ホフマンさん？　わたしの言っていることが？」

ホフマンはわたしを見つめたまま、みるみる顔が青ざめていった。「はい、はい」と、彼はつぶやいた。「はい、もちろんでございます、ライダーさま」

「だからあなたにお願いしたい」――わたしはなんとか少し自分の声を抑えた――「どうか一刻も早く、その別館とやらへ連れていってください」

「よく分かりました、ライダーさま」彼は奇妙に笑った。「しごくごもっともです。何しろ、あれはごく普通の市民でございますからね。あなたのようなお方がお会いになる必要など……」そして気を取り直すと、きっぱりとした口調で言った。「こちらです、ライダーさま。ご案内いたしましょう」

24

わたしたちは廊下を少し歩いてから、洗濯機が何台かうなっている大きなランドリー室を通り抜けた。それからホフマンがわたしを狭い出口へと導いた。そこを出ると、目の前に談話室の二枚扉があった。

「ここを通って近道をいたしましょう」ホフマンが言った。

談話室に入るや、さっき彼がこの部屋を空けるのを渋った理由が、よく分かった。部屋は談笑する客たちであふれ、なかには派手に着飾った者もいて、最初は誰かの私的なパーティー会場にまぎれこんだのかと思った。しかし人ごみをかきわけてゆっくりと前へ進むあいだに、いくつかのはっきりと異なるグループが識別できた。ある一角は、この町の金持ちの名士たちが占めている。もう一つのグループは裕福な若いアメリカ人の集まりらしく——その多くが大学の校歌らしい歌を合唱していた——別の一角では、日本人の男たちがいくつかテーブルを寄せて何やら大騒ぎしている。奇妙なことに、こうした客たちは明らかに別々のグループなのに、互いに盛んに行き来しているようだった。どちらを向いても、客がテーブルからテーブルへと歩き回って、背中をたたき合ったり、サンドイッチの皿をやり取りしたりしている。そのなかを、うんざり顔の白い制服のウエイターが、両手にコーヒーのポットを持って回っていた。わたしはピアノを探そうと思ったが、人ごみをかきわけてホフマンについていくのがせいいっぱいだった。やっと談話室の反対側の端へ来たとき、そこでホフマンがドアを開けて待っていた。

短い通路を抜けると、その先に建物の外へ出るドアがあった。次の瞬間、わたしは日あたりのよい小さな駐車場に出ていた。すぐに、ここはブロッキーの晩餐会のために車で乗りつけた夜、ホフマンがわたしを連れてきたところだと気づいた。彼はわたしに大きな黒塗りの車に乗るように勧め、数分後には、昼時の混雑した道路をのろのろと走っていた。

「この町の交通事情ときたら」ホフマンはため息をついた。「ライダーさま、エアコンをおつけしましょうか？　ほんとうによろしいですか？　何とご覧ください、このひどい渋滞を。ありがたいことに、わたしたちはそれほど長く我慢しなくてもすむのです。南へ向かいますから」

なるほど、ホフマンは次の信号ではるかに車の流れがよい通りへ曲がり、まもなくわたしたちはかなりのスピードで、広々とした田園地帯を走っていた。

「ええ、さようです。これがこの町のいいところなのです」ホフマンは言った。「少し車で走れば、いい環境に出合える。ほら、もう空気が違ってきましたでしょう」

わたしは何か適当に相づちを打ってから、すぐに口をつぐんだ。いまは会話に引きこまれたくなかった。一つには、さっき《石綿と繊維》を弾こうと決めたことが気になりはじめていたからだ。考えれば考えるほど、母がいつかとりわけこの作品にいらだちを見せていた記憶がよみがえってくる。わたしはしばらく、カザンの《風のトンネル》のような、まったく別の曲を弾こうかと考えていたが、あの曲は弾き終えるのに二時間十五分もかかることを思い出した。短いが密度の高い《石綿と繊維》のほうがふさわしいのは、疑うべくもない。あの長さで、これだけいろんな違ったムードを表現できる曲は、ほかにはなかなかないのだ。そしてもちろん、少なくとも表向きは、わたしの母がとても気に入りそうな作品だった。しかしそれでもまだ、わたしのなかの何かが――正直なところ、それは記憶の影のようなものにすぎなかったが――この曲に決めることをためらわせていた。

はるか前方に見えるトラック一台をのぞけば、いまやこの道路を走っているのはわたしたちだけのようだった。両側に広がる農地を眺めながら、わたしはまたさっきのぼんやりとした記憶の断片を思い出そうとした。

「もうまもなくですよ、ライダーさま」ホフマンが隣で言った。「この別館の練習室のほうが、ずっとお気に召すと思います。とても静かで、一、二時間練習をなさるには最適の場所なんです。すぐにも、ご自分の音楽に没頭できますでしょう。ほんとうにおうらやましい！　もうすぐ、あれがいいかこれがいいかと音楽のことに考えをめぐらされるのでしょうね。まるでどこかのすばらしい美術館を訪れ、ゆったりと見て歩きながら、何かの奇跡で、買い物籠にどれでもお好きなものを入れてお持ち帰りくださいと告げられたように。いや、これは失礼」――彼は笑い声を上げた――「しかしわたしは常づね、そんな場面を思い描いては楽しんでいるのです。家内とわたしが、いたるところにきわめつきの美しい作品のある美術館を一緒に歩いていて、そこにはわたしたち以外に誰もいない。係員さえもです。そして、そうです。わたしは腕に買い物籠を提げて、どれでもお好きなものをお取りくださいと告げられている。もちろん、なにがしかの規則はございます。籠に入る分だけしか、持ち帰ることはできません。そしてもちろん、あとでそれを売ることもできません――いえ、こちらとしてもそんなふうに、このまたとないすばらしい機会を悪用するつもりはありませんがね。それでわたしたち、家内とわたしは、一緒にこの美しい館内をめぐり歩きます。この美術館は、田舎にあるどなたかの大邸宅の一部でして、おそらく見晴らしのいい広大な敷地に建っております。家内とわたしはそこに立って風景を眺めながら、その四隅には立派な獅子の像がございます。家内とわたしはそこに立って風景を眺めながら、どの美術品にしようか話し合うのです。そんな空想にひたっておりますときは、どうしたことかいつも、もうすぐ嵐になりそうな気配なのです。空はどんよりとした灰色で。なのになぜか、影はみんな、頭上のぎらぎらした夏の太陽に照りつけられてできたもののようなのです。テラスにはツタが生い茂り、そこにいるのは家内とわたしだけで、まだスーパーマーケットの買い物籠には何も入れずに、どれにしようかと話し合っている」彼はそこで急に笑った。「すみません、ライダーさま、一人で勝手なことをしゃべりすぎておりますね。わたしはただ、あなたのような方、あなたのように才能にあふれた方が、一時間ばかり静かな環境でピアノをお弾きになったあとは、そんな心境になられるのではと想像したまでのことでございます。霊感を受けた音楽家は、きっとこんな具合なのだろうと。ご自分の崇高な音楽についてのお考えのなかを、めぐり歩かれる。どれかを手に取って調べてみては、首を振ってまた元に戻す。たしかにこれは美しいが、自分が探していたものではない、と。は！　あなたの頭のなかは、さぞやお美しいことでしょうね、ライダーさま！　その指が鍵盤に触れるやあなたが出発なさる旅に、わたしもご一緒できましたならどんなにうれしいことか。しかしもちろん、あなたはわたしなどとうていついては行けないところへ行っておしまいになるのです。ああ、何とうらやましい！」

わたしは何か適当なことをつぶやき、また二人で黙って車に乗っていた。しばらくしてホフマンが言った。

「家内は結婚前の若い時分に、そんなふうにわたしとの結婚生活を思い描いていたでしょう。そんなふうにね、ライダーさま。誰もいない美しい美術館に、買い物籠を提げて二人で腕を組んで入っていく。もちろん家内は、それをまったくの絵空事だとは考えてはおりませんでしたでしょう。なにせ、代々才能豊かな者を出してきた家系の出ですのでね。家内の母親は、まことにすぐれた画家でした。祖父はその時代きってのフラマン語の大詩人の一人で、どういうわけか世間からはまったく認められておりませんでしたが、それでも才能にはまったく変わりはございません。ええ、それはもう、あの一族には、ほかにも才能にあふれた者たちがたくさんおります。全員がそうなのです。そんな家庭に育ったものですから、家内は美と才能に恵まれるのを当然のことだと考えておりました。それ以外に、育ちようがありましょうか？　しかしそのせいで、ある誤解が生まれてしまったのですよ、ライダーさま。実を申せばそのせいで、わたしとのつき合いが始まったころに、とても大きな誤解が生まれてしまったのです」

彼はまた口をつぐんで、目の前に続く道路をじっと見つめていた。

「わたしたちを最初に結びつけたのは、音楽でした」彼はようやく言った。「よくヘレン通りのカフェに座って、音楽のことを話し合っていたものです。というより、むしろもっぱらわたしのほうが話しておりました。たぶんわたしが一方的に話したのでしょう。いまでも覚えております。二人で市民公園を散歩しながら、わたしがおそらくゆうに一時間は、マレリーの《通風》をどう思うかを、微に入り細を穿って説明していたときのことを。もちろん、まだ若うございましたから、そんなふうに夢中に過ごすことがありました。あの当時でさえ、家内は口数が少なかったのですが、わたしの意見に耳を傾け、深く心を動かされているのが分かりました。ええ、さようです。ところで、ライダーさま、若いと申しましても、まあ、どちらもさほど若くはありませんで、もうとっくに結婚していてもいい年齢になっておりました。おそらく彼女は多少のあせりを感じていたかと思いますが、誰に分かりましょうか？　どちらにしても、わたしたちは結婚のことを話しておりました。わたしは家内にぞっこんだったのですよ、ライダーさま。初めて会ったときから、ぞっこんでした。彼女はあのころ、とびきりの美人でした。いまあなたがお会いになっても、若いころはさぞや美人だったろうとお思いになるでしょう。しかしその美しさは、ちょっと独特でしてね。もしお会いになればすぐにでも、繊細な美に敏感なことにお気づきになるはずです。わたしは家内にぞっこんでした。それを認めるのにやぶさかでありません。結婚を承諾してくれたときどれほどうれしかったか、申しあげようもないほどです。わたしは、これで自分の人生は喜びに満たされる、喜びがとだえることなく続くのだと思いました。しかしほんの数日あと、わたしとの結婚を承諾してくれてからほんの数日あとに、彼女が初めてわたしの部屋を訪ねました。そのころわたしはホテル・ブルゲンホフに勤め、グロッケン通りに近い運河のそばに部屋を借りておりました。理想的とまではいきませんが、十分に満足のいく部屋でした。壁には本棚があり、窓ぎわにはオークの机。それに、申しあげておりますように、運河に面しておりましてね。季節は冬、すばらしく晴れた冬の朝のことで、部屋には美しい光が差しこんでいました。もちろん、わたしは何から何まで片づけ終わったところでした。彼女は部屋に入ってきて、なかを見回しました。部屋じゅうをくまなく。それから静かにこう尋ねたのです。『だけど、作曲はどこでなさるの？』その瞬間を、とてもよく覚えておりますよ、ライダーさま。その瞬間を、まざまざと。あれがいわば、わたしの人生の転機だったと思います。決して誇張ではございません。振り返ってみると、いろんな意味で、いまのわたしの人生があの瞬間から始まったのです。クリスティーネは窓辺で、あの一月の光のなかで、机の上に手をついて、何本かの指で自分の体を支えるようにして立っていました。とても美しく見えました。そして心から驚いて、わたしにあの質問をしたのです。ええ、そうなんですよ。彼女は不思議に思っていました。『だけど、作曲はどこでなさるの？　ピアノがないわ』わたしはどう答えたらよいか分かりませんでした。その瞬間、誤解があったこと、ほんとうに残酷なまでに大きな誤解があったことに気づきました。わたしが体面を保ちたいと思ったとしても、おとがめになりますか、ライダーさま？　真っ赤な嘘をつくつもりはありませんでした。ええ、そうですとも、たとえ体面を保つためにしても。しかし、あれは非常につらい瞬間でした。いま思い出しても、全身に震えが走ります。あなたにこうしてお話ししている、いまのいまでさえ。『だけど、作曲はどこでなさるの？』『いや、ピアノはないんだ』と、わたしは明るく答えました。『何もないんだ。五線紙も、ほかのものも。あと二年間、作曲はしないと決めたから』そう答えたのです。間髪を容れず、表向きは苦悩や狼狽《ろうばい》のかけらも見せずに。おまけに、わたしが作曲に戻ろうとする具体的な期日まで、教えたのですよ。しかしこれからしばらくは、作曲はしないのだと。わたしに何と答えられましたでしょう？　この女性、わたしが必死になって愛し、つい数日前に結婚を承諾してくれた女性の前で、甘んじて屈辱を受けるべきだったとお思いになりますか？　彼女に『おやおや、とんだ誤解があったようだ。もちろん、きみには何の義務もないよ。どうか別れてくれ……』と告げて。いいえ、そんなことは、とうていできませんでした。わたしのことを不正直だとお思いかもしれませんね。だとすれば、まことに手厳しい。どちらにしても、あの時点でわたしが言ったことは、まったくの嘘ではありませんでした。ほんとうのところ、わたしは何としてもいつか何かの楽器を始め、そして、ええそうです、作曲にも手を染めるつもりでおりました。ですから、あれは真っ赤な嘘ではなかったのです。たしかに、不正直ではありました。ええ、それは認めます。しかしそれ以外に、どうすることができたでしょう？　彼女を失うなど、とんでもない。ですから、二年間は作曲をやめることに決めたと、そう告げたのです。自分の考えと気持ちをはっきりさせるために、わたしはしばらくそんなことを話しました。覚えています。そして彼女はわたしの言葉に耳を傾け、それをすっかり信じこみ、わたしが話しているこの嘘に同情して、あの美しく理知的な顔でうなずいていたのです。でも、わたしに何ができましたでしょう？　そのうえですよ、あの朝以来、彼女は二度とわたしの作曲のことを口にしませんでした。この長年のあいだにも、ただの一度も。ところでライダーさま、あなたがいまにもお尋ねになりたいことは分かります。

もうすぐお答えしますから、ご安心ください。わたしはあの朝まで、つまり二人が交際していた期間、二人で運河を散歩したり、ヘレン通りのカフェで落ち合ってコーヒーを飲んだりしていたときなどに、作曲をしているとわざと信じこませようとしたわけでは、決して、決してありません。つねに音楽を愛し、それが毎日の精神の糧となり、毎朝目覚めると心のなかでそれを聴いていたことを、ええ、たしかにそんなことをそれとなく語りましたし、もちろんそれは真実でした。しかし、決してわざとだましたわけではございません。ええ、ええ、一度も。それは単なるおそろしい誤解だったのです。何しろあのような家系の出ですから、当然ながらそう思ったのでしょう……おそらく。彼女が部屋に来たあの朝まで、わたしは断じて、ひとこととたりともそんな意味のことをほのめかしたわけではなかったのです。さて、申しあげているように、ライダーさま、彼女はその話を二度と口にしませんでした。一度も。やがてわたしたちは結婚し、フリードリッヒ広場に面した小さなアパートを買いまして、わたしはアンバサダー・ホテルでいい地位につきました。二人で生活を始めてしばらくのあいだは、そこそこに幸せでした。もちろん、わたしは決して忘れてはいませんでした。あのこと……あの誤解のことを。しかし、おそらくあなたがご想像になるほどには、心配はしていませんでした。何しろさっきも申しあげたように、あのころは、そのう、いずれ時機がくれば、何かの楽器を始めるつもりでおりましたからね。たぶんバイオリンあたりを。そのころ、わたしには具体的な計画がありました。若いときい。気づかないんですよ。自分のまわりに殻が、かたい殻ができてでもいるように、どうもがいてもそこから出られないことに！」そこで彼は急にハンドルから両手を離し、自分の体のまわりに丸い殻のかたちをつくって見せた。怒るというよりむしろうんざりしたようにその動作をし終えるや、彼はまた両手をハンドルに戻してため息をついた。「ええ、わたしはあのころ、そのことに気づいていませんでした。まだ、いつかは彼女が信じているような人間になりたいと願っていたのです。いや実際、彼女がいたからこそ、その影響があったからこそ、まさにそんな人間になれると信じていたのです。そしてライダーさま、申しあげているように、結婚して一年目は、そこそこ幸せでした。あのアパートを購入し、それは完全に満足のいくものでした。家内はあの誤解に気づいたけれど、気にかけてはいないのだろうと思った時期もありました。まあ何となく、当時は、いろんな考えが頭に浮かんできたのです。そのうちに、当然ながらわたしが教えた期日、作曲を再開すると言った二年目が来て、過ぎていきました。わたしは注意深く観察していましたが、家内はそのことには触れませんでした。ただ黙っていました。それは事実です。しかし、家内はいつもそうだったのです。何も言いませんでしたし、普段と変わったことは、何もしませんでした。しかしおそらくそのころから、あの二年目が過ぎたころから、わたしたちの生活に緊張が生まれたのだと思います。それはいわばどこかに深く潜んでいるような緊張でした。いつもそこにずっとあるような。わたしたちがどんなに幸せな夜を過ごしていようと、それは変わりなくそこにあったのです。わたしはよく家内に内緒で、彼女のお気に入りのレストランでの食事を予約したものです。花とか、大好きな香水とかを買って帰ることもありました。ええ、わたしは家内を喜ばせようと、まじめに努力しましたよ。しかし、いつも緊張があったのです。たいてい、わたしはそれに気づかない振りをしておりました。きっと自分の頭のなかで想像しているだけだと、自分に言い聞かせました。おそらくあの緊張が潜んでいて、しかも日増しに高まっていくのを、認めたくなかったのでしょう。そしてその緊張が消えた日に、ようやく、ずっとそこに潜んでいたことが、はっきりと分かったのです。ええ、消え去ったときに初めて、どんなものだったのかに気づいたわけなのです。ある日の夕方、あれは二人が結婚して三年ほどたったときでしたが、わたしは仕事を終えて、家内にちょっとしたプレゼントを、ずっと欲しがっているのが分かっていた詩集を買って、家に帰ってきました。家内がはっきりそう口にしたわけではありませんが、わたしがそのように推測していた本です。アパートに帰ってきたとき、家内は広場を見下ろしていました。夕方の時間で、おおぜいの人が家路を急いでいました。騒がしいアパートでしたが、まだそこそこ若い時分には、さほど気にもなりませんでした。わたしは家内に、その包みを手渡しました。『ほら、ちょっとしたプレゼントだよ』と、わたしは言いました。家内はまだ窓の外を眺めていました。ソファに後ろ向きに座り、外を眺めるのが楽なように、背もたれにほおづえをついて。それからとてもうっとうしげにその本を受け取ると、ひとことも言わずに、そのままじっと広場を見下ろしていたのです。わたしは部屋の真ん中に立ったまま、家内が何か言うのを待っていました。何かプレゼントの礼を。もしかしたら気分でも悪いのかと少々心配になりながら、そこに立って待っていました。やっと家内が振り返って、わたしを見ました。意地悪くというわけではありませんが、ああ、いえとんでもない、しかしあの独特のまなざしで、わたしを見たのです。それまで自分がずっと考えていたことを確認するような目つきで。ええ、あれはまさにそうでした。わたしは、家内がとうとう、わたしという人間を見抜いたのが分かりました。そのときでした。あの緊張がどんなものだったのかに気づいたのは。わたしはそれまで、ずっと待っていたのです、その瞬間を。そしてあなたはそんなばかなとお思いかもしれませんが、とても大きな安堵感を覚えたんですよ。とうとう、ほんとうにとうとう、家内はわたしを見抜いたんだ。ああ、何とほっとしたことか！　とても自由になった気がしました。実際、『はっ！』と叫んで、ほほ笑んだほどでしたよ。家内はそれを奇妙だと思ったに違いなく、次の瞬間、わたしはわれに返りました。そしてたちどころに――ええ、そうなんです。わたしの解放感はあまりにつかの間でした――これからどんな新しい厳しい試練に立ち向かわなければならないかに気づいて、警戒心のかたまりになりました。彼女をつなぎとめたいなら、これまでの二倍、三倍の努力をしなければならないのが分かりました。でもライダーさま、わたしはそのときまだ、懸命に取り組めば、たとえ彼女が気づいてしまったとしても一生懸命に取り組めば、きっと彼女を得られると思っていたのです。何と愚かだったことか！　おめでたいことに、わたしはその日から数年間ずっとそう信じつづけて、いや実際、自分がそれに成功しているとさえ思っていたんですよ。ええ、わたしはとても用心深く気を配りました。家内を喜ばせるために、できるかぎりのことをやりました。そして自己満足することなどありませんでした。家内の趣味、家内の好みが、ときによって違うことが分かりましたから、少しでもそのきざしがあれば対処できるようにと、あらゆる微妙な変化を観察していました。ええ、そうなんですよ、ライダーさま。自分で言うのもなんですが、わたしはあの何年か、夫としての務めを実に立派に果たしました。それまで家内が長年好んでいた作曲家に以前ほど興味を引かれなくなってくると、わたしはすぐさま、家内がほとんどそれを自覚すらしないうちに、その変化を見抜きました。それで次にその作曲家の話が出ると、家内が自分の疑念を言おうかどうかまだ迷ってさえいるときに、こう言ったんです。『もちろん、彼は昔とは違う。なにも今夜わざわざコンサートに出かけなくてもいいよ。きっと退屈だろうから』と。そして家内の顔にまぎれもなく安堵感が広がるのを見て、むくわれた気がしました。ええ、そうです。わたしはほんとうに徹底的に気をつかい、そして申しあげていますように、それを信じていました。自分をだまして、何しろそれほど家内を愛していたものですから、自分をだまして、彼女の愛を少しずつかちえているものだと、信じこんでいたのです。何年かは、ほんとうに自信がありました。ところがそのあと、すべてが、すべてが一夜にして変わってしまったんです。それも避けられないことだったと思いましたよ。わたしの努力がすべて無駄に終わったのも、避けられないことだったと。ある夜に、それがすっかり分かったのです。わたしたちはフィッシャーさんのお宅に招かれていました。彼はこの町で開かれたヤン・ピョトロフスキーのコンサートのあと、ピョトロフスキーさんのためにささやかなレセプションを開いたのです。そのころわたしたちは、ちょうどそんなレセプションに招かれるようになってきたところで、わたしは芸術への関心が高いということで、この町の尊敬をある程度えはじめていたのです。ともあれ、わたしたちは、フィッシャーさんのお宅の、立派な応接間におりました。大きなパーティーではなく、参加者はせいぜい四十人ほど、とてもくつろいだ雰囲気の夜でした。あなたがピョトロフスキーさんにお会いになったことがあるかどうかは存じませんが、実のところたいそう気さくな方でして、ほんとうに巧みに、どなたでもくつろいだ気分にさせておしまいになるのです。会話はよどみなく進み、みな楽しく過ごしておりました。しばらくして、わたしがビュッフェのテーブルへ行って、小皿に何種類か食べ物を取り分けておりましたとき、ピョトロフスキーさんがすぐ右隣に立ちました。わたしがまだかなり若い時分のことで、有名人とお会いした経験もあまりございませんでしたから、ええ、正直に申しますと、少しおどおどしていました。しかしそのとき、ピョトロフスキーさんが愛想よくお笑いになって、この夕べを楽しんでいますかとお尋ねになったので、わたしはすぐに気が楽になりました。そして彼は、こうおっしゃいました。『さっきあなたのとてもすてきな奥さまとお話ししていたのです。奥さまはわたしに、ボードレールが大好きだとおっしゃいました。わたしは、ボードレールの作品は詳しく知らないと認めなければなりませんでした。彼女はこの嘆かわしい事態に、いみじくもわたしをお叱りになりましたよ。ああ、わたしはほんとうに恥ずかしかった。ただちにボードレールを読むつもりです、奥さまがあの詩人に傾けておられる情熱は、こちらにまで移ってきましたよ！』わたしはその言葉にうなずいて答えました。『ええ、おっしゃるとおりです。家内はいつもボードレールが大好きでしてね』と。『しかもあれほどの情熱で』と、ピョトロフスキーは言いました。『奥さまにたいして、わたしはまったく恥ずかしかった』と。ただそれだけのこと、わたしたち二人が話したのは、ただそれだけでした。しかしですよライダーさま、要するに申しあげたいのは、わたしは家内がボードレールを好きだなどとまったく知らなかった、ということなんです。想像さえしなかった！　わたしの言いたいことがお分かりでしょう。家内はそんな情熱を、わたしにはかけらも見せなかった！　そしてピョトロフスキーからその話を聞いたとき、そうだったのかと腑に落ちました。それまでの何年か、家内はわたしが見ないように避けてきたことが、突然はっきりと見えたのです。つまり、家内はずっと自分のある面をわたしに隠しつづけていたことが。まるで、それがわたしの粗野さに触れれば損なわれてしまうかのように、彼女は隠しつづけてきたのです。申しあげておりますように、わたしはおそらく、それまでいつもそうではないかと疑っていたのです。家内には、わたしに隠している一面があるのではないかと。それに、誰が彼女を責められましょう？　とても感受性の豊かな、あのような家系に育った女性を。家内はピョトロフスキーには何のためらいもなくそれを語ったのですが、わたしとの結婚生活ではボードレールが大好きだなどと、一度もほのめかしたことさえなかったのです。それから何分か、わたしは自分が何を言っているのかもほとんど分からないまま、レセプション会場をうろうろしていました。軽口をたたきながらも、心のなかは苦悩の嵐でした。それから部屋の反対側に目を向けたとき、あれはピョトロフスキーと話して三十分ほどしたころですが、家内がピョトロフスキーの隣でソファに座って、楽しそうに笑っている姿が見えました。いえいえ、決して浮ついていたわけではありません。とんでもない。家内はいつも、礼儀作法にはとりわけうるさいたちなんです。しかし家内は、ほんとうに屈託なく笑っていました。あんな様子を見るのは、結婚前に二人で運河沿いを散歩していたとき以来でした。つまり、わたしを見抜く前のことです。ソファは長くて、ほかにもお二人がかけていましたし、前の床にも、ピョトロフスキーのそばにいたいと何人かが座りこんでいました。しかしピョトロフスキーは家内だけに話しかけ、彼女は幸せそうに笑っていたのです。でも、この笑いだけではなかったのですよ、ライダーさま、わたしに多くを語ったのは。わたしが部屋の反対側に立って眺めておりますと、そのあとこんなことが起きたのです。ピョトロフスキーはそのときまで、ソファの端に座っていました。手をひざの前で組んで、そう、そんなふうに！　彼は笑って家内に何か告げたあと、体を後ろに倒しはじめました。そうです、ただソファの背にもたれかかろうとするように。そして彼がそうしはじめたとき、家内がとてもすばやく、とても巧みに、自分の後ろからクッションを取りだして、ピョトロフスキーの背に差しこんだのです。それで彼の頭がソファの背もたれにつくころには、クッションがもうそこに収まっていました。ほんとうに機敏に、ほとんど考えもしないうちに、とても優雅な動きでね、ライダーさま。そしてそれを見たとき、わたしは胸が張り裂けそうでした。その仕草は、実に自然な尊敬の念、この人のために何かしてあげたい、ささやかなことで喜ばせてあげたいという気持ちにあふれていました。あの小さな動きは、家内がわたしにはぴったりと閉ざして見せようともしなかった心のすべてを、さらけだしていたのです。そしてわたしはそのとき、自分をいかにだましていたかに気づきました。そのとき、自分でもずっと分かっていて、一度も疑いもしなかったことに気づいたのです。つまり、遅かれ早かれ、家内はわたしを捨てるだろうということに。それは時間の問題です。あの夜以来、わたしにはそれが分かっているんです」

彼は口をつぐみ、また自分の考えにふけっているようだった。道路の両側には農地が広がり、はるかかなたでトラクターがゆっくりと畑のなかを進んでいる。わたしは彼に尋ねた。

「ところで、あなたがいまお話しになったこの特別な夜は、どれくらい前のことなんですか？」

「どれくらい前？」ホフマンはこの問いに少し傷ついたようだった。「はあ……たぶん、そうですね、ピョトロフスキーがこの町でコンサートを開いたのは、あれはたしか二十二年前のことです」

「二十二年も」わたしは言った。「奥さまは、それからもずっとあなたと連れ添ってこられたんですね？」

ホフマンは怒ってわたしのほうを向いた。「何がおっしゃりたいんです？　わたしには自分の家庭の現状が分かっていないと？　わたしが自分自身の家内のことを理解していないと？　こうしてあなたに身の上話を、こんな内輪の話をしたあと、あなたはご自分のほうがわたしよりずっとよく事情がお分かりになっているとでも、おっしゃりたいんですか……」

「いや、ホフマンさん、さしでがましい口ぶりに聞こえたなら、お詫びします。わたしはただ、あなたに助言をしてさしあげたいと……」

「助言など結構でございますよ！　あなたには事情が何一つお分かりでない！　ほんとうに、わたしの状況は絶望的で、もうかなり以前からずっとそうなんです。わたしはあの夜、フィッシャーさんのお宅で、白日のもとでのごとくにはっきりと、自分の前に続いているこの道が見えました。おっしゃるように、いまはまだ現実に起きてはおりませんが、それはひとえに……ひとえに、わたしが努力してきたからにすぎません。ええ、そうなのです。どれだけ努力してきたことか！　おそらくあなたは、お笑いになるでしょうね。失敗すると分かっていながら、なぜ自分に苦痛を課すのか？　なぜ、そんなふうに家内にしがみついているのか？　あなたがそうお尋ねになるのは、いとも簡単です。しかし、わたしは家内を深く愛しているのです。いまのほうが、前よりもいっそう。考えられませんよ、家内が去っていくのを見ていることなど、できません。そうなればすべてが無意味になってしまいます。ええたしかに、そんなことをしても無駄だというのは、分かっているんです。遅かれ早かれ、家内はわたしを捨てて、ピョトロフスキーのような男のもとへ行くでしょう。誰であれ、家内がほんとうのわたしに気づく前に、わたしだと考えていたような人物のもとへ。しかし、こんなふうにしがみついている男をあざ笑えるでしょうか。わたしはほんとうに最善を尽くしました。わたしのような人間にできるかぎりの方法で、最善を尽くしました。懸命に努力し、いろんな催しを企画したり、委員会のメンバーに加わったりして、この長年に、この町の美術や音楽のサークルのあいだではかなりの信頼をかちえました。そしてもちろん、ずっとこの、唯一の希望がありました。唯一の希望、たぶんそのおかげで、わたしは何とかこれまで長く家内をつなぎとめることができたのでしょう。いまやその希望も潰《つい》え、ええ、もう何年か前に潰えてしまいましたが、いいですか、それでもしばらくのあいだは、この希望、唯一の希望があったのです。もちろん、それは息子のシュテファンのことです。もしも彼がこんなふうでなければ、もしも彼が家内の血筋にあり余っている才能を少しでも受け継いでいたら！　何年か、わたしたち夫婦はそこに希望をかけていました。あの子にピアノを習わせ、慎重に見守って、何度か裏切られながらも希望をつないでいました。何か才能のきらめきが聞こえてこないかと、必死で耳を澄ましてみましたが、結局はそのかいもなく、ええ、わたしたちは懸命に、それぞれ別の理由から、何かが聞き取れないものかと耳を澄ましてみたのですが、一度もそれが聞こえてきたためしはなく……」

「お言葉ですがホフマンさん、シュテファンのことをそんなふうにおっしゃいますが、わたしは断言できますよ……」

「長いこと、自分をだましていたんです！　そうだ、もしかしたら大器晩成のタイプかもしれない、と言い聞かせましてね。きっと何かが、何かの小さな種があるに違いない、と。ええ、自分をだましていましたし、おそらく家内もそうでしょう。わたしたちは待ちに待ちましたが、そのあとここ数年は、もうこれ以上そんな振りをするのも無意味になってしまいました。シュテファンはいま二十三歳です。いくらわたしでも、もう、あの子があすやあさってに急に花開くかもしれないと、自分に言い聞かせることはできません。その事実に直面しなければなりませんでした。息子はわたしに似たんです。そしていまは、家内もそれに気づいているのが分かります。もちろん母親として、家内はシュテファンをとても愛しています。しかし彼はわたしを救ってくれる手段になるどころか、まさにその逆になってしまいました。家内は息子を見るたびに、わたしと結婚したのは大きな間違いだったと思うのです……」

「ホフマンさん、わたしはシュテファンのピアノを聴かせてもらいましたが、ぜひあなたに申しあげておかなければ……」

「象徴なんですよ、ライダーさま！　彼は家内が自分の人生で犯した大失敗の象徴になってしまったのです。ああ、あなたが家内の一族にお会いになっていれば！　若いころ、家内はいつも当然そう思っていたはずなんです。いつの日か、すばらしく才能にあふれた子供たちを持つと、考えていたに違いないんです。自分と同じように、美にたいする感受性に富んだ。なのにそのあと、こんな失敗を犯してしまった！　もちろん母親として、家内はシュテファンを心から愛しています。しかしだからと言って、息子を見るとき、彼のなかに自分の失敗が見えないわけではありません。彼はほんとうに、わたしに似てしまった。もはやそれを否定することはできません。成人したいまとなっては……」

「ホフマンさん、シュテファンはとても才能に恵まれた青年です……」

「そんなことをおっしゃってくださらなくて結構ですよ！　これほど率直に身の上話を打ち明けていますのに、どうかそんなありきたりのお体裁のよい言葉で侮辱なさらないでください！　わたしはばかではありませんから、シュテファンがどんな人間かくらい分かります。しばらくのあいだ、彼はわたしのただ一つの希望でした。ええ、そうなんです。しかしそのあと、あの希望もまったく見込みがないと分かってからも、あれからもう少なくとも六、七年になると思いますが、正直に申しますと、わたしは努力してきたのです——そうしてどこが悪いでしょう？——何かのたびに、家内にすがらんばかりに頼みこんだのです。わたしは家内にこう言いました。いいかい、せめてわたしがいま企画している今度の催しまで、待ってみてはどうだ、せめてそれが終わるまで待ってくれ、そうすればわたしへの見方が変わるかもしれない、と。そしてその催しがやってきて過ぎ去るや、すぐさま、いや待ってくれ、また別の機会がある、わたしが企画しているこのすばらしい催しがあるんだ、と説得するのです。どうかそれまで待ってくれ、と。そうやって、これまでずっと切り抜けてきたのです、この六、七年間。わたしには、今夜が最後のチャンスだと分かっています。それにすべてを賭けたのです。昨年、家内にそのことを話しましたとき、初めてこの夕べの計画について打ち明け、テーブルがどうだとか、プログラムはこうするとか、おまけに——どうか失礼をお許しください——あなたか、もしくはそれ相当の地位のほかのどなたかに、この夕べの目玉としてご招待をお受けいただく予定だといったことまで、逐一詳しく家内に説明したとき、そして、ええ、そうです、このわたし、彼女が長年しばられてきたこの凡人のわたしの手によって、どのようにブロッキーさまがこの町の市民の心と信頼をかちえ、さらにはこの偉大な夜の頂点でこの町の全潮流を逆転させるかといったことを、初めて話しましたとき――はは！――ええ、そうなんです、家内はわたしを見ましたよ。『ほうら、また始まったわね』と言いたげな目で。それでも、わたしは彼女の目がきらりと光るのを見逃しませんでした。そのきらめきは、『もしかしたら、あなたはほんとうにやり遂げるかもしれない。そうなったらたいしたものよ』と言っているようでした。ええ、たしかにほんの一瞬にすぎませんでしたが、わたしがこんなに長く持ちこたえてこられたのも、あのきらめきのおかげなんです。さあ、着きましたよ、ライダーさま」

わたしたちは背の高い草むらのわきの待避車線に車をとめた。

「ライダーさま。実は、わたしは少々時間に遅れそうなのです。まことに恐縮ですが、ここから先はご自分で、別館までお歩きになっていただけませんでしょうか」

彼の視線を追うと、草の生えた急斜面が小高い丘の上まで続いていて、その頂上にぽつんと、小さな木の小屋があるのが見えた。ホフマンはダッシュボードをひっかき回して、鍵を取りだした。

「小屋のドアには南京錠がかかっております。設備は贅沢ではありませんが、ご要望どおりプライバシーは確保できますでしょう。そしてピアノは、二〇年代につくられたベヒシュタインのアップライトの逸品でございます」

わたしはもう一度丘を見上げてから言った。「あの頂上の小屋なんだね？」

「二時間ほどで、またお迎えにあがります、ライダーさま。それとももっと早いほうがよろしいでしょうか？」

「二時間で結構だ」

「はい、それでしたら、すべてにご満足いただけるよう願っております」ホフマンは丁重にわたしを促すように手で小屋のほうを示したが、その仕草にはかすかないらだちが感じられた。わたしは彼に礼を言って、車からおりた。

25

わたしはかんぬきのかかったゲートを開けて、小さな木の小屋へと続く小道をたどった。地面は最初のうちまごつくほどぬかるんでいたが、のぼるにつれてかたくなった。中程まで来たところで後ろを振り返ると、農地のあいだをくねって続く長い道と、遠くへ走り去っていくホフマンのものらしい車の屋根が見えた。

小屋に着いてドアのさびついた南京錠をはずすころには、少し息が切れていた。外から見るかぎりこの小屋はごくありふれた園芸用具置場のようだったが、それにしてもなかに入ったとき、何の装飾もないのに驚いた。壁も床も荒く削っただけの板で、なかにはそり返っているものもある。その隙間やひび割れのあいだを虫が這い、頭上のたるきからは古いクモの巣の残骸がぶら下がっていた。薄汚れたアップライト・ピアノがスペースの大半を占めていて、スツールを引きだしそこに腰をおろしたときには、背中がほとんど壁につきそうだった。

その壁には小屋で唯一の窓があり、スツールに座ったまま体をひねって首を伸ばすと、道路まで急勾配になった外の野原が見えた。床は水平ではないらしく、またピアノに向き直ったとき、後ろの斜面のほうへ滑り落ちていきそうな、危なっかしい感じがした。しかしピアノの蓋を開けて何小節か弾いてみると、その音色は最高に美しく、低音部の響きがとりわけ豊かだった。タッチは軽すぎず、調律もまったく申し分ない。それでふと、このまわりの荒く削っただけの板まで、最高の吸音と残響効果が得られるよう細心の注意で選ばれたのかもしれないと思った。ダンパー・ペダルを踏むたびにかすかにきしむ音がするのをのぞけば、この設備に文句はほとんどなかった。

わたしはしばらく精神を集中したあと、《石綿と繊維》の目もくらむような冒頭の数小節を弾きだした。それから第一楽章がもう少し内省的なトーンを帯びるにつれてますますリラックスしてきて、ふとわれに返ると、そのあまりの心地よさに、第一楽章の大半を目をつむって演奏していた。

第二楽章を弾きはじめたとき目を開けると、午後の光が後ろの窓から差しこんで、鍵盤の上にくっきりとわたしの影をつくっていた。第二楽章のあれこれの難所も、わたしの平静を何一つ乱さなかった。実際、わたしはこの作品を隅々まで完璧に掌握していた。きょう一日じゅう、自分がどれだけ心配ばかりしていたかを思い出し、いまやそれがまったくばかげたことに思われた。それにこの曲の中盤に差しかかったいま、母がこれに感動しないとは、やはり考えられない気がしてきた。この調子なら、わたしは今夜の演奏に完璧な自信を持って臨めるだろう。

第三楽章の崇高なメランコリーに入ろうとしたとき、背後で物音が聞こえた。最初はソフト・ペダルのせいかと思い、次には床下から響いてくるのかと思った。とまってはまた始まるリズミカルなかすかな音で、しばらくのあいだ、わたしはなるべく気をそらせまいとした。しかしその音は相変わらずやんではまた始まり、やがてこの楽章の中盤のピアニッシモの数小節を弾いているとき、誰かがどこか近くで地面を掘っている音なのだと気づいた。

その音が自分とは関係がないことが分かって、わたしはますます気にもかけずに第三楽章を弾きつづけ、もつれた感情の節がゆらゆらと表面に浮かび上がってきてはほどけていく快さを楽しんでいた。わたしはまた目をつむった。するとまもなく両親が並んで腰をかけ、真剣な表情でわたしの演奏に聴き入っている顔が目の前に浮かんできた。しかし奇妙なことに、両親が座っているのはコンサートホール――今夜わたしが目にすると分かっているような――ではなく、ウースターシャー時代の隣人で、母が当時親しくしていたクラークソン夫人とかいう未亡人の家の居間なのだった。クラークソン夫人を思い出したのは、たぶん小屋の外に生えている背の高い草のせいだろう。彼女の家はわが家と同じく小さな野原の真ん中に建っていて、夫人は一人暮らしだったものだから、むろんその草をいつも奇麗に刈っておくなどということができなかった。それにひきかえ家のなかは、しみ一つなく奇麗に整えられていた。居間の片隅にピアノがあったが、その蓋が開いているところを目にした記憶は一度もない。よくは分からないが、そのピアノは調律が狂っているか壊れるかしていたのだろう。とはいえ、ある特別な記憶がよみがえってきた。わたしは紅茶のカップをひざにのせてあの居間に座り、両親がクラークソン夫人と音楽のことを話しているのを静かに聴いていた。おそらく父が彼女に、あのピアノを弾いたことがあるのかと尋ねたところだったのだろう。というのも、クラークソン夫人とおしゃべりをするときに、音楽が話題になることなどめったになかったのだ。どちらにしても、わたしはこの木造の小屋で《石綿と繊維》の第三楽章を弾きつづけながら、なぜか自分がまたあのクラークソン夫人の居間に座っているような満ち足りた気分になり、父と母と夫人が、わたしが隅のピアノを弾く音に真剣に耳を傾けているそばで、レースのカーテンが夏のそよ風に揺れて、いまにもわたしの顔に触れようとしているところを思い浮かべた。

第三楽章の終盤に差しかかったとき、またあの地面を掘る音に気づいた。しばらくやんでからまた始まったのか、それともずっと続いていたのかは定かではなかったが、どちらにしても、いまやそれはさっきよりいっそう大きく聞こえてくるようだった。そのときはたと、あれはまぎれもなくブロッキーが愛犬を埋葬している音だと思いあたった。実際、わたしは彼がけさ、あとで自分の犬を埋葬すると何度も話していたことを思い出し、さらにはぼんやりと、彼が葬式をしているあいだにピアノを弾いて聴かせると約束したような記憶すらあった。

いまやわたしは、この小屋にやってくる前に起きていたに違いない出来事を想像しはじめた。たぶんブロッキーは、わたしより早くここに着いて、丘の頂上からやや下った、小屋から石でも投げれば届くくらいの場所で待っていたのだろう。そこには木立ちに囲まれた小さな窪みがある。彼はそこでスコップを木の幹に立てかけたまま静かに立っていて、ほとんど草でおおわれた近くの地面には、シーツにくるんだ犬の遺体が横たわっている。けさ話したように、彼はわたしのピアノ演奏が唯一の行事になるような簡単な葬式を出そうとしていたので、おそらくわたしが到着するまで式を始めようとはしなかった。それで空と丘からの風景を眺めながら、小一時間ほど待っていた。

最初、もちろんブロッキーは、亡くなった犬の思い出にひたっていただろう。しかし何分かしてもまだわたしが現れそうにないので、彼はミス・コリンズと、やがて墓地で会う約束のことを考えた。ブロッキーはまた何年も前のある春の朝、二脚の籐の椅子を家の裏手の野原に運んだときのことを思い出していた。あれは二人がこの町に来てからまだ二週間もたっていないころで、もう持ち金が底をついてしまったにもかかわらず、ミス・コリンズは新居のために、かなりのエネルギーで家具を整えようとしていた。その春の日の朝、彼女は朝食のためにおりてきて、新鮮な空気を吸いながら日光のもとで少し座って休憩したいと言ったのだった。

あの朝を振り返りながら、彼は椅子を二つ並べたときの、夜露にぬれた黄色い草と頭上に輝いていた朝の太陽を鮮明に思い浮かべることができた。彼女は少しあとから外に出てきて、二人で一緒に椅子に座り、ときどきくつろいだ会話を交わしながらしばらく過ごした。あの朝のひとときに、二人は何ヵ月ぶりかで、結局これから何とかやっていけるかもしれないという気分になった。ブロッキーはそんな気持ちをミス・コリンズに打ち明けようとしたのだが、その寸前に、自分の最近の失敗という微妙な話題にふれることになるのを思い出し、とうとう口にはしなかった。

それから、彼女が台所の話を持ちだした。何日も前から約束していたのに、彼が台所から建築資材をどけてくれないので、片づけがどうにもはかどらない、と。彼はしばらく黙っていたが、やがてとても冷静に、自分には作業小屋での仕事がたくさんあるんだと答えた。これ以上数分でも一緒にいると不愉快になりそうだったので、たぶん彼のほうがこの場を離れたほうがいいと考えたのだろう。彼は立ち上がって家のなかを通り抜け、前庭にある小さな作業小屋へ入っていった。その間、二人とも声を荒らげることはなかったし、口論はほんの数秒で終わった。そのとき彼はこの出来事をさほど重要なものとは考えず、すぐに自分の大工仕事に没頭した。その日の午前中に何度か顔を上げて、小屋のほこりだらけの窓から、ミス・コリンズが何をするともなくただ前庭をうろついている姿を見かけた。ミス・コリンズが戸口にやってくるのを半ば期待して作業を続けていたのだが、そのたびに彼女は家のなかへ戻っていった。昼食を取ろうと思って家に入ると――たしかにかなり遅い時間になってはいたが――彼女はもう一人で食事をすませて、二階へ上がっていた。そこでしばらく待ってからまた小屋に戻り、午後いっぱいずっと作業を続けた。ふと気づくと、夕闇が忍び寄り、家の明かりがつくのをじっと眺めていた。真夜中近くになって、やっと彼は家のなかに戻った。

一階は、全体が真っ暗だった。彼は居間の木の椅子に座って、月の光がおんぼろ家具を照らすのを眺めながら、奇妙に過ぎていったこの一日に思いをめぐらせた。以前こんなふうに丸一日を過ごしたのはいつのことだったか記憶になかったが、もう少しいい雰囲気でこの日を終えようと決心し、立ち上がって階段をのぼりはじめた。

踊り場まで上がると、二人の寝室にまだ明かりがついているのが見えた。さらに部屋へ向かっていたとき、足もとで床板が大きな音できしんで、まるで彼女に大声をかけるかのように、はっきりと彼が近づいているのを知らせた。寝室の前に来ると、彼は立ちどまってドアの下から足もとにもれてくる光を眺め、気持ちを落ち着けようとした。それから、ちょうどノブに手をかけようとしたとき、ドアの向こうから彼女の咳が聞こえてきた。それはほとんど間違いなく無意識の、ごく小さな咳だったが、それでも動きをとめさせる何かがあり、彼はゆっくりとノブから手を離した。あの小さな咳のどこかに、彼がこのところ自分の心から締めだそうとしてきた彼女の性格の一面を思い起こさせるものがあったのだ。それはかつて、二人がもっと幸せに暮らしていたころにはとても立派だと思っていたにもかかわらず――彼はいま急にそのことに気づいた――二人が逃げだしてきたばかりのあの大失敗以来、ますますかたくなに無視しようとしてきたものだった。なぜかあの咳には、彼女の完璧主義、気高い心、持てる力をできるかぎり有益に使おうとしているかどうか常に自問するというあの一面が、にじみでていた。彼は突然、あの咳と、こんなふうに一日が過ぎていったことにたいして、彼女にとてつもなく大きないらだちを覚えた。そして踵を返すと、足もとの床板がどんなに大きな音を立てようがおかまいなしに、寝室から歩き去った。それから月明かりがところどころに差しこんでいる暗い居間に戻ると、古いソファに横になり、オーバーをかぶって眠ってしまった。

翌朝は早く目が覚めたので、二人分の朝食を用意した。彼女はいつもの時間におりてきて、どちらも不機嫌な顔を見せることなく挨拶を交わした。彼はきのうのことを詫びようとしたのだが、彼女のほうが、二人とも驚くほど大人げなかったわねと言って、その言葉をさえぎった。それから二人とも、喧嘩が終わったことに明らかにほっとして朝食を続けた。それでもその日は一日じゅう、いやそのあと何日も、二人の生活には何か冷たいわだかまりのようなものが残っていた。そして何カ月かたってふと気づくと、二人はずっと長い時間、あまり口をきかないようになっていた。彼が原因は何なのだろうと考えたとき、あの春の日の、朝露にぬれた草むらに並んで座って楽しく始まった朝のことを思い出したのだった。

彼がそんな追想にふけっていたあいだに、わたしがとうとう小屋にやってきて、練習を始めた。最初の数小節を弾いているあいだ、ブロッキーはぼうっと遠くを見つめていた。それからため息をつくと、目の前の仕事に心を戻してスコップを取り上げた。その端でためしに地面をこつこつ打ってみたが、音楽の気分がまだ自分の望むものではないと思ったのか、それ以上は掘らず、わたしがメランコリックでスローなテンポの第三楽章を弾きはじめるまで待って、ブロッキーは墓穴掘りに取りかかった。地面は柔らかかったので、あまり苦労はしなかった。それから犬の遺体を背の高い草むらから引っぱってきて、ほとんど取り乱すこともなく、最後にもう一度シーツを開いて別れをしたいという気持ちすら覚えずに、遺体を穴に放りこんだ。実際、彼はもう掘り返した土をその上に少しかけはじめていたのだが、そのとき何か、おそらく空中を漂って聞こえてくる音楽の悲しい表情のせいだろう、とうとう作業の手をとめ、しゃんと背筋を伸ばして、半分埋まった墓穴を見下ろしながら、静かに何分かを過ごした。第三楽章の終わりに差しかかったときになって、ようやくブロッキーはまたスコップを手に、土をかぶせはじめた。

第三楽章を弾き終えたとき、ブロッキーがまだ懸命に作業をしている音が聞こえた。わたしは最終楽章は弾かないことにして——それはこの儀式にとうていふさわしくない——第三楽章を繰り返すことにした。彼を待たせたのだから、せめてそれくらいのことをして当然だと思ったのだ。スコップの音はまだもう少し続き、第三楽章の半ばあたりに差しかかったときにやんだ。これならブロッキーにも、しばらくその場にたたずみ、墓を見下ろしながら思い出にふける時間が取れるので好都合だろう。そしてふと気づくと、わたしはさっき以上に哀切な感情を込めて第三楽章の残りを弾いていた。

二度目に第三楽章を弾き終え、ピアノの前で何分か静かに座って過ごしたあと、わたしはやおら立ち上がり、狭い小屋のなかで手足を伸ばした。いまや夕日が小屋いっぱいに差しこんで、近くの草むらからコオロギの鳴く声が聞こえてくる。しばらくすると、小屋の外に出てブロッキーにふたことみこと声をかけるべきだと思いあたった。

ドアを押し開けてあたりを見回したとき、眼下の道路の向こうに太陽がとても低く沈みかけているのに驚いた。草むらに何歩か足を踏み入れるとまた小道があり、それをたどって、さらに丘の頂上まで歩いた。丘の反対側にはもっとなだらかな斜面が美しい谷へと続いている。ブロッキーは、わたしのいるところから少し下った、細い木に囲まれた墓のそばに立っていた。

わたしが近づいても彼は振り返らず、墓から目もそらさずに、静かに言った。「ライダーさん、ありがとう。実に美しい音楽だった。感謝するよ、心から感謝する」

わたしは何かつぶやいて、墓からほどよい距離の草むらで立ちどまった。ブロッキーはまだじっと足もとを眺めていたが、やがて言った。

謝する」

「ただの老いぼれ犬だ。だが、わしは最高の音楽を聴かせてやりたかった。ほんとうに感謝する」

「とんでもない、ブロッキーさん。光栄です」

彼はため息をついてから、初めてわたしをちらりと見た。「なあ、わしはブルーノのために泣けんのだ。泣こうとしてみたんだが、どうしても泣けん。わしの心は未来のことでいっぱいだ。そしてときには、過去のことでいっぱいになる。わしはな、そのう、自分たちの昔の生活のことを思い出すんだよ。そろそろ行こうか、ライダーさん。ブルーノをここに残して」彼は向きを変えて、ゆっくりと谷のほうへおりはじめた。「さあ、もう帰ろう。さよなら、ブルーノ、さよなら。おまえはいい友人だったが、ただの犬ころだ。ここへ残していこう、ライダーさん。さあ、わしと一緒に来てくれ。あいつはここへ残していこう。ブルーノのために弾いてくれて、ありがたかった。まさに最高の音楽を。だが、わしはいま泣いてなどおられん。彼女がもうすぐやってくる。もうすぐだ。どうか一緒に来てくれんか」

わたしはもう一度、目の前の谷を眺めた。改めて見ると、その一面に墓石が並んでいる。それで、わたしたちはブロッキーがミス・コリンズと落ち合う約束をした墓地へ歩いていくのだと気づいた。実際、ブロッキーと並んで歩きはじめると、彼がこう言った。

「ペール・グスタフソンの墓。そこで会うんだ。特別な理由はない。彼女がその墓を知っているると言った、それだけのことだ。わしはそこで待つ。少しぐらい待つのはかまわん」

生え放題の草むらを歩いていくと、やがて小道に出た。さらに小道を下っているあいだに、墓地がいっそうはっきりと見えてきた。ひっそりと静まり返った、人気のない場所だった。墓石が谷底に規則正しい列をつくり、一部は両側の草の斜面を這いのぼるように並んでいる。ふと気づくとこのいまでさえ埋葬が行われていて、左手の光のなかに、たぶん全部で三十人ほどだろう、黒い服を着た遺族の一団がいる。

「うまくいくよう、心から祈っていますよ」わたしは言った。「もちろん、ミス・コリンズとお会いになる件です」

ブロッキーは首を振った。「けさ、わしはいい気分だった。二人で話し合いさえすれば、物事がまたまともな状態に戻るかもしれないと思っていたんだ。しかし、いまはもう分からんよ。あの男、けさ彼女のアパートにいたきみの友人の、言うとおりかもしれんな。いまさら、彼女はわしを許せんかもしれん。わしがあまりに時間を置きすぎたから、二度とわしを許してくれんかもしれん」

「そんなに悲観的にならなくてもいいでしょう。何があったとしても、いまやもうすべて過去のことです。もしもお二人が、ただ……」

「この長い歳月のあいだにな、ライダーさん。心の奥底で、わしはほんとうに認めてはいなかった。あのころ、わしについて連中が言ったことを。わしは自分をただの……取るに足りん人間だなどと、一度も考えたことはなかったんだ。もしかしたら頭では、そう、連中の言葉を受け入れていたかもしれん。しかし心では違う。わしは信じてはいなかった。この長い年月に、一分たりとも。わしはいつもそれを、音楽を、聴くことができた。だからわしはもっとましだ、連中が言うよりも立派な人間だと、分かっていたんだ。そして二人でこの町へやってきてからしばらくは、彼女にも分かっていた。わしは知っとる。だがそのあと、そう、彼女に疑念が生まれたんだよ。無理もない。彼女が去っていったことを、わしは責めはせん。いやいや、責めはせんよ。しかし、わしは責めるぞ、彼女がもっとうまくやらなかったことを責める。ああ、そうだとも。もっとうまくやればよかった！　わしは彼女がこのわしを憎むように仕向けた。そのためにどんな代償を払ったか、あんたに想像できるかね？　せっかく自由にしてやったのに、彼女は何をしている？　何もだ。この町を去りもせんで、いたずらに自分の時間を無駄にしているだけじゃないか。ここの人たち、この町の無力で役立たずの市民と、一日じゅう話をしてな。ああ、そんなことしかせんと分かっていたら！　つらいことだ、ライダーさん、自分の愛する者を遠ざけるのは。あんたはわしがこうしたと思うかね？　そんなことしかせんのなら、わざわざこんな人間になり下がったと思うかね？　彼女が話し相手になるあの無力で不幸な連中ときたら！　その昔、彼女は誰よりも高い目標を持っていた。すばらしいことをやろうとしていた。昔はそうだったんだ。なのに見なさい、彼女はみんな無駄にしたんだよ。この町を去りもせんで。わしがときどき、罵声を浴びせたのはなぜかとお思いかね？　彼女があんなことしかせんのなら、なぜあのとき、そう言わんのだ？　冗談事だと思っているのか、酔いどれの乞食でいるのが、大きな冗談事だとでも？　みんなが、そうともあいつは酔いどれだ、何も気にかけやしないと思っている。だがほんとうはそうじゃない。ときにはすべてが明瞭に、とても明瞭になって、そのとき……そのときどれほどおぞましく思うか、あんたにお分かりかね、ライダーさん？　彼女は賭けようとしなかった、わしが与えてやったチャンスに。この町を去りもせんで。ただこの無力な連中を相手に、ひたすら話しているだけだ。ああ、わしは彼女に罵声を浴びせた。だが、それであんたはわしを責めるか？　彼女はそうされて当然だった。わしが言ったことすべて、下品な悪態の一つひとつを、受けて当然だったんだ……」

「ブロッキーさん、どうかお願いです。あなたはこれから何よりも大事な待ち合わせに臨もうとしているんですから、そんなふうに考えるのは決してよろしくない……」

「彼女はわしが楽しんでやったとでも思っているのか？　面白がってやったとでも？　わしはそんなことをせずともよかったんだ。いいかね。酒をやめたきゃ、それくらいできる。わしが冗談でやったと、彼女は思っているのか？」

「ブロッキーさん。差しでがましく口をはさむつもりはないのですが、もうそんな考えは永久に捨てるべきですよ。このあらゆる行き違い、誤解は、きれいさっぱり水に流すべきときです。あなたはお二人の余生をできるかぎりうまく生きようとなさらなければ。どうか心を落ち着けてください。こんな気持ちでミス・コリンズとお会いになるのは、よろしくありません。きっとあとで後悔します。実際、ブロッキーさん、失礼ながら、これまで彼女に未来のことを強調されてきたあなたは、まさに正しい。そして動物にたいするあなたのお考えも、わたしから見れば、きわめて健全です。ほんとうに、これからもそのようなお考えを主張なさるとよろしいでしょう。過去を蒸し返す理由など、まったくありませんよ。それにもちろん、いまや未来へのあらゆる希望があるじゃないですか。わたしとしても、今夜あなたがこの町の市民から受け入れられるよう、できるかぎり力になりたいと……」

「ああ、そうだ、ライダーさん！」彼は急に気分が変わったようだった。「そう、そう、そう。今夜、そうだ、今夜わしは……わしは名演奏を披露するつもりだ！」

「その意気ですよ、ブロッキーさん」

「今夜、わしは妥協せんぞ。これっぽっちも。ああ、そうだとも、わしは責めたてられ、あきらめ、二人で逃げて、この町へやってきた。しかし心のうちでは、完全にあきらめてなどいなかった。まともなチャンスが一度もなかったのは分かっていたんだ。そしていま、とうとう、今夜……わしは長いこと待っていた。妥協などするものか。このオーケストラを、信じられんほどがんがん鳴らしてみせる。ライダーさん、あんたに感謝するよ。あんたはインスピレーションを与えてくれた。けさのけさまで、わしは怖かった。今夜どうなるかと、怖かった。慎重になったほうがいいと、そう思っていたんだ。ホフマンもそのほかのみんなも、慎重にゆっくりとやれと、そう言った。最初はまずゆっくりと、それから少しずつ引き入れていくように、と。しかしけさ、わしはきみの写真を見た。新聞で、あのサトラー館の前の。わしはつぶやいた。これだ、これだ、とな。全力で、全力でやってやるぞ！　何一つ出し惜しみせずに！　このオーケストラは、きっと信じられんだろう！それにあの連中、この町の市民も、信じられんだろうよ。そうとも、全力を出しきるんだ！　そうすれば彼女がそれを見る。彼女はまたわしを、ほんとうのわし、ずっとそのまま変わっていないわしを見る！　サトラー館、それなんだ！」

そのころ地面はもう平坦になっていて、わたしたちは墓地の草の生えた中央の小道を歩いていた。後ろで何か動く気配がしたので振り返ると、葬式に参列していた一人が急用だというように合図をしながら、わたしたちのほうへ駆けてきていた。近づいてくるのは、浅黒い太った五十がらみの男だった。

「ライダーさま、ほんとうに光栄です」彼は息を切らして、振り返ったわたしに言った。「わたしは夫に先立たれた喪主の弟です。あなたが式に参列してくだされば、姉がとても喜ぶのですが」

彼が指さす方向を見ると、なるほどわたしたちは、葬式をしている場所のすぐ近くにいる。参列者の心細げにすすり泣く声が、そよ風に乗って聞こえてくるほどだ。

「どうぞこちらへ」男が言った。

「しかし、このようなお身内だけの場に……」

「いえいえ、そうおっしゃらずに。姉もほかの者たちも、みなたいへん光栄に存じます。どうぞこちらへ」

わたしはあまり気が進まぬまま、あとについて歩きだした。墓石のあいだを通っていくにつれ、地面はぬかるんできた。最初は、黒服のかがんだ背中が続く列のなかで未亡人がどこにいるのか分からなかったが、やがてその集団に近づいたとき、正面に、まだ土をかぶせていない墓穴をのぞきこんでいる彼女を見つけた。たいそう悲嘆にくれているらしく、棺の上に身を投げんばかりだ。そのためなのか、老年の白髪の男性が、彼女の腕と肩をしっかりとつかまえていた。その後ろで大多数の参列者はすすり泣きながら心から嘆き悲しんでいる。だが、そのなかでも、未亡人の苦悶のうめき声――ゆっくりとしたテンポで、疲れきってはいるが、長いあいだ拷問にかけられた者が叫んででもいるような、胸の底からふりしぼるぞっとするほど大きな嗚咽――ははっきりと際立っていた。その嗚咽にわたしは思わず引き返したくなったが、太った男がわたしに前に出てくれと合図した。わたしが動かずにいると、彼が小さくはない声でつぶやいた。

「ライダーさま、どうぞ」

その声に、何人かが振り返ってわたしたちを見た。

「ライダーさま、こちらです」

太った男に腕を取られて、わたしは参列者のなかを歩きだした。何人かがわたしを振り返り、少なくとも二人が「ライダーさまだ」とささやく声が聞こえた。わたしたちが前に進みでたとき、すすり泣きはもうおおむねおさまっていて、背中に何人もの視線を感じた。わたしは黙禱を捧げる格好をしながら、カジュアルなライトグリーンの上着にネクタイさえしていないことを、心苦しく思った。おまけにシャツは明るいオレンジと黄色の柄ものだ。あわてて上着のボタンをかけていると、太った男が未亡人の注意を引こうとした。

「エヴァ」彼はやさしく呼びかけていた。「エヴァ」

白髪の紳士がわたしたちを振り返ったが、未亡人は聞こえたそぶりも見せなかった。まだ悲嘆にくれていて、その嗚咽が墓穴の上にリズミカルに響いている。彼女の弟は、とまどった様子でわたしを見た。

「どうぞ」わたしは後ずさりしながらささやいた。「お悔やみはもう少しあとで述べさせていただきます」

「いえいえ、ライダーさま。どうか少しお待ちください」太った男は姉の肩に手をかけ、今度はじれったそうな声で、「エヴァ、エヴァ」と呼びかけた。

未亡人は背筋を伸ばし、やっと嗚咽を抑えると、わたしたちのほうを向いた。

「エヴァ」弟が言った。「ライダーさまがおみえなんだよ」

「ライダーさまが？」

「心からお悔やみを申しあげます」わたしは重々しく頭を下げた。

未亡人は相変わらずぼうっとわたしを見つめていた。

「エヴァ！」弟が鋭くささやいた。

未亡人はびくっとして弟を見てから、わたしに視線を戻した。

「ライダーさま」彼女は驚くほど冷静な声で答えた。「ほんとうに光栄の至りです。ヘルマンは」――彼女は墓を指さした――「それはもう、あなたを崇拝しておりましたわ」そう言うと、彼女は急にまた激しい嗚咽をもらした。

「エヴァ！」

「奥さま」わたしはあわてて言った。「わたしはただ、心からお悔やみを申しあげるためにここに来たのです。まことにお気の毒です。しかしもうこのへんで失礼して、お悲しみの奥さまやほかの方がたをそっとしておいてさしあげましょう」

「ライダーさま」未亡人が言った。彼女は落ち着きを取り戻したようだった。「ほんとうに光栄の至りでございます。ここにおります者もみな、心の底からそう申しあげますでしょう」

後ろから、彼女に賛同するつぶやきがわき上がった。

「ライダーさま」未亡人は続けた。「この町でのご滞在はいかがでございますか？　一つや二つは、魅力をお感じになったことがおありだとよろしいのですが」

「ええ、とても楽しんでいます。みなさんとてもご親切で、気持ちのいい町ですね。しかしまことにお気の毒です……ご主人がお亡くなりになったのは」

「何か軽食をご一緒にいかがですか。紅茶かコーヒーでも？」

「いえいえ、ほんとうに、どうかおかまいなく……」

「せめてお飲み物でも召しあがってください。まあ、誰か紅茶かコーヒーを持ってきていませんの？　何もないの？」未亡人は参列者を探るように見回した。

「ほんとうに、もうおかまいなく。こんなふうにお邪魔するつもりはなかったのです。どうかお続けになってください……お式のほうを」

「ですけど、何か召しあがっていただかなくては。誰か、誰かコーヒーのポットでも持ってきていませんの？」

後ろで相談し合うたくさんの声が聞こえた。振り返ると、何人もがバッグやポケットのなかを探っていた。太った男が参列者の後方に手を振っていたと思うと、やがて彼に何かが手渡され、男は立ったまましげしげとそれを眺めた。男が手にしているのはセロファンで包んだ一切れのケーキだった。

「こんなものしかないのかね？」太った男が叫んだ。「これは何なんだ？」

わたしの後ろではもうかなり大きな騒ぎが起きていて、とりわけ腹立たしそうに「オットー、あのチーズはどこへやった？」と尋ねる声が聞こえてきた。ようやく、ペパーミント・キャンディーの袋が太った男の手に渡された。彼は怒った顔で参列者をにらみ返すと、姉を振り返ってケーキとペパーミントを差しだした。

「ほんとうに、ご親切は心からうれしく思いますが」わたしは言った。「ここに来たのは、ただ……」

「ライダーさま」未亡人がいまや感情を高ぶらせ張りつめた声で告げた。「どうやらこんなものしかお出しできないようですわ。よりによってこんな日に、お恥ずかしいことでございます。ヘルマンなら何と申しあげたか分かりませんが、わたくしはいまここでお詫びするしかございません。ほら、こんなものしか、こんなものしかお出しできませんのよ、おもてなしとして」

後方の声は未亡人が話しだしたときに静まっていたのだが、またそこここで口論が起きた。誰かが「わたしじゃない！　わたしはそんなたぐいのことは、何も言わなかった！」と、叫ぶ声が聞こえた。

それから、さっき墓穴のそばで未亡人を支えていた白髪の紳士が前に歩みでて、わたしにお辞儀をした。

「ライダーさま、あなたの多大なご厚意に、こんなお粗末なかたちでしか報いられないわたしどもをお許しください。きっと、おそろしく手抜かりだとお思いでしょうね。しかしながら、ここにおります者一人ひとりが、みな心から深く感謝しているのは間違いございません。どうか茶菓をお召しあがりください。ほんとうにつまらないもので恐縮ですが」

「ライダーさま、こちらへ。どうぞおかけになってくださいな」未亡人は、夫の墓穴の隣にある平らな大理石の墓の上をハンカチで払った。

こうなればもう、勧めに従うほかなかった。わたしは「では、みなさんのご厚意に甘えて」と言いながら、申しわけなさそうに、未亡人が払ってくれた墓へ進んだ。

白っぽい大理石に腰をおろすや、参列者がみな前に進みでて、わたしを取り囲んだ。

「どうぞ」未亡人がまた言うのが聞こえた。彼女はわたしのそばに立って、ケーキの入ったセロファンの袋をあけようとしていた。そしてやっと袋を破くと、包みごとそのケーキを渡した。わたしは彼女に礼を言って食べはじめた。それは一種のフルーツケーキで、手のなかでぼろぼろになってこぼれ落ちないよう、気をつかわなければならなかった。おまけにかなり大きく、二、三口でたいらげられるようなものではなかった。食べているあいだ、参列者が少しずつにじり寄ってくるような気がしたのだが、顔を上げて見てみると、みんなじっとそこに立ったままうやうやしく目を伏せていた。沈黙が流れたあと、太った男が咳ばらいをして言った。

「きょうはとてもいい日和です」

「ええ、とてもいい日和です」わたしはケーキをほおばったまま答えた。「ほんとうに、いい日和です」

年配の白髪の紳士が前に歩みでて言った。「この町には、すばらしい散歩道があるんですよ、ライダーさま。中心部からほんの少しはずれると、すばらしい田園の散歩道が。もしお時間がおありでしたら、喜んでお連れするのですが」

「ライダーさま、ペパーミントはいかがです？」

未亡人が開けた袋をわたしの顔のすぐ前に差しだしていた。わたしは礼を言い、ケーキと一緒では奇妙な味がすると分かっていたが、そのキャンディーを一個口に放りこんだ。

「それにこの町そのものにも」白髪の紳士が言っていた。「中世の建築にご興味がおありなら、きっと大いに魅力をお感じになる建物がいくつもあるのです。とくに旧市街に。喜んでご案内いたしますよ」

「ほんとうに、ご親切に感謝します」

わたしは早くこのケーキを食べ終えたい一心で、さらに食べつづけた。また沈黙が流れたあと、未亡人がため息をついて言った。

「とてもいいお天気になりましたわ」

「ええ」わたしは答えた。「この町に来てから、ずっといい天気が続いています」

この言葉にあちこちから賛同のつぶやきがわき上がり、なかにはわたしがしゃれでも言ったかのように礼儀正しく笑う者さえいた。わたしはケーキの残りを口に押しこみ、手についたくずを払った。

「みなさん。ほんとうにご親切にしていただいてありがとう。しかし、どうかもうそろそろ、お式を続けてください」

「もう一つペパーミントはいかがですか、ライダーさま。こんなものしかございませんけど」未亡人がまた袋をわたしの顔の前に突きだした。

そのとき突然、わたしはこの未亡人がいまわたしにこのうえなく激しい嫌悪を抱いていることに気づいた。実際、誰もがみな慇懃に接してはいるのだが、ここにいるほかの人たちもほとんど全員が――あの太った男を含めて――わたしがいることにひどく腹を立てているようなのだ。奇妙なことに、ちょうどこの考えが頭にひらめいたとき、後ろのほうから、大きくはないがかなりはっきりとした声が聞こえてきた。

「いったい、あいつがどうしてそんなに特別なんだ？　ヘルマンの葬式なんだぞ」

すると動揺したつぶやきが起こり、ショックを受けたように「誰が言ったんだ？」とささやく声が、少なくとも二人から聞こえてきた。白髪の紳士が、咳ばらいをして言った。

「運河も、そぞろ歩くにはとても美しいところです」

「いったい、あいつがどうしてそんなに特別なんだ？　何もかも邪魔しやがって」

「黙れ、このばか野郎！」誰かが言い返した。「こんなときに、わたしたち全員に恥をかかせるつもりか」

この発言に賛成するうなり声がいくつか上がったが、今度はまた別の声がけんか腰で何か叫びはじめた。

「ライダーさま、どうぞ」未亡人はまたペパーミントを突きだした。

「いえ、もうおかまいなく……」

「どうぞ。もう一つお取りください」

参列者の後方で、四、五人が激しい口論を始めた。そのうちの一人が、こう叫んでいた。

「あいつがやろうとしていることはあまりに行きすぎだ。サトラー館、あれは行きすぎだ」

ますますおおぜいが怒鳴り合いを始め、もうすぐ大騒動になりそうな気配になった。

「ライダーさま」――太った男がわたしの上にかがみこんでいた――「あの者たちのことは、どうかお気になさらないでください。いつもわが一族を辱めてきたんですよ。いつもね。お恥ずかしいかぎり、ええ、さよう、お恥ずかしいかぎりです。ですからお耳を傾けて、わたしどもの恥を上塗りなさらないでください」

「しかしもちろん……」わたしは立ち上がろうとしたが、何かに押し戻されるのを感じた。未亡人が片方の手で肩をつかんでいた。

「どうぞごゆっくりなさってください、ライダーさま」彼女は鋭く言った。「茶菓をお召しあがりになるまで」

　いまやあちらでもこちらでも激しい口論が始まっていて、後ろのほうではこづき合いをしている者もいるようだ。未亡人はわたしの肩を押さえつけたまま、騒ぎを無視して、昂然たる表情で参列者を眺め回していた。

「かまうもんか、かまうもんか」誰かが叫んでいた。「いまのままのほうがうまくいくんだ！」

　さらに小競り合いがあったあと、太った若い男が人ごみをかきわけて前に出てきた。その顔は真ん丸で、見るからにひどく興奮している。彼はわたしをにらみつけて叫んだ。

「こんなふうにこの町に来るなんて、いい気なもんだ。サトラー館の前に立つなんて！　おまけにあんなふうに笑いながら！　このあと、おまえはどこか別の町へ行く。だがここに住みつづけなきゃならないおれたちにとっては、そう簡単にはいかないのさ。サトラー館だと！」

　丸顔の青年はいつも大それた発言をするような男には見えず、彼の怒りはまぎれもなく本物のようだ。わたしは少したじろいで、しばらくは返事もできなかった。丸顔の青年がまた非難を始めたとき、わたしは心のなかで何か後ろめたいものを感じた。考えてみると、どうしたことか、きのうはサトラー館の前で写真を撮らせるなどという見込み違いをしてしまったのだ。もちろんあのときには、それがこの町の市民にふさわしいメッセージを送る何よりも効果的な方法のように思えたし、それにかかわる賛否両論についても十二分に認識していたのだが——その日の朝、朝食の席に座って、慎重に検討していたのを覚えている——いまにして思えば、サトラー館には、わたしが想像していた以上に複雑な問題があるのかもしれない。

丸顔の青年に触発されて、さらに数人がわたしに向かって怒鳴りはじめた。ほかの者たちは彼らをとどめようとしていたが、さほど必死の様子ではなかった。そのときかまびすしい怒号のなかで、わたしの肩のすぐ後ろからやさしく話しかけてくる新しい声に気づいた。それは教養ある落ち着いた男性の声で、どこかで聞き覚えがあった。

「ライダーさま」その声は呼びかけた。「ライダーさま、もうコンサートホールへお出かけにならなければ。みなさんあちらでお待ちです。ほんとうにたっぷりとお時間をお取りになって、ご自分で施設や状態を下見なさらなくては……」

その声は、わたしの目の前でまた起きたとりわけ騒がしいやり取りにかき消されていった。丸顔の青年はわたしに指を突きつけ、何度も同じことを繰り返した。

それから急に、参列者たちが静かになった。最初は、彼らがようやく落ち着きを取り戻して、わたしが話すのを待っているのかと思った。しかしそのあと、丸顔の青年が——いや、誰もかれもが——わたしの頭上のどこか一点をじっと見つめているのに気づいた。体をひねって見てみると、ブロッキーが墓石によじのぼり、わたしのすぐ上におおいかぶさるようにして立っていた。

たぶんわたしが見上げた角度のせいだったのだろうが――彼はやや前に身を乗りだしていたので、広大な空を背景に、あごの下の部分がすっかり見えていた――その姿には、どこかはっとするほど堂々とした風格があった。彼はまるで大きな彫像のようにそびえ立ち、両手を空中に振り上げている。実際、彼はこれから指揮を始めようとする直前にオーケストラをこんなふうに見回すのだろうと思われる格好で、集まった人たちを眺め回した。その物腰にはどことなく、ついさっきまで目の前で荒れ狂っていた激情をコントロールするかのような――それを思うがままに高めたり、抑えたりできるかのような――奇妙な威厳が漂っていた。沈黙が続いたあと、誰かが叫んだ。

「おまえはここに何の用がある？　この老いぼれの酔いどれめ！」

おそらくそう言った本人は、これでまた怒号の嵐を巻き起こそうとしたのだろう。しかし現実には、誰一人その言葉が聞こえたようなそぶりさえ見せなかった。

「この老いぼれの酔いどれめ！」さっきの人物がもう一度あおろうとしたが、すでにその声に自信はなかった。

沈黙のなかで、全員がブロツキーを見上げていた。かなり時間がたってから、ようやくブロツキーが口を開いた。

「わしをそう呼びたければ、それで結構。もうすぐ分かることだ。このわしがどんな人間か。これから数日、数週間、いや数カ月のうちに、わしがそれだけの人間にすぎないかどうか、分かるというものだ」

彼はゆっくりと、静かな力を込めて話したので、最初の衝撃はいささかも失われなかった。参列者たちは相変わらず魔法にでもかかったように、彼を見上げていた。ブロッキーはやさしく言った。

「愛していた誰かが亡くなった。これは大切なときだ」

彼のレインコートのへりがわたしの後頭部をかすったので、彼が未亡人に手を差しだしたのが分かった。

「これは大切なときだ。さあ、いまからあなたの傷をいたわりなさい。それは生涯、あなたから消えることはない。しかしまだ生々しく血が出ているこのときに、いたわるといい。さあ」

ブロッキーは未亡人に手を差しだしたまま、墓石から飛びおりた。彼女がぼんやりとその手を取ると、ブロッキーはもう一方の手を彼女の背中に回して、やさしく彼女を墓穴まで連れていこうとした。

「さあ」彼が静かに言うのが聞こえた。「さあ、来なさい」

二人は落ち葉を踏みしめながらゆっくりと歩き、未亡人は棺を見下ろす墓穴のきわまでやってきた。未亡人がまたすすり泣きを始めると、ブロッキーは慎重に身を引いて、彼女から一歩後ずさりした。そのころにはまたおおぜいがすすり泣きを始め、もうすぐ、わたしがやってくる前の状態に戻るだろうと思われた。どちらにしても、もうみんなわたしには注目していないので、このときとばかりにこっそり抜けだすことにした。

わたしは静かに立ち上がり、いくつか墓の前を通りすぎた。誰かがすぐ後ろを歩いてくる足音がして、こんな声が聞こえた。

「ほんとうにライダーさま、もうコンサートホールへお出かけになる時間です。どんな調整が必要になるか分かりませんから」

振り返ると、一日目の夜に映画館で出会った老議員、ペダーセンが立っていた。さっき肩の後ろからやさしく話しかけてきたのは彼だったのだ。

「おや、ペダーセンさん」わたしは隣に並んだ彼に言った。「コンサートホールのことを思い出させてくださって、感謝します。あそこではみなさん感情がとても高ぶっておられたので、正直なところ、時間の観念がなくなりかけていたんです」

「おっしゃるとおり。わたしもでしたよ」ペダーセンは小さな笑い声を立てながら言った。「それにわたしも、出なければならない会合がありましてね。あなたの打ち合わせほど重要ではありませんが、それでも今夜の催しに関係しておりますものですから」

わたしたちは墓地の中央を通る草の生えた小道までやってきて立ちどまった。

「よろしければ教えていただきたいんですが、ペダーセンさん」わたしはあたりを見回しながら言った。「コンサートホールへの車を手配しておいたので、待ってくれているはずなのですが、その道路までどうやって行けばよいのか分からないんです」

「喜んでお教えしましょう、ライダーさま。ついてきてください」

わたしたちはまた歩きだし、ブロッキーと一緒におりてきた丘からしだいに遠ざかった。太陽はもう谷間に沈もうとしていて、墓石の影が目だって長くなっていた。歩きながら、わたしは少なくとも二度ばかり、ペダーセンが何か言いたげなのに気づいたが、やはりやめておこうと思ったようだった。とうとう、わたしは単刀直入に尋ねた。

「さっきの一部の方がたのことですが、とても不愉快になっている様子でした。つまり、新聞に出たわたしの写真のことで」

「はあ、さよう」ペダーセンはため息をつきながら答えた。「サトラー館のことです。マックス・サトラーと聞くと、いまだにみなさん、昔と同じようにかっとならずにはいられないのです」

「あなたにもきっとご意見がおありでしょう。つまり、あのサトラー館の正面で撮った写真について」

ペダーセンは気まずそうにほほ笑んで、わたしの視線を避けた。「どうご説明すればよいものか」彼はようやく言った。「外部の方にご理解いただくのは、とてもむずかしいのです。たとえ相手があなたのような専門家でも。どうしてマックス・サトラーが――いいえ、この町の歴史においてあのエピソード全体が——この町の市民にこれほど大きな意味を持つようになったのかは、まったく明らかではありません。史料として、見るべきものはほとんどないのです。ええ、それに、すべては百年ほど前に起きたことです。しかしよろしいですか、ライダーさま、あなたもきっとお気づきになったでしょうが、サトラーはこの町の市民の想像力のなかに根づいているのです。彼の役割は、神話の域に達したとでも言えましょうか。ときには恐れられ、ときには嫌悪される。そしてときには、彼の思い出が尊敬されているのです。はてさて、どうご説明したものか。こんなふうに言えばよろしいでしょうか。わたしにはある知人、仲のいい友人がおりまして、年は取ってきましたが、決して悪い生活はしておりません。この町で十分な尊敬をかちえ、市民のいろんな問題でまだ積極的な役割を果たしております。決して悪い生活ではありません。しかしこの男は、ときどき自分の生活を振り返って、何かの機会を見すごさなかったらどうだっただろうかと考えるのです。たとえばもう少し、そう、内気でなかったら、事態はどうなっていただろうかと。かわりにもう少し情熱的だったら、と」

ペダーセンは小さく笑った。小道はここで丸くカーブして、行く手に墓地の黒い鉄のゲートが見えた。

「それから、彼は思い起こします」ペダーセンは続けた。「若いころの重要な転機、彼がいまのような生活にすっかり身を落ち着ける前のことを。さよう、たとえば、どこかの女性に誘惑されそうになったときのことを、思い出すかもしれません。もちろん、彼は取り合いませんでした。そんなことをするには、きまじめすぎましたから。それとも臆病だったからか、あるいは若すぎたためか。彼は、もしあのとき別の道を歩んでいたら、もう少し……愛や情熱に自信を持っていたら、と考えます。あなたにもお分かりでしょう、ライダーさま。年寄りが、あの重要な転機に別の道を歩んでいたらどうなっていただろうと、ときどき夢想するのがどういうものか。町にとっても、社会にとってもそれは同じことです。ときどき過去の歴史を振り返っては、こう自問するんです。『ああ、もしもかくかくしかじかだったなら、いまごろどうなっていただろうか……』と。ああ、もしどうだったらと言うんでしょうかね、ライダーさま？　マックス・サトラーに、彼の望むとおりにやらせていたら、ですかな？　いまごろはもっと違った町になっていたはずだと？　いまごろはアントワープのような町に？　それともシュッツットガルトでしょうか？　正直なところ、わたしはそうは思いませんよ、ライダーさま。なにしろこの町には、特別なものが、とても根深い特別なものが、あるんですから。それは五代、六代、七代たっても、とうてい変わりますまい。サトラーは、ひらたく言うと見当違いの男でした。夢ばかり追う人間でしてね。たとえ彼が思いどおりにやっていても、基本的には何も変わっていなかったはずです。このわたしの友人とまさに同じで、彼は彼なのです。たとえどんな重要な経験をしても、変わりようがない。さてライダーさま、着きましたよ。この階段をおりれば、道路にお戻りになれます」

　わたしたちは墓地の高い鉄のゲートを通り抜け、手入れの行き届いた広い庭園に立っていた。ペダーセンは左手の生け垣を指していて、その向こうに石の階段がゆるやかに曲がりながら続いているのが見えた。わたしは一瞬ためらってから言った。

「ペダーセンさん、ひとかたならぬご親切をありがとうございます。しかしこれだけは申しあげておきたい。わたしはもし自分に何か判断ミスを犯した可能性があるとき、踵を返して逃げだすような人間ではありません。どちらにしろ、これはわたしのような立場の人間が何とか切り抜けていかねばならないことです。つまり、一日のうちにいくつも重要な決定を迫られるのですが、実際のところ最大限できるのは、そのとき入手可能な証拠を力を尽くして比較検討し、結論を出すことです。当然ながら、ときには、ええ、誤算もあります。誤算がないなど、ありえないでしょう？　これはわたしが長年、切り抜けてきたことなんです。そしてお分かりでしょうが、現にそんな事態が起きたとき、わたしが唯一心を砕くのは、どうすればいち早くその過ちを正せるかです。ですから、どうか率直なご意見をお聞かせください。わたしがサトラー館の前で写真を撮ったのが間違いだったとお考えなら、そうおっしゃってください」

　ペダーセンは困っているようだった。彼は遠くの広大な墓地を振り返ってから答えた。

「そうですね、ライダーさま。これは単なる個人的な意見ですが」

「ぜひうかがいたい」

「では、そうおっしゃるのでお答えしますが、たしかに率直に申しまして、けさ新聞を見ましたときには、かなりがっかりいたしました。わたしが思うに、いまご説明したとおり、サトラーの極端さを受け入れるのは、この町の性向ではございません。ごく一部の市民に崇拝者はおりますが、それはまさに彼が現実離れした、この町の神話的存在だからなんです。まともな候補としてまた彼を持ちだすとなると……率直に申しあげて、この町の市民は恐怖にかられるでしょう。ひるむでしょう。たとえどんなみじめな状態になっていようと、そんなことはそっちのけで、急に現状にしがみつこうとするでしょう。わたしがどう思うかというご質問にお答えしますと、マックス・サトラーをこうした議論に持ちだしたことで、改善への可能性が大いに損なわれてしまったと思います。しかしもちろん、まだ今夜がございます。結局、すべては今夜の出来事にかかっているのです。あなたが何とお話しになるか、そしてブロッキーさまがわたしどもにどんな演奏をご披露なさるかに。そしてあなたもおっしゃるように、失地回復という点では、ご本人以上に適役の方はおいでになりません」彼はしばらく黙って何か考えこんでいるようだったが、やがて重々しく頭を振った。「ライダーさま、あなたにいまおできになる最善の手段は、コンサートホールへお出かけになることです。今夜はすべてを計画どおりに進めなければなりません」

「ええ、ええ、ほんとうにおっしゃるとおりです」わたしは答えた。「きっといま迎えの車が待っていて、コンサートホールへ連れていってくれると思います。ペダーセンさん、率直にお話しくださってありがとう」

26

階段は、高い生け垣と灌木の横を急勾配で下っていた。ふと気づくと、わたしは道路わきに立って、向かいの野原のかなたに沈んでいく太陽を眺めていた。階段はちょうど道路が急カーブを描いているあたりにおりていて、その道路を少し先へ歩くと、視界が広がった。そこからさっきのぼった丘を見上げることができ——小屋の輪郭が、空にくっきりと浮かんでいた——ホフマンの車が、先刻わたしをおろした待避車線で待っていた。

車のほうへ歩きながら、頭のなかはペダーセンと交わしたばかりの会話でいっぱいだった。わたしは映画館で初めて彼と会ったときのことを思い出した。あのとき、彼がわたしを心から尊敬しているのは、言葉の端々や物腰ににじみでていた。しかしいまやその慇懃な態度とは裏腹に、彼がわたしに落胆しきっているのは明らかだ。この考えが妙に気にかかり、夕日を見つめながら道路を歩いているあいだにも、サトラー館の件でもっと慎重に対応しなかった自分に、いらだたしさがつのってきた。ほんとうに、わたしの決断は——ペダーセンにも話したように——あの時点では最も賢明な選択に思われたのだ。それにしても、いくら時間が限られ、とてつもなく大きな重圧がかかっているとはいえ、あの時点でもっと情報を得ていればよかったと、くよくよ思い悩まずにはいられなかった。そしていま、今夜の催しが目前に迫ったこんな土壇場になっても、この町の問題に関しては、まだとうてい明瞭とは言いがたい点が残ったままだ。いまさらながらに、昼間の市民相互支援グループとの会合をすっぽかしたのは失敗だったと悔やまれた——ましてやそれを犠牲にして行ったピアノの練習は、結局のところほとんど必要ではなかったのだから。

ホフマンの車に近づくまでに、わたしは疲れて意気消沈していた。ホフマンは運転席で忙しそうにノートに何か書いていて、助手席のドアを開けるまでわたしに気づかなかった。「おや、ライダーさま」と叫ぶと、彼はさっとノートを片づけた。「練習は首尾よくいったのでございましょうね？」

「ああ、とても」

「設備には」彼はあわてて車のエンジンをかけた。「ご満足いただけましたか？」

「すばらしかったですよ、ホフマンさん。ありがとう。しかしいまから、できるだけ早くコンサートホールへ行きたいんです。どんな手配が必要になるかも分かりませんから」

「もちろんです。実は、わたしもいまからコンサートホールへ急がなければならないのです。一時間前には、何もかもきわめて順調に運んでいて、うれしいかぎりでした。しかし、たちまち大混乱になりかねませんからね」

ホフマンは道路に車を出し、わたしたちは何分か黙ったまま走った。道路は、郊外へ向から車線より多少交通量は多いものの、まだ混雑していると呼ぶにはほど遠く、ホフマンはすぐにかなりのスピードを出した。わたしは窓の外の田園風景を眺めながらリラックスしようとしたのだが、いつのまにか心はこれからの夕べのことに戻っていった。やがてホフマンがこう言った。

「ライダーさま、この件を持ちだしたからといってお気を悪くしないでいただきたいのです。ささいなことです。きっとお忘れになられたでしょうね」彼は短く笑って、首を振った。

「どの件ですか、ホフマンさん？」

「ほかでもない、家内のアルバムのことです。初めてお会いしたとき、申しあげたのを覚えておいででしょうか。家内は、長年あなたの熱心なファンでして……」

「ええ、もちろん、よく覚えていますよ。奥さまは、わたしの記事の切り抜きをアルバムにしてくださったんですね。ええ、ええ、忘れてはいません。実のところ、それはこの忙しい予定をこなすなかで、ずっと楽しみにしてきたことなんです」

「家内は、それはそれはもう熱心に集めておりましてね。何年も。ときには、あなたの重要な記事を掲載した雑誌や新聞のバックナンバーを手に入れるのに、たいへん苦労しておりました。実際、家内の熱心さには、見ているだけで脱帽でしたよ。ほんとうに、あれにとっては大きな意味を持つでしょう……」

「ホフマンさん、わたしは心から、すぐにでもアルバムを拝見したいと思っているんです。申しあげているように、ほんとうに待ち遠しいのです。しかしいまはこの場を利用して、そのう、今夜のことで、いくつかの問題をお話しできれば、うれしいですね。」

「あなたがそうおっしゃるなら。しかし念のために申しておきますと、何もかもきわめて順調に運んでおります。何も心配なさることはございません」

「ええ、ええ、きっとそうでしょう。とはいえ、この催しが目前に迫ってきたいま、少し今夜のことを考えたほうが賢明ではないでしょうか。たとえばホフマンさん、わたしの両親の問題があります。この町の方がたが十分にお世話してくださるとは信じていますが、それでも二人の体が弱っているのは事実ですから、くれぐれも……」

「ああ、ごもっとも、よく分かっております。実のところ、ぶしつけながら、あなたがご両親のことをそれほどまでにお気づかいになっておられるのには、まことに心を打たれます。お二人にはいつでも快適に過ごしていただけるよう、万全の手筈を整えておりますので、どうかご安心ください。この町のたいへん魅力的で有能なご婦人方のグループが、ご滞在中のお世話をこまごまと取り決めております。そして今夜の催しにさいしましては、お二人のためにちょっとした特別な手配、あなたに喜んでいただけるささやかな演出を準備しております。きっとご存じでしょうが、わが町のシーラー・ブラザーズ社は、二百年にわたる馬車づくりで有名でございまして、かつてはフランスやイギリスといった遠い外国にまで、たくさん立派な顧客を抱えておりました。町にはまだシーラー・ブラザーズ社製の逸品が何台か残っております。そこであなたのご両親がとりわけ大事な賓客としてコンサートホールにお着きになりたいだろうと存じまして、手入れの行き届いた美しいサラブレッドを二頭、ご用意したのです。その場面を思い描いてみてください、ライダーさま。夕方のその時刻には、コンサートホールの正面の空き地に照明があふれ、わが町の名士全員がそこに集まり、興奮の高まりのなか、どなたもすばらしい装いで歓談しておられる。もちろん、車は空き地までは入ってこられませんから、みなさん木立ちを抜けて歩いてみえるのです。かなりの方がたがコンサートホールの前に集まりますと――その場面を、ご想像になれますか？――暗い木立ちのなかから、馬車が近づいてくる音が聞こえてきます。紳士淑女のみなさんは、話をやめて振り返る。ひづめの音はしだいに大きくなり、ますます光の洪水に近づいてきます。それから不意に、すばらしい馬とえんび服にシルクハットの御者、そしてあなたのご立派なご両親を乗せたシーラー・ブラザーズのぴかぴかの馬車が目に飛びこんでくる！　その興奮を、その瞬間に群衆のあいだを駆けめぐる期待感を、ご想像になれますか？　もちろん、あなたのご両親は長時間、馬車に乗る必要はございません。あの木立ちを抜ける道を通ってくるあいだだけでよろしいのです。念のために申しあげると、この馬車はとびきり贅沢な最高傑作です。きっとお二人は、リムジンにまさるとも劣らず安全で快適だとお思いになるでしょう。当然ながら、少しばかり揺れることは揺れますが、しかしそれも第一級の馬車ですと、かえって心地よさに感じられるのです。ご想像になってみてください。実を申しますと、もともとこの演出は、あなたをお迎えするために考えていたものなんです。ですがそのあと、あなたはもうその時間にはとっくに楽屋に座っておいでだと気づいたものですから。それに何よりも、あなたがステージに登場されるときのインパクトを弱めるようなことをしたくはございませんしね。ですから、あなたのご両親もこの町におみえになるというりれしい知らせを受けたとき、わたしはすぐさま、『ああ、理想的な解決策だ！』と思ったのです。ええ、さようです。ご両親のご到着は、みごとに雰囲気を盛り上げてくれるでしょう。もちろん、そのあとご両親には、ホールでお立ちになっていただいたりはしません。真っ直ぐ特別席にご案内いたします。それは、ほかの方がたにもお席についていただくきっかけになりますでしょう。まもなく、この夕べの公式行事が始まります。最初は、息子のシュテファンの短いピアノ・リサイタルです。はは！　たしかに、これは親ばかだと認めます。しかしシュテファンはステージでの演奏を熱心に希望していましたし、あのときわたしはたぶん愚かにも信じていた……いや、いまここでくだくだ言っても始まりませんな。シュテファンは軽いピアノのリサイタルをやり、いわばムードづくりをいたします。このときの照明は明るいままで、観客はまだ自分の席を見つけたり、挨拶を交わしたり、通路でおしゃべりしたりといったことが可能です。それから全員が席に座ると、照明を落とします。続いて公式の歓迎の挨拶があり、オーケストラが出てきて楽団員が席に着き、チューニングを始めます。しばらくして、ブロッキーさまの登場です。彼が……彼が指揮をなさいます。そして演奏が終わると——これは希望的観測というか、そうなるだろうという仮定ですが——嵐のような拍手が巻き起こり、ブロッキーさまは何度もお辞儀されてから、短い休みに入ります。休憩と呼ぶほどの長さではなく、聴衆は席から離れられません。しかし五分かそこらの短い休みを取り、その間に照明はまた明るくなって、聴衆は考えをまとめる機会を得ます。まだ聴衆があれこれ意見を交わしているあいだに、フォン・ヴィンターシュタインさんがステージのカーテンの前に出てまいります。彼は簡単な紹介を行います。ほんの数分で——実際、たいした紹介は必要ございませんでしょう？——彼は袖に引っこみます。そのとたん、会場全体が暗くなります。そしていよいよ、その時がやってきます。あなたのご登場です。実のところ、これには少しばかりあなたのご協力が必要ですので、かねてよりご相談したいと思っていたことなんです。よろしいですか。わが町のコンサートホールはとても美しいのですが、何ぶんにもきわめて古いものですから、もっと近代的な建物なら当然備わっているようなたくさんの設備がございません。前にもお話ししたと思いますが、お料理を出すための厨房設備はとうてい十分とは言いがたく、そのためホテルの設備に大きく依存しなければなりません。しかし、要はこういうことです。わたしはスポーツセンターから――こちらのほうは実際とても近代的で、設備も整っております――普段は室内競技場にかかっている電光掲示板を借りてきました。ですからいま、室内競技場は見るも情けない姿になっております！　醜い黒い電線が、いつも掲示板をかけてある壁から垂れ下がっておりましてね。さて、先ほどの要点に戻りますと、フォン・ヴィンターシュタインさんは、短いご挨拶のあとステージの袖に引っこみます。そのとき一ヵ所に照明があたり、ステージ中央の演壇の前におにカーテンが上がります。一瞬、会場全体が真っ暗になり、そのあいだ立ちになっているあなたの姿が浮かび上がるのです。そのとたん、明らかに聴衆は興奮して、拍手喝采が巻き起こるでしょう。そして拍手が鳴りやむと、あなたが口を開かれる前に――もちろん、これはあなたが同意してくだされぱの話ですが――最初の質問をする声が会場内に響きわたります。声の主は、この町の最古参の俳優、ホルスト・ヤニングスです。彼はマイクを使って、スピーカーから話しかけます。ホルストは豊かなすばらしいバリトンの持ち主で、質問を一つひとつゆっくりと読み上げていきます。そのあいだに――これはわたしのちょっとした思いつきなんですよ！――あなたの頭上に取りつけた電光掲示板に、その質問が文字で表示されるんです。よろしいですか、この時点まで、暗闇のおかげで誰も掲示板の存在には気づきません。ですからまるでその言葉が、あなたの頭上の空間に浮かび上がっているように見えるのです。はは！　僭越ながら、この仕掛けは催しをドラマチックに盛り上げると同時に、いっそう明確に印象づける効果があると思いましてね。掲示板に出る言葉は、おそらく会場にいる一部の者が、あなたのお話しになる問題のきわめて重要な本質を肝に銘じる助けになるでしょう。結局のところこの興奮の渦のなかでは、集中力を失う者が出かねませんから。しかしまあ、わたしのこのささやかな思いつきで、そのような可能性はほとんどなくなりますでしょう。質問の一つひとつが、全員の前に大きな文字で表示されるのですから。そんなわけで、あなたが了承してくだされば、いま申しあげたようなかたちで進めていきとう存じます。最初の質問が読み上げられ、掲示板に文字で表示されると、あなたは壇上からお答えになり、それが終わると、ホルストが次の質問を読み上げる、その繰り返しです。わたしどもがライダーさまに唯一お願いしたいのは、一つの質問のお答えが終わりましたら、その都度、演壇からおりてステージの端まで歩き、一礼していただくことです。そうお願いしますのには、二つの理由がございます。まず第一に、電光掲示板は仮設の設備ですから、当然いくつか技術上の問題がございます。電気技師がそれぞれの質問を入力するのに数秒かかりますし、さらには言葉が掲示板に出はじめるまでに、十五秒から二十秒の遅れが出るのです。ですからステージの端まで来て一礼していただければ、必然的に拍手を促すことになりますし、わたしどもとしましても、途中で何度もしらけた沈黙が流れるのを避けることができましょう。毎回、拍手が鳴りやむ頃合いを見はからって、ホルストの声と掲示板で次の質問を発表しますので、演壇までお戻りになる時間は十分にございます。この方法が望ましい理由は、もう一つあります。あなたがステージの端まできて一礼なされば、電気技師にたいへんはっきりと、もうこれでお答えが終わりだと合図を送ることになるのです。わたしどもは何としても、あなたのお答えがまだ終わっていないのに掲示板に次の質問を流すといった事態を避けたいのです。しかしまあ、さっきご説明したように時間的なずれという問題がありますから、そうしたことも容易に起こりかねません。たとえば、あなたのお答えが終わったようにお見受けしたのに、実は頭に浮かんだ最後の要点をお話しになろうと、一呼吸置いただけだったというような場合です。あなたがその最後のポイントを述べはじめたときに、電気技師がもう次の質問を表示してしまったら……はっ！　何という失態！　そんなことは考えたくもありません！　ですから、あなたのお答えが終わったら毎回ステージの端まで来るという、この単純ながら効果的な方法を提案させていただいているのです。実際、電気技師が次の質問を入力するのにさらに数秒の余裕を与えるために、お答えが終わりに近づいたときに何か目立たないかたちで合図を送ってくだされば、とても役に立ちますでしょう。そうですね、肩をちょっとすくめるとか、何か。もちろん、ライダーさま、こうした手筈はすべて、あなたの同意をいただいたうえでのことです。この思いつきにご不満がおありでしたら、どうぞ忌憚なくおっしゃってください」

ホフマンが話しているあいだに、もうこの夕べの様子が、鮮明すぎるくらいにわたしの心に浮かんできた。拍手や、頭上に据えつけた電光掲示板のブーンという音まで聞こえてくるようだった。わたしは小さく肩をすくめてから、まぶしいライトのなかをステージの端まで歩いていくところを思い浮かべた。しかし自分がいかに準備不足かに気づいたとき、奇妙な夢のような非現実感に襲われた。ホフマンが返事を待っていたので、わたしはげんなりしてつぶやいた。

「まさにすばらしいと思います、ホフマンさん。この催し全体をとてもうまく計画されましたね」

「はあ。でしたら、承知していただけるんですね。いろんな細かな点にも、すべて……」

「ええ、ええ」わたしはいらいらして手を振りながら答えた。「電光掲示板も、ステージの端まで歩いていくのも、肩をすくめるのも、ええ、ええ、そうですとも。すべて、とてもうまく計画されています」

「はあ」一瞬、ホフマンはまだ疑うような表情をしていたが、わたしの言葉は本心だと結論したようだった。「それはよろしゅうございました。ほんとうに。これですべてが解決しました」ホフマンは自分で納得したようにうなずくと、しばらく黙っていた。それから彼は道路から目を離さずに、またひとりごとのようにつぶやいた。「さよう、さよう。すべてが解決しました」

何分か、ホフマンは何も話しかけてこなかったが、相変わらず低い声でひとりごとをつぶやいていた。いまや空の大半は茜色に染まり、農地のあいだを道路が右へ左へと曲がるたびに夕日がフロントガラスの正面に現れて車のなかを照らすので、まぶしくて目を細めなければならなかった。それからわたしが自分の席の窓から外を眺めていると、ホフマンが突然あえぎながら言うのが聞こえた。

「雄牛だ！　雄牛、雄牛、雄牛！」

これも小声でつぶやいたのだが、それでもわたしが驚いて彼のほうを見るくらいの声だった。ホフマンはまだ自分の世界にひたったまま、じっと正面を見すえてうなずいている。まわりの農地を見回してみたが、羊はたくさんいても、雄牛の姿は見えなかった。そういえばホフマンは、以前わたしと車で出かけたときにも同じことを言っていたような、かすかな記憶があった。しかし、わたしはすぐにこの件に興味をなくしてしまった。

まもなくわたしたちは市街地の道路に入り、たちまち渋滞に巻きこまれた。歩道は職場から家路を急ぐ人たちで混雑していて、店のショーウィンドーの多くは、もう夜に向けてライトをつけていた。町に帰ってきたので、わたしは自信が少し戻ってきた気がした。いったんコンサートホールに着いてステージに立ち、設備を検分する機会を持てば、きっと多くの事柄に納得がいくだろう。

「実際のところ」ホフマンが不意に言いだした。「何もかも順調に進んでいます。あなたは何もご心配には及びません。この町には、きっと満足していただけるでしょう。ブロッキーさまには、いまも全幅の信頼を置いております」

わたしは少なくとも楽観的な姿勢を見せるべきだと考え、「そうだね」と、陽気に答えた。「ブロッキーさんは今夜きっとすばらしくおやりになるでしょう。もちろん、ついさっきもお元気のようでしたし」

「はあ？」ホフマンはけげんな表情でわたしを見た。「さっきお会いになったのですか？」

「上の墓地で、ついさっき。自信たっぷりのようでしたよ……」

「ブロッキーさまが墓地に？　そんなところで何をなさっていたのでしょう」

ホフマンが探るような目つきで見たので、わたしは一瞬、葬式とブロッキーの堂々とした行動のことを話してやろうかと思った。しかし結局それほどの気力がなく、ただこう答えた。

「もうすぐ人と会う約束をしていたと思います。ミス・コリンズと」

「ミス・コリンズと？　何てことだ。いったいどういうつもりなんだ？」

わたしはこの反応に少し驚いて彼を見た。「どうやらほんとうに仲直りできそうな気配ですね。そんな幸せな結末がもし実現すれば、ホフマンさん、それもあなたの立派な功績ではありませんか」

「さよう、さよう」と言いながら、ホフマンは何かに考えをめぐらせているらしく、顔をしかめた。「ブロッキーさまがいま墓地にですと？　ミス・コリンズを待って？　実に奇妙だ。実に奇妙だ」

さらに町の中心部へ入るにつれて道路はますます混雑がひどくなり、やがて狭い裏道で車はぴたりととまってしまった。いっそう困った表情になっていたホフマンが、またわたしを見た。

「ライダーさま、わたしにはちょっとした用がございます。つまり、いずれコンサートホールで合流しますが、いまは……」彼は腕時計を見て、明らかにあわてふためいた。「ちょっとした用が……ございまして……」それからハンドルをむんずとつかむと、わたしをじっと見すえて言った。「ライダーさま、実はこうなんです。このいまいましい一方通行といらいらする夕方の渋滞のせいで、これからこの車でコンサートホールへ行くにはまだ相当な時間がかかります。しかし徒歩でしたなら……」彼は、わたしの側の窓の外を指さした。「ほら、そこです。あなたのすぐ目の前に。歩いてほんの数分の距離なんです。さよう、あの屋根です」

そう遠くないところに、大きなドーム型の屋根がほかの建物の上におおいかぶさるように見えた。これなら、せいぜい三ブロックか四ブロックしか離れていないようだ。

「ホフマンさん、緊急の用件がおありなら、わたしは歩いていっても全然かまいませんよ」

「ほんとうに、およろしいんですか？」

車はほんの少し前進しただけで、また動かなくなってしまった。

「実のところ、歩くのはむしろ大歓迎です」わたしは答えた。「とても気持ちのいい宵のようだし、あなたがおっしゃるように、歩けばすぐの距離ですから」

「まったくいまいましい一方通行だ！　まだ一時間はこの車に乗っている羽目になるかもしれません！　ライダーさま、まことに恐縮ですがここでおりていただければ、たいへんありがたいのです。何しろわたしには面倒を……見なければならないことがございまして……」

「ええ、ええ、もちろんです。わたしはここでおりましょう。そんなにお忙しいというのに、ご親切にこんなふうに車で送り迎えしていただいて。ほんとうに感謝します」

「あなたはコンサートホールの裏側から近づいていくことになります。ただあの屋根を目指して歩けばいいだけです。あの屋根を見失わないかぎり、迷いようがありません」

「どうかご心配なく。大丈夫ですから」彼が詫びを言うのをさえぎって、わたしはもう一度礼を述べ、車から歩道におりた。

まもなく、わたしは専門書を扱う書店が軒を連ねた狭い通りをふらふら歩いていた。それから、いくつか快適そうな観光ホテルの前を通りすぎた。丸屋根を見失わないようにするのはむずかしいことではなく、しばらくは、新鮮な空気を吸いながら歩くチャンスができたのをありがたく思った。

しかし二、三ブロック進んだとき、いくつか不安な考えが頭に浮かんできて、どうしても振り払うことができなかった。一つには、質疑応答がスムーズに運ばないという事態も十分に考えられる。実際、墓地で見せつけられたような激しい反感に対処しなければならないのなら、修羅場になる可能性もゼロとは言えない。さらには質疑応答がひどい状況になれば、つのる恐怖ととまどいを覚えながらその様子を眺めていた両親が、この会場から連れだしてくれと言いだすことも考えられる。言い換えれば、両親はわたしがピアノを弾く前に帰ってしまうわけで、そうなれば二度とわたしの演奏を聴きにくるかどうか分からない。いやそれどころか、さんざんな場面になれば、両親のどちらかが発作を起こす事態もありえないことではない。わたしはピアノを弾きはじめてから数秒のうちに母と父を驚嘆させてみせるという自信をますます深めていたが、質疑応答の問題が目の前に大きく立ちはだかっていた。

すっかりもの思いにふけっていたせいで、ふと気づくと、ドーム型の屋根がほかの建物に隠れて見えなくなっていた。どうせまたすぐ見えるようになるとたかをくくって、最初はたいして気にもとめていなかった。しかしさらに歩いているうちに通りはいっそう狭くなり、まわりの建物はどれも六、七階建なので、丸屋根はおろか、空さえほとんど見えなくなった。それで並行した広い通りを探すことにしたのだが、次の角を曲がってみても、小さな路地から路地へとさまようだけだった。たぶんどうどうめぐりをしていたのだろう、コンサートホールはどこにも見えてこない。

何分かそんなふうに歩いたあと、わたしは不安になり、誰かを呼びとめて道を尋ねてみようかとも考えた。しかし、それはあさはかなやり方だ。わたしが歩いていると、通りがかりの人たちが振り返って——ときには舗道でじっと立ちどまって——わたしを見るのだ。うすうすそのことに気づいてはいたが、コンサートホールへたどり着く道を見つけるのに必死で、あまり深くは考えていなかった。しかし今夜の催しがこれほど目前に迫り、いろんなことがきちんと決まっていないというのに、わたしが道に迷って不安げにうろうろしているところなど見られたら、評判を落とすだけだろう。そこで何とか背筋を伸ばし、すべてをしっかり把握したうえで、のんびり町をぶらついているような振りをした。さらに無理やり歩調をゆるめ、じろじろ見つめる人たちに、誰かれとなく愛想よく笑顔を向けた。

もう一つ角を曲がったとき、とうとう目の前にコンサートホールが現れた。さっきよりもずっと近い。いま入った通りはかなり広くて、両側に明るい照明のともったカフェや店が並んでいる。ドーム型の屋根は、せいぜい一、二ブロック離れた、この通りが曲がって視界から消えている少し先に見えている。

わたしはほっとしたばかりか、急に今夜のことすべてに気が軽くなった。さっきまでの楽観的な気持ち——つまりコンサートホールに着いてステージに立つことができれば、いろんな事柄に納得がいくだろうという考え——が戻ってきて、むしろわくわくした気分で通りを歩いた。

しかし通りの曲がり角まで来たとき、奇妙な光景が目に入った。通りの少し先で、レンガの壁がこの道路をふさぐように——実のところ、道幅いっぱいに——そびえ立っていたのだ。最初は壁の向こうに鉄道の線路が通っているのかと思ったが、そのあと、道路の両側にもっと背の高い建物が途切れることなく遠くまで続いているのに気がついた。わたしはこの壁に好奇心をそそられたが、すぐには厄介なしろものだとは思わず、近くへ行けばきっと向こう側へ通り抜けるアーチ道か地下道があるのだろうと考えていた。どちらにしろ、ドーム型の屋根はいまやすぐ近くに見え、暮れなずむ空をバックにスポットライトで照らしだされていた。

壁のすぐそばまでやってきて、ようやく、ここを通り抜ける道がないことが分かった。歩道は両側とも、レンガの壁の前で行きどまりになっている。わたしは困惑してあたりを見回し、反対側の歩道まで壁に沿って歩いてみたが、まったく信じられないことに、壁にはドアどころか、もぐりこめるような小さな穴さえなかった。何も見つからないので、結局なすすべもなくしばらく壁の前に突っ立っていたが、やがて通りがかりの人——近くの土産物店《みやげもの》から出てきた中年の女性——に手を振りながら、こう尋ねた。

「すみませんがコンサートホールへ行きたいんです。この壁をどうやって越えたらいいんでしょうか？」

その女性はわたしの質問に驚いたようだった。「まあ、とんでもない」彼女は答えた。「この壁を通り抜けることはできません。もちろん、だめですわ。道路を完全に封鎖していますから」

「しかし、それではとても困る。コンサートホールへ行かなければならないんです」

「たしかにお困りでしょうね」と女性は答えたが、その口ぶりから、いままで一度もそんなふうに考えたことがないようだった。「あなたがついさっき壁を眺めていらしたときは、きっと観光客だと思っていました。この壁はかなり有名な観光名所なんですのよ」

彼女は土産物店の正面にある絵葉書のスタンドを指さした。なるほど戸口からもれてくる光のなかで、どの絵葉書にも誇らしげにこの壁の写真がついている。

「しかしこんな場所に、こんな壁がある理由は、いったい何なんです？」わたしは冷静になろうと思いつつも、うわずった声で尋ねた。「まったく奇怪だ。いったいどんな目的があるんです？」

「ほんとうにお気の毒ですわ。この町を訪れた方、それもどこかへお急ぎになろうとしている方には、とんだ困りものでしょうね。きっとこれを愚行とお呼びになるのでしょう。十九世紀の末に、ある風変わりな人物がつくったものなんです。もちろん奇妙には違いありませんけど、それ以来ずっと有名ですの。夏になると、あなたがいまお立ちになっているあたりに、観光客があふれます。アメリカ人やら日本人やら、みなさんその前で写真を撮りますわ」

「そんなばかな」わたしは怒り狂って言った。「それじゃあ、コンサートホールへいちばん早く行ける道を教えてください」

「コンサートホールですか？　そのう、歩いて行かれるおつもりなら、かなりの距離がありますよ。もちろん、いま、すぐ近くにはいるのですけれど」――彼女は屋根を見上げた――「現実にはこの壁のせいで、それはほとんど意味がありませんから」

「何とばかげた話だ！」わたしは堪忍袋の緒を切らした。「それなら自分で見つけますよ。あなたは明らかに、誰かがとても忙しく、厳しいスケジュールで仕事をしていて、何時間もこの町でうろうろしている暇はないかもしれないなどと、考えもしない。実際、言わせていただくなら、この壁はまさにこの町の象徴だ。あちらにもこちらにも、まったくもってばかげた障害物ばかり。そのうえ、あなたがたはどうです？　みんな厄介だと思っていますか？　いますぐ取り壊して、市民が自分の仕事に専念できるようにしろと、要求していますか？　いやいや、一世紀近くも、そのままずっと我慢してきたんだ。絵葉書までつくって、魅力的だと思っている。このレンガの壁が魅力的だって？　何と奇怪な！　わたしはこの壁を象徴として引き合いに出すといいかもしれない。よっぽどそうしようかと思らくらいだ、今夜のスピーチで！　あなたがたはラッキーだ。もう草稿は頭のなかでほぼできあがっているし、もちろんこの期に及んで大幅な変更などしたくはないからね。それじゃあ！」

わたしはくだんの女性を残し、こんなばかげた障害ごときにせっかく取り戻した自信を台なしにされてなるものかと、急いでもと来た道を戻りはじめた。しかし、コンサートホールがますます遠ざかるのを意識して歩きつづけていると、さっきの落胆がぶり返してきた。通りは覚えているよりはるかに長いように思え、ようやくはずれまでたどり着いたというのに、また縦横に入り組んだ狭い小さな路地で迷ってしまった。

さらに何分かあてもなくさまよったあと、急にもうこれ以上は歩けない気がして立ちどまった。そこは歩道のカフェのそばだったので、わたしはいちばん近いテーブルの椅子にへたりこんだ。そのとたん、残っていた力が抜けていくのを感じた。あたりが暗くなり、どこかわたしの頭の後ろのほうで明かりがついているのを、おぼろげに意識していた。この光は、きっと通行人やカフェの客にわたしの姿をさらしているのだろうと思ったが、なぜかまだ、姿勢を正して表向きだけでも落胆した様子を見せてはならないという気にさえならなかった。やがてウエイターが現れた。わたしはコーヒーを注文してから、自分の頭が金属のテーブルの上に落とす影をじっと見つめていた。今夜のことでさっきまで不安をかき立てていたいろんな可能性が、またどっと心に浮かんできた。なかでも、サトラー館の前で写真を撮らせたことが、この町でのわたしの権威を取り返しがつかないほど傷つけ、おかげでたいへんな埋め合わせをしなければならないし、質疑応答のときに完璧な受け答えができなければ惨憺たる結果を招くという気の滅入るような考えに、どうしても戻ってしまうのだった。実際、そんな考えに圧倒されるあまり、もう少しで涙がこぼれてきそうだった。しかしそれから、誰かがわたしの背中に手をかけ、頭の上でやさしく「ライダーさま、ライダーさま」と繰り返した。

てっきりウエイターがコーヒーを持ってきたのだと思い、わたしは目の前に置くよう手で合図した。それでも声がわたしの名前を呼びつづけるので顔を上げると、グスタフが心配そうな表情でわたしを見つめていた。

「ああ、やあ」わたしは言った。

「こんばんは。いかがなさいました？　あなただと思ったのですが、自信がございませんでしたので、ここに来てみたのです。大丈夫でございますか？　みなそろってあそこにおります、全員が。よろしければご一緒なさいませんか？　仲間たちもきっと大喜びでございましょう」

あたりを見回すと、わたしは広場のはずれに座っていた。真ん中に一本、街灯が立ってはいるが、広場全体はかなり暗いので、歩いている人たちの姿は影のようにしか見えない。グスタフは広場の反対側を指さした。そこには、わたしがいま座っているカフェより少し大きな別のカフェが見え、開いた戸口と窓から柔らかな光がもれていた。この距離からでさえ、なかは活気にあふれているのが分かったし、バイオリンの演奏や笑い声が、宵闇のなかわたしたちのいるところまで届いてきた。そのとき初めて、わたしは旧市街の広場に座って、ハンガリアン・カフェを眺めていることに気づいた。まだまわりを眺め回しているとき、グスタフがこう言った。

「仲間たちは、何度も何度もわたくしに話をしろと言うのです。あなたがどうおっしゃったか、そしてあなたがどう同意してくださったかについて。もう五、六回は話したんですが、また最初から聞きたいと申しましてね。それはもう、先刻からずっと笑ったり背中をたたき合ったりしてばかりおりますが、そのうちにまたこう言いだすのです。『おい、グスタフ。まだ話していないことが残っているだろう。ライダーさまは、正確にどうおっしゃったんだ？』と。それでわたくしは、『さっき話したじゃないか』と答えます。『話したじゃないか。もう完璧に知ってるじゃないか』と。それでもまた一からすべてを聞きたがり、わたくしが思いますに、この調子では夜が明けるまでにあと数回は聞こうとするでしょうな。もちろん、わたくしはせがまれるたびにこのうんざりした口調で申すのですが、当然ながら、それは単なる効果を狙ってのポーズでございます。もちろんほんとうは、わたくしとて彼らに負けず劣らず興奮しておりますし、けさのあなたとのお話を、何度でも喜んで繰り返したいのです。仲間があのような表情をしているのを見るのは、とてもうれしゅうございます。あなたのお約束が、彼らの顔に新しい希望、新しい若さをもたらしたのです。イゴールでさえほほ笑んで、ときどき誰かの冗談に声を出して笑いさえしていたんですから！　この前いつ彼のそんなところを見たのか、思い出せないほどですよ。ええ、さようです。わたくしは大喜びで、まだ何度でもそれを繰り返すでしょう。いつも、わたくしの話が、あなたが『分かった。喜んで、あなた方のことに言及しましょう』とおっしゃったところにくるとき、あの部分に差しかかるとき、ぜひとも彼らをご覧になっていただきたいものです！　拍手喝采し、歓声を上げ、互いに背中をたたき合って。仲間がこんなふうに振る舞うのを見るなど、久しくなかったことなのです。そんなわけで、わたくしどもはあのカフェでビールを飲み、あなたのたいへん寛大なお言葉のことを話しながら、この長い年月のあと、今夜が明ければポーターの仕事は永久に変わるだろうと話しながら、ええ、さようですライダーさま、そんな話にふけっておりましたとき、たまたま外に目を向けましたら、あなたをお見かけしたというしだいなのです。お分かりのように、店主はいつも戸口を開け放しておりまして、おかげであのカフェはずっといい具合になっているのです。宵闇が迫るころ、広場の反対側を見渡すのには。そんなわけで、わたくしは広場を眺めながら、『あそこに一人でお座りになっているお気の毒な方はどなただろう』と考えておりました。しかし何しろ視力が衰えておりますもので、実はあなただとは気づきませんでした。それからカールが、わたくしにささやくように告げたのです。大声で尋ねるのはいい考えではないと、何となく感じたに違いございません。彼はわたくしに、『勘違いかもしれないが、あれはライダーさまじゃないか？　あそこにいらっしゃるのは？』と申しました。それでもう一度目をやりまして、ああそうだ、おそらくライダーさまだと思ったのです。この寒空に、いったいどうしてあの方があんなところで、あんなに悲しげな様子で座っていらっしゃるのだろう？　ほんとうにライダーさまかどうか、行って確かめてこよう、と。念のために申しますと、カールはきわめて慎重な人間です。ほかには誰も彼の言葉を聞いておりませんので、彼をのぞけば、わたくしがなぜあの場を抜けだしたのか存じません。ただし、いまは何人かが、わたくしは何をしているのだろうと思いながらこちらを眺めているやもしれませんが。しかしほんとうに、大丈夫でございますか、ライダーさま？　何かご心配なことがおありのようにお見受けしますが」

「ああ……」わたしはため息をついて顔をぬぐった。「何でもないんだ。ただ、この旅行やら責任やらで、ときどき……」わたしは語尾を小さな笑いでごまかした。

「しかし、どうしてこんなふうにここにお一人でお座りだったのですか？　しかもこんな肌寒い夕方に、上着しかお召しにならずに。それに、いつでも気が向いたときに、ハンガリアン・カフェでわたくしどもとご一緒してくださるのは大歓迎だと申しあげておりましたでしょう。わたくしどものところにお越しになっても、大歓迎されないとでもお思いでしたか？　お一人でここにお座りになるとは！　ほんとうに、ぜひいますぐにでも合流なさってください。そうすれば緊張もほぐれて、しばらくお楽しみになれますでしょう。いっさいのご心配はいっときお忘れになることです。仲間はきっと大喜びでございましょう。どうぞ」

広場の向かいの、戸口からもれる明かりと音楽と笑い声には、もちろん心惹かれるものがあった。わたしは立ち上がって、もう一度顔をぬぐった。

「そうです。たちまちご気分もよくなりますでしょう」

「ありがとう。ありがとう。ほんとうに、ありがとう」わたしは何とか自分の感情を抑えようとした。「心から感謝します。ただ、お邪魔でなければいいんだが」

グスタフは笑った。「お邪魔かどうかは、すぐにでもご自分でお確かめになれますでしょう」

広場を横切りながら、わたしはポーターたちに会う心構えをしておいたほうがよいだろうと思った。わたしが行けば、彼らは感謝の念と興奮に圧倒されるに違いないのだ。わたしは一足運ぶごとに気持ちが落ち着くのを感じて、グスタフに陽気な言葉をかけようとした。そのとき、彼が急に立ちどまった。広場を歩きだしたときから彼はわたしの背中にやさしく手を添えていたのだが、その指が一瞬、上着をつかむのを感じた。彼を見ると、グスタフはほの暗いなかで身じろぎもせずに立ったまま目を伏せ、突然、何か重要なことでも思い出したように、眉間に手をあてていた。わたしが口を開く前に、彼は首を振りながらはにかむように笑った。

「申しわけございません。ただ……ただ……」彼は小さく笑って、また歩きだした。

「何かまずいことでも？」

「ああ、いえ、いえ。あの仲間たちは、あなたがあの入口から入られたとき、どんなに興奮するかと思いましてね」

彼は一、二歩先に歩みでると、きっぱりとした足取りでハンガリアン・カフェへと広場を進んでいった。

27

カフェに足を踏み入れ、いちばん奥で燃えている暖炉の薪のぬくもりを感じたとき、わたしはようやく、この夜がどれほど冷えこんでいたかに気づいた。カフェのなかは、以前と様子が変わっていた。テーブルの大半は壁ぎわに寄せられて、大きな円卓が中央にでんと据えられている。そのまわりに十二人ほどの男たちが集まり、ビールを飲みながら騒いでいる。彼らはグスタフよりいくつか若く見えたが、ほとんど全員が初老といったところだ。そこから少し離れたカウンターの近くにジプシーの装いをした二人のやせた男がいて、バイオリンで軽快なワルツを奏でていた。ほかにも客はいたが、みんな奥のほうの薄暗い隅の席で満足しているらしく、まるで誰かの宴席にでもまぎれこんだと思っているようだった。

グスタフと一緒に店に入ると、ポーターたち全員が振り返って、わが目を疑うようにまじまじとわたしを見つめた。グスタフが言った。「そうだよ、みんな。ライダーさまご本人だ。じきじきにご挨拶にいらしてくださった」

カフェじゅうが急に静まり返り、誰もかれもが――ポーターもウエイターもミュージシャンもほかの客たちも――わたしを見つめていたが、やがて店内にあたたかい拍手が巻き起こった。どうしたことか、わたしはこの歓迎に驚き、もう少しでまた涙がこぼれそうになった。ほほ笑みながら「ありがとう、ありがとう」と応えているときも大喝采が続いていて、自分の言葉すらよく聞こえなかった。ポーターたちは総立ちになり、ジプシーのミュージシャンまで、バイオリンをわきに抱えて拍手に加わった。グスタフはわたしを中央のテーブルへ案内し、わたしがそこに腰をおろすと、ようやく拍手が鳴りやんだ。ミュージシャンはまた演奏を始め、ふと気づくと、わたしは興奮した顔に取り囲まれていた。隣に座っていたグスタフが口を開いた。

「みんな、ライダーさまはご親切にも……」

彼が言い終わらないうちに、がっしりとした赤鼻のポーターがわたしのほうに身を乗りだして、ビアグラスを上げた。「ライダーさま、あなたはわれわれを救ってくださった」彼は断言した。「これからはわれわれの状況も変わりましょう。孫の代には、わたしをきっと違ったふうに思い出すでしょう。これは、われわれにとって記念すべき夜です」

まだ彼にほほ笑み返していたとき、誰かに腕をつかまれたので振り返ると、やせた神経質そうな顔の男がわたしを見つめていた。

「お願いです、ライダーさま」その男は言った。「ほんとうにおやりになってくださいますでしょうね？　いざそのときになったら、ほかのいろんな大事なご用件がお心を占領していて、観衆を前にお心変わりなどなさらないでしょうね？　それに……」

「そんな無礼な態度はよせ」別の誰かが言うと、神経質そうな男は、まるで誰かに引き戻されるように姿を消した。わたしの後方から声が聞こえてきた。「もちろん心変わりなどなさるはずがないじゃないか。どなたに向かって言ってるんだ？」

わたしはあの神経質そうな男を安心させようと椅子に座ったまま振り返ったが、そのとき別の誰かがわたしの手を握ってこう言った。

「ありがとうございます、ライダーさま。ありがとう」

「みなさん、ほんとうにご親切な方ばかりです」わたしは全員にほほ笑みかけながら言った。「ただしわたしは……実はみなさんに申しあげておかねばなりません……」

その瞬間、わたしは誰かにどんと押されて、危うく隣の人を突き倒しそうになった。誰かが詫びる声がしたかと思うと、また別の声が「そんなふうに押すんじゃない！」と叫んだ。それからまた別の声が、今度は近くから聞こえてきた。「ついさっきあそこにいらしたのは、あなただと思っていました。グスタフに教えたのは、このわたしです。こんなふうに会いにきてくださるなんて、ほんとうにご親切に。今夜は永久に忘れられない夜になるでしょう。この町のポーター一人ひとりにとって、これは転機です」

「いいですか、みなさんに申しあげておかなければなりません」わたしは大声で言った。

「みなさんのために最善を尽くしますが、申しあげておくと、実はわたしには以前ほど影響力がないかもしれないんです。いいですか……」

しかしその言葉は、何人かのポーターがわたしのために始めた「万歳」の合唱でかき消されてしまった。二度目にはポーター全員が加わり、そのうち音楽が一時的にやんで、カフェの誰もかれもが耳を聾さんばかりの最後の「万歳」の大合唱に加わった。さらに拍手喝采が起きた。

「ありがとう、ありがとう」わたしは心から感動して応えた。やがて拍手がおさまりかけたとき、テーブルの向かいにいた赤鼻のポーターが言った。

「ほんとうによくおみえになってくださいました。あなたはご高名な、社会的地位のあるお方ですが、ここにいる者は一目で立派な人物を見抜く力があることを、分かっていただきたいのです。ええ、そうです。われわれはだてに長くこの業界に身を置いているわけではございません。品位ということにかけて、鼻がきくようになっているのです。あなたは徹頭徹尾、品位のあるお方だ。われわれにはすぐに分かる。品位があって、ご親切で。いまみんなが歓迎しているのは、ただわれわれを助けてくださるからだとお思いかもしれません。ええ、もちろん、とても感謝しております。しかしここにいる者たちをよく存じております。この者たちはあなたに心から感服しておりますが、もしも品位あるお方でなければ、そんなことは絶対にいたしません。傲慢だとか、どこか不誠実なところがおありなら、すぐに嗅ぎ取ったはずなのです。ええ、さようですとも。もちろん、それでもまだ感謝の気持ちは持ったでしょうし、あなたを厚遇したでしょうが、こんな歓迎はしませんでしょう。つまりわたしが申しあげようとしているのは、たとえあなたが著名人でなく、またまここに来合わせた見知らぬ方だったとしても、われわれが立派な人物だとお見受けして、遠い異郷の地で誰かお仲間をお探しだとご説明になったなら、きっと歓迎しただろうということなのです。どれほどご立派な方か分かれば、われわれはさっきとさほど変わらぬかたちで、歓迎したに違いありません。ええ、さようです。われわれは人が言うようなよそよそしい態度を、ここで取るわけがございません。いまから、われわれ一人ひとりを友人として頼りにしてくださいますように」

「そのとおり」わたしの右側にいた誰かが言った。「いまから、われわれはあなたの友人です。この町で何かお困りのことがございましたら、われわれを頼ってください」

「ほんとうにありがとう」わたしは礼を述べた。「ありがとう。今夜はあなたがた全員のために、できるかぎりのことをやりましょう。しかし、申しあげておきたいのですが……」

「どうか」グスタフがわたしの耳もとでおだやかに話しかけてきた。「どうかご心配なさいませんよう。すべてはうまく運びますでしょう。せめてあとしばらくは、愉快にお過ごしになってはいかがです？」

「しかし、わたしはここにいるきみのお仲間に、ひとこと言っておきたいんだ……」

「そうおっしゃらずに」グスタフは静かに続けた。「あなたの熱意には頭が下がります。しかしご心配のしすぎでございます。どうかゆっくりとくつろいで、お楽しみになってください。ほんの数分なりとも。わたくしどもをご覧ください。ここにいる者は、みな心配ごとを抱えております。わたくし自身、もうすぐコンサートホールへ出向いて、仕事に戻らねばなりません。しかしこうしてみなとここで会うときには、友人に囲まれているのがうれしくて、雑事を忘れるのです。みなくつろいで、愉快なときを過ごすのです」それからグスタフは、ざわめきにかき消されまいと声を高くして言った。「さあみんな、われわれがどれほど心から楽しんでいるか、ライダーさまにお見せしようじゃないか！　いつものやつを見ていただこうじゃないか！」

この呼びかけに応えて歓声と拍手が巻き起こり、やがて拍手は、テーブルのまわりにいる者全員のリズミカルな手拍子に変わった。ジプシーたちは手拍子に合わせて音楽のテンポを上げはじめ、眺めていたほかの客たちも何人か手をたたきだした。そしてわたしはこのカフェじゅうの人々がいまやおしゃべりをやめて、待っていましたとばかりこのスペクタクルを見ようと、こちらに席を向けるのに気づいた。店主とおぼしき人物——浅黒いひょろりとした男——が奥から出てきて、これから始まるイベントは絶対に見逃せないとでも言うように、ドアの枠にもたれて立っていた。

ポーターたちは手拍子を続け、ますます陽気になって、なかには床を足で踏み鳴らし拍子を取る者もいた。それから二人のウエイターが現れ、手早くテーブルの上を片づけはじめた。ビアグラス、コーヒーカップ、砂糖入れ、灰皿などが一瞬のうちに消えると、ポーターの一人の濃いあごひげを生やした男が、テーブルの上によじのぼった。もじゃもじゃのひげに隠れた顔は真っ赤だったが、照れているからか酔っ払っているためか、わたしには分からなかった。どちらにしろ、テーブルに上がると、ためらいも見せずに、にんまりと笑ってダンスを始めた。

それは奇妙な、ほぼ静止したままのダンスで、足をテーブルからほとんど持ち上げることもなく、人間の肉体の機敏さや優雅な動きを示すというより、まるで彫刻のような姿勢を強調するものだった。あごひげのポーターはギリシャの何かの神のようなポーズを取り、目に見えない荷物を運んでいるかのように腕を回して、激励の手拍子とかけ声のなかで腰の角度を微妙に変えたり、ゆっくりと体を回したりするのだった。わたしは最初、この動作のすべてが笑いを取ろうとするものなのかと思っていたが、テーブルが陽気な笑い声に包まれているにもかかわらず、このダンスには何の皮肉な意図もないことがすぐに分かった。あごひげのポーターを眺めていると、誰かがわたしをひじでつついた。

「これですよ、ライダーさま。わたしたちのダンス、ポーターのダンスです。きっとお聞きになったことがおありでしょう」

か」

「ええ」わたしは答えた。「ええ、ありますよ。なるほど、これがポーターのダンスです

「そうなんです。しかし、本番はまだまだこれからです」話し手はにやりと笑って、もう一度わたしをひじでこづいた。

大きな茶色い段ボール箱がポーターからポーターへと渡っていた。その箱はスーツケースほどの大きさだったが、空中に放り投げているところからすると、軽くて、なかは空っぽのようだ。箱はしばらくテーブルのまわりを回されたあと、ダンスのある時点で、あごひげのポーターに向かって投げられた。この一連の動作は、どうやら十分に練習を積んだ成果らしかった。というのも、あごひげのポーターがちょうどポーズを変えてまた腕を持ち上げた瞬間、段ボール箱が宙を飛んできて、見事に彼の両手に収まったのだ。

あごひげのポーターはまるで石板でも受け取ったかのように反応し――観客からは、心配のうめき声が上がった――一、二秒、重さで腰が沈んだようだった。しかしポーターはかなりの決意で体を伸ばしはじめ、とうとう箱を胸の前で抱えたまま、完全に直立した。このパフォーマンスに喝采が起きるなか、あごひげのポーターは今度はゆっくりと箱を持ち上げ、最後には両腕を完全に伸ばして、頭の上に箱を掲げた。もちろん現実には、これは離れ技でも何でもないのだが、彼のパフォーマンスには尊厳とドラマがあり、わたしも彼がほんとうに重い荷物を持ち上げたかのように、拍手喝采に加わった。それからあごひ

げのポーターは、荷物が少しずつ軽くなっていくように見せる巧みな演技を披露した。まもなく彼は箱を片手で支え、その格好でつま先立ちして小さくくるりと回りながら、ときどき箱を肩から放り上げて背中で受けとめたりした。荷物が軽くなればなるほど、仲間のポーターたちはいっそう勢いづいた。あごひげのポーターの動きがますます軽妙になるにつれて、仲間たちはテーブルのまわりで顔を見合わせ、笑みを浮かべて、次に続くよう互いにはやしたてた。やがて別のポーターの一人、薄い口ひげを生やしたやせぎすだが強靭そうな小柄な男が、テーブルの上にのぼろうとした。

テーブルは揺れて傾いたが、ほかのポーターたちはこれも筋書きの一部だと言わんばかりに笑い、やせぎすのポーターがよじのぼるとき、テーブルをしっかりと押さえていた。あごひげの男は最初この同僚に気づかず、相変わらず段ボール箱をうまく操るところを見せびらかしていたが、その後ろでやせぎすのポーターは、どうしてもダンスを踊りたい相手との順番を待つように、むっつりと立って待っていた。あごひげのポーターはやっとやせぎすの男に目をとめると、彼に段ボール箱を放り投げた。やせぎすの男はその箱を抱えるや後方によろけ、箱もろとも危うくテーブルから転げ落ちそうになった。しかしすんでのところで踏みとどまるや、力を込めて体をまっすぐに伸ばし、箱を背中に担いだ。そのかたわらで、手拍子に加わって楽しそうに笑っていたあごひげのポーターは、いくつもの手に支えられてテーブルからおりていった。

やせぎすのポーターはあごひげのポーターとほぼ同じような動作をやって見せたが、コミカルな演技をずっとたくさん盛りこんでいた。彼は最高のどたばた喜劇さながらに、珍妙な顔をしたりよろけたりして爆笑を誘った。彼を眺めているあいだ、わたしの耳ばかりか全身の五感を満たしていった。次に三人目のポーターがテーブルの上のやせぎすの男と交替したとき、人間的なあたたかさが体じゅうに広がっていくのを感じた。さっきのグスタフの意見が、突然、とてつもなく賢明なものに思われた。実際問題、そんなに心配したところで何になるだろう？　たまにはすっかりはめをはずして、楽しむことも必要じゃないか。

わたしは目を閉じて楽しい雰囲気にひたり、ただおぼろげに、自分がまだ手拍子を取り、足も床板を踏んでリズムを刻んでいるのを意識していた。脳裏に両親の姿、あの二人がそろって馬車でコンサートホールの前の空き地に乗りつける場面が浮かんできた。地元の人たち――タキシードの男性や、ドレスとショールと宝石を身につけた女性――がおしゃべりをやめ、木立ちの奥の暗闇から聞こえてくる馬のひづめの音に振り向くところが、まぶたに浮かんだ。それからぴかぴかの馬車がまばゆい光のなかに飛びこんできて、速足で駆けてきた美しい馬がとまり、そのいななきが夜気のなかに響く。そして母と父は、馬車の窓から外をのぞく。二人の顔には、かすかな興奮と期待がにじんでいるが、同時にどこか用心して控えめなところがあり、今夜の催しが輝かしい成功に終わるとは完全には信じられない気持ちがうかがえる。それから制服を着た御者が、おりようとする二人にさっと手を差しだすかたわらで、この町のお歴々が一列に並んで彼らを迎え、両親はわたしが子供のころ、ごくまれにわが家での昼食や夕食に客を招いたときに努めて見せていた、あのおだやかなほほ笑みを浮かべる。

目を開けると、テーブルの上には二人のポーターが立っていて、楽しい演技を披露していた。箱を持っているどちらか一方がいまにも倒れそうによろけながら、テーブルから落ちる一歩手前までいくのだが、土壇場で相手にその箱を渡すのだ。それからふと気づくと、ボリスが――彼は最初からずっとカフェのどこかに座っていたようだ――テーブルに歩み寄り、見るからに楽しそうに二人を見上げていた。タイミングよく手拍子を取ったり、笑ったりしている様子からすると、どうやら彼はこのお決まりの演技をよく知っているらしい。ボリスは、兄弟らしいよく似た浅黒い顔の二人の大柄なポーターのあいだに座っていた。わたしが眺めていると、ボリスはそのうちの一人に何か話しかけた。相手の男は笑い、ふざけて彼のほおをつまんだ。

この一連のパフォーマンスを見ようと広場からますます客が押しかけてきて、カフェはとても込み合ってきた。そのうえわたしが来たときには、ジプシーのミュージシャンは二人しかいなかったのだが、いまはさらに三人が加わって、彼らのバイオリンが四方八方から、いちだんと大きな音で音楽を奏でていた。それから奥にいた誰かが――わたしの印象では、ポーターの一人ではなかった――「グスタフ！」と叫ぶと、すぐさまわたしたちのテーブルの正面でグスタフの名を呼ぶ声が高まった。

「グスタフ！　グスタフ！」とポーターたちは叫び、その声はやがて連呼になった。まもなく、先刻わたしに話しかけてきた神経質そうなポーターでさえ、今度は自分の番だとばかりにテーブルに上がって――はりきってはいるが、とくに巧みな演技ではなかった――箱を背中から腰へと回しながら「グスタフ！　グスタフ！」と叫んでいた。

あたりを見回してグスタフを探すと――もうわたしのそばにはいなかった――彼はボリスのそばに行って何か耳打ちしていた。浅黒い兄弟の一人がグスタフの肩に手をかけて、今度はぜひ彼がやってくれと頼んでいるのが分かった。グスタフはほほ笑んで控えめに首を振ったが、グスタフ・コールはますます高まるばかりだ。いまやこのカフェの客のほぼ全員が彼の名を呼んでいて、外の広場に立っている者たちもそれに加わりそうな勢いだった。とうとう、グスタフはやれやれと言うようにボリスにほほ笑んでから、ようやく腰を上げた。

ポーターのなかでも何歳か年長のグスタフは、テーブルによじのぼるのにかなり苦労していたが、おおぜいが手を差し延べて彼を助けた。テーブルに上がると、彼は背筋を伸ばして観客にほほ笑みかけた。神経質そうなポーターは彼に箱を渡すと、さっさとテーブルからおりていった。

グスタフの踊りは、これまでのポーターのものとは順序が逆だった。最初に箱を受け取ったとき、それがことさら重いように振る舞うのではなく、苦もなく片方の肩に放り上げて、肩をすくめたのだ。その動作に一同がどっと笑い、みんなが口ぐちに「いいやつグスタフ！」とか、「頼むぞ！」とか叫ぶ声が聞こえてきた。それから彼がまだ箱を軽々と扱っているとき、ウエイターが前に進み出てきて、本物のスーツケースをテーブルの上に放り投げた。そのときの動きとドサンと落ちた音からして、スーツケースは明らかに空ではないようだった。それがグスタフの足もとに落ちると、観客がざわめいた。それからまた「グスタフ！　グスタフ！　グスタフ！」の合唱が、これまでよりいっそう速いテンポで始まった。ボリスを見ると、とても誇らしげな表情で注意深く祖父の一挙手一投足を見守りながら、熱心に手拍子を取り、グスタフ・コールに加わっていた。グスタフはボリスに気づくと、もう一度孫にほほ笑みかけてから、手を伸ばしてスーツケースの持ち手をつかんだ。

グスタフが――まだかがんだ姿勢で――スーツケースを腰のあたりまで持ち上げたとき、わたしには、彼がそれを重そうに見せているのではないことが明らかだった。それから、まだ例の箱を肩に担いだままスーツケースを手に持って体を起こしたとき、彼は目をつむり、顔をくもらせた。しかし誰一人として何かまずいことが起きたという様子は見せず――おそらく、これはグスタフが技を披露する前の典型的な癖なのだろう――キーキー鳴るバイオリンの音色に重なって、相変わらず耳をつんざくようなグスタフ・コールと手拍子が続いていた。思ったとおり、次の瞬間グスタフはまた目を開けて、全員ににっこりほほ笑みかけていた。それからスーツケースをさらに持ち上げ、何とかそれをわきの下に抱えて、その姿勢のまま——一方のわきにスーツケースをはさみ、反対側の肩に箱を担いで——ゆっくりと足を動かしながらダンスを始めた。喝采やらはやし声やらが起こるなか、入口近くにいた誰かが、「これから彼は何をやるんだい？　見えないよ。これから何をやるんだい？」と尋ねる声が聞こえてきた。

グスタフはスーツケースをもっと上に持ち上げて一方の肩にのせ、もう一方の肩でも箱を支えて、ダンスを続けた。スーツケースは箱よりずっと重いので、どうしても体が片方に大きく傾いていたが、それ以外は苦労している様子もなく、ステップはとてもきびきびとして軽やかだった。ボリスはうれしそうな笑顔で、祖父に向かって、わたしには聞こえない何かを叫んでいた。グスタフがしかめ面をしてそれに応えると、いっそうはやし声と笑いが巻き起こった。

そのあと、グスタフがまだダンスを続けているときに、わたしの後方で何か動きがあった。少し前から誰かに何度も背中をひじでつつかれていたのだが、ただ単純に、これはおおぜいの人がパフォーマンスをもっとよく見ようと押し合いへし合いしているのだと思っていた。しかし振り返ってみると、わたしのすぐ後ろで、二人のウェイターが四方八方から押されながら床にひざまずき、スーツケースをつめていた。二人はもう、台所のまな板らしきものを大方つめ終わっていた。一人はまな板をびっしりとつめこみ、もう一人はじれったそうにカフェの奥に合図を送った。怒った顔でまだ残っているスーツケースの隙間を指さしている。それからさらにまな板が、一度に二枚か三枚ずつ、客の手から手へ渡って送られてきた。ウエイターがすばやくそれをつめこむと、スーツケースははちきれんばかりにぱんぱんになった。しかしまだまな板が——ときには割れた板の一部が——運ばれてきて、ウエイターたちは慣れた手つきで、スーツケースに押しこんだ。たぶん彼らはもっとつめたかったのだろうが、まわりで人が押し合うのについに我慢できなくなったらしく、蓋を閉めてストラップを締めつけると、わたしの前を通ってテーブルの上にそのスーツケースを置いた。

　ボリスはこの新しいスーツケースを見つめていたが、やがて心配そうにグスタフを見上げた。祖父のほうは、闘牛士にも似たゆっくりとした足運びで、ダンスを続けている。いまのところ、彼は両肩で箱とスーツケースを支えるのが精一杯で、目の前に新しい挑戦材料が置かれたことに気づいていないようだ。ボリスは祖父を注意深く見守り、彼が二個目のスーツケースに目を向けるのを待っていた。ほかの客たちも一人残らずそれを待っているらしかったが、ボリスの祖父は何も気づかない振りをして、まだまだダンスを続けていた。もちろん、これは彼の芸なのだ！　グスタフが観客をじらしているのはほぼ間違いなく、ボリスも知ってのとおり、もうすぐあの重いスーツケースを拾い上げるだろう。おそらくは空っぽの箱を捨てて。ところがどうしたわけかグスタフがまだそれを見ようともしないので、いまや観客のほうが叫んだり指さしたりしはじめた。それからやっとグスタフがスーツケースに気づき、その顔に――箱と一個目のスーツケースにはさまれていたのだが――うろたえた表情を浮かべた。ボリスのまわりの誰もが、ますます笑い、熱心に拍手を送った。グスタフは相変わらずゆっくりと体を回しながら、視線を新しいスーツケースに注いだまま、まだ困惑した表情をしていた。ボリスは一瞬、祖父は困った振りをしているだけではないのだと思った。しかし、祖父がこの同じ演技をするところを何度も見てきた人たちがみんな笑っているのだからと思い直し、すぐさま自分も笑って、グスタフをはやしたてた。グスタフが孫の声に気づくと、祖父と孫はもう一度ほほ笑みを交わした。

それから、グスタフは空の箱を肩からおろした。そして箱が腕をすべり落ちてくると、優雅にさえ見える傲慢無礼さで、それを観客に向かって放り投げた。また笑いと喝采が巻き起こり、箱は観客の頭上を運ばれて、カフェの奥へ消えていった。グスタフは新しいスーツケースを見下ろし、一個目を肩の上に高々と掲げた。彼が再びいかにも困ったような表情をして見せると――今度はわざとそんなそぶりをしているのが明白だった――ボリスもほかの全員と一緒に笑った。グスタフはひざを折り曲げはじめた。体力がないためかショーマンシップからなのかは分からないが、その動きはとてもゆっくりだった。とうとう彼はしゃがみこみ、一個目のスーツケースを肩に担いだまま自由な手を伸ばして、足もとのスーツケースの持ち手をつかんだ。それから手拍子に応え、ゆっくりと少しずつ立ち上がって、元の姿勢に戻った。重いほうのスーツケースも、彼と一緒にテーブルから上がっていった。

グスタフはいま、たいそう苦労している振りをしていた――あごひげのポーターがさっき最初に段ボール箱を受け取ったときのように。ボリスは得意満面でその様子を眺め、ときどき祖父から目を離しては、まわりにひしめいている客たちの感嘆した顔を確かめた。ジプシーのミュージシャンたちでさえ、もっとよく様子を見たいと、激しく弓を動かす腕を秘密兵器にして、なんとか前へ出ようとしていた。一人のバイオリン弾きはそのやり方で最前列まで進みでて、いまやバイオリンをテーブルの上に構え、腰をテーブルの端に押しつけて演奏している。

グスタフは、またそろりそろりと足を動かしはじめた。二個のスーツケース、とりわけまな板のつまった、彼が肩に担ごうとしなかったほう――たしかに肉体的に無理だった――がとても重いので、いまやそのステップはほんのわずかに足を上げるだけだが、それでも観客は深い感銘を受けて熱狂した。「いいやつグスタフ！」のかけ声がまた上がり、ボリスも、こんなふうに祖父を呼ぶのに慣れていなかったが、大声で「いいやつグスタフ！いいやつグスタフ！」と叫んだ。

老ポーターはおおぜいの喚声のなかからボリスの声に気づいたようだった。今度は孫を振り返ってうなずくことはしなかったものの——スーツケースのことで頭がいっぱいで、そんな余裕はないという振りをしていた——彼の動きに新たな活力が加わった。彼はまたゆっくりと体を回しはじめ、少し丸まっていた背中はついにぴんと伸びた。グスタフはすばらしく見えた。テーブルの上でじっと彫像のようなポーズを取り、一個のスーツケースを肩に担ぎもう一個を腰で支えて、手拍子と音楽に合わせて回っている。そのあと、一瞬つまずいたかのようにみせてすぐに立ち直ると、観客は「おーっ！」とどよめいて、この小さな変化にいっそう笑い声を上げた。

ボリスは後ろで何か騒動が起きているのに気づいた。二人のウエイターが戻ってきて、また床で何やらいじくりながら、まわりの人たちを押しのけて作業する場所をつくろうとしている。二人とも床にひざまずき、大きなゴルフバッグらしきものと格闘した。いかにも腹が立って我慢がならないといった様子だ。たぶん、まわりの人たちが押し合いながら迫ってきて、そのひざでこづかれるのがいやだったのだろう。ボリスが祖父をちらりと見てからまた後ろを振り返ると、ちょうどウエイターの一人がバッグの口を開けて、何か大きなものをすべりこませるのを待っていた。そこへ案の定、もう一人のウエイターが客のなかから現れた。彼は後ろ向きに歩きながら、客たちをぞんざいにかきわけて何かを引きずってきた。ボリスが後ろの人垣にほんの少しもぐりこんで見てみると、それは機械の部品だった。客たちの足が邪魔になってよくは見えなかったが、その物体は何かの——おそらくオートバイかモーターボートの——古いエンジンだった。二人のウエイターは何とかそれをゴルフバッグのなかに押しこもうと、すでにぱんぱんになっているバッグを引っぱり、ぐっと力をこめてジッパーを引き上げていた。ボリスが顔を上げると、祖父はまだ二個のスーツケースを完璧に操っていて、休憩が必要な気配さえ見せていなかった。どちらにしても、観客にはまだグスタフに休憩などさせるつもりは毛頭なかった。それからグスタフのまわりで動きがあり、二人のウエイターがゴルフバッグをテーブルの上にのせた。

バッグが届いたという言葉が最前列の客からいちばん後ろの客まで伝わると、騒ぎはいっそう大きくなった。グスタフは精神を集中しようとかたく目をつむっていたので、すぐにはゴルフバッグに気づかなかったが、やがてせきたてる観客に応えてテーブルを見回した。彼の視線はゴルフバッグにじっと注がれ、グスタフは一瞬、深刻そうな表情を見せた。それから笑みを浮かべると、ゆっくり回転を続けた。そのあとさっきと同じように、しかし楽々とではなく、軽いほうのスーツケースを肩から腕へとすべらせた。それが落ちてくると、グスタフは力を振り絞って腕を持ち上げ、観客に向かってスーツケースを放り投げた。それは空の段ボール箱よりはるかに重かったので、きれいな弧を描いて宙を飛ぶどころか、テーブルの上でバウンドしてから最前列にいたポーターの腕のなかに落ちた。最初のスーツケースはさっきの箱と同じように観客のなかに消えていき、いまや全員の視線がまたグスタフに注がれていた。再びグスタフ・コールが始まり、老ポーターは足もとのゴルフバッグを慎重に眺めた。当面は荷物が一つだけしかない安堵感からか——ただしそのスーツケースにはまな板がつまっていたが——どうやら彼はエネルギーを盛り返したようだった。グスタフが憂鬱な顔でゴルフバッグを眺め、これはとても無理だと言わんばかりに首を振ると、観客はますます彼をせきたてた。ボリスは、隣のポーターが「さあグスタフ、みんなに見せてやれ！」と叫ぶのを聞いた。

それからグスタフは、さっきまで軽いスーツケースを担いでいた肩に重いスーツケースを担ごうとした。その動作はのろく、彼は両目をつむり、片ひざをついてうずくまってから、ゆっくりと体を起こしていく。両脚が一、二度震え、スーツケースを無事肩にのせたままじわじわと立ち上がって、自由な腕をゴルフバッグのほうへ伸ばした。ボリスが急に怖くなって「やめて！」と叫んだが、その声はまわりにいた観客のはやし声や笑い声、「おーっ！」という驚嘆やため息にかき消された。

「がんばれ、グスタフ！」ボリスの隣にいたポーターが叫んでいた。「みんなに技を見せてやれ！　みんなに見せてやれ！」

「やめて！　やめて！　おじいちゃん！　おじいちゃん！」

「いいやつグスタフ！」みんなが合唱した。「がんばれ！　みんなに技を見せてやれ！」

「おじいちゃん！　おじいちゃん！」ボリスはテーブルの上に両腕を突きだして祖父の注

意を引こうとしていたが、グスタフは精神を集中した真剣な表情を崩さず、テーブルに転がっているゴルフバッグの肩紐を異様なほど鋭い目つきで見つめていた。それから老ポーターは、またひざを曲げはじめた。肩にのせたスーツケースの重みで全身が震え、手は肩紐をつかもうとするのだが、まだまだそれに届かない。カフェに新たな緊張が、いや、おそらくグスタフがついに自分の限界すら超えた技に挑戦しようとしているのだという興奮が、みなぎっていた。とはいえ雰囲気は相変わらずお祭り騒ぎで、みんなはしゃいで彼の名を叫んでいる。

ボリスは訴えるようにまわりの大人たちの表情を探っていたが、やがて隣のポーターの腕を引っぱって言った。

「やめて！　やめて！　もういいじゃないか。おじいちゃんは十分やったよ！」

あごひげのポーターは――隣にいたのは彼だった――驚いて男の子を見ると、笑いながら答えた。「心配いらん、心配いらん。きみのおじいちゃんはすごいんだ。こんなことくらい朝飯前さ。もっともっとできる。すごいんだよ」

「だめだ！　おじいちゃんはもう十分やったよ！」

しかし誰も、あのあごひげのポーターでさえ――彼は安心させるようにボリスの肩に手をかけたが――ボリスの言葉に耳を貸さなかった。グスタフはいまやテーブルの上にほとんどしゃがみ込み、手はゴルフバッグの肩紐まであと四、五センチにきていた。彼は肩紐をつかみ、低くかがんだ姿勢のままで、空いている肩にゴルフバッグの肩紐をかけた。彼はそれをもう少したぐり寄せ、もう一度立ち上がろうとした。ボリスが叫んで、テーブルをたたいた。それでとうとう、グスタフも彼に気づいた。グスタフはもう立ち上がろうとしていたのだが、しばらく動作をとめて、二人は互いに顔を見合わせた。

「やめて」ボリスは首を振った。「やめてよ。おじいちゃんは十分やった」

たぶんグスタフは、この騒々しいカフェのなかで全部の言葉は聞き取れなかっただろうが、孫の気持ちは十分通じたようだった。彼はすばやくうなずくと、一瞬、安心させるような笑みを浮かべ、また精神を集中しようと両目を閉じた。

「やめて！　やめて！　おじいちゃん！」ボリスは、またあごひげのポーターの腕を引っぱった。

「いったいどうしたんだ？」あごひげのポーターは、笑いすぎて目に涙をためながら尋ねた。それから彼は返事も待たずにグスタフに視線を戻し、いちだんと大きな声でグスタフ・コールに加わった。

グスタフはゆっくりと体を起こしていた。一、二度、体がもう少しで崩れ落ちそうに揺れ、顔は奇妙に紅潮してきた。歯をぐっと食いしばり、ほおは歪んで、首の筋肉が盛り上がった。この喧噪のなかでさえ、老ポーターの荒い息づかいが聞こえてくるようだ。それでもボリスをのぞいて、誰もそんなことに気をとめる者はいないらしい。

「心配するな、きみのおじいちゃんはすごいんだ！」あごひげのポーターが言った。「これしきのことは何でもない！　毎週やってるんだ！」

グスタフはまだ、片方の肩からゴルフバッグを下げ、もう一方の肩にスーツケースを担いで、少しずつ体を伸ばしていた。それからとうとう、彼は完全に直立した。その顔は震えてはいるが勝ち誇った表情になり、ずっと続いていたリズミカルな手拍子は、猛烈な拍手喝采に変わった。バイオリンも、フィナーレにふさわしく、急にゆっくりとした荘厳なメロディーを奏ではじめた。グスタフはほとんど目をつむり、苦痛と誇りの入り交じった顔で、ゆっくりと体を回した。

「もういいよ！　おじいちゃん！　やめて！　やめて！」

それでもグスタフは、カフェにいる全員にこの技を見せようと回りつづけた。それから突然、彼のなかで何かがぷつんと切れたようだった。急に動きをとめて、まるでそよ風にでも吹かれるように、一瞬、静かに体が揺れたように見えた。しかし次の瞬間にはもう立ち直り、また回転を続けた。ちょうど一周して最初にまっすぐ立っていた位置に戻ったとき、彼はようやくスーツケースを肩からおろしはじめた。それをテーブルにドサンと落とすと――重いので、観客に向かって放り投げれば誰かが怪我をすると判断したのだ――テーブルの端まで足で蹴りだし、待ち受けている同僚の腕のなかに滑り落とした。

観客はやんやと喝采し、なかにはジプシーの奏でる音楽に合わせて、歌――ハンガリー語の軽快なバラード――を歌いだすグループもあった。しだいにおおぜいがその合唱に加わって、ほどなくカフェ全体が歌声に包まれた。テーブルの上では、グスタフがゴルフバッグをおろそうとしていた。バッグが甲高い金属音を立ててテーブルに落ちると、今度はグスタフはそれを観客のところまで押しだそうとせず、一瞬、高々と万歳をしてから――いまやこの姿勢でさえ、彼にはとても苦しそうだった――急いでテーブルからおりようとした。無数の手が彼を助け、ボリスは祖父が無事、床におりるのを見守っていた。

カフェは歌声に占領されたようだった。そのバラードには甘くノスタルジックな響きがあり、客たちは歌いながらあちらでもこちらでも腕を組んで、右に左にと体を揺すりだしていた。ジプシーのバイオリン弾きの一人がテーブルに上がると、すぐまたもう一人がそこに加わり、たちまち二人は楽器を弾きながらリズムに合わせて体を揺すって、カフェじゅうの客を先導した。

ボリスは人垣をかきわけ、息を整えながら立っている祖父のそばへ行った。奇妙なことに、グスタフはつい数秒前までカフェじゅうの注目の的だったというのに、もうほとんど注意を払う者もいないらしい。祖父と孫は目を閉じてしっかりと抱き合い、お互いにほっとした様子を隠そうともしなかった。かなりの時間がたったと思われたとき、グスタフは笑顔でボリスを見下ろしたが、ボリスのほうはまだ目をつむったまま祖父にしがみついていた。

「ボリス」グスタフが言った。「約束してほしいことがあるんだよ」

それでも男の子は何も答えず、祖父に抱きついていた。

「ボリス、よくお聞き。おまえはいい子だ。万一おじいちゃんに何か起きたら、もしそうなったら、ボリス、おまえがあとを引き継ぐんだぞ。いいかい。お母さんもお父さんも立派な人だが、ときどき耐えられなくなる。おまえやおじいちゃんのように、強くないんだよ。だからね、もしもおじいちゃんに何か起きたら、もうここにいなくなるんだから、おまえが強い人間でいておくれ。お母さんとお父さんの面倒を見て、家族の絆をしっかりと、強く保っておくれ」グスタフはボリスを放すと、彼にほほ笑みかけた。「おじいちゃんに約束してくれるだろう、ボリス？」

ボリスはしばらく考えているようだったが、やがて真剣にうなずいた。そのとたん、二人はおおぜいの客に隠れて、わたしには姿が見えなくなった。誰かがわたしの袖を引っぱり、腕を組んで一緒に歌おうとせきたてていた。

あたりを見回すと、残っていたバイオリン弾きたちもテーブルの上の二人に加わっていた。カフェじゅうが、彼らを中心に歌で一つにまとまって回っているようだった。カフェの客はさらに増え、いまや店内は人でぎゅうぎゅうづめだ。広場に面した戸口はまだ開いたままで、外の闇のなかでも人々が体を揺すりながら歌っているのが見えた。わたしは大柄な男と――たぶん彼もポーターだろう――広場から入ってきたらしい太ったご婦人と腕を組み、ふと気づくと、この二人にはさまれてカフェのなかを回っていた。わたしはみんなが歌っている歌を知らなかったが、そのあと、実はここにいる客の大半もその歌詞を知らないかハンガリー語が分からないので、勝手にそれらしく聞こえる歌詞をでっちあげて歌っているだけだと気づいた。たとえば両隣にいる男性とご婦人の歌詞はかなり違っていたのだが、二人とも、とまどったりためらったりする様子はまったくなかった。実際、しばらく耳を傾けてみると、二人とも無意味な歌詞を口ずさんでいるのが分かったが、そんなことはどうでもいいらしく、やがてわたしもこの場の雰囲気に染まって、漠然とハンガリー語らしく聞こえる歌詞を歌いだした。なぜかこれは驚くほどうまくいき――口からすらすらと、調子のいい言葉があふれでてくる――やがて感情たっぷりに歌を歌っていた。

二十分ほどたったころだろうか、やっと客の数が減りはじめた。ウエイターたちも、カフェのあちこちでテーブルを掃除して元の位置に戻している。しかしまだかなりの客が腕を組み、情熱的に歌いながらカフェを回っていた。ジプシーたちもテーブルの上に残っていて、演奏をやめたそうな気配は見られない。客たちに軽く引っぱられたり押されたりしてカフェをめぐっていると、誰かにとんとんと肩をたたかれた。振り返ると、カフェの店主らしき人物がわたしにほほ笑みかけていた。彼はやせたひょろ長い男で、わたしがまだ腕を組み体を揺すりながら歩いているので、彼のほうもどことなくグルーチョ・マルクスを思わせる中腰のすり足で、わたしについてこなければならなかった。

「ライダーさま、ひどくお疲れのご様子です」彼はわたしの耳もとでほとんど怒鳴るように叫んでいたが、それでも歌声にかき消されて、やっと聞き取れるほどだった。「そのうえあなたには、これから長い大切な夜が待っています。しばらくお休みになってはいかがですか？　手前どもには奥に居心地のよい部屋がございまして、家内がソファに毛布とクッションをご用意し、ガスストーブもつけておきました。とても居心地がいいとお思いになるでしょう。丸まって横になり、しばらくお休みになれますよ。部屋はたしかに狭いのですが、奥に引っこんでいてとても静かなんです。誰も入ってきてお邪魔をしたりしませんから、ご安心ください。とても居心地がいいとお思いになるでしょう。せっかくですから、今夜の催しが始まる前のこの短い時間を、有効に活用なさるとよろしいのでは。どうぞこちらへ。ひどくお疲れのご様子です」

わたしは歌も親交も大いに楽しんでいたのだが、実際ひどく疲れていることに気づき、店主の勧めももっともだと思った。それどころか、少し休むという考えがますます魅力的に思えてきて、店主がにこやかにすり足でわたしについてくるにつれ、彼の親切な勧めばかりか、このすばらしいカフェを構えていることや、ポーターたち――明らかにこの町で過小評価されているグループ――への寛大な扱いに、深い感謝の念を覚えてきた。わたしが腕をほどいて両側の二人に笑顔で別れを告げると、店主はわたしの肩に手をかけ、カフェの奥のドアのほうへ連れていった。

彼は暗い部屋を通ってから——壁に沿って、商品が積んであるのが分かった——もう一つのドアを開けた。なかからほの明るいあたたかな光が見えた。

「こちらです」と、店主は言いながらわたしを招き入れた。「こちらのソファでおくつろぎになってください。ドアは閉めておきましょう。暖房が強すぎるようでしたら、ガスの火を細めてくださればよいのです。ご心配はいりません。ストーブは完璧に安全ですから」

ガスの炎だけが、この部屋の光源だった。オレンジ色の光のなかにソファが見え、それはかび臭かったが不快ではなかった。いつの間にかドアが閉まって、わたしは一人で部屋に残されていた。ちょうどひざを抱えて横になれるほどのソファにわたしはのぼり、店主の夫人が用意してくれた毛布を体にかけた。

IV

28

目が覚めたとき、寝すごしてしまったかとあわてふためきそうになった。事実、まず頭に浮かんだのは、もう朝になっていて夜の催しに完全に出席しそこなったのではないかということだった。しかしソファの上で上半身を起こしてみると、ガスの炎が輝いているだけで、部屋全体はまだ暗かった。

わたしは窓に近寄ってカーテンを開けた。外を見下ろすと、いくつもの大きなごみの缶が占領している狭い裏庭があった。ついたままのどこかの明かりがほのかに裏庭を照らしていたが、同時に空がもう完全に真っ暗ではないことに気づいて、夜明けが近いのかと、また不安にかられた。わたしはカーテンから手を離して、部屋から出ていこうとした。休んではどうかというカフェの店主の勧めに応じたことが、ひどく悔やまれた。

わたしは狭い隣の部屋に足を踏み入れた。商品が壁ぎわに山積みされているのを見かけたところだ。いまは真っ暗で、手探りでドアのところへ行く途中、二度ばかり何かかたいものにぶつかったが、やっとのことで、カフェの店内に出た。ここでつい何時間か前、とても気分よくみんなで踊ったり歌ったりしていたのだ。ほのかな光が広場に面した窓から差しこみ、テーブルに積み上げた椅子のでこぼこした形が見分けられる。そのそばを通って表の戸口にたどり着き、ガラスのパネルから外をのぞいた。

外は静まり返っていた。人気のない広場の真ん中にぽつんと立っている街灯からカフェに光が差しこんでいるのだと分かったが、また、もうすぐ空が白んできそうな気配がした。広場をじっと眺めていると、しだいに怒りが込み上げてくるのを覚えた。いまにして思えば、あまりにいろんなことにかかずらって、最優先すべき問題をおろそかにしてしまったのだ――しかもこの生涯でいちばん重要な夜の数時間を、眠って過ごしてしまうほどに。それから怒りに絶望感が入りこんできて、もう少しで涙が出そうだった。

しかしまた夜空を眺めているうちに、夜明けが近いきざしが見えると勝手に想像しただけではないかと思いはじめた。実際、もっと注意深く眺めてみると、空はまだとても暗く、実はまだ宵の口で、あわてる必要などなかったのだという気がしてきた。おそらく時間前にコンサートホールに到着して今夜の催しの大半を見物し、むろんわたし自身の貢献もできるだろう。

さっきからずっと、放心状態でドアをがたがた揺すっていたのだが、やっと留め金が並んでいることに気づき、一個ずつそれをはずして、広場にさまよいでた。

　息苦しいカフェにいたあと空気がすばらしくさわやかに感じられ、これほど時間が迫っていなければ、しばらく広場をそぞろ歩いて頭をすっきりさせたいほどだった。しかしそういうわけにもいかず、コンサートホールを探して歩きだした。

　何分か、わたしは誰もいない通りを急ぎ足で歩き、閉まったカフェや店の前を通りすぎたが、その間、ドーム型の屋根はどこにも見えなかった。街灯に照らされた旧市街には独特の魅力があったものの、長く歩けば歩くほど、頭をもたげてくる不安感を抑えられなくなってくる。わたしは当然ながら、夜の街を流しているタクシーの二台や三台、いや少なくとも、深夜営業の店から出てきた何人かの通行人に出くわして、道くらい尋ねられるだろうと思っていた。しかし途中で出合った何匹かの野良猫をのぞけば、この近辺で目覚めているのは、どうやらわたし一人のようだ。

　路面電車の線路を横切ったあと、ふと気づくと、わたしは運河の土手に沿って歩いていた。水面を、肌寒い風が吹き渡ってくる。まだコンサートホールの影も形も見えないとなると、完全に道に迷ってしまったと思わざるをえない。正面の少し先に見えるわき道――狭い通りが鋭い角度で曲がっていた――に入ってみようと決心したちょうどそのとき足音が聞こえ、通りから一人の女性が現れた。

　通りには誰もいないものだと思いこんでいたので、女性の姿が目に入ったとき、わたしは思わず立ちどまった。そのうえ彼女が裾の長いイブニングドレスを着ていたので、驚きはいっそう大きかった。相手の女性のほうも一瞬立ちどまったが、すぐにわたしに気づいて、ほほ笑みながらこちらへ歩きだした。街灯に近づいてきたとき、わたしはその女性が四十代の後半か、ひょっとすると五十代の前半かもしれないと思った。体つきはややふっくらとしているが、上品な雰囲気を漂わせている。

「こんばんは」わたしは声をかけた。「すみませんが教えていただけませんか。コンサートホールを探しているんです。この方向でよろしいのでしょうか？」

女性はもう、わたしのすぐそばまで来ていた。彼女はまたにっこりとして答えた。

「いいえ、ほんとうはあちらですわ。わたくし、ちょうどそこから出てきたところですの。少し新鮮な空気が吸いたくて散歩していたのですけれど、喜んでお連れいたしましょう、ライダーさま。わたくしでよろしければ」

「それはありがたい。しかし、あなたが散歩を切り上げることになるのは不本意です」

「いえ、いえ。もう一時間近くも歩いておりますの。そろそろ戻ってもいいころです。ほんとうはもう少し待って、ほかのお客さまと一緒に到着すればよかったのですけれど、準備中そこにいれば何かお役に立てるかもしれないと、浅はかな考えを持ってしまったものですから。もちろん、わたくしがやることなど何もありませんのにね。ライダーさま、申しわけございません、自己紹介もせずに。クリスティーネ・ホフマンです。主人はあなたがお泊まりのホテルの支配人をしております」

「お会いできてうれしいです、ホフマンさん。ご主人から、いろいろとお話をうかがっています」

その言葉を口にしたとたん、わたしは後悔した。すばやくホフマン夫人の反応を探ろうとしたが、彼女の顔は、この暗い光ではもうはっきりと見えなかった。

「こちらですわ、ライダーさま」彼女は言った。「そう遠くはございません」

わたしたちが歩きだすと、彼女のイブニングドレスの袖が大きくふくらんだ。わたしは咳ばらいをして言った。

「あなたのお言葉からすると、ホフマンさん、コンサートホールでの催しはまだ本格的に始まってはいないのですか？　観客などは、まだ全員そろっていないと？」

「観客ですか？　いいえ、とんでもない。少なくともあと一時間は、どなたもお着きになりませんでしょう」

「ああ、それはよかった」

わたしたちは運河に沿ってのんびりと歩きつづけ、ときおり水面に映る街灯を眺めた。

「考えておりましたのですけれどね、ライダーさま」彼女が口を開いた。「主人がわたくしのことをあなたにお話ししたとき、わたくしが……冷酷な人間だという印象をお受けになったのではないでしょうか。そうじゃございません？」

わたしは短く笑った。「ご主人のお話から強く受けた印象は、ご主人があなたをとても愛しておられるということでした」

彼女はさらに黙って歩きつづけた。いまの答えが聞こえたかどうか、確証がなかった。しばらくして、彼女が言った。

「わたくしが若いころはね、ライダーさま、誰もわたくしをそんなふうに形容するなどと、思いもよりませんでしたでしょう。冷酷な人間だなんて。もちろん子供の時分には、まさに正反対でしたのよ。いまだって、自分ではそんなふうに思えませんわ」

わたしは何かあいまいに体裁のよいことをつぶやいた。運河沿いの道を離れて狭い脇道に入ったとき、ようやくコンサートホールのドーム型の屋根が、夜空に照らしだされているのが見えた。

「このごろでさえ」ホフマン夫人が隣で言った。「早朝にこんな夢を見ますの。いつも早朝に。その夢は決まって……やさしさにまつわることですの。たいしたことは何も起こらずに、いつも小さな場面の断片にすぎません。たとえば、息子のシュテファンをじっと見守っているとか。あの子が庭で遊んでいるところを。その昔、彼がまだ幼かったころ、わたくしたちはとても仲良しでしたのよ、ライダーさま。わたくしがあの子を慰めたり、小さなお手柄を一緒に喜んだりしましてね。あの子が幼いころはとても仲良しでしたの。主人の夢を見るときもありますわ。このあいだの朝は、主人と一緒にスーツケースを開けている夢でした。どこかの寝室で、ベッドの上にスーツケースのなかの荷物を出しておりました。外国のホテルの部屋か、それとも自宅でしたかしら。どちらにしても、一緒にこのスーツケースを開けながら、この……この安らかな気持ちが、二人のあいだに流れておりました。あの部屋で、この作業を一緒にやっておりますときに。主人が何かを取りだすと、わたくしも何かを取りだして。ずっとおしゃべりをしながら、いえ、何も特別なことではなく、ただ荷物を取りだしながら、とりとめのない話をしておりました。ついおとといの朝のことですわ、その夢を見ましたのは。それから目が覚めて、横になったままカーテンごしに夜が明けていくのを眺めていたとき、とても幸せな気分でした。わたくし、自分にこう言ったのです。もうすぐほんとうにそうなるかもしれないわって。その日のうちにも、もう少しあとで、まさにそんな時間が訪れるかもしれないって。もちろん、スーツケースの荷物を取りだすときとは限りませんのよ。でも何かを、その日、もう少ししたら、二人で一緒に何かをしているかもしれない、そんな何かのチャンスがあるだろうって。わたくしはまた眠ってしまいました。自分でそう言い聞かせながら、とても幸せな気分で。そして朝がやってきました。とても奇妙なことにね、ライダーさま、毎回そんなふうなんですの。一日が始まるや、この別のものが、この力がやってきて、代わりに居座ってしまうのです。そしてわたくしが何をしても、二人のすべてが別の方向へ、わたくしの望まない方向へ、行ってしまいますの。わたくしはそれに抵抗するのですけれどね、ライダーさま、この長年に、少しずつ敗北してきましたわ。それが何か……何かわたくしに起きていることなんです。主人は懸命に、わたくしを救おうとしてくれますのに、その甲斐もなくて。わたくしが朝食におりていくころには、夢のなかで感じたことのすべてが、もうとっくに消え去っております」

歩道に何台か車がとまっていて、二人並んでは歩けなかったので、ホフマン夫人はわたしの数歩前に出た。再び彼女の隣に並んだとき、わたしはこう尋ねた。

「何だとお思いですか？　あなたのおっしゃった、その力とやらは？」

彼女は突然、笑いだした。「超自然的な力を指すつもりではございませんでしたのよ、ライダーさま。もちろん、はっきりした答えは、クリストフさまにかかわる問題に尽きますでしょう。わたくし、しばらくはそう信じておりました。もちろん、主人もそう信じております。ええ。この町のたくさんの方がたと同じように、わたくしは単純に、ひいきにしていたクリストフさまを、どなたかもっと実力のある方と入れかえればよいことだと思っておりました。でもこのごろは、それほど確信が持てませんわ。わたくし自身の問題かもしれないと思うようになりましてね。いわばわたくしの病気のせい、一種の老化現象とさえ言えるかもしれません。何と申しましても、人間は年を取りますし、自分のなかの一部が死にはじめる。たぶん感情の面でも、死にはじめるのでしょう。そうかもしれないとお思いになりませんか、ライダーさま？　実際、わたくしは恐れております。それが真実かもしれないと。たとえクリストフさまを追いだしても、少なくともわたくしの場合、何も変わっていないことに気づくだけなのではないか、と」

もう一つ角を曲がった。歩道はとても狭かったので、わたしたちは通りの真ん中へ出た。わたしは彼女が答えを待っているのだと思って、とうとう口を開いた。

「ホフマンさん、わたしが思いますに、老いていく過程についての事実がどうであれ、あなたが気落ちされないことが何よりも大切でしょう。何であれ、その……力に屈服しないために」

ホフマン夫人は夜空を見上げ、しばらく何も答えずに歩きつづけてから言った。「早朝に見るこのすてきな夢。それから一日が始まって、どれ一つとして現実に起こらないときに、わたくしはよく、自分自身をひどく責めますの。でもご安心ください。わたくしはまだあきらめてはおりませんわ、ライダーさま。あきらめてしまったら、わたくしの人生にはほとんど何も残りませんもの。そのように自分の夢をあきらめるなんてことは、まだまだいたしません。いまでも、いつの日かあたたかい、絆の強い家族を持ちたいのです。でも、それだけではございませんのよ。わたくし、こんなことを信じているなんて、とても愚かかもしれませんわね。そうお思いになるのでしたら、おっしゃってください。でもいつの日か、わたくし、それが何なのか突きとめたいんです。たとえ何であれ。それが分かれば、もうかまいませんわ。長年、少しずつわたくしに影響を及ぼしてきたもの、それがみんなぬぐい去られるんですもの。そのためにはほんの一瞬、ごく短い瞬間さえあればいいんだわ、ただ、それがいいタイミングでやってくるならって。そんな気がしていますのよ。ちょうど急にコードがぷっつり切れて分厚いカーテンが床に落ち、まったく新しい世界、太陽とぬくもりに満ちた世界が現れるときのように。ライダーさま、ほんとうに疑わしいというお顔をなさってらっしゃいますわ。こんなことを信じているなんて、わたくし、ほんとにどうかしてますかしら？　これほど長い年月の問題が、ほんの一瞬、正しい瞬間さえあれば、すべて変わると信じているなんて？」

彼女が疑わしいと受けとめた表情は、まさに勘違いだった。彼女が話しているあいだ、わたしはシュテファンの今夜のリサイタルのことを思い出していたので、きっとその期待感がありありと顔ににじみでていたのに違いない。それでわたしは、たぶん少しじれったい思いでこう言った。

「ホフマンさん、あらぬ希望をかきたてるつもりはないのですが、あなたはもうすぐ、何かを、これぞまさしく、いまあなたがお話しになったような瞬間だと思われることを、経験なさるかもしれませんよ。もちろん、これは単なる可能性にすぎませんが、あなたはもういますぐにも、そんな瞬間に出合うかもしれません。あなたを驚かせ、すべてを考え直させ、よりよい、新鮮な角度から眺めさせるようなこと、このさんざんだった年月を、ほんとうにすっかりぬぐい去ってしまうような何かに。あらぬ希望をかきたてるつもりはありません。ただ、その可能性があると言っているだけです。そんな瞬間に、今夜にも出合うかもしれません。ですから、あなたが気落ちなさらないことが肝心です」

そう言いながら、わたしは自分が向こう見ずにこんなことを話していることにはっとして、立ちどまった。結局のところ、わたしはシュテファンの演奏の一端を耳にして感心したにすぎず、あの青年が重圧のもとでしくじることも十分にありうるのだ。実際、そのことを考えれば考えるほど、こんなふうに期待を持たせてしまったことを後悔した。しかしホフマン夫人を見ると、わたしの言葉が彼女を驚かせてもいなければ、期待させてもいないことに気づいた。しばらくして、彼女は言った。

「ライダーさま、ついさっき、あなたがこの通りをさまよっているわたくしをお見かけになったとき、ほんとうはただ空気を吸おうと散歩していたわけではございませんでしたの。自分自身の心の準備をしようとしていたのです。あなたがおっしゃっている可能性、そのことについては、もちろんわたくしも考えました。今夜のような夕べ。ええ、たしかにいろんなことが起こるかもしれませんわ。ですから心の準備をしていたのです。それに正直に申しあげますと、いまは少し怖いのです。だってほら、過去にも何度かそんな瞬間が訪れましたけれど、わたくしはその瞬間をつかまえられるほど強くはございませんでしたから。これからあと何回、そんなチャンスがありますでしょう？　ですからね、ライダーさま、わたくしは心の準備をするために最善の努力をしておりましたの。ああ、着きましたわ。ここが建物の裏側です。この入口は台所につながっておりますの。出演者の楽屋口をお教えいたしましょう。わたくしは、まだしばらく外におりますわ。もう少し空気を吸いたいものですから」

「お会いできてほんとうにうれしかったです、ホフマンさん。こんなときに、ご親切にここまで案内していただいて。あなたにとって、今夜はすべてがうまく運ぶよう願っていますよ」

「ありがとうございます、ライダーさま。それにあなたも、きっとたくさんお考えになることがおありでしょう。お会いできてうれしゅうございましたわ」

29

ホフマン夫人が夜のなかに姿を消すと、わたしは踵を返して彼女が教えてくれたドアへと急いだ。歩きながら、ついさっきも経験したような杞憂を引き起こす出来事にかかわらないよう十分心しておくべきだ、何があろうとこれ以上、目の前の大事な責務から気をそらせてはならないと、自分で自分に言い聞かせていた。実際、やっとコンサートホールに足を踏み入れようというこの段になって、急にすべてがきわめて単純に思われてきた。要するに、わたしはこの長い年月をへて、ようやくこれからいま一度、両親の前で演奏しようとしている。だから何よりも重要なのは、自分の演奏をできるかぎり、最高に豊かで感動的なものにすることだ。それと比べれば、質疑応答の時間でさえもたいした問題ではない。ここ数日のあらゆるつまずきや混乱も、今夜自分のただ一つの重要な目的を果たせるかぎり、結局は何ら影響がなかったということになるだろう。

大きな白いドアが、その上に取りつけてある終夜灯にぼんやりと照らしだされていた。ぐっと全身の体重をかけて押すとやっとドアが開き、わたしはよろけながら建物に入った。

ホフマン夫人はこれが楽屋口だと自信たっぷりに教えてくれたが、結局は台所に迷いこんでしまったというのが、最初の印象だった。わたしは天井の細長い蛍光灯の不快な光に照らされた、広いがらんとした廊下に立っていた。あちらからもこちらからも、名前を呼んだり怒鳴ったりする声や、重い金属製のものがぶつかる音、水や蒸気のじゃーじゃーしゅーしゅーいう音が聞こえてくる。すぐ目の前には料理を運ぶワゴンがあり、そのそばで制服姿の二人の男性が猛烈な剣幕で口論していた。片方は手に持った長い巻き紙を床に届きそうなくらいに垂らして、何度もそれを指さしている。二人のあいだに割りこんでホフマンがどこにいるのか尋ねてみようかとも思ったが――いまやわたしの第一の関心事は、観客が入ってくる前にコンサートホールとピアノを下見することだった――二人が夢中で言い争っているので、そのまま先へ進むことにした。

廊下はゆるやかにカーブしていて、途中かなりたくさんの人間とすれちがったが、誰もかれもとても忙しそうで、何か気がかりなことがあるようだった。大半は白い制服を着こみ、取り乱した表情を浮かべて、せかせかと重い袋を運んだりワゴンを押したりしている。そうした誰かを呼びとめる気にもならず、そのうちにどこか別の場所に出て楽屋にたどり着くだろうと――そしてたぶんホフマンかほかの誰かに施設を案内してもらえるだろうと――思って、そのまま廊下を歩いていった。しかしそのあと、後ろからわたしの名を呼ぶ声が聞こえた。振り返ってみると、一人の男がわたしを追いかけてきていた。その顔には見覚えがあり、彼がきょうの夕方、カフェで最初にダンスを踊ったあのあごひげのポーターだったことに気づいた。

「ライダーさま」彼は息をはずませながら言った。「やれやれ、やっと見つけました。これで建物のなかを三度も回ったのです。彼はまだ十分持ちこたえておりますが、みな一刻も早く病院へ運びたいのに、あなたとお話しするまで待ってくれと言ってきかないのです。どうぞ、こちらです。しかし彼はまだ持ちこたえております、いやはや」

「どなたのことです？　何があったんですか？」

「こちらです。どうかお急ぎになってください。グスタフです、彼が倒れたのです。わたし自身も、ご説明はあと回しにさせてください。申しわけございませんが、ライダーさま。そのときはここに居合わせませんでしたが、二人のポーターが、ヴィルヘルムとフーバートが、こちらで彼と一緒に準備を手伝っておりまして、それで知らせてくれたのです。もちろん、わたしはそれを聞くや、あわててこちらに駆けつけました。ほかのポーターたちも、全員が。グスタフはとても元気に働いていたようなのですが、そのあとトイレに入ったきり、長いこと出てきませんでした。それはグスタフらしからぬことでしたから、ヴィルヘルムが様子を見にいったのです。なかへ入ると、グスタフが流しにおおいかぶさるように頭を垂れて、立っておりました。そのときはまだ具合はひどく悪くはありませんで、ヴィルヘルムに、少しめまいがするんだ、それだけだから大騒ぎしないようにと、告げました。ヴィルヘルムはあのとおりの人間ですから、どうしたらよいか分かりませんでした。とりわけグスタフが大騒ぎするなと言ったものですから。それで彼は外へ出て、フーバートを呼んできたのです。フーバートは一目見て、グスタフをどこかに寝かせなければと判断しました。それで二人は、両側からグスタフを支えました。そのときなんです。彼が立って流しをつかんだまま意識を失っていたことに気づいたのは。彼が流しの縁をつかんで、ほんとうにきつくつかんでいたので、ヴィルヘルムは、指を一本ずつこじ開けなければならなかったと申します。それからグスタフは少し意識を取り戻したようでしたから、二人が両脇から彼を支えて外に連れだしました。グスタフは、大騒ぎさせたくない、自分は大丈夫だから仕事を続けられると、申しておりました。しかしフーバートはその言葉を無視して、二人で彼を楽屋の一つ、空いている楽屋の一つに運んだのです」

彼は急ぎ足で廊下を案内しながら、何度も後ろを振り返っては話しつづけていたが、わたしたちがワゴンをよける段になって口をつぐんだ。

「とても困ったことになりましたね」わたしは言った。「正確には、いつ起きたんですか？」

「二時間ほど前でしょう。グスタフは最初、さほど具合が悪いようには見えませんでしたし、何分か息を整える時間さえあればいいと言っていたんです。でもフーバートが心配してそのことを知らせ、わたしたち全員がすぐにこちらへ駆けつけてきました。一人残らず全員が。彼が横になれるようにマットレスと毛布を見つけてきたのですが、そのあと容体が悪化しているようだったので、みんなで話し合い、適切な処置をすべきだと結論しました。ところが、グスタフは耳を貸そうともしません。急に頑固になって、あなたとお話ししなければと言うのです。彼はとても強硬で、病院へ行くべきだとわたしたちが判断したのならすみやかにそうすることに異存はないが、まずはあなたとお話ししてからだと。そしてわたしたちの目の前で、容体はますます悪くなっていきました。しかし彼に説得はききませんから、あなたを探しにでたのです。ありがたいことに、見つかりました。こちらの部屋です、突きあたりの」

わたしはこの廊下がぐるりと建物を一周しているのかと思っていたが、よく見ると、少し先のクリーム色の壁のところで終わっていた。壁の手前のいちばん奥のドアが半開きになっていて、あごひげのポーターは敷居のところで立ちどまると、慎重になかをのぞいた。彼が合図を送ったので、わたしは彼のあとから部屋へ入った。

ドアのすぐそばにいた十二人ほどが全員わたしたちを振り返ると、あわててわきに退いた。たぶんポーター仲間だろうと思ったが、立ちどまってよく見ることはしなかった。わたしの視線は、この小さな部屋の奥にいるグスタフに引きつけられていた。

彼はタイル貼りの床に置いたマットレスに横たわり、毛布をかぶっていた。ポーターの一人がそばにうずくまって静かに何かささやいていたが、わたしの姿を見るや立ち上がった。そのあとあっという間にほかの者たちが外に出ていき、ドアが閉まって、わたしはグスタフと二人きりで部屋に残された。

この狭い楽屋には何も家具がなく、木の椅子一つ見あたらなかった。窓もなく、天井近くの通気孔から低い音が聞こえてくるものの、空気はむっとよどんでいる。床はひんやりとして堅く、頭の上の照明器具はつけていないか壊れているかのどちらかで、明かりといえば化粧鏡のまわりについている電球だけだ。しかしグスタフの顔が奇妙に青白くなっているのは、十分に見て取れた。彼は仰向けになってほとんど身動きもせず、ときどき何かの苦痛に襲われて、マットレスに頭を深く沈める。わたしが入っていくとほほ笑んだが、何も言わなかった。明らかに、二人きりになるまで口をきかないつもりのようだった。そして二人になったいま、彼はかぼそいながら意外にも冷静な声で言った。

「ほんとうに申しわけございません、こんなところへお呼びたていたしまして。こんな事態になるなど、まったく腹立たしいかぎりです。それもよりによって、今夜、あなたがわたくしどものためにたいへんなご厚意を示してくださろうというときに」

「ええ、ええ」わたしは急いで答えた。「でも、気分はどうです？」わたしは彼のそばにしゃがみこんだ。

「あまりよいとは思えません。もうすぐ病院へ行って、検査してもらわなければなりますまい」

彼はまた苦痛に襲われたらしく、マットレスの上でしばらく無言で闘っていた。そのあいだ、老ポーターは目を閉じたままだった。それから目を開けると言った。

「あなたにお話ししなければなりません。申しあげておかなければならないことがございます」

「もう一度、ここで確約しよう。きみたちのために尽力する覚悟は変わっていないよ。実際、わたしは今夜集まってくる人たち全員に、きみや同僚が長年我慢してきた扱いの不当さを訴えることを、とても楽しみにしているんだよ。何としても、もろもろの誤解に目を向けさせるつもりで……」

わたしは彼が懸命に注意を引こうとしているのに気づいて、口をつぐんだ。

「そのことについては、かけらも疑いを抱いてはおりませんでした」彼はややあって言った。「あなたは必ずお約束を果たしてくださるお方です。こんなふうにわたくしどものために立ち上がってくださることに、心から感謝しております。しかし、お話ししたかったのは、それとは別のことなのです」彼はそこでまた口をつぐみ、毛布の下でもがきだした。

「しかし、いますぐに病院へ行ったほうがいいのでは……」

「いえいえ、どうかこのままで。病院へ行ってしまえば、さよう、タイミングを逃してしまうかもしれません。そのう、ほんとうにもう彼女と話をすべきときだと思うのです。つまりゾフィーと。ほんとうに彼女と話をしなければ。今夜あなたがたいへんお忙しいのは承知しておりますが、何ぶんにもほかに知っている者がおりませんので。つまりわたくしとゾフィーとの関係、二人のあいだの了解のことをです。ですからまことに恐縮ですが、彼女に会って事情を説明してやっていただけませんでしょうか。あなたのほかには、それができる者がいないのです」

「すまないが」わたしは本心からわけが分からず尋ねた。「具体的に何を説明すればいいんだね？」

「説明してやってください。なぜ二人の了解を……いま終わらせなければならないか。娘を説得するのは、容易ではございませんでしょう。なにせこれほど長い年月がたってしまったあとですから。しかしあなたが説得を試みられ、娘になぜいまそれを終わらせなければならないか理解させていただけるなら、ありがたいのです。たいへんなお願いだとは承知しておりますが、あなたがステージに出られるまでには、まだ少し間がございます。それに申しておりますように、あなただけしかご存じないのです……」

彼はまた苦痛に襲われて口をつぐんだ。毛布の下で彼の筋肉が全身を締めつけているのが分かったが、今度はわたしを見つめたままで、体中が震えているというのに、なぜか目をつむらない。彼の痙攣がいま一度おさまったとき、わたしは言った。

「たしかにわたしの出番までには、まだしばらく時間がある。分かった。できるだけのことをやってみるよ。彼女に分かってもらえるよう話してみよう。どちらにしても、できるだけ早急に彼女をここに連れてくる。しかしきみが早くよくなって、いまの状態が心配しているほど重大ではなかったという結果になってほしいものだ……」

「お願いです。娘を早くここへ連れてきていただければ、まことにありがたいのです。わたくしも、できるかぎり頑張りますが……」

「ああ、ああ。いますぐ呼びにいく。我慢して待っていなさい。できるだけ早く呼んでくるから」

わたしは立ち上がってドアへ向かった。しかしノブに手をかける直前、ふとある考えが浮かんで向きを変え、床に寝ている彼のそばへ戻った。

「ボリスは」わたしはかがみこんで彼に尋ねた。「ボリスはどうする？　彼もここに連れてくるべきなのか？」

グスタフはわたしを見上げて深く息を吸いこむと、目をつむった。彼がしばらく何も言わないので、わたしのほうが口を開いた。

「たぶん、こんな状態のきみを……見ないのがいちばんんだろう」

わたしはグスタフがかすかにうなずいたと思ったが、彼は相変わらず目を閉じて押し黙ったままだ。

「結局のところ」わたしは続けた。「彼はきみにあるイメージを持っている。たぶんそのイメージを壊したくないだろうから」

グスタフは、今度はもう少しきっぱりとうなずいた。

「それを尋ねておいたほうがいいと思ってね」そう言いながら、わたしは再び立ち上がった。「分かった。それならゾフィーだけをここに連れてこよう。すぐ戻ってくるよ」

わたしがドアのところへたどり着いたとき——もうノブを回していた——彼が急に後ろから叫んだ。

「ライダーさま！」

その声が驚くほど大きかったばかりか、奇妙な力がこもっていたので、わたしにはほんとうにそれがグスタフの口から出たとは思えなかった。おまけに彼を振り返ったとき、グスタフはまた目を閉じていて、身動き一つしていないようだった。わたしは少し不安になり、再びあわてて彼のところに戻った。しかし、グスタフは目を開けてわたしを見上げた。「ボリスもぜひ連れてきてください」彼はとても静かに言った。「あの子はもうそれほど幼くはありません。わたしのこんな姿を見せましょう。彼は人生について学ばなければ。それに直面しなければ」

グスタフがまた目を閉じて全身をこわばらせたとき、彼がまた激痛に襲われているのだと思った。しかし今度は様子が違って、心配しながら彼を見下ろすと、この老人は泣いているのだった。わたしはどうすればいいのか分からず、しばらく彼を見つめ、肩にそっと手をかけた。

「できるだけ早く戻ってくる」わたしはささやいた。

わたしが楽屋から出てくると、ドアの近くに集まっていたほかのポーターたち全員が心配そうな表情でわたしのほうを向いた。わたしは彼らをかき分けて進みながら、きっぱりと言った。

「みなさん、彼を慎重に見守っていてください。わたしは緊急の頼みごとをやらなければなりませんから、しばらく失礼します」

誰かが質問をしようとしたが、わたしは立ちどまりもせずに廊下を急いだ。

ホフマンを探しだし、ゾフィーのアパートへただちに車で送ってくれと頼むつもりだった。しかし廊下を足早に歩いているあいだに、どこへ行けばあの支配人が見つかるのか、まったく分からないことに気づいた。さらには、廊下の様子そのものも、あごひげのポーターと駆けつけたときとはかなり違って見えた。まだ料理を運ぶワゴンを押している者はいたが、いまここにいる者の大半が、来訪したオーケストラの団員とおぼしき人たちだ。両側に長い楽屋の列が続き、その多くはドアが開け放してある。音楽家たちが二人、三人と集まって、談笑したり、廊下ごしに声をかけ合ったりしている。ときおり閉めたドアの前を通ると奥から何かの楽器の音が聞こえてきたが、全般的に彼らの雰囲気が意外なほど軽薄なのに驚いた。わたしが立ちどまって誰かにホフマンの居所を尋ねようとしたとき、突然、楽屋の半開きのドアの向こうに本人の姿がかいま見えた。わたしは戸口に近づいて、ドアを少し押し開けた。

ホフマンは等身大の鏡の前で、自分の格好をしげしげと眺めていた。正式な夜会服を着こみ、顔に厚化粧をしているので、白粉が肩や襟にかかっている。彼は何ごとかつぶやきながら、鏡に映る自分の姿に見入っていた。わたしがまだ戸口からその様子を眺めていると、彼は奇妙な動作をした。急に腰から上を前に倒し、ひじを外に突きだしたまま片方の腕をぎこちなく待ち上げて、拳で自分のひたいをたたいたのだ——一度、二度、三度と。そのあいだずっと鏡から目をそらそうともせず、何かつぶやきつづけていた。それから体を起こすと、黙って自分の姿を眺めた。そのとき、彼がこれからまたさっきの一連の動作を繰り返すつもりだと思い、急いで咳ばらいをして言った。

「ホフマンさん」

彼はぎくりとしてわたしを見つめた。

「お邪魔でしたか。すみません」

ホフマンはとまどった様子であたりを見回してから、冷静さを取り戻したようだった。

「ライダーさま」彼は笑みを浮かべて答えた。「ご気分はいかがですか？　ここのすべてにご満足いただいているものと信じておりますが」

「ホフマンさん、緊急の事態が起きましてね。いまからすぐ、できるだけ迅速にあるところへ連れていってくれる車がいるんです。ただちに手配していただけませんか」

「車ですって、ライダーさま？　いますぐに？」

「緊急の用件なんです。もちろん、わたしは大急ぎでここへ戻ってきます。いろんなお約束を果たすのに、十分間に合うように」

「はい、はい。もちろんでございます」ホフマンはかすかに困惑した表情を見せた。「お車をご用意するのは、何の問題もございません。もちろん、ライダーさま、通常の状態でしたら運転手をつけることもできましたでしょうし、でなければこのわたしが喜んで運転したでしょう。しかしあいにくと、いまは手前どものスタッフ全員が手一杯でございます。それにわたし自身も、いろいろと監督することがございますし、文章も何行か覚えなければなりません。はは！　ご存じのように、今夜はわたしも短い挨拶をすることになっておりましてね。そしてこれはあなたや、ブロッキーさまのご出演に比べれば——あの方はたまたま少しご到着が遅れておいでですが——もちろん、つまらないことではございますが、準備に最善を尽くさなければと思っております。さよう、さよう、ブロッキーさまはたしかに少し遅れておいでですが、何もご心配には及びません。実のところ、ここはあの方の楽屋でして、ちょうどわたしが確認していたところなんです。申し分のない立派な楽屋です。彼はもうすぐおみえになると確信しております。ご存じのようにライダーさま、わたしは個人的にブロッキーさまの、そのう、再起のお世話をさせていただいてきましたし、それを目のあたりにできたのは実に喜ばしいことでした。あの熱意に、あの誇り！　そんなわけでございますから、今夜、この重要な夜に、わたしは百パーセントの自信を持っているんです。ええ、さようですとも。百パーセントの自信を！　実際、この段階で後戻りすることなど、考えられません。そうなれば、町全体にとって大悲劇です！　そしてむろん、わたし自身にとりましても。もっとも、これはごくごく小さな懸念にすぎませんが、それでもあえて申しあげるなら、わたし自身にとりまして、この重要な夜にここまできて後戻りするような事態になれば、ええ、つまり、それはわたしの終わりです。勝利を目前にしての、わたし自身の終わりです。屈辱的な終わり！　この町の市民全員に、二度と合わせる顔がなくなります。身を隠さねばならないでしょう。はっ！　これはこれは、そんなありそうにもない筋書きをお話しするなど、何ということでしょう？　わたしはブロッキーさまに全幅の信頼を寄せております。きっともうすぐここへおみえになるでしょう」

「ええ、きっとみえると思いますよ、ホフマンさん。それどころか、今夜の催しのすべてが、大成功となるでしょう……」

「ええ、ええ、分かっております！」彼はじれったそうに叫んだ。「その点については、保証していただくまでもございません！　そもそも口にすべきことですらありませんでした。何しろまだ催しが始まるまでにはたっぷり時間がございますから、そもそも口にさえしなかったでしょう。もしも……今夕の出来事がなければ」

「出来事ですか？」

「ええ、ええ。おや、お聞きになっていないんですね。いたしかたなかったのです。いえ、たいしたことではありません。きょうの夕方、ちょっとした出来事がございまして、その結果、わたしが二、三時間前にブロツキーさまのお宅を出たとき、彼はグラスで少量のウイスキーをお飲みになっていたんです。いえ、違います！　お考えになっているようなことではございません。断じて、違います！　わたしに十分ご相談なさったうえでのことなのです。わたしはしばらく考えまして、お許ししたのです。何しろこのように特別な状況ですから、グラスに少しばかりのウィスキーなら何も害はなかろうと。それが最善だと判断いたしました。ひょっとすると間違っていたかもしれませんが、それはもうすぐ分かることです。わたし自身は、そうは思っておりません。もちろん、わたしの判断が間違っていれば、今夜のすべてが――ぷふっ！――最初から最後まで、大失敗になってしまいます！　わたしは残りの生涯、どこかに隠れて暮らさねばなりません。しかし実のところ、今夜の事情が非常に複雑になってきましたので、決断を下さねばなりませんでした。とにかく、要するに、ブロツキーさまをグラスに少量のウィスキーとともにご自宅に残してきたというわけなのです。わたしは彼がそれだけでおやめになると信じております。いま思いますのは、戸棚を何とかすべきだったかということだけです。しかし改めて考えますに、それは杞憂というものでしょう。何よりブロツキーさまはあれだけの進歩を遂げられたのですから、絶対的に信頼してよいはずです。絶対的に」ずっと蝶ネクタイをいじっていたホフマンは、ここで鏡に向かってそれを直した。

「ホフマンさん」わたしは言った。「いったい何があったんですか？　ブロッキーさんの身に何かが起きたのなら、それとも何かほかに少しでも全体の事情を変えかねないような出来事があったのなら、当然ながら、わたしはただちに知らせていただくべきだと思います。もちろん、あなたも同感でしょう、ホフマンさん」

ホテルの支配人は笑い声を上げた。「ライダーさま、それは完全な誤解です。あなたがご心配なさる必要などまったくございません。よろしいですか。わたしが心配しているとでも？　とんでもない。わたしへの全評価が今夜の催しにかかっているというのに、冷静で自信たっぷりではないと？　保証いたします。あなたがご心配なさるようなことは、何一つございません」

「ホフマンさん、いまさっきおっしゃった戸棚を云々というのは、どういう意味ですか？」

「戸棚？　ああ、わたしがきょうの夕方、ブロッキーさまのお宅で見つけた戸棚のことです。ご存じでしょうが、あの方は長年、ノース・ハイウェーから少しはずれた古い農家に住んでおられます。もちろん、これまでに何度もうかがったことはございましたが、なかは少々雑然としていて――どうやらブロッキーさまには、あの方なりの整頓の仕方がおありらしく――あの方のお住まいをしげしげと眺め回したことはございませんでした。つまり、きょうの夕方になって初めて、結局、彼がまだ酒を保管していたのを見つけたのです。あの方はわたしに、そのことはすっかり忘れていたと断言なさいました。きょうの夕方、わたしが、さよう、何しろこのような場合ですから、つまりミス・コリンズとの心おだやかならぬ一件のせいでこの特別な状況が生まれましたから、この場に限って、そのう、熟慮の結果、それを認めたわけなのです。ごくわずかなリスクはあるものの、さよう、グラスに少しだけウイスキーを飲むのが、気持ちを落ち着かせるためには最善だろう、と。結局のところ、あの方はミス・コリンズとの一件でとても苦しんでおいででしたから。わたしが自分の車から携帯ボトルに入ったウイスキーを取ってきましょうと申しあげたとき、そのときブロッキーさまが、まだ酒類を保管している戸棚が一つあることを思い出したのです。それでわたしたちは入っていきました。そのう、彼の台所へ、ええ、そう呼んで差し支えないでしょう。ブロッキーさまはここ数ヵ月のあいだに、台所の修繕をとてもうまく進めておられました。少しずつ修繕して、いまでは雨風はほとんど入ってきません。ただしもちろん、まだ窓のたぐいはありませんが。とにかく、彼はその戸棚を開けました。これは台所のわきにありまして、なかには、さよう、一ダースほどの古い蒸留酒のびんがありました。大半はウイスキーです。ブロッキーさまは、わたしと同じくらいに驚かれていました。正直に申しますと、そのとき、これは何とかしたほうがいいと思ったのです。酒を全部持ち帰るか、それとも中身を庭にあけるか。しかしそのあと、ご理解いただけるでしょうが、それでは失礼にあたると思い直しました。ブロッキーさまのこれまでの勇気と決意に、たいへんな無礼を働くことになる、と。それにきょうの夕方、ミス・コリンズとの一件で、すでに自尊心に大きな打撃を受けておられましたから……」

「すみませんが、ホフマンさん、あなたが何度も口にしているミス・コリンズとの一件とは、何なんです？」

「ああ、ミス・コリンズですか。はい、さよう、それはまた別件なのです。そのために、わたしがたまたまそこに、つまりブロッキーさまのお宅に、うかがったわけでして。よろしいですか、ライダーさま。きょうの夕方、わたしは何よりもつらい伝言を携えて行く身となったのです。そんな役目をうらやむ者は、誰もおりませんでしょう。正直なところ、わたしはかねてより不安をつのらせておりました。きのう、お二人が動物園で再会する以前から。わたしは心配しておりました。つまり、ミス・コリンズのためにです。お二人のあいだで事態がこれほど急展開するなどと、誰に想像できましたでしょう？　しかもこれほど長い年月がたったあとで。ええ、ええ、心配しておりましたよ。ミス・コリンズは立派なご婦人ですから、わたしは最高の敬意を払っております。あの方の人生がこんな段階で引き裂かれるなど、とうてい見るにしのびません。よろしいですか、ライダーさま。ミス・コリンズはたいそう賢いお方で、その点についてはこの町じゅうの者からお墨つきが得られるでしょうが、にもかかわらず――もしあなたがこの町にお住まいなら、きっと同感されると思いますが——あの方にはいつもどこか危うげなところがあったのです。わたしたちはみな、彼女を心から尊敬するようになりましたし、多くの者は彼女の助言を、はかり知れぬほど貴重なものと考えております。しかし同時に——はて、どう申せばよろしいでしょうか——わたしたちは彼女を守ってさしあげたいと、つねに思っていたのです。ブロッキーさまが……ここ数ヵ月のあいだにご自分を取り戻されていくにつれて、わたし自身が以前でしたらとても考えもしなかったような多くの問題が出てまいりまして、それでそのう、申しあげているとおり、心配するようになったのです。ですから、きっとご想像がつくでしょう。きょうの夕方、わたしがあなたをピアノの練習場からお連れする車のなかで、あなたがたまたま何気なく、ミス・コリンズがブロッキーさまとお会いになるのを承知したと、そしてブロッキーさまが、まさにあの時間にも聖ペテロ墓地で彼女を待っていると明かされたとき、どれほど驚いたか……ほんとうにまあ、何と手のお早いことで！　あのブロッキーさまは、どうやらその昔、ヴァレンチノ並だったようですな！　ライダーさま、わたしは何とかしなければならないと思いました。ミス・コリンズがまたみじめな人生に逆戻りするのを、見すごすわけにはまいりません。ましてや間接的にしろ、このわたしの行為のせいでそのような結果になるのは。ですからきょうの夕方、あなたのご厚意に甘えて途中で車からおりていただいたあと、この機会にと、ミス・コリンズのアパートをお訪ねしたのです。もちろん、彼女はわたしを見て驚きました。よりによってきょうの夕方、わたしが直接訪ねたことに、驚いていました。つまり、わたしが訪ねたこと自体が、多くを物語っていたわけです。彼女はすぐにわたしを招き入れ、わたしはこんなふうに突然うかがったことと、これからお話ししたいのは厄介な問題なので、いつものような配慮ある進め方ができない旨をお詫びいたしました。彼女はもちろん、十分に理解してくれました。『分かっておりますわ、ホフマンさん。あなたに今夜どんなに大きな重圧がかかっているか』と、彼女は言いました。二人で表の応接間に座り、わたしは単刀直入に話を切りだしました。ブロッキーさまと会う約束があるとうかがったことを、告げました。それを聞くとミス・コリンズはまさに女学生のように目を伏せました。それからとても恥ずかしそうに言ったのです。『ええ、ホフマンさん。実はあなたがいまさっき玄関におみえになったときも、ちょうど支度をしていたところでしたの。もう一時間以上も、あの服この服ととっかえひっかえ着てみたり、いろんなスタイルに髪をまとめてみたり。こんな年になって、いまさらおかしいですわね？　ええ、ホフマンさん、ほんとうの話なんですの。彼がけさここへきて、説得したんです。わたくし、会うことを承諾しましたの』彼女はそんなふうなことを、もごもごとつぶやきました。あの上品なご婦人のいつもの口調とは、まったく違っておりました。それでわたしは、話を先へ進めました。むろん、とてもおだやかに。言葉巧みに、はまるかもしれない落とし穴のことを指摘しました。『それはまことに結構ですがね、ミス・コリンズ』と、そんな表現を用いましてね。何ぶんにも時間に余裕がございませんでしたから、できるだけ慎重に、少しずつ先へ進めました。当然ながらきょうという日でなければ、冗談を交わしてちょっとした世間話をするだけの時間がありましたなら、たぶんこのわたしとてもう少しうまくやれたでしょう。いや、それとも、ほとんど変わりがなかったかもしれません。真実とは、彼女にとってつねにつらいものだったのです。ともあれ、わたしは最善を尽くしてお話ししていましたが、ついに真実を突きつけなければならなくなり、こう申しました。『ミス・コリンズ、あの古い傷口がまたすっかり開いてしまいますよ。それが痛んで、あなたは苦しむことになるのです。きっと神経がまいっておしまいになるでしょう、ミス・コリンズ。数週間、いや数日のうちに。どうしてお忘れになれましょう？　また最初からもう一度、そんな苦痛を味わえますか？　あなたがこれまで経験してきたことのすべて、屈辱とたいへんな痛手が、みんな戻ってきて、おまけに前以上にひどくなるのですよ。しかもこの長い年月、あなたはお一人で新しい生活を築いてこられたというのに！』わたしがそんなふうに話していたとき――ああ、それはもう、生易しいことではありませんでしたよ――彼女の心が打ちひしがれていくのが分かりました。たとえ外見は冷静を装っていても。その記憶のすべてがよみがえってきて、また古傷が痛みはじめたのが分かりました。ほんとうに、あれは生易しいことではありませんでしたが、それでもわたしはこれを続けるのが自分の役目だと思ったのです。それからとうとう、彼女がとても静かに言いました。『でもホフマンさん。わたくし彼と約束しましたのよ。きょうの夕方、お会いしますと。彼はわたくしを信じていますわ。こんな大事な夜の前には、いつもわたくしが必要なんですの』それでわたしは答えました。『ミス・コリンズ、もちろん彼はがっかりするでしょう。しかしあの方にも分かっていただけるよう、このわたしが最大の努力を傾けてご説明いたします。どちらにしましても、彼はもう心の奥底では、あなたと同じように、今回、再会を約束したのは無分別なことだったとお分かりでしょう。過去はそのままそっとしておくのが、いまはいちばんいいのだ、と』すると彼女は、夢のなかにでもいるように窓の外を眺めてつぶやきました。『ですけど、彼はもうそこへ行っておりますわ。そこで待っておりますわ』それでわたしは申しました。『待ち合わせ場所へは、わたしがまいりましょう、ミス・コリンズ。ええ、たしかに今夜は多忙ですが、これはきわめて重大な事柄ですから、そのお役目はわたし自身にしかできないと思うのです。実際、いまからただちに墓地へまいりまして、事情を説明いたします。どうぞご安心ください、ミス・コリンズ。わたしが全力を尽くしてお慰めしますから。これから先のこと、つまり今夜、目前に迫っているとほうもなく重要な課題のことをお考えになるようにと、激励いたします』わたしはそのようなことを、彼女に申したのですよ、ライダーさま。そして正直に申しますと、彼女はしばらくすっかり打ちのめされているように見えたのですが、何ぶんにも分別のあるお方ですし、ご自分の心の一部でもわたしの指摘が正しいことがお分かりだったのでしょう。と申しますのも、ミス・

コリンズはとても親しげにわたしの腕を取って、こう言ったのです。『彼のところへ行ってください。いますぐに。できるだけのことをなさってください』と。それでわたしは席を立っておいとましようとしたのですが、そのあと、まだ最後のつらい役目が残っていることに気づきました。『ああ、それからですね、ミス・コリンズ』と、わたしは声をかけました。『今夜の催しのことですが、状況を考えますと、あなたはご自宅にいらっしゃるのがいちばんではないかと思うのです』彼女はうなずきましたが、いまにも目から涙があふれそうでした。『結局のところ』と、わたしは続けました。『あの方のお気持ちを察してさしあげなければなりません。このような状況であなたがコンサートホールにおいでになると、この何よりも重大な転機に、彼に何らかの影響が及ぶかもしれませんから』彼女がまたうなずいたので、十分に理解なさったことが分かりました。それでわたしはおいとまをして、外へ出たのです。ほかにも緊急に片づけなければならない用が数々ございましたが――ベーコンやパンの配達の件で――何よりも重要なのは、ブロッキーさまがこの最後の予期せぬ障害を無事に乗りきることだと思ったのです。わたしは、墓地へと車を走らせました。到着するころにはもうあたりが暗くなっていて、わたしはしばらく墓のあいだを歩いたあと、彼が墓石の上にがっかりして座っているところを見つけました。わたしが近づいてくるのに気づくと、彼はけだるそうに顔を上げて言いました。『わしに伝えにきたんだな。分かっていた。来ないのは分かっていた』それでわたしの役目が楽になったとお思いかもしれませんが、いえいえ、決してそうではありませんでしたよ。そんな知らせをお伝えするのは。わたしは重々しくうなずいて、ええ、おっしゃるとおりです、彼女は来ませんと告げました。いろんなことをよくよく考えた末に、心を変えられたのです、と。それから今夜コンサートホールにもおみえにならないことになりました、と。わたしは、それ以上詳しく説明しても意味がないと思いました。それに彼がとても取り乱しているようでしたので、わたしはしばらくよそ見をして、彼が座っている隣の墓石を調べるような振りをいたしました。『おや、あのカルッツさんですか』と、わたしは木々に向かってつぶやきました。というのも、ブロッキーさまがさめざめと一人で泣いているのが分かっていたからです。『ああ、カルッツさん。あの方を埋葬してから、もう何年になりますでしょうか？ ついきのうのことのようですが、たしかもう十四年。亡くなる前に、どれほど孤独だったことか』わたしはそんなことを話しながら、ブロッキーさまを泣くがままにしておきました。それから彼が涙を抑えたのが分かりましたので、彼のほうを向いて、これからご一緒にコンサートホールへ戻って準備をしましょうと提案いたしました。しかしブロッキーさまは、いや、まだ早すぎると答えられました。長い時間ずっとここでお待ちでしたので、すっかり緊張なさっていたのでしょう。それでわたしも彼の言うとおりかもしれないと思い、ではご自宅へ車でお送りしますと申しました。彼がそれに同意したので、わたしたちは墓地を出て、車へ向かいました。車でノース・ハイウェーを走っているあいだ、彼は何も言わずにただ窓の外を眺め、ときおり目から涙をあふれさせておりました。そのとき、わたしたちがまだ目的を達していないことに気づいたのです。事態はまだ、数時間前に予想されたほどたしかではありませんでした。それでも、わたしは自信たっぷりだったのですよ、ライダーさま。いまと同じくらいに。それから、彼のお宅に着きました。彼は家を見事に修復し、いまや多くのお部屋は、完全に居心地のよいものになっております。わたしたちはメインルームに入り、明かりをつけ、わたしは部屋のなかを見回しながら、軽い会話をしておりました。壁のカビの問題を調べる者を何人かよこしましょうかと、申しあげました。しかし彼はその言葉も耳に入らなかったようで、ただぼんやりと椅子に座っているだけでした。それから、お酒が飲みたいと言いだしたのです。少しだけ飲みたいと。わたしは絶対にだめですと申しあげました。すると彼はとても冷静に、以前のように酒が飲みたいわけではないとおっしゃるのです。そんなものではない。あのたぐいの飲酒は、もうきっぱりと断ち切った。しかし、いまさっき恐ろしい失望を味わって、胸が張り裂けそうだ、そんな言葉をお使いになりました。胸が張り裂けそうだと。しかし、今夜のご自分にどれほど重要な運命がかかっているのかも、お分かりでした。うまく成功させなければならないのが、分かっておいでした。以前のように酒をくれとおっしゃっているわけではない。しかし、それはたしかなのだろうか？　わたしが彼を見ると、真実を語っているのが分かりました。そこには悲しみにくれ、落胆してはいるものの、責任感を持った人物がいたのです。あの方はたいていの人間が願っても無理なほど、しっかりとご自分をわきまえ、完全に冷静さを保っておいででした。そしていまこの重大な局面にあるのだから、ほんの少し酒が飲みたいだけだとおっしゃいました。この精神的な打撃を克服するために。今夜の重圧を乗りきるのに必要な心の安定を取り戻すために。ライダーさま、わたしは最初のころ、彼から何度も酒をくれと頼まれましたが、今回はまったく事情が違っていたのです。わたしにはそれが分かりました。わたしは彼の目の奥をのぞきこみ、こう尋ねました。『ブロッキーさま、あなたを信じてよろしいのですね？　車のなかの携帯ボトルに、ウイスキーが少し入っています。グラスにほんの少々さしあげたら、それっきり飲まないと信じてよろしいですね？　グラスに少しだけだと？』すると彼は、わたしの目をしっかりと見返しながら答えました。『もう以前とは違う。きみの前で誓おう』それでわたしは、外の車までまいりました。とても暗く、樹木が風に吹かれて、猛り狂ったような音を立てていました。わたしが車から携帯ボトルを取って家に戻ったとき、彼はもう椅子に座ってはいませんでした。そのときです、わたしが家のなかを通り抜けて台所にいる彼を見つけたのは。そこは実際、母屋につながった離れのようになっていて、ブロッキーさまは実にうまく改築されておりました。ええ、そのときなんです。彼が戸棚を、台所のわきに置いてある戸棚を、開けているところを見つけたのは。彼はそのことをすっかり忘れていたが、ちょうどわたしが入ってきたときに思い出したのだと、おっしゃいました。

そこには、ウイスキーのびんが並んでいました。何本も。彼はそのなかから一本だけを取りだし、蓋を開けて、タンブラーに少量注ぎました。それからわたしの目をじっとのぞきこみながら、びんの残りを床に流してしまいました。台所の床はおおむね土間でしたから、どうということはありません。そんなわけで、彼がびんを土間にあけてから、わたしたちはメインルームへ戻り、彼は椅子に座ってウイスキーをちびちび飲みはじめました。わたしは彼を注意深く観察し、以前のような飲み方をしていないことに気づきました。あのようにちびちび飲むという事実からしても……自分が正しい判断を下したことが分かりました。それでわたしはそろそろ戻らなければなりませんと告げました。もうずいぶんと長居をしてしまったし、ベーコンとパンの手配を監督しなければ、と。わたしが立ち上がったとき、二人とも口にこそ出しませんでしたが、わたしが何を考えているかは分かっておりました。つまり、あの戸棚のことです。そしてブロッキーさまは、わたしの目を真っ直ぐに見つめておっしゃいました。『もう以前とは違う』と。わたしには、それで十分でした。それ以上長居すると言えば、あの方を傷つけるだけです。それでは失礼になってしまいます。どちらにしろ、申しあげておりますように、彼の顔をのぞきこんだときには、百パーセント自信がありました。疑いなど抱く余地もなく、わたしは帰ってきました。それに、あの最後の数分間だけだったのですよ、たとえちらりとにせよ、疑念がわたしの心をよぎったのは。しかしいまは理性的に、あれは単に一大行事を前にした緊張のせいなのだと分かっております。彼はもうすぐこちらへみえるでしょう。そう確信しています。そしてわたしは、大いに自信があります。今夜のすべてが成功する、大成功をおさめると……」

「ホフマンさん」わたしはついにいらいらしてきて言った。「ウイスキーを飲んでいるブロッキーさんを残してきたことにご満足なら、ええ、それはあなたの問題です。わたしにはそれがさほどよい判断だったのかどうか分かりませんが、あなたは事情をずっとよくご存じなのですから。どちらにしろ、さっきからお願いしているように、わたしにはいますぐ助けがいるのです。ご説明したように、できるだけ早急に車がいるんです。これは緊急のことでしてね、ホフマンさん」

「ああ、さよう、お車でしたね」ホフマンは慎重に考えこんだ。「いちばん簡単な方法はですね、ライダーさま、あなたにわたしの車をお使いいただくことかもしれません。ちょうどすぐそこの火災用の非常ドアの外にとめてあります」彼は廊下のすぐ先の小さなドアを指さした。「はてさて、キーはどこだったかな？　ああ、ありました。ステアリングが少し左にかたより気味です。以前から直そうと思っていたのですが、何しろ忙しかったものですから。どんなご用件にでもお使いください。わたしは朝まで入り用ではございませんから」

30

わたしはホフマンの大きな黒い車を駐車場から出して、両側にモミが茂る曲がりくねった道路を走った。どう見てもこれはコンサートホールの敷地から出ていく通常の道路ではなかった。路面は穴ぼこだらけで街灯もなく、車がすれ違うときにはスピードを落とさなければならないほど狭い。わたしはいつ障害物や急カーブに出くわすかもしれないと、暗闇に目を凝らしながら慎重に運転した。それから道路は直線になり、ヘッドライトの光が照らしだす様子から、森を通り抜けているのが分かった。わたしはスピードを上げて、数分間、暗闇のなかを走った。木々を通して左手に何か明るいものが目にとまり、スピードを落とすと、それは夜空に盛大にライトアップされたコンサートホールの正面玄関だった。

建物からはいまや少し遠ざかり、斜めに眺める格好だったが、見事なファサードの全体をほぼ見ることができた。中央のアーチの両側には厳かな石柱の列が続き、高窓が巨大なドーム型の屋根に向かって延びている。客たちがそろそろ到着しはじめたころかと思い、わたしは完全に車をとめて、もっとよく見ようと窓を開けた。しかしいくら座席から伸びあがっても、木立ちに隠れて、建物の一階の様子は見えなかった。

まだコンサートホールを眺めていると、ふと、いまこの瞬間にも、わたしの両親が到着したかもしれないと思った。ホフマンが説明してくれた馬車が暗闇のなかから称賛のまなざしで見つめる群衆の前へ現れる場面が、まざまざと目に浮かんだ。実際、ちょうどわたしが窓から身を乗りだしているときに、それほど遠くないところから近づいてくる馬車の音がはっきりと聞こえたような気がした。わたしはエンジンを切り、さらに首を外に突き出して、もう一度耳を澄ました。それからとうとう車からおり、夜の闇のなかに立って、必死で物音を聞こうとした。

風が木々を揺すっていた。それからもう一度、さっき聞こえたと思った音——馬のひづめの音、リズミカルにしゃんしゃんと鳴る鈴の響き、木造の馬車がかたこと揺れながら走ってくる音——がかすかに聞こえ、梢のざわめきの向こうに消えていった。わたしはまだしばらくそこにたたずんで耳を澄ましたが、もう何も聞こえてはこなかった。それでようやくまわれ右をして車へ戻った。

道路にたたずんでいるあいだに、おだやかな、静謐《せいひつ》とも言えるほどの気分になっていた。だが、また車で走りだすや、いらだちと不安と怒りの入り交じった激しい感情にとらわれた。ついいましがた両親が到着したというのに、わたしのほうは準備万端整うどころか、いまからまったく別の用件で、コンサートホールから車で離れようとさえしている。どうしてこんなはめになったのかも分からないまま、わたしは森のなかを走りつづけた。怒りが込み上げてきて、ともかく何にしろ、まずいちばんにやらなければならないことを片づけしだい、できるだけ早くコンサートホールへ戻ろうと決意していた。しかしよく考えてみると、自分はゾフィーのアパートへの道筋を、いやそれどころか、この森のなかの道が正しい方角へ向かっているのかどうかさえ、よく分からないのだ。むなしさがわいてきたが、それでもわたしはヘッドライトに照らされて目の前に次々と浮かび上がる森の姿をにらみながら、スピードを上げた。

それから急に、前方で手を振っている二人の姿が目に入った。二人は道路のど真ん中に立っていて、わたしが近づくとわきによけたものの、相変わらず緊急事態だという合図を送っている。スピードを落とすと、五、六人のグループが、道端で小さな携帯用コンロを囲んでキャンプしているのが見えた。最初はきっと放浪者だろうと思ったのだが、そのうちにしゃれた装いの中年の女性とスーツ姿のごましお頭の男性が、わたしの車の窓をのぞきこんできた。その後ろから、ほかの人たちも――彼らはひっくり返した木箱らしきものにコンロをのせ、そのまわりに座っていた――立ち上がって、車に近づいてきた。ふと見ると、全員が手にキャンプ用のブリキのカップを持っている。

窓ガラスをおろすと、女性がなかをのぞきこみ、わたしを見て言った。

「まあ、あなたが通りかかってくださって、ほんとうにうれしいわ。いえね、わたしたちちょうど議論が行きづまって、どうしても合意が得られないんです。それって、いつも困りものじゃありません？　何か措置を講じなければならないときに、何にも意見がまとまらないのは」

「しかし、もちろん」スーツ姿のごましお頭の男がいかめしく言った。「もうすぐ何らかの結論を出さねばならないんです」

しかし二人のどちらかが口を開く前に、彼らの後ろから近づいてきた人物が目にとまった。窓からわたしをのぞきこんだ男は、なんとあの旧友のジェフリー・ソーンダーズだった。彼はわたしだと分かると前に出てきて、車のドアをとんとんとたたいた。

「やあ、またいつ会えるかと思っていたんだ」彼は言った。「いや正直に言うと、そのことで少々むっとしていたところだった。そうさ、おまえがお茶にやってこないもんだから。しかもおまえが約束したのに。いや、いまはそんなことを言ってる場合じゃないんだろう。だがとにかく、おまえはちょっと生意気だぜ、なあ。まあいいさ。外に出てこいよ」そう言うと、彼は車のドアを開けて、そばに立った。わたしが反論しようとすると、彼がこう続けた。「おりてきて、コーヒーでも一杯飲んだらどうだ。それから、おれたちの議論に加わってくれ」

「率直に言うとだ、ソーンダーズ。いまはちょっと都合が悪い」

「まあ、そう言わずにおりてこいよ、なあ」彼の声には、かすかに不機嫌さが感じられた。

「いいか。このあいだの夜に出会ってから、おれはたびたびおまえのことを考えていたんだ。学校時代のことや何かを思い出してな。おまえは覚えていないかもしれんが、おれたち二人で下級生のために目を覚ました。ちょうどけさも、あのときのことを考えながら目を覚ました。おまえは覚えていないかもしれんが、おれたち二人で下級生のためにクロスカントリーの監視係をやってたときのことさ。二人ともたしか中等学校の六年生だったな。おまえは覚えていないかもしれんが、おれはけさもベッドに横になってあのときのことを思い出していたよ。おれたちがあの広い野原の向かいのパブの外に立って待っていたら、おまえが何かにひどく動揺していたじゃないか。出てこいよ、なあ。こんなふうじゃ話もできん」彼は相変わらずじれったそうに、わたしを誘いつづけていた。「そうだよ、それがいい」彼が空いている手でわたしのひじをつかんだので――もう一方の手にはブリキのカップを持っていた――わたしはしぶしぶ車からおりた。「そうとも、おれはあの日のことを思い出していた。イギリスでいつも霧が立ちこめる、あの十月の朝のことをな。おれたちはあそこに立って、三年の生徒どもが霧のなかから息をはずませて現れるのを待っていた。覚えているぞ。おまえはずっと『きみには大丈夫だろうよ、きみにはすべてが上々だろうよ』と言いつづけて、ひどく沈んでいるようだった。それでとうとう、おれはおまえに言った。『いいか、おまえだけじゃないんだぜ、なあ。心配ごとがあるのは、世界でおまえ一人じゃないんだ』と。それからおれは、自分が七つか八つのころ、両親と弟と一緒に家族で休暇に出かけたときの話を始めたのさ。おれたちはイギリスの海浜リゾートのどこか、ボーンマスかどこかへ出かけていた。ひょっとしたらワイト島だったかもしれん。天気はよかったんだが、そのう、何かがまずくて、楽しめずにいたんだ。もちろん、家族旅行にはよくあることさ。だがあのときは、それが分からなかった。何しろおれはまだ七つか八つだったから。とにかく何かがまずくて、ある日の午後、おやじがついに爆発したんだ。つまり、突然に。おれたちが海岸通りの何かを眺めていて、おふくろがおれたちに向かって何かを指さしているときに、急におやじが切れちまったのさ。怒鳴り散らしたわけじゃなく、ただ歩き去った。おれたちはどうすればいいのか途方に暮れちまったもんだから、ただおやじのあとを追いかけた。おふくろと弟のクリストファーとおれで、おやじを追いかけた。そんなに近づいたわけじゃなく、見失わない程度に、いつも三十メートルくらい距離を置いてな。おやじは、歩きつづけた。海岸通りに沿って、崖の続く小道をのぼり、浜辺の小屋や日光浴をしている人たちのそばを通りすぎて。それからおやじは町へ向かい、テニスコートの前や、ショッピング街を通り抜けた。一時間以上も追いかけただろうよ。しばらくすると、おれたちはこれを一種のゲームのように考えはじめた。『ほら、父さんはもう怒ってないよ。からかってるだけさ！』なんて言って。あるいは『わざと頭をあんなふうにしてるのさ。ほら、見てごらん！』と言っては、笑い転げた。そして注意深く見れば、おやじが変な歩き方をしているようにも思えたんだ。クリストファーはまだ小さかったから、おれは弟に、おやじはおどけてあんなふうに歩いてるんだと話しかけた。するとクリストファーは笑いに笑ったよ。これが何かのすごいゲームみたいにね。それにおふくろも、笑いながら言っていた。『まあ、あんたたちのお父さんったら、ねえ！』と言っては、また笑った。そんなふうに歩きつづけて、だけどおれだけが、まだほんの七つか八つだったが、このおれだけが、おやじは冗談でこんなことをやってるんじゃないと分かっていたんだ。怒りはもうおさまったどころか、たぶんますます怒り狂っていたのさ。おれたちがあとをつけてくるもんだから。たぶんおやじはベンチに座るとか、どこかのカフェに入るとかしたかったんだろうが、おれたちがついてくるせいでできなかった。おまえ、その話を覚えているか？　あの日、おれはすっかり話してやったぞ。しばらくして、おれはおふくろを見た。こんなことを、もうやめたかったからさ。そのときだったよ、おれが気づいたのは。おふくろがおやじはふざけてこんなことをしているんだと完全に信じているってことに。それに弟のクリストファーは、ずうっと駆けだしたくてうずうずしていた。そうさ、おやじのすぐ後ろへ、駆けだしていきたかった。だからおれは、いつも笑いながら言いわけをしなくちゃならなかった。『だめだ、それは許されない。規則違反なんだ。ずっと後ろからついて行かなきゃ、ゲームはうまくいかないのさ』と。だけどおふくろは、そう、彼女はこう言っていた。『ええ、そうよ！　走っていってお父さんのシャツを引っぱって、つかまる前に戻ってこられるかどうか試してみたら？』だからおれは、言いつづけなきゃならなかった。だっておれしか、そうなんだよおまえ、このおれだけしか分かっていなかったんだから、言いつづけなきゃならなかった。『だめ、だめ。待とう。後ろにいるんだ、後ろにいるんだ』と。おどけて見えたんだよ、おれのおやじは。遠くからそんなおやじを眺めると、たしかに奇妙な歩き方をしていた。なあ、おまえ、座ったらどうだ？　疲労困憊、心配でたまらんという顔をしているぞ。まあここへ座って、おれたちが結論を出すのを助けてくれよ」

ジェフリー・ソーンダーズは、コンロの近くの逆さにしたオレンジの木箱を指さしていた。わたしは実際にへとへとだったので、これからどんな役目を果たさなければならないにしろ、少し休憩してコーヒーでもごちそうになったほうがうまくいくだろうと判断した。わたしは腰をおろした。ひざががくがく震えて、木箱にしゃがみこむにもひどくふらつくありさまだった。人が同情するようにまわりに集まってきた。誰かがカップに入れたコーヒーを差しだし、別の誰かがわたしの背中に手をそえてつぶやいた。「ゆっくりしなさい。のんびりやるといい」

「どうも、ありがとう」わたしは答えてコーヒーを受け取り、ひどく熱かったにもかかわらず、むさぼるようにがぶ飲みした。

今度はわたしの真ん前にしゃがみこんだスーツを着たごましお頭の男が、わたしの顔をのぞきこみながら、丁重に言った。「結論を出さなきゃならないんです。手を貸してください」

「結論ですか？」

「ええ。ブロッキーさまのことで」

「ああ、そう」わたしはブリキのカップからまたコーヒーをすすった。「ええ、分かります。いまやすべてが、わたしにかかっているんですね」

「そこまで申しているわけではありませんよ」と、ごましお頭の男が言った。

わたしはもう一度彼を見た。思いやりがあり落ち着いた物腰の、しっかりした人物のようだ。しかしいまこの時点で、彼はとても真剣なのが見て取れた。

「あなたにすべてがかかっているなどとは申しておりません。ただこの状況では、われわれ一人ひとりが何らかの責任を持たねばならないのです。わたし自身の意見は、さっきも明言しましたが、切断すべきだと思います」

「切断？」

ごましお頭の男は、重々しくうなずいた。そのとき彼が首から下げた聴診器が目に入り、何かの医者なのだと分かった。

「ああ、そうですか」わたしは言った。「切断すべきだ、と。そうですか」

あたりを見回すと、わたしの車からそう遠くないところに、金属の残骸が山になっていてぎょっとした。ぼんやりと、自分がこの残骸の原因なのではないか、知らないうちに事故を起こしてしまったのではないかという考えが、心をよぎった。わたしは立ち上がり――

—そうするやいくつもの手が伸びてきて、わたしを落ち着かせようとしたが——金属の山に近づいてよく見ると、それは自転車の残骸だった。パイプが無残にもひん曲がり、ぞっとしたことに、そのど真ん中にブロッキーがいる。彼は仰向けに地面に横たわり、近づいてくるわたしを冷静に見つめていた。

「ブロッキーさん」わたしは彼を見つめながらつぶやいた。

「やあ。ライダーか」彼は答えた。その声には、驚くほど苦痛の色はなかった。わたしはすぐ後ろについてきたごましお頭の男を振り返って告げた。「これはわたしのせいじゃないでしょう。事故を起こした記憶など、まったくありません。わたしはただ運転していただけで……」

ごましお頭の男は、いかにもと言うようにうなずきながら、わたしにしーっと合図を送った。それからわたしを少し離れたところへ引っぱっていくと、低い声で言った。「まず間違いありませんね、彼が自殺しようとしたのは。ひどく酩酊していたんですよ。ぐでんぐでんに」

「ああ。なるほど」

「きっと自殺しようとしたんです。しかしご覧なさい。彼がやったことと言えば、脚がからまってにっちもさっちもいかなくなっただけだ。右脚はほとんど無傷だが、ただ抜けなくなっている。左脚もからまっています。この左脚なんですよ、わたしが困っているのは。

あまりいい状態ではありません」

「そんな」わたしは答え、もう一度肩ごしにブロッキーを見た。彼はわたしの視線に気づいたらしく、暗闇のなかから叫んだ。

「ライダー、よう」

「あなたが通りかかる前に、しばらく話し合っていたんです」ごましお頭の男が続けた。「わたしの感触では、切断しなければなりません。そうすれば命は助かるかもしれない。しばらく議論したあと、ここにいる者の過半数は、その見解に賛成しました。しかしあちらの二人のご婦人が、反対しているのです。もうしばらく救急車を待つべきだと。しかしわたしが思うに、それではたいへんな危険を冒すことになります。それが医者としての、わたしの意見です」

「ああ、なるほど。ええ、おっしゃりたいことは分かります」

「わたしの見るところ、左脚は一刻も早く切断しなければなりません。わたしは外科医なんです。しかし残念ながら、いまここには医療器具がありません。麻酔薬も何にも。アスピリン一粒さえ。何しろ非番で、少し戸外の空気が吸いたいと、このあたりを散歩していただけなんですよ。ここにいるほかの立派な方がたと同じように。たまたまこの聴診器だけはポケットに入れていましたが、それ以外は何も。しかしあなたが来られたので、事情は変わるかもしれません。車に何かお持ちですか？」

「車にですか？　さあ、実はわたしには分かりません。借りてきた車ですから」

「つまり、レンタカーなんでしょうか？」

「いいえ、それとも違います。借りたのです、知り合いから」

「なるほど」彼は深刻な表情で地面に目を落として、何か考えこんでいた。彼の後ろから、ほかの人たちが心配そうにわたしたちを見守っていた。外科医が言った。

「よろしければトランクを見てきていただけませんか。何か助けになるものがあるかもしれない。手術に使えるような鋭い刃物か何かが」

わたしはそのことを考えてから答えた。「喜んで見てきましょう。しかし、まずはブロッキーさんのところへ行って、言葉を交わすべきだと思います。何ぶんにも、彼とはある程度見知った関係ですし、彼と話すべきだと思うんです。そんな大胆な措置を……取る前に」

「結構です」外科医は答えた。「しかしわたしの感触では――医者としての意見ですが――もうすでにかなりの時間を無駄にしています。どうかできるだけ手短に切り上げてください」

わたしはもう一度ブロッキーのそばへ行って、彼の顔を見下ろした。

「ブロッキーさん……」と切りだしたものの、すぐ彼に言葉をさえぎられた。

「ライダー、助けてくれ。わしは彼女のところへ行かねばならん」

「ミス・コリンズですか？　いまはそれどころではありませんよ」

「いやいや。わしは彼女と話をせねばならん。分かったんだ。いまははっきりと分かった。わしの頭は、いまきわめて明瞭だ。こんなことになってから。さあて、わしは自転車に乗っていたんだが、何かの乗り物に、たぶん車に、ぶつかったんだろう。酔っ払っていたに違いない。その部分は覚えておらんが、ほかのことは思い出せるぞ。いまはっきりと分かった。すべてがな。やつのせいだ。いつもずっと、あいつは失敗させたがっていた。やつのせいだ。あいつがこれを全部仕組んだんだ」

「誰のことです？　ホフマンですか？」

「あいつは最低だ。最低だ。以前は分からなんだが、いまはすべてお見通しだ。乗り物とぶつかってから、車だかトラックだか分からんが、何しろそれとぶつかってから、すっかり分かった。彼は今夜わしのところへやってきた。いかにも同情した様子でな。わしは墓地で待っていた。待ちつづけていた。胸をときめかせて。わしはこの長い年月、ずっと待っていたんだ。あんたは知らんだろうな、ライダー？　わしは長いあいだ待っていた。酔っ払っているときでさえ、待っていた。来週になれば、とつぶやいたもんだ。来週になれば酒をやめて、彼女のところへ行くぞ、と。聖ペテロ墓地で会ってくれと申し出る。毎年、毎年、そうつぶやいていた。それがきょう、わしはついにそこで待っていたんだ。ブルーノとときどき座っていた、あのペール・グスタフソンの墓石の上で。わしは待っていた。

十五分、三十分、一時間。そのあと、あいつがやってくる。あいつがわしのここに、この肩に手をかけて、彼女は心変わりをしたと言う。彼女は来ない、今夜、コンサートホールへさえも来ないと。彼はいつもながら慇懃だ。わしは彼の言葉に耳を傾ける。ウイスキーを飲みなさい。それで気分が落ち着きますよ。今回は特別です。だがわしは、ウイスキーは飲めんと答える。どうしてウイスキーなど飲めようか？　おまえさん、気でも狂ったのかね？　いいえ、ウイスキーをお飲みなさい、とあいつは言う。ほんの少しだけ。そうすれば気分が落ち着きます。わしは彼が親切心から言ってくれているのだと思った。だが、いまは分かった。最初から、やつには成功させる気などなかったんだ。彼はわしが絶対にやれんと信じていた。わしになどやれっこない、なぜならわしはこの……このクソッタレだから。やつはそう考えたんだ。わしはいましらふだ。さっきは馬だって殺せるくらい飲んだぞ。だが乗り物とぶつかってからはしらふだ。いまははっきりと分かる。やつのせいだ。やつはわしより卑しい人間だ。まんまとその手に引っかかってなるものか。わしはやるぞ。助けてくれ、ライダー。やつにそうはさせん。わしはいまからコンサートホールへ行く。みんなに見せてやる。準備はできとる。音楽は、すべてここ、この頭のなかにあるんだ。わしはみんなに見せてやる。しかし彼女も来てくれなければ。わしは彼女と話さねばならん。助けてくれ、ライダー。わしを彼女のところへ連れていってくれ。彼女も来て、コンサートホールに座ってもらわねば。そうすれば彼女も思い出すだろう。あいつは最低の男だ。だがいまははっきりと分かる。助けてくれ、ライダー」

「ブロッキーさん」わたしは彼をさえぎった。「ここに外科医がいるんです。彼は手術をしなければなりません。少し痛むかもしれません」

「助けてくれ、ライダー。彼女のところへ行かせてくれ。車があるだろう？　きみの車が？　わしを乗せていってくれ。彼女のところへ。彼女はあのアパートにいる。あそこは大嫌いだ。ああ、ほんとうに大嫌いだ。昔はよくあの外に立っていた。わしを彼女のところへ連れていってくれ、ライダー。いますぐに」

「ブロッキーさん、いまの状況がお分かりになっていないようです。一刻も時間を無駄にはできないんですよ。実際、わたしは外科医に、トランクのなかを探してみましょうと言ったんです。すぐに戻ってきますから」

「彼女は恐れている。だが、遅すぎはしない。二人で動物を飼えばいい。だが、いまそんなことはどうでもいい、動物のことは。ただコンサートホールへ来てくれれば。それだけでいいんだ。コンサートホールへ来てくれれば。それだけでいい」

わたしはブロッキーを残して車のところへ行った。トランクを開けると、ホフマンがいろんなものを乱雑に放りこんであるのが見えた。壊れた椅子が一脚に、ゴム長が一足、いろんなプラスチックの箱。それから懐中電灯を見つけ、それでトランクのなかを照らしてみると、隅に小さな弓ノコが転がっていた。少し油でべたついているようだが、刃の部分を指でなぞってみると、歯は十分に鋭いようだ。わたしはトランクを閉めて、ほかの人たちがコンロを囲んで話しながら立っているところへ戻った。近づくと、外科医の言葉が聞こえてきた。

「産科はいまや退屈な分野です。わたしが勉強していたころとは大違いで」

「失礼」わたしは言った。「これを見つけました」

「やあ」外科医は振り返りながら言った。「ありがとう。ブロッキーさまとはお話しになりましたか？　それはよかった」

わたしは急に、この一連の出来事にこれほどまでに巻きこまれたことに怒りを覚え、たぶん少しいらだった口調で、周囲の人たちの顔を眺めて言った。

「この町には、こんな事態のための十分な応急態勢がないんですか？　さっき救急車を呼んだとおっしゃいましたね？」

「一時間ほど前に呼んだよ」ジェフリー・ソーンダーズが大声で答えた。「そこの電話ボックスから。だがあいにくと、今夜はコンサートホールで大行事があるから、救急車が足りないんだ」

彼が指さした場所を見ると、たしかに道路から少し引っこんだ、ちょうど真っ暗な森との境目のあたりに、公衆電話ボックスがあった。それが目に入るや、わたしは途中だった自分の緊急の役目のことを思い出し、いまからゾフィーに電話すれば、彼女に前もって準備しておくよう伝えられるばかりか、アパートまでの道筋も訊くことができると思いあたった。

「ちょっと失礼」わたしはその場を離れながら言った。「いますぐ大事な電話をしなければならないのです」

わたしは森のほうへ歩いて、電話ボックスに入った。ポケットの硬貨を探しているとき、ガラス窓から、外科医が弓ノコを巧みに体の後ろに隠しながら、倒れているブロッキーのもとへゆっくりと歩いていく姿が見えた。ジェフリー・ソーンダーズをはじめほかの面面は、ブリキのカップをのぞいたり足もとに視線を落としたりしながら、不安げにうろうろしていた。それから外科医が振り返って彼らに何か言うと、二人の男、ジェフリー・ソーンダーズと茶色い革のジャンパーを着た若者が、しぶしぶ外科医のところへ行った。三人はそこに立ち、暗い表情でブロッキーを見下ろしていた。

わたしは彼らに背を向けて、ゾフィーの番号をダイヤルした。ベルがしばらく鳴ってから、ゾフィーが眠そうな、少し用心したような声で電話口に出た。わたしは深く息を吸った。

「いいかい」わたしは言った。「きみはいまわたしにどれだけの重圧がかかっているのか、分かっていないようだ。わたしにとって、これが楽なことだとでも思っているのか？　もう時間が迫っているというのに、いまだにコンサートホールを下見する一秒の暇もない。

それどころか、みんながああだこうだといろんな用件を持ってくる。きみはわたしが今夜をのんきに過ごせると思っているのか？　今夜がどんな日だか分かっているのか？　両親が今夜来るんだぞ。そうだとも！　両親がとうとう、今夜来るんだ！　いまごろ、ちょうど到着しているかもしれない！　なのにこのていたらくだ。わたしが準備できるよう、自由に時間を取ってくれていると思うのか？　とんでもない。次から次に用件を持ってくる。このけしからん質疑応答がその一つだ。実際、電光掲示板まで持ちこんだ。信じられるか？　わたしにどうしろと言うんだ？　この連中は、何でもかんでも当然のことのように考えている。よりによってこの大事な夜に、わたしにどうしてほしいと言うんだ？　だが、ほかのどこでも同じことさ。わたしに何から何まで期待している。どうせ今夜もいろいろと言ってくるだろう、ちっとも驚かないね。わたしの答えで満足しなければ、またしつこくくってかかってくるのさ。そのときわたしはどこにいる？　ピアノにまでさえ、たどり着けないかもしれない。それとも質問が始まったとたん、両親が帰ってしまうか……」

「ねえ、落ち着いて」ゾフィーが言った。「大丈夫よ。あの人たちはくってかかってきたりしないわ。あなたはいつもくってかかられるって言うけど、いままで誰も、この長年、ただの一人だって、あなたにくってかかってきた人なんかいなかったじゃないの……」

「しかし、わたしの言ってることが分からないのか？　今夜はいつもと同じじゃない。両親が来るんだぞ。今夜わたしにくってかかってきたら、きっと……きっと……」

「くってかかってはこないわ」ゾフィーがまたわたしをさえぎった。「あなたは毎回そう言うのよ。世界中から電話をかけてきて、同じことを言うの。いつだって、この段階になったときに。あの連中がわたしにくってかかってくる、わたしの正体を暴きにくるって。そのあとはどう？　何時間かしたらまた電話してきて、あなたはとても冷静で、自己満足してるじゃないの。あたしがどうだったって尋ねると、あなたはそもそもそんなことを訊かれるのが意外だっていう口ぶりで言うのよ。『ああ、うまくいったよ』って。いつだってそんなふうだわ。それからあなたは別のことに話題を変えるの。話すほどの値打ちもないような話題に……」

「ちょっと待て。何のことを言ってるんだ？　いったいどの電話の話なんだ？　きみに電話一つかけるにも、わたしがどれだけ苦労しているか、分からないのか？　気も狂わんばかりに忙しいときだってあるのに、それでも何とかスケジュールの合間に数分の暇を見つけては、きみの様子を確かめようと電話しているんだぞ。それに、たいていはきみのほうじゃないか、何やかやのトラブルを何でもかんでもわたしにぶちまけるのは。わたしがいつもそうだなどと言うのは、いったいどういう意味なんだ……」

「こんな話をしても無駄よ。要するにあたしが言いたいのは、今夜はすべてうまくいくってこと……」

「きみがそう言うのは、まことに結構。きみもここのほかの連中と、まったく同じだ。当然だと思っているんだから。わたしが姿を現しさえすれば、あとはすべてうまくことが運ぶと……」そこで、急に、グスタフが家具のない楽屋のマットレスに横たわっていることを思い出し、言葉を飲みこんだ。

「どうしたの？」ゾフィーが尋ねた。

わたしは気持ちを落ち着けてから答えた。

「いいかい。きみに話そうとしていたことがある。悪い知らせなんだ。気の毒に」

ゾフィーは電話の向こうで黙っていた。

「きみのお父さんが病気で倒れた。いまコンサートホールにいる。急いで来てくれ」

わたしはまた口をつぐんだが、ゾフィーはまだ何も言わなかった。

「まだ持ちこたえている」わたしはややあって続けた。「だが、すぐに来てくれ。ボリスも一緒に。実は、それで電話をかけたんだ。車を借りた。いまから、きみたち二人を迎えにいく」

かなり長く思える時間、受話器から返事は聞こえてこなかったが、やがてゾフィーが言った。

「きのうの夜はごめんなさい。カーヴィンスキー・ギャラリーでのこと」そこで彼女が一瞬息をついだので、わたしはまた彼女が沈黙するのだと思った。しかし彼女は続けた。

「あたし、みじめだったわ。あなたが取りつくろう必要はないのよ。自分で分かってるんですもの。あたし、みじめだったって。なぜだか分からないけど、ああした状況に置かれるとうろたえてしまうの。認めなくちゃならないわね。あたし、あなたと一緒にこの町からあの町へと旅行して、いろんな社交の場に同伴できるような人間にはなれっこない。とうていだめよ。ごめんなさい」

「しかし、だからどうなんだ？」わたしはやさしく言った。「きのうのギャラリーでのことなんか、すっかり忘れていたよ。きみがあんな連中にどんな印象を与えるかなど、気にする必要があるものか。みんなぞっとするやつらだった。どいつもこいつも一人残らず。それにきみは、あそこにいたどの女性よりもはるかに際立ってきれいだった」

「そんなこと信じられないわ」と彼女は言うと、急に笑いだした。「もうみっともない年増だもの」

「いや、きみは美しく老けている」

「何て言い草！」彼女はまた笑った。「よくそんなことを！」

「悪かったよ」わたしも笑いながら言った。「つまり、きみはちっとも老けていないと言いたかったんだ。誰かがそう気づくほどには」

「誰かがそう気づくほどには!?」

「そのう……」わたしはうろたえて、また笑い声を上げた。「それとも、やつれてみっともなく見えたか。いまとなっては思い出せない」

　ゾフィーはもう一度笑ってから沈黙した。次に話しだしたとき、その声はまた真剣な調子になっていた。「だけど、あたしみじめだったわ。こんなふうでいるかぎり、あなたと一緒に旅行なんてできっこないわね」

「いいかい、約束するよ。もう旅ばかりする生活は、それほど長くない。今夜、もし演奏会がうまくいけばだ。分からないが、そうなるかもしれない」

「それにあたし、まだ何も見つけられなくって、ごめんなさい。あたしたちのためにすぐ何か見つけるって、約束するわ。どこかほんとうに快適なところを」

　この言葉にすぐ答えが浮かばなかったので、二人ともしばらく沈黙したままだった。やがて、彼女がこう言った。

「ほんとうに気にしていないの？　きのうのあたしの振る舞いを？　いつものあたしの振る舞いを？」

「気にしてなどいない。きみはああいった場で、自分の好きなように振る舞えばいいんだ。やりたいようにやればいい。どっちにしても変わりはない。きみはあの会場にいた全員を合わせたよりも大事なんだから」

　ゾフィーは何も答えなかった。わたしは続けた。

「わたしも悪かったんだよ。つまり、家のことで。家探しをきみに任せっきりにするのは、フェアじゃない。たぶんこれからは——もちろん今夜がうまくいけばの話だが——違ったかたちでやれるだろう。二人で一緒に探しにいけるだろう」

受話器から何も聞こえてこないので、わたしは一瞬、ゾフィーがどこかへ行ってしまったのかと思った。しかしそのあと、彼女が遠いぼんやりした声で言った。

「あたしたち、きっとすぐに何か見つけられるわ、そうでしょ？」

「ああ、もちろんだ。二人で探そう。ボリスも一緒に。何か見つかるとも」

「それに、あなたはいまからすぐ来てくれるんでしょう？　あたしたちをパパのところへ連れていくために？」

「ああ、そうとも。できるだけ早く行く。だから支度をしておいてくれ、二人とも」

「ええ、分かったわ」彼女の声はまだどこか遠く、緊迫感に欠けていた。「これからボリスを起こしてくるわ。ええ、分かった」

電話ボックスを出るころ、空が明らかに白みはじめてきたと思った。ブロッキーを取り囲む人たちが見え、近づくと、外科医がひざまずいてノコギリを引いていた。ブロッキーはこの苦難に黙って耐えているようだったが、ちょうどわたしが車のところへ着いたとき、彼が森のなかに響きわたるようなぞっとする悲鳴を上げた。

「もう行かなければなりません」わたしは誰にともなく告げた。実際、誰もわたしの言葉など聞いていないようだった。しかしそれから、車のドアを閉めてエンジンをかけると、全員がショックを受けた表情でわたしを振り返った。窓ガラスを上げる前に、ジェフリー

・ソーンダーズが駆け寄ってきた。

「おい、待てよ」彼は怒って言った。「おい、待てよ。まだ行くな。彼の体を自由にしたら、どこかへ連れていかなくちゃならん。おまえの車がいるんだよ、分からんのか？　それが常識というもんだ」

「聞いてくれ、ソーンダーズ」わたしはきっぱり言い返した。「いまここで、きみたちが困っているのはよく分かっている。もっと手助けしたいのはやまやまだが、わたしにできることはもうすべてやった。こっちにだって、いま心配しなきゃならない問題があるんだ」

「まったくおまえらしいよ。いつものことだ」

「いいか、きみはこれっぽっちも分かっていない。まったくだ、ソーンダーズ。これっぽっちも分かっていない。わたしには、きみには想像もつかない責任がかかっているんだ。いいか、きみとは生活が違うんだ！」

わたしがこの最後の言葉を怒鳴ると、あの外科医でさえも作業の手をとめて、わたしを振り返った。たぶんブロッキーも、一瞬痛みを忘れて、わたしを見つめていた。わたしは人目を気にして、なだめるような口調で言った。

「悪いんだが、わたしには大至急やらなければならないことがあるんだ。きみたちがこれを終えて、ブロッキーさんをどこかへ運べる状態になるころには、きっと救急車が来ているだろう。とにかく、悪いんだが、もう一刻もぐずぐずしてはいられない」

そう言うとわたしはすばやく窓を閉め、また森のなかを走りはじめた。

31

道路はまだ森のなかを走っていた。やがて木々がまばらになり、遠くに夜明けの光がぼんやりと見えた。それから急に木が消えて、わたしは人気のない市街地の通りに出た。

赤信号だったので、交差点でとまった。運転席に黙って座って——ほかに車は一台も見えない——あたりを見回すと、この地区がどこなのか、しだいに分かってきた。ほっとしたことに、わたしはもうゾフィーのアパートのすぐ近くに来ていた。実際、目の前の通りを真っ直ぐ走ればあのアパートに着くという、確信があった。アパートは理髪店の上だったことも思い出し、信号が変わるや、わたしは交差点を渡り、通りすぎる建物を注意深く観察しながら、静まり返った道路を走った。それからずっと先の歩道の縁で待っている二人の姿が目に入り、わたしはアクセルを踏みこんだ。

ゾフィーとボリスは薄手の上着しか着ていなくて、早朝の空気に寒そうにしている。二人は車に向かって駆けてきた。ゾフィーが身を乗りだして、腹立たしそうに叫んだ。

「遅かったじゃない！　どうしてこんなにかかったの？」

わたしが答えようとする前に、ボリスがゾフィーの腕に手をかけて言った。

「大丈夫だよ。ぼくたち、ちゃんと間に合うように着けるから。大丈夫だよ」

わたしはボリスを見た。彼は医者のかばんのような大きなブリーフケースを持っている。おかげで、深刻ななかにもかすかに滑稽な雰囲気が漂っていた。とはいえ、彼の物腰は奇妙に落ち着きはらっていて、どうやら母親をなだめるのに役に立っているらしい。

ゾフィーは助手席に乗りこむのだとばかり思っていたが、ボリスと一緒に後部座席に座った。

「すまなかったね」わたしは車の向きを変えながら言った。「だが、このあたりの道がまだよく分かっていないんだ」

「いまは誰がパパと一緒なの？」ゾフィーはまた緊張した声で尋ねた。「いま誰かが世話をしてくれてるの？」

「同僚と一緒だ。全員が彼についている。一人残らず」

「ほらね」ボリスがわたしの後ろでやさしく言った。「さっき言ったとおりでしょ。だから心配しないで。大丈夫だよ」

ゾフィーは重いため息をついたが、ボリスは今度も彼女をうまく落ち着かせたようだった。それから彼がこう言った。

「あの人たちがおじいちゃんをきちんと世話してくれてるよ。だから心配しないで。あの人たちがおじいちゃんをきちんと世話してくれてる。そうだよね？」

この問いは、明らかにわたしに向けられていた。わたしは彼が自ら果たそうとしている役割に少しいらだちを覚え――おまけに二人そろって後部座席に座り、わたしをタクシーの運転手扱いしていることにもむっとした――返事をしないことにした。

わたしたちはしばらく黙って走っていた。また交差点に差しかかり、わたしは、森のなかの道路へどう戻ればいいのか必死で思い出そうとした。まだ人通りのない市街地を走っているとき、ゾフィーが、エンジンの音に重なってかろうじて聞こえるような声でつぶやいた。

「これは警告ね」

彼女がわたしに話しかけているのかどうか確信がなかったので、肩ごしに振り返ってみようとした。そのとき、彼女が同じような小さな声で続けた。

「ボリス、ママの話を聞いてる？　あたしたち、立ち向かわなきゃならないの。これは警告よ。あなたのおじいちゃんは、だんだん年を取ってるわ。ペースを落とさなきゃ。それを否定しようとしても無意味なの。ペースを落とさなきゃ」

ボリスは何か答えたようだったが、わたしには聞こえなかった。

「このところしばらく考えていたの」ゾフィーは続けた。「いままであなたには何も言わなかったけど、それはあなたが……あなたがどんなにおじいちゃんが好きか、知ってたからよ。だけど、このところしばらく考えていたの。こんなになるずっと前から、ほかにも兆候はあったわ。こんなことになったいま、あたしたち、もうこれ以上その事実から逃れることはできないの。おじいちゃんはだんだん年を取ってるんだから、ペースを落とさなくちゃね。ママは計画を立てていたのよ。あなたには一度も話さなかったけど、もう長いこと計画を立ててきたの。ホフマンさんと話をするわ。おじいちゃんの将来について、彼とじっくり話をする。資料はすべて用意してあるの。インペリアル・ホテルのセデルマイヤーさんとアンバサダーのヴァイスベルクさんとも、話したわ。あなたにはこれまで一度も言わなかったけど、おじいちゃんがもう昔のように強くないのは、分かっていたのよ。それは分かっていたの。あなたのおじいちゃんのようにホテルで長年働いてきた人たちが、ある段階で少し違った職種に変わるのは、ちっとも珍しいことじゃないのよ。前ほどたくさん仕事をしないですむようにね。インペリアル・ホテルには、あなたのおじいちゃんよりずっと年上の方がいて、ロビーに入ればすぐに気づくわ。昔は料理長だったんだけど、寄る年波でそれがつらくなったとき、ホテル側が決めたのよ。いまはそれはそれは立派な制服を着て、ロビーの隅の、インク・スタンドを置いた大きなマホガニーの机の向こうに座ってる。セデルマイヤーさんはおっしゃってるわ。とてもうまくいっていて、大いに役に立ってるって。お客さま、とくに常連の方たちは、ロビーに入ってあのご老人が机の後ろに座っていないと、憤慨なさるんですって。この措置のおかげで、あのホテルはぐんと風格が出たの。ええ、ママはそのことで、ホフマンさんとお話ししようと思ったわ。おじいちゃんも何かそんなたぐいのことができないでしょうかって。もちろん給料は減っても、これまでの小さな部屋は使えるし――何しろあの部屋は本人がとても気に入ってるから――それに食事も取れるでしょう。インペリアルのように、ロビーに机を構えてくれないかしら。でもよく考えると、おじいちゃんは立っていたいかもしれないわね。特別な制服を着て、ロビーのどこかで。いますぐそうしてほしいってわけじゃないの。でも、近いうちにね。おじいちゃんはもう若くないし、これは警告なのよ。あたしたち、それから逃れられないわ。気がつかない振りをしてみても、何も得るものはないんだから」

ゾフィーはそこで一瞬間を置いた。わたしは、森の近くにまで車を走らせていた。夜明けの空が紫色に変わっていた。

「心配ないよ」ボリスが言った。「おじいちゃんは大丈夫さ」

ゾフィーが深々とため息をつくのが聞こえた。それから彼女は言った。

「そうすればおじいちゃんに時間もできるわ。前ほど忙しくはなくなって、あなたは旧市街でもっと何日も一緒に午後を過ごせる。旧市街じゃなくたって、行きたいところへどこでも一緒に行ける。だけど、おじいちゃんには上等のコートがいるわね。だからいま、これを持っていこうとしてるの。そろそろ渡しておかなくちゃ。もうずいぶん前から用意してたのに」

がさごそ音がするのでバックミラーをのぞくと、ゾフィーが父親のコートの入った柔らかな茶色い包みを自分のわきに置いているのが見えた。このとき、わたしは道順のことを尋ねるのに、彼女の注意を引かなければならなかった。彼女は車で出発してから初めて、わたしがいることに気づいたようだった。ゾフィーは前に身を乗りだし、わたしの耳もとでささやいた。

「こんな事態になったときの準備はできていたの。あたし、すぐにホフマンさんと話すわ」

わたしは賛同して何かつぶやき、暗い森に入ったので、ヘッドライトを上に向けた。

「ほかの人たちはね」ゾフィーが言った。「この世に永久に時間があるみたいに振る舞ってる。でも、あたしは絶対そんなふうにできなかったわ」

数分間、彼女は黙っていたが、わたしは彼女の存在をとても近くに感じ、なぜかもうすぐ彼女の指がわたしの顔に触れるのを期待していた。彼女が静かに言った。

「あたし覚えてる。母が亡くなったあとのこと。どんなに寂しくなったか」

わたしはまたバックミラーで彼女をちらりと見た。彼女はまだわたしのほうに身を乗りだしていたが、目は窓の外を走り去る森をじっとにらんだままだった。

「心配しないで」彼女はやさしく言うと、またコートの包みをがさごそさせた。「あたしたち全員がうまくいくよう気を配るわ。あたしたち三人が。必ずそうするわ」

わたしはコンサートホールの裏手の小さな駐車スペースに車をとめた。目の前にまだ常夜灯のついているドアがあった。この前入ったドアではなかったものの、車から出てそちらへ急いだ。後ろを振り返ると、ボリスが車からおりようとする母親に手を貸していた。彼は母親を守ろうと背中に手をあてて、二人で元気よく建物のほうへ歩いてきた。ボリスがもう一方の手に提げた医者の診察かばんが、扱いづらいのか彼の両脚にぶつかった。

ドアを開けると、そこは建物の周囲をめぐっている長い廊下だった。わたしたちは入ったとたん、二人の男が押してくる料理用のワゴンをよけてわきに立たなければならなかった。温度が前より高くなったと思ったが――いまはむっと息づまるようだ――近くで夜会服を着た二人の音楽家が楽しそうにしゃべっているのが目にとまり、グスタフを残してきた楽屋からそう遠くないところに入ってきたと分かって、ほっとした。

先に立って廊下を歩いていくと、楽団員の数が増えてきた。大半はもう演奏会用の服装に着替えていたが、雰囲気はまだとても軽々しかった。以前にもまして、廊下をはさんで大声で叫んだり笑ったりしていて、チェロをギターのように抱えて楽屋から飛びだしてきた男と、危うく衝突しそうになった。それから誰かが言った。

「おや、ライダーさまですね？　以前お会いしました。わたしをお忘れですか？」

廊下の反対側から歩いてきた四、五人のグループが立ちどまり、わたしたちを見ていた。

正式の夜会服を着ていて、一目で全員が酔っ払っているのが分かった。わたしに声をかけた男はバラの花束を手に持ち、近づいてくるとき、それを無造作に振った。

「先日の夜、映画館でペダーセンさんにご紹介いただきました。お元気ですか？　友人たちは、わたしがあの夜みっともないことをしたので、お詫びすべきだと言うのです」

「やあ、あなたでしたか」わたしはその男を思い出して言った。「お元気ですか？　またお会いできてうれしいです。しかしあいにく、いまは急用がありまして……」

「無礼を働いたなら申しわけない」酔っ払った男は言うと、わたしの顔に触れそうなくらい、自分の顔を近づけてきた。「決してそんなつもりではないのです」

この言葉に、彼の仲間全員が込み上げてくる笑いをこらえた。

「いいえ。無礼だなどと、とんでもない」わたしは答えた。「しかしいまは失礼しなければ……」

「ちょうど探していたんです」酔っ払った男は言った。「マエストロを。いえいえ、あなたではありません。われらが誇るこの町の、マエストロをです。彼に花を持ってきたんですよ、ほら。心からの尊敬のしるしに。どこにおいでになるか、ご存じですか？」

「あいにくですが、まったく存じません。たぶん……ブロツキーさんはまだこの会場にみえていないと思います」

「いない？　まだ来ていないって？」酔っ払った男は仲間を振り返った。「われらがマエストロは、まだここへ来ていない。どういうわけだ?」それから彼はわたしに言った。「彼に花を持ってきたんです」彼がまた花束を振ると、花びらが何枚か床に落ちた。「この町の議員から、好意と尊敬のしるしに。そして陳謝のしるしに。もちろんですとも。われわれは長年、彼を誤解していました」彼の仲間から、また押し殺した笑い声が上がった。「まだここに来ていないんですか、われらが誇るこの町の愛すべきマエストロは。はて、それなら、もうしばらくこの楽団員たちと時間をつぶしていたほうがいいですな。それともバーに戻ろうか。どうする、みんな?」

ゾフィーとボリスがじれったさをつのらせて彼らを見ていた。

「失礼」わたしはつぶやいて歩き去ろうとした。後ろで、男たちがまたいっせいにかみ殺したような笑い声を上げたが、振り返らないことにした。

ようやくあたりが静かになり、やがて目の前に、廊下の突きあたりと、いちばん奥の楽屋の前に集まっているポーターたちの姿が見えてきた。ゾフィーは足を速めたが、入口の少し手前で立ちどまった。ポーターたちは、わたしたちが近づいてくるのを見るとさっと通路をあけて、そのうちの一人——ハンガリアン・カフェで見かけた、やせぎすの口ひげの男——が、こちらへ向かってきた。彼は不安げな表情で、最初はわたしだけに話しかけた。

「彼はまだよく持ちこたえています。よく持ちこたえています」それからゾフィーのほうを向くと、目を伏せてつぶやいた。「彼はよく持ちこたえています、ミス・ゾフィー」

ゾフィーは最初何も答えず、ただポーターたちに視線を走らせてから、少しだけ開いた楽屋のドアを見ただけだった。そのあと急に、自分がここにいるのを正当化するかのように言った。

「届けものを持ってきたのよ。ほら」――彼女は例の包みを持ち上げた――「これを持ってきたの」

誰かが楽屋に声をかけると、なかにいた二人のポーターが戸口に現れた。ゾフィーが動かないので、一瞬、みんな何と言えばいいのか、次にどうすればいいのか困っているようだった。ボリスがわたしたちの前に歩みでて、黒いかばんを高々と目の前に掲げた。

「どうか、みなさん」ボリスは言った。「片側に寄ってください。どうか、こっちへ」

彼はポーターたちに、ドアから離れるよう手で合図した。戸口にいた二人がとまどった様子でそのまま立っていると、ボリスはいらだたしそうに彼らに手で合図した。「そこのお二人！　どうか、こっちへ来てください！」

楽屋の前にほどよい空間ができると、ボリスは母親を振り返った。ゾフィーは何歩か前に出てきたが、また立ちどまった。彼女はじっとドアを見つめたまま――二人のポーターが半開きにしている――心配そうな表情をしていた。また誰もが次にどうすればよいかとまどっていると、今度もボリスが沈黙を破った。

「ママ、ここで待っていて」と言い残し、彼は前を向いて楽屋へ入っていった。

ゾフィーは、見るからにほっとしたようだった。彼女はまた数歩前に出て、部屋の様子を探ろうとするように何気ないそぶりで身を乗りだした。しかしボリスがドアをほぼ完全に閉めたので、体を戻し、並んでバスを待つように、包みを腕に抱えて立っていた。

数分して、ボリスが出てきた。医者のかばんを持ったまま、彼は慎重にドアを閉めた。

「おじいちゃんは、ぼくたちが来てくれてとってもうれしいって言ってるよ」彼は母親を見ながら静かに告げた。「とってもうれしいって」

彼は母親の顔を見上げていた。わたしは最初、そんなふうにしている彼の様子が不思議だった。そのうち、ゾフィーからのグスタフへの伝言を待っているのだと気づいた。案の定、ゾフィーはしばらく考えてから告げた。

「おじいちゃんのために持ってきたものがあるって言ってちょうだい。プレゼントがあるって。もうすぐそれを持って入るって。ママは……ママはまだその準備をしてるの」

ボリスが楽屋に戻ると、ゾフィーはコートを片方の腕にかけて、柔らかい茶色の包みの表面のしわを伸ばしはじめた。たぶんその行為がまったく無意味に思われたせいだろうが、わたしは突然、自分にはほかにもろもろのやるべきことがあるのを思い出した。たとえば、まだコンサートホールの状態を下見していないし、こうしているあいだにも、まともに下見をするチャンスは刻一刻と少なくなっているのだ。

「すぐに戻ってくる」わたしはゾフィーに言った。「確認しておかなければならないことがあるんだ」

彼女は相変わらず包みに気を取られていて、何の返事もしなかった。わたしはもう少し大きな声でいま一度同じことを言おうとしたが、自分によけいな注意を集めないほうがいいだろうと思い直し、ホフマンを探そうと、黙って足早にその場を立ち去った。

32

廊下を少し先に行ったとき、騒動が目にとまった。十人あまりの人たちが怒鳴ったり身振り手振りを交えたりしてもめている。最初は、緊張が高まるなかで厨房のスタッフが喧嘩を始めたのかと思ったが、彼らがそろってこちらへゆっくりと向かってくるにつれ、それが奇妙な人たちの集団だと分かった。夜会服に身を包んで正装した人もいれば、たまま通りかかったのか、ほかの服装——アノラック、レインコート、ジーンズなど——の人もいる。オーケストラのメンバーも、何人かこのグループに交じっている。

とりわけ大きな声を張り上げていた男の一人に見覚えがある気がして、どこで会ったのか思い出そうとしていたとき、彼がこう叫ぶのが聞こえた。

「ブロツキーさん、どうかお願いですから聞いてください！」

それは、先刻、森のなかで会ったごましお頭の外科医だった。たしかに群がっている人の真ん中で、ブロツキーが、何があろうと絶対に決意は変えないぞという表情でゆっくりとこちらへ向かってくる。彼はひどく青ざめ、顔や首の皮膚は蒼白で、驚くほどしわだらけだ。

「しかし彼は大丈夫だと言っている！　どうして本人に決めさせないんだ？」タキシード姿の中年の男が怒鳴り返した。たちまちこの発言に賛成する声がいくつも上がったが、すぐに反対の合唱が巻き起こった。

そのあいだも、ブロツキーはまわりの大騒ぎなどまったく無視して、相変わらずのろのろとこちらへ進んでくる。最初は彼が担ぎ上げられているのかと思ったが、近づくにつれて、松葉杖の助けを借りて自力で歩いているのが分かった。その松葉杖はどこか奇妙だった。よく観察してみると、実はアイロン台で、ブロツキーはそれをたたんだまま縦にして、わきにはさんで歩いていた。

この光景を立って眺めているあいだに、くだんのグループは、一人、二人とわたしに気づいたらしく、敬意を表するかのようにざわめきが引いていった。そしてこちらに近づいてくるにつれて、いっそう静かになった。しかし外科医は、まだ叫んでいた。

「ブロツキーさん！　お体はまだ大きなショックを受けているんです。絶対にお座りになって、リラックスなさらなければいけません！」

ブロツキーは足もとを見つめ、一歩一歩懸命に歩いていたので、しばらくわたしのほうを見なかった。それからやっとまわりの雰囲気の変化を感じ取って、顔を上げた。

「やあ、ライダー」彼は言った。「ここにいたのか」

「ブロッキーさん。ご気分はいかがです？」

「上々だ」彼は静かに答えた。

彼を取り囲んでいた人たちがいまや少し遠巻きになったので、ブロッキーはずっと楽にわたしのところまで歩いてきた。こんなに短い時間でよく松葉杖を使えるようになりましたねと告げると、彼はそれまですっかり忘れていたと言わんばかりに、わきにはさんだアイロン台に目を向けた。

「わしをここに連れてきた男。その男がたまたまこれを、こいつを積んでおった。バンの後部にな。そう悪くはないぞ。頑丈で、うまい具合に歩ける。ただ一つ困ったことにな、ライダー、ときどき開きそうになるんだよ。こんなふうに」

彼がそれを揺さぶると、なるほど、アイロン台の脚がするりと開きそうになった。とっさにつかんだおかげで脚はかすかに開いただけで元に戻ったが、たとえこの程度ですむにしても、たびたび脚が開こうとするのはさぞわずらわしいことだろう。

「このために何かの紐がいるな」ブロッキーが少し悲しげに言った。「紐のたぐいが。しかし、いまは時間がない」

彼が指さしたあたりに視線を落とすと、何とズボンの左脚がもものすぐ下でくるんと結んであり、思わずしげしげと眺めずにはいられなかった。

「ブロッキーさん」わたしはどうにか顔を上げて言った。「さぞご気分がすぐれないでしょうに。今夜、オーケストラを指揮するだけの元気がおありですか？」

「ああ、ああ。気分はいい。指揮はするぞ。そうすれば、演奏は……大成功だ。これまでずっと分かっていたとおりにな。そして彼女にも、それが分かる。自分の目と耳で。この長い歳月、わしはそれほどばか者だったわけではないぞ。この長い歳月、心のなかでずっと待っていたんだ。彼女は今夜わしを見るんだよ、ライダー。演奏は大成功だ」

「ミス・コリンズのことですか？　でも、彼女はここに来るのですか？」

「彼女は来る。きっと来る。ああ、そうとも、そうとも。あいつは彼女に来させまいと、彼女を恐れさせようと、手を尽くしおったが、それでも彼女は来る。ああ、そうとも。わしにはいま、あいつのゲームがお見通しだ。ライダー、わしは彼女のアパートへ行った。長い道を歩いてな。苦しかったが、とうとうこの男が、ここにいる親切な男が、近づいてきたんだ」――ブロッキーは取り巻いている人たちを見回して、誰かにかすかに手を振った――「彼が近づいてきた。バンでな。それで二人で彼女のアパートへ行って、わしはドアをノックした。何度もノックしつづけた。誰か近所の男が、以前と同じだと思ったんだよ。そのう、わしはその昔、夜中に行っては何度もドアをノックしていたもんだから、とうとう警察を呼ばれてな。しかしわしは、違うんだこのばか者め、わしはもう酔っ払ってなどいないと言ってやった。事故にあって、いまはしらふだ。すべてが分かる。そう、その男、近所の太ったじいさんに向かって、叫んだんだよ。いまはすべてが分かる、あいつがこれまでずっと何をたくらんできたか、それがすべてお見通しだと、ああ、そう大声で叫んだのさ。すると彼女が戸口に出てきて、そう、彼女がやってきて、わしが近所の男に話していることが聞こえた。彼女がガラスの向こうで、どうしようか迷っているのが見えたから、わしは近所の男のほうはうっちゃっておいて、彼女に話しかけたんだ。彼女は聴いているだけで、最初はドアを開けなかったが、いいかい、わしは事故にあったんだと告げると、ドアを開けてくれた。あの仕立て屋はどこだ？　どこへ行った？　上着を用意してくれるはずだったのに」ブロッキーがあたりを見回すと、人垣の後ろのほうから声がした。

「もうすぐ来ますよ、ブロッキーさま。いや、実はもうここにいます」

小柄な男が巻き尺を手に現れて、ブロッキーのサイズを測りはじめた。

「これは何なんだ？　何のつもりだ？」ブロッキーはじれったそうにつぶやいた。それから今度はわたしに説明した。「わしにはスーツがない。一着ご用意して、お宅に届けましょうと、連中は言ったんだ。ところがどうだ？　わしは事故にあって、いま上着がどこにあるのか分からん。だから新しいのをつくらねばならんのだ。スーツとドレスシャツ、今夜のために最高のやつを。彼女にもわしが言っていたことが分かるだろう。この長い歳月のあとで」

「ブロッキーさん」わたしは言った。「さっきミス・コリンズのことをお話しでしたが、結局は、今夜ここへみえるように説得できたんですね？」

「ああ、彼女は来る。約束した。彼女は今度こそ、約束を破らんぞ。墓地へは来なかった。わしは待ちつづけたが、とうとう来なかった。しかし、彼女が悪いんじゃない。あいつが、あのホテルの支配人が、彼女を恐れさせたからなんだ。だが、わしは彼女に、いまさら恐れても遅すぎると言った。わしたちは生涯ずっと恐れてきたんだから、もうそろそろ勇敢にならねばならんぞ、と。最初のうち、彼女は耳を貸さなかった。いったいどうなさったのと、尋ねてばかりおった。いつもの彼女とは大違いで、いまにも泣きだしそうだった。両手で顔をおおって、近所に聞こえるのもはばからずに、いまにも泣きだしそうだった。真夜中に、彼女はこう言った。レオ、レオ――そうとも、彼女はいまわしをそう呼ぶんだ――レオ、いったいその脚をどうなさったの、血が出てるわ、と。それでわしは、何でもない、たいしたことはないと答えた。事故にあったが、ちょうど医者が通りかかったから、いまは気にせんでもいい、それよりずっと大事なのは、きみが今夜来てくれることだと、わしは彼女に言った。あのホテルの卑劣漢、あの……あのベルボーイの話など聴くんじゃない、とな。もうほとんど時間が残っていない。今夜、きみはわしがいつも言っていたことが分かるんだ、この長い年月、わしはきみが考えてきたようなばか者ではなかった、と。ところが彼女は、行けませんと言っていた。準備ができていないし、それにあの傷口がまた開いてしまうからと言うんだよ。だからわしは、あのベルボーイの、あのホテルの従業員の言葉など聴くな、もう遅すぎると言った。すると彼女は指さして言ったんだ。だけどどうなさったの、あなたの脚は、血が出てるわ、と。それでわしは気にするなと言った。そのとき、彼女を怒鳴りつけた。気にするな、とな。分からんのか、わしは是が非でもきみに来てもらいたいんだ！　きみは来なければならん！　自分の目で見なければ、来てくれなければならん！　そのとき、わしには分かった。わしがどれだけ真剣か、彼女が理解したのを。彼女の目を見て、その奥でどんな変化が起きたのか、恐れが消えて何かがよみがえったのが分かったし、とうとうわしが勝って、あのホテルのトイレ掃除人が負けたのが分かった。それでわしは、彼女に言った。今度は静かに、こう言ったんだ。『それじゃあ、きみは来てくれるね？』すると彼女は静かにうなずいたので、信用できると思った。疑念のかけらもなかったぞ、ライダー。彼女がうなずき、わしは彼女を信用できると思ったから、踵を返して立ち去った。そしてここに来たんだ。この親切な男が――彼はどこにいる？――バンでわしをここまで連れてきてくれた。だが、歩いてだって来られたはずだ。いまはどこもたいして悪くない」

「しかしブロツキーさん。ほんとうにステージに出て大丈夫なんですか？　とにかく、あなたはひどい事故にあったんですから……」

そんなつもりはなかったが、わたしがこの事故のことを持ちだしたことで、また怒鳴り合いが始まった。外科医は人垣をかき分けて前に出てくると、ほかの人たちよりいっそう大きな声を張り上げ、強調するように拳でもう一方の手のひらをたたいた。

「ブロッキーさん、だめですよ！　ほんの数分でもごゆっくりなさらなければ！」

「わしは大丈夫。大丈夫だから、放っといてくれ！」ブロッキーはそう言い捨てて歩きだした。それからわたしを振り返ると——わたしは追いかけずにその場にいた——こう呼びかけた。「あのベルボーイに会ったらな、ライダー、わしはここにいると伝えてくれ。彼にそう言ってくれ。あいつは、わしがここまでやれるわけがないと思っていた。わしをクズだと思っているのさ。わしはここにいると伝えてくれ。はあて、やっこさんはどう思うかね」そう言い残すと、彼は口々にわめき合う人々に取り巻かれて廊下を歩いていった。

わたしはホフマンがどこかにいないかと、反対方向へ歩きつづけた。廊下に立っている楽団員の数は減り、楽屋のドアの多くはもう閉まっていた。いまから引き返して、まだ開いているドアからなかをもっと注意深くのぞいてみようかと思ったとき、廊下の先にホフマンの姿が見えた。

彼はわたしに背を向け、うなだれたままゆっくりと歩いていた。遠すぎて何を言っているのか聞こえなかったが、自分のスピーチの練習をしているのは明白だった。わたしがもっと近づいたとき、彼が急に前につんのめった。一瞬、倒れるのかと思ったが、彼はまたあのブロッキーの楽屋の鏡の前でしていた奇妙な動作を練習しているのだった。ホフマンは体を前に倒し、ひじを外に突きだすように片腕を上げて、拳でひたいをたたきはじめた。彼がまだその格好をしたままなので、わたしは後ろから近づいて咳ばらいをした。ホフマンは驚いて身を起こし、わたしを振り返った。

「おや、ライダーさま。どうぞご心配なさらずに。ブロッキーさまはもうすぐおみえになります」

「おっしゃるとおりです、ホフマンさん。実は、あなたがいま、観客のみなさんにブロッキーさんが出られないのを詫びるスピーチを練習なさっていたのでしたら、お伝えできてうれしいんですが、それには及びませんよ。ブロッキーさんはいまこちらにおみえです」わたしは廊下を指さした。「ついさっき、到着なさいました」

ホフマンは仰天したらしく、一瞬、完全に凍りついたが、気を取り直して言った。

「ああ、それはよかった。実にほっといたしました。しかしもちろん、わたしはいつも……いつも絶対の自信を持っていたんです」彼は笑いながら、ブロッキーの姿を探すかのように廊下に視線を走らせていた。それから彼はもう一度笑って言った。「では、わたしはお目にかかりにいったほうがよろしいですな」

「ホフマンさん、その前に、わたしの両親がいまどうしているのか教えていただければ、とてもありがたいのです。もう、無事この会場に着いているんでしょうね？　それにあなたが考えつかれた馬車での到着は――先刻、この建物の前を車で通ったときに、その音が聞こえたと思うんですが——期待どおりの効果があったんでしょうね？」

「あなたのご両親？」ホフマンはまた当惑したようだった。彼はわたしの肩に手をかけて言った。「ああ、さよう、あなたのご両親ですね。ちょっとお待ちください」

「ホフマンさん、わたしはずっと、あなたや同僚の方がわたしの両親を十分にお世話くださると信じていたんです。どちらも体が弱っていますから……」

「ごもっとも、ごもっとも。ご心配には及びません。ただ、あまりにたくさん考えることがございましてね。ブロッキーさんのご到着が少し遅れましたし。いえ、あなたのお話ではいまおみえになったということですが……はは……」彼は語尾をにごすと、また廊下に視線を走らせた。わたしはきわめて冷淡に尋ねた。

「ホフマンさん、両親はいまどこにいるんです？　ご存じないんですか？」

「はあ、たったいまこの時間は、正直に申しまして、わたしは存じあげません……しかしとびきり有能な者がお世話をしておりますので、ご安心ください。もちろん、今夜はあらゆることをわたし自ら監督したいのはやまやまなのですが、ご理解いただかないと……はは。そうミス・シュトラットマン、彼女なら、あなたのご両親の居場所を正確に存じておりますでしょう。ご両親のご様子にくれぐれも気をお配りするよう申しておきましたから。いえ、この町にご滞在中に、目の行き届かない場合があるかもしれないというわけではございません。むしろミス・シュトラットマンにお願いしなければならなかったのは、当然予想されますあちこちからの歓待のために、ご両親がお疲れにならないよう十分に配慮してくれということでして……」

「ホフマンさん、あなたはいま、わたしの両親がどこにいるのかご存じないんですね。では、ミス・シュトラットマンはどこにいるんです？」

「はあ、このホールのどこかに必ずいるはずです。ライダーさま、ブロッキーさまがどうしていらっしゃるか、ご一緒に様子をうかがいにまいりましょう。きっと途中ですぐ、ミス・シュトラットマンに出会うはずです。それとも、彼女はオフィスにいるかもしれません。どちらにしても」——そこで彼は急に少し高圧的な態度になった——「ここに立っていても始まりませんから」

わたしたちは二人で廊下を歩きだした。歩きながらホフマンはすっかり落ち着きを取り戻したらしく、ほほ笑みを浮かべて言った。

「これですべてがうまく運ぶのは間違いありません。あなたは、まさにご自分のなさることが正しくお分かりになっているお方のようですね。そしていまブロッキーさまがおみえなら、準備万端整いました。何もかも、予定どおりに運ぶでしょう。これから全員の前で、すばらしい夜が始まりますな」

それから彼の足取りが変わった。ふと見ると、彼は行く手の何かをじっと見つめていた。視線を追うと、シュテファンが困ったような表情で廊下の真ん中に立っていた。青年はわたしたちを認めると、足早にこちらへ向かってきた。

「こんばんは、ライダーさま」と挨拶してから、シュテファンは声をひそめてホフマンに言った。「父さん、ちょっと話があるんだけど」

「いまとても忙しいんだ、シュテファン。ブロッキーさまがおみえになったばかりでね」

「うん、聞いたよ。だけど父さん、母さんのことなんだ」

「ああ、母さんか」

「母さんはまだロビーにいる。あと十五分でぼくの出番なのに。ついさっき会ったよ、母さんがロビーをうろうろしているときに。それでぼくがもうすぐ出るんだよと告げると、こう言ったんだ。『あのねえ、おまえ、母さんには二、三やらなきゃならないことがあるのよ。せめて最後のほうだけでも、聴き逃さないようにするわ。でも、その前に、二、三やらなきゃならないことがあるの』そうは言ったけど、それほど忙しそうには見えなかったよ。でも、ほんとうに、もうそろそろ、父さんも母さんも席についていい時間だ。ぼくの出番まで、あと十五分もないんだ」

「分かった、分かった。わたしはもうすぐ入るよ。それに母さんも、何にしろきっとすぐに用件を片づけるだろう。どうしてそんなに心配してる？　おまえはすぐ楽屋に戻って、準備をしなさい」

「だけど、母さんはロビーで何の用があるのさ？　ただそこに立って、通りかかる人としゃべっているだけなのに。もうすぐ、ロビーには母さんしか残らなくなるよ。みんなもう席に着きはじめたんだから」

「母さんはきっと今夜、長いこと座るからその前に軽く歩いておきたかったんだろう。さあシュテファン、落ち着きなさい。おまえにはこの夕べをいいムードで始める責任があるんだ。わたしたちはみんな、おまえを頼りにしているぞ」

青年はこの言葉をしばし考えたあと、急にわたしに気をとめたようだった。

「ご親切に感謝します、ライダーさま」彼はにっこりして言った。「あなたの励ましは、かけがえのないものでした」

「励ましだって？」ホフマンは驚いた顔でわたしを見た。

「ああ、そうだよ」シュテファンは言った。「ライダーさまには、ご親切にも惜しみなくお時間を取っていただいたうえ、大きなおほめの言葉をいただいたんだ。ぼくの練習を聴いてくださったばかりか、何年ぶりかでぼくをすごく励ましてくださった」

ホフマンは信じられないという笑みを唇に浮かべて、わたしとシュテファンの顔をかわるがわる眺めたあと、わたしに言った。

「シュテファンのピアノを聴く時間をお取りくださったんですか？　この子の？」

「そのとおり。前に一度、言おうとしたんですがね、ホフマンさん。ご子息はかなりの才能をお持ちです。そして今夜、ほかのことがどうであれ、彼の演奏はセンセーションを巻き起こすでしょう」

「これはこれは、ほんとうにそうお考えですか？　しかしそうおっしゃってくださっても、実際のところ、ここにおりますシュテファンは……彼は……」ホフマンは頭が混乱してきたらしく、ははは笑いながら息子の背中をたたいて言った。「はあ、それならシュテファン、おまえはわたしたちの期待に応えてくれるかもしれんな」

「そうしたいよ、父さん。でも、母さんはまだロビーにいるんだ。もしかしたら、父さんを待っているのかもしれない。つまり、こんなときに女性が一人で席に座っているのは、いつもばつが悪いものだから。もしかしたら、そのせいだったかもしれない。父さんがなかに入って席に着けば、母さんもすぐに入ってきて隣に座るかもしれない。じゃあ、ぼくはもう行かなきゃ」

「そうしなさい、シュテファン。あとはわたしに任せて。心配しなくていい。おまえは楽屋に戻って、準備をするんだ。ライダーさまとわたしは、その前に二、三やることがあるから」

シュテファンはまだ不満そうだったが、わたしたちは彼を残して廊下を進んだ。

「念のためにお教えしておきますとね、ホフマンさん」わたしは廊下を少し歩いたところで言った。「ブロッキーさんは少々反感を持っているかもしれませんよ……そのう、あなたにたいして」

「わたしにですか？」ホフマンは驚いたようだった。

「つまり、わたしがさっき会ったとき、あなたに憤慨しているようなことを言っていたんです。何か不満がおありのようでした。念のためにお耳に入れておいたほうがいいかと思いまして」

ホフマンは何ごとかつぶやいたが、わたしには聞き取れなかった。それから、ゆるやかにカーブした廊下を歩いていくと、ブロッキーの楽屋と思われる部屋が——外に小さな人だかりができている——行く手に見えた。ホテルの支配人は歩調を落とし、ついに立ちどまった。

「ライダーさま、シュテファンがさっき言ったことをずっと考えていたのです。やはり、わたしは家内の様子を見にいったほうがいいでしょう。大丈夫かどうか確かめに。何しろ神経が高ぶるものですからね、今夜のような機会には。あなたもお分かりでしょう」

「もちろんです」

「では、失礼します。まことに恐縮ですが、そちらの楽屋でブロッキーさまの準備が整っているか、ご確認いただけますでしょうか。わたしのほうは、おや、ほんとうに」——彼は腕時計を見やった——「もう席に着かなければならない時間です。シュテファンの言うとおりだ」

ホフマンは短く笑うと、来た方向へあわてて戻っていった。

　わたしは彼の姿が見えなくなるのを待ってから、ブロッキーの楽屋の前の人だかりのほうへと歩いていった。単なる好奇心からそこに立っているらしい者もいれば、おし殺した声で相変わらず激論を交わしている者もいた。ごましお頭の外科医がドアの近くをうろうろしながら一人の楽団員に何ごとかを力説し、いらだった様子で、楽屋に向かって何度も手を振っている。驚いたことにドアは開けっぱなしになっていて、わたしがそこに近づいたとき、さっき出会った小柄な仕立て屋が首を突きだし、「ブロッキーさまが、ハサミがいるとおっしゃっている。大きなハサミだ！」と叫んだ。誰かが急いで立ち去ると、仕立て屋はまたなかへ消えた。わたしは人だかりをかき分けて、楽屋をのぞいた。

　ブロッキーは戸口に背を向けて座り、鏡に映った自分の姿を眺めていた。いまはタキシードを着ていて、その両肩を仕立て屋がつまんだり引っぱったりしている。その下にはドレスシャツも着こんでいたが、蝶ネクタイはまだしていなかった。

「やあ、ライダー」彼は鏡に映ったわたしを見て言った。「入ってくれ、入ってくれ。なあ、わしがこんな服を着るのは、ずいぶんと久しぶりなんだ」

　彼はさっき会ったときよりはるかに落ち着いた口調になっていた。わたしは彼が例の墓地で葬式の参列者の前に立ったときに見せた威厳ある雰囲気を思い出した。

「さあ、ブロッキーさま」仕立て屋が身を起こしながら促すと、二人はしばらく鏡を眺めながら上着をチェックした。ブロッキーが頭を振った。

「だめだ、だめだ。もう少しつめてくれ。こことここが、だぶついておる」

「すぐそういたします、ブロッキーさま」仕立て屋は急いで上着を脱がせ、わたしのそばを通りすぎるときにさっと一礼してから、部屋の外へ出ていった。

ブロッキーは相変わらず鏡を見ながら、入念にシャツのウィングカラーをいじっていた。それから櫛を取ると、髪を――彼はつやの出るローションをつけていた――少し整えた。

「気分はいかがです？」わたしは彼に近づきながら尋ねた。

「上々だ」彼はゆっくり答え、相変わらず髪を梳かしつけていた。「いま気分はいい」

「それに脚の具合は？　そんなひどい怪我をした体で、ほんとうに指揮ができるんですか？」

「わしの脚など、どうということはない」彼は櫛を置いて、仕上がり具合を確かめた。「見かけほどひどくはない。もう大丈夫だ」

ブロッキーがそう言ったとき、鏡のなかで外科医が――彼はずっと戸口のそばにいた――もうこれ以上我慢できないという表情で、部屋に一歩足を踏み入れるのが見えた。しかし外科医が何か言いだす暇もなく、ブロッキーがかなりの剣幕で鏡に向かって怒鳴りつけた。

「わしはもう大丈夫だ！　傷などたいしたことはない！」

外科医は敷居まで後ずさりしたが、相変わらず腹立たしげにブロッキーの背中をにらみつけていた。

「しかしブロッキーさん」わたしは静かに言った。「あなたは脚をなくしたんですよ。それでたいしたことはないなどと、とんでもない」

「わしは脚をなくした、たしかにな」ブロッキーはまた髪の手入れを始めた。「しかし、それは何年も前の話だ、ライダー。何年もな。たぶん、わしが子供のころのことさ。あまりに遠い昔で、はっきりと覚えておらん。あのやぶ医者めは気づかなんだ。わしはあの自転車にはさまれたが、ただの義足だよ、はさまれたのは。あのばかは、それに気づきさえせなんだ。それで外科医だと！　わしは生涯ずっと、そうだったんだ、ライダー。わしにあの脚はなかった。いまから何年前のことかって？　忘れるもんだよ、この年にもなれば。もう気にもならん。昔からの友人のようになってくるのさ、古傷は。もちろん、ときどき痛みはするが、もうずいぶん長いこと、傷と一緒に生きてきた。わしが子供のころに起きたはずだ。鉄道の事故だったかな。ウクライナのどこかで。雪のなかだったかもしれん。たぶんな。もう気にもならん。わしは生涯ずっとこんなふうだった。一本脚。それもさほど悪くない。何とかやっていける。あのやぶ医者め。あいつが切ったのは木の義足だ。ああ、たしかに血は出た。いまも出ておる。そのためにハサミがいるんだよ、ライダー。だから持ってこいと言った。いやいや、傷のためじゃない。ズボンの脚、つまりこのズボンの脚のためだ。こんなふうに空っぽのズボンがひらひらしていて、どうやって指揮ができる？　なのにあのやぶ医者めが、あの病院のインターンが、木の義足を切断してしまったから、いまさらどうしようもないじゃないか？　何とかせねば」――彼は自分の指をハサミのようにして、ひざの真上でズボンを切り取るまねをした――「何とかせねば。せいいっぱい上品に見えるようにな。あの大ばか野郎は、わしの木の義足を台なしにしたばかりか、生身の脚の先にまでかすり傷をつけやがった。何年ぶりかだ、傷口からこんなふうに出血するのは。何というばか者だ、あんな深刻な顔をしやがって。自分は偉いと思っているらしいが、わしの木の義足をノコギリで切ったんだぞ。それとわしの脚の先をな。血がとまらんのも無理はない。そこらじゅう血だらけだ。だが、脚をなくしたのは何年も前のこと。大昔さ、いまとなっては。わしは生涯かかって、それに慣れてきた。だがいまはあのばかがノコギリで切りおったおかげで、また出血しておるわ」彼は足もとを見て、片方の靴で何かを床にこすりつけた。「わしはハサミを持ってこいと言った。最高の晴れ姿を見せねばならんからな、ライダー。わしは見栄っぱりではない。そうするのは、見栄からではないぞ。こんな時に、男たる者は上品に見えねばならんからだ。彼女は今夜、わしを見る。彼女は今夜のことをずっと覚えている、二人の余生が続くかぎり。それにこのオーケストラ、これは立派なオーケストラだ。さあ、見せてやろう」彼は手を伸ばすと、指揮棒を取り上げて光にかざした。「いい指揮棒だ。特別な感じがする。分かるんだ。これで違いが出るのさ。わしにとっては、こいつの先がいつも大事だ。この先が、こんな具合になっていなきゃならん」彼は指揮棒を見つめた。「ずいぶん久しぶりだが、恐れてはおらん。今夜はみんなに見せてやる。そして妥協はせんぞ。最後まで徹底的にやってやる。あんたが言うようにな、ライダー。マックス・サトラー。だが、何たるばか者だ、あの男は！　あのとんま！　あの病院の雑用係め！」

最後の数語をブロッキーが鏡に向かって面白がって叫ぶと、外科医は――彼はずっと戸口からびっくりした表情で見守っていたのだが――こそこそと姿を消した。

外科医がやっといなくなると、ブロッキーは初めて苦痛の表情を見せた。目を閉じて椅子の片側に寄りかかり、荒い息づかいをしていた。だが次の瞬間、一人の男がハサミを差しだしながら楽屋に駆けこんできた。

「ああ、やっときたか」と言いながら、ブロッキーはそれを受け取った。男が去ると、彼はハサミを鏡の前の棚に置いて立ち上がろうとした。椅子の背もたれを支えにして腰を上げ、片方の手を、鏡のそばの壁に立てかけてあったアイロン台のほうへ伸ばした。わたしは彼を助けようと前に進みでたが、彼は驚くほどの機敏さで誰の助けも借りずにアイロン台をつかみ、わきの下にはさんだ。

「ほれ」彼は空っぽのズボンを悲しげに見下ろしながら言った。「ここをどうにかせにゃならん」

「もう一度仕立て屋を呼んできましょうか？」

「いや、いや。あの男には、どうすればよいか分からん。わしが自分でやる」

ブロッキーはまだ空っぽのズボンを見下ろしていた。その様子を見守りながら、わたしはいろんなほかの緊急の用件が待っていることを思い出した。なかでもゾフィーとボリスのところへ戻って、グスタフの容体がどうなったか確かめなければならない。グスタフに関する何か重要な決定が、わたしが戻るまで先延ばしされているということもありうるのだ。わたしは咳ばらいをして言った。

「すみませんが、ブロッキーさん、もう行かなければなりません」

ブロッキーはまだ自分のズボンを見つめていた。「今夜は大成功だぞ、ライダー」彼は静かに言った。「彼女が見る。彼女がとうとう見る」

33

グスタフのいる楽屋の前の光景は、わたしがいないあいだにもさほど変わってはいなかった。ポーターたちはたぶんさっきより戸口から離れ、いまは廊下の反対側に集まってひそひそ話をしている。しかしゾフィーは、わたしが最後に見たときとほとんど同じように、包みをこわきに抱え、細く開いたドアをじっと見つめたまま立っていた。わたしが近づくと、ポーターの一人が寄ってきて、低い声で言った。

「彼はまだよく持ちこたえています。しかしヨセフがさっき医者を呼びにいきました。もうこれ以上、放ってはおけないと決めたのです」

わたしはうなずき、ゾフィーをちらりと見てから静かに尋ねた。「彼女は一度もなかへ入らなかったのか？」

「いいえ、まだ。でも、きっとミス・ゾフィーはもうすぐそうなさると思います」

わたしたち二人は一瞬、彼女を見た。

「それでボリスは？」わたしは尋ねた。

「はい、彼は何度か入っています」

「何度か？」

「ええ、そうです。いまもなかにいます」

わたしはまたうなずいてから、ゾフィーのそばへ行った。彼女はわたしが戻ったことに気づいていなかったので、肩にそっと触ると、はっと驚き、笑って言った。

「なかにいるわ。パパは」

「ああ」

彼女は少し動いて、ドアの隙間からもっとよく見ようとするように、体を傾けた。

「そのコートを渡さないのかい？」

ゾフィーは包みを見下ろして答えた。「あら、ええ。もちろん、渡すわよ。いまそうしようと……」彼女は語尾をにごすと、またなかをのぞくように体を傾け、大声で呼んだ。

「ボリス？　ボリス！　ちょっと出てきて」

数秒のうちにボリスがとても冷静な表情で出てきて、慎重に後ろのドアを閉めた。

「どう？」と、ゾフィーが尋ねた。

ボリスはわたしをちらりと見てから、母親のほうを向いて答えた。

「おじいちゃんはすまなかったって言ってる。すまなかったと伝えてくれって」

「それだけ？　それだけしか言わなかったの？」

一瞬、不安が少年の顔をよぎった。それから、彼は安心させるように言った。「またなかへ戻るよ。もっと何か言うだろうから」

「でも、いま言ったのはそれだけなの？　すまなかっただけ？」

「心配しないで。ぼく、また戻るから」

「ちょっと待って」ゾフィーはコートの包みを破りはじめた。「これをおじいちゃんのところへ持っていって。おじいちゃんに渡してね。ちょうどぴったりだといいんだけど。ちょっとしたことならいつでも直せるからって、伝えてちょうだい」

彼女は破いた包装紙を床に落とし、こげ茶色のコートを手に持った。ボリスはおとなしく受け取ると、またなかへ入っていった。たぶんコートを持っていたせいだろうが――コートは男の子の腕のなかで、とても大きくかさばっていた――ボリスはドアを半開きにしていったので、すぐ廊下にまでひそひそ声がもれてきた。ゾフィーは自分のいた場所から動かなかったが、わたしには彼女が必死で耳をそばだてているのが分かった。わたしたちの後ろではポーターたちがまだ遠慮がちに遠巻きにして立っていた。彼らもいまは心配そうに戸口を見ている。

しばらくして、ボリスがまた出てきた。

「おじいちゃんがありがとうって」彼はゾフィーに告げた。「すごく喜んでるよ。とてもうれしいって」

「それだけしか言わなかったの？」

「とてもうれしいって言ったよ。前は快適じゃなかったけど、いまはコートが届いたから、とてもありがたいって」ボリスはちらりと後ろを振り返ってから、母親のほうへ向き直った。「コートを届けてもらってとてもうれしいって言ってる」

「それだけなの？　ほかに何も……何も言わないの？　ちょうどいい大きさだとか？　色が気に入ったとか？」

わたしはこのときゾフィーを見つめていたので、ボリスが次にどうしたのか正確には見ていなかった。わたしの印象では、たいしたことをしたわけではなく、ただ黙って、母親の問いへの答えを考えていただけだろう。しかし、ゾフィーが急に叫んだ。

「どうしてそんなことするの？」

ボリスはとまどって目を見開いた。

「どうしてそんなことするの？　ママの言う意味が分かるでしょう。そんなふうに！　そんなふうに！」ゾフィーはボリスの肩をつかむと、乱暴に揺すりはじめた。「まったくおじいちゃんと同じだわ！」と言いながら、彼女はわたしを振り返った。「この子ったら、まねしてるのよ！」それから、驚いて見つめているポーターたち全員に向かって言った。「この子のおじいちゃん！　そのまねなのよ。肩で同じことをやるのがお分かりでしょ？とても独善的で、自己満足して。ほらね？　おじいちゃんとそっくりだわ！」彼女はボリスをにらみつけて、相変わらず肩を揺すぶりつづけていた。「まったく、あなたは自分がとっても偉いと思ってる。そうでしょ？　そうでしょ？」

ボリスはゾフィーの手を振りほどき、よろけながら何歩か後ずさりした。

「あなた見たでしょう？」ゾフィーはわたしに尋ねた。「あの子はいつもああするの。おじいちゃんとそっくりだわ」

ボリスはさらに数歩わたしたちから後ずさりし、手を伸ばして、自分が持ってきた黒い診察かばんを床から拾い上げると、身を守るように胸の前にそれをかざした。彼がいまにも泣きだすのではないかと思ったが、最後にどうにか涙をこらえた。

「心配ないよ……」と切りだしたものの、ボリスは口をつぐみ、黒いかばんをいっそう高く胸の前にかざした。「心配ないよ。ぼくが……ぼくが……」彼は口ごもり、あたりを見回した。隣の部屋のドアがやや後方にあったので、彼はすばやく向きを変えるとそのなかに駆けこみ、バタンとドアを閉めた。

「気でも狂ったのか？」わたしはゾフィーをとがめた。「あんなに取り乱してしまったじゃないか」

ゾフィーは黙っていたが、やがてため息をつくと、ボリスが消えたドアまで歩いていき、ノックしてなかに入った。

ボリスが何か言うのが分かったが、ゾフィーがドアを開け放してあったにもかかわらず、内容までは聞き取れなかった。

「ごめんなさい」ゾフィーが答えるのが聞こえた。「そんなつもりじゃなかったの」

ボリスはまた、わたしに聞き取れないことを言った。

「いいえ、いいのよ」ゾフィーはやさしく答えた。「あなたはとても立派だわ」それからしばらくして、彼女が言った。「ママはいまからなかに入って、おじいちゃんと話さなきゃ。なかへ入らなきゃ」

ボリスがまた何か言った。

「ええ、いいわ」とゾフィーが言った。「彼になかに入って、あなたと待っててくれるように頼みましょう」

男の子は、今度はかなり長々と何か言いはじめた。

「いいえ、それはだめ」ゾフィーがしばらくしてさえぎった。「彼はあなたにやさしくしてくれる。いいえ、約束するわ。彼はそうしてくれる。ママが入ってくれるように頼みましょう。だけど、ママはこれから行っておじいちゃんと話してこなきゃ。お医者さまが来る前に」

ゾフィーは部屋から出てきてドアを閉め、わたしに近づくと、とてもおだやかに言った。「お願いだから、なかへ入ってあの子と待っててちょうだい。取り乱してるの。あたしはパパと話してこなきゃ」わたしが動きだす前に、彼女がわたしの腕に手をかけて言った。

「またやさしくしてやってね。前みたいに。あの子はとてもそうしてもらいたがってるの」

「すまないが、何のことを言っているのか、わたしには分からない。彼が取り乱しているなら、それはきみが……」

「お願いよ。こんなことになってしまったのはたぶんあたしのせいなんでしょうけど、でもお願い、もうこのへんでやめましょう。なかへ入って、あの子と座ってて」

「もちろん、彼と一緒に座っているよ」わたしは冷淡に言った。「当然じゃないか？　きみはお父さんのところへ行ったほうがいい。彼もたぶん、いまの騒ぎをみんな聞いただろう」

わたしはボリスが駆けこんだ部屋に入っていったが、そこがさっき廊下からのぞいたほかのどの楽屋とも違っていたので驚いた。実際、ここは学校の教室のようで、小さな机と椅子が整然と並べられ、正面には大きな黒板があった。部屋は広く、照明は薄暗くて、全体に重い影をつくっていた。ボリスは後ろに近い机に座っていて、わたしが入っていくと一瞬顔を上げた。わたしは彼に何も言わずに、あたりを見回した。

黒板は落書きだらけで、ぼんやりと、これを書いたのはボリスだろうかと思った。それから誰もいない机のあいだを歩きながら、壁にはった表や地図を眺めていると、少年が大きなため息をついた。ちらりと見ると、彼は黒いかばんをひざにのせて、なかから何か取りだそうと奮闘中だった。とうとう、彼は大きな本を取りだし、目の前の机の上に置いた。わたしは彼から目をそらして、相変わらず歩きつづけた。次にボリスを見たとき、彼はすごいぞという表情を浮かべて、本のページを繰っていた。またあの家内仕事の手引書を読んでいるのだ。わたしは少なからずいらだちを覚え、シンナー遊びの危険性を警告するポスターを眺めた。するとボリスが、わたしの後ろでつぶやいた。

「ぼく、ほんとにこの本が気に入ったよ。何でも教えてくれる」

彼はそれをひとりごとのように言おうとしたのだが、わたしが彼の座っていた机からかなり離れたところをふらふら歩いていたので、不自然に大きな声を出さなければならなかった。わたしは返事をすまいと心に決めて、相変わらず部屋のなかを歩きつづけた。

しばらくすると、ボリスがまた大きなため息をついた。

「ママはときどきとても不機嫌になる」

今度もわたしにきちんと話しかけている気配がないので、わたしは返事をしなかった。そのうえ、わたしがやっと彼のほうを向いたとき、彼は夢中で本を読んでいる振りをしていた。わたしは部屋のもう一方の隅まで歩いて、壁に〈落とし物〉と書いた大きな紙がとめてあるのを見つけた。そこにはいろんな人が手で書きこんだ長いリストができていて、それぞれの欄に、日付と落とし物と所有者の名前が記入してある。わたしはなぜかこのリストに興味を引かれ、しばらく眺めていた。上のほうの品目――ペンとか、チェスの駒とか、財布とか――は、まじめに書かれたものらしかった。しかし中程から下はだんだん不まじめになっていて、誰かが〈三百万ドル〉なくしたとか、〈チンギス・ハーン〉が〈アジア大陸〉をなくしたというのもあった。

「ぼく、ほんとにこの本が気に入ったよ。何でも教えてくれる」ボリスがわたしの後ろから言った。

わたしは急に怒りを我慢できなくなり、彼のところへかけ寄ると、手のひらで机をばんとたたいた。

「いいか、きみはどうしてこんなものを読みつづけているんだ？　お母さんはこの本を何と言った？　きっと、すばらしいプレゼントだとでも言ったんだろう。だが、そうじゃない。彼女がそう言ったのか？　これはすてきなプレゼントだと？　わたしがきみのために特別に念を入れて選んだって？　それを見てみろ！　それを見てみろ！」――わたしはその本を彼の手からひったくろうとしたが、彼は両腕で押さえつけて、どうしても渡そうとしない――「誰かが捨てようと思った、ただの無用なおんぼろ手引書だ。きみはこんな本が、こんなものが、何でもかんでも教えてくれると思っているのか？」

わたしはまだ本を彼から奪おうとしたが、ボリスは机の上につっぷして、いまや全身でそれを守ろうとしていた。そのあいだずっと、彼はこちらが狼狽するほどかたくなに沈黙を守っていた。わたしは今度こそ完全にその本を奪ってやろうと、もう一度ぐいと引っぱった。

「いいか、こんなものは無用のプレゼントだ。まったく無用の。何の考えもなければ、何の愛情も、何の気持ちもこもっていない。それにあとから思えば、どのページにも書きこみがある。それでもきみは、これがわたしからのすばらしいプレゼントだと思うのか！渡せ、わたしに渡せ！」

手引書が引き裂けるのを恐れたのか、ボリスが不意に腕をどけたので、次の瞬間、わたしはその本を表紙だけつかんで持ち上げていた。それでも彼はひとことも言わず、わたしは自分が怒りを爆発させたことが少々ばかばかしく思えてきて、手にぶら下げている本をちらっと見てから、それを部屋の遠い隅に向かって放り投げた。本は机にぶつかって、どこか見えない暗いところへ落ちた。わたしはすぐに冷静さを取り戻し、深く息を吸いこんだ。次にボリスを見たとき、彼は身をかたくして椅子に座ったまま、手引書が落ちたあたりを見つめていた。それから彼は立ち上がり、急いで本を拾いにいった。しかしまだ半分までも行かないうちに、ゾフィーがせっぱつまって呼ぶ声が廊下から聞こえてきた。

「ボリス、ちょっと来て。ちょっと」

ボリスは一瞬ためらい、もう一度手引書が落ちたあたりを見てから、部屋の外へ出ていった。

「ボリス」ゾフィーが外でつぶやくのが聞こえた。「おじいちゃんに、いま気分はどうか尋ねてきてちょうだい。コートにどこか直すところがないかもね。下のほうのボタンがとれかかってるかもしれないわ。橋の上にたびたび立つと、コートが風ではためくかもしれない。行って訊いてきてちょうだい。でも、行ったきりで長話しちゃだめよ。それだけ訊いたら、すぐに出てきてね」

わたしが廊下に戻ったときには、ボリスはもうグスタフのいる楽屋に消えていて、再び目にした光景はさっきと同じようだった。つまりゾフィーがドアを見つめながら、緊張した様子で立ち、その少し後ろで、ポーターたちが心配そうな顔で見守っている。しかしゾフィーの顔にはそれまで気づかなかった心細そうな表情が浮かんでいたので、急にやさしい気持ちが込み上げてきた。わたしは彼女のそばへ寄って、肩に腕を回した。

「わたしたちみんなにとって、これはつらいときだ」わたしはやさしく言った。「とてもつらいときだ」

彼女をもっと引き寄せようとしたが、彼女は不意にわたしの腕を振りほどき、じっと戸口を見つめつづけた。この拒絶に驚き、わたしは怒りをこめて言った。

「いいか。こんなときには、わたしたち全員が互いに支え合うべきなんだ」

ゾフィーは返事をせず、やがてボリスがまた楽屋から出てきた。

「おじいちゃんは、コートはちょうど欲しかったところだし、ママからのプレゼントだからますます気に入ったって」

ゾフィーはいらだちのうめき声を出した。「だけど、どこかあたしに直してほしいところはないの？　どうして言ってくれないの？　お医者さまがもうすぐここに来てしまうのに」

「おじいちゃんは言ってるよ……あのコートが気に入ったって。とっても気に入ったって」

「下のボタンのことを訊いて。風に吹かれて橋の上に長いこと立っているなら、しっかりとめておかなくちゃね」

ボリスは一瞬この言葉を考えてから、うなずいてまた楽屋へ入っていった。

「いいかい」わたしはゾフィーに言った。「きみはわたしがいまどんな重圧にさらされているのか、分かっていないようだ。もうすぐステージに出るのが分からないのか？　この町の将来についてのややこしい質問にも、答えなきゃならない。電光掲示板を使うんだ。それがどんな意味を持つか、きみに分かるか？　きみがこのボタンやら何やらのことを心配するのは、まことに結構。だが、わたしがいまさらされているこの重圧を分かっているのか？」

ゾフィーは苦悩の表情でわたしを見ると、何か言おうとしたようだったが、ちょうどそのとき、またボリスが現れた。今度は母親の顔を真剣に見つめたが、何も言わなかった。

「それで、何て言ったの？」ゾフィーが尋ねた。

「あのコートがとっても気に入ったって。ママが小さかったころに着ていたコートを思い出すってさ。色の感じが似ているって。おじいちゃんは、それに熊の絵がついてたって言ってる。ママが昔、持ってたそのコートに」

「直さなくていいの⁉ どうしてあたしにはっきり答えてくれないの？ お医者さまがもうすぐ来てしまうわ！」

「きみは分かっていないようだ」わたしは彼女の言葉をさえぎった。「わたしを頼りにしている人たちがいるんだ。電光掲示板から何から、すっかり準備して。わたしが一つ質問に答え終わるたびに、ステージの端まで出てこいと言う。それはたいへんな重圧だ。きみは分かっていないようだ……」

グスタフが何か叫んでいるのに気づいて、わたしは口をつぐんだ。ボリスはすぐに身を翻して楽屋に入り、ゾフィーとわたしは彼がまた出てくるのを待って、かなり長く感じられる時間、一緒に立っていた。とうとう戻ってきたとき、ボリスはわたしたちのどちらも見ずにただ大股でそばを通りすぎ、ポーターたちの前で立ちどまった。

「みなさん、どうぞ」そう言いながら、彼は促すような動作をした。「おじいちゃんがみなさんにお入りくださいと言ってます。いまからみなさん全員に自分のところへ来てほしいって」

ボリスが先に立って歩きだすと、ポーターたちはややためらったあと、意気込んであとに続いた。彼らは一列になってわたしたちの前を通りすぎ、なかにはひとことふたこと、ゾフィーにもごもご言葉をかける者もいた。

最後の一人が部屋へ入ると、わたしはなかをのぞいてみたが、ポーターたちが戸口のあたりにかたまっていて、グスタフの姿は見えなかった。一度に三、四人の声が聞こえ、わたしがもう少し近くに寄ろうとしたとき、ゾフィーが突然わたしの横をすり抜けて、部屋へ入っていった。なかでは大きな動きがあり、話し声がやんだ。

わたしは戸口に歩み寄った。ポーターたちはゾフィーのために通り道をあけ、グスタフがマットレスの上に寝ているところがはっきりと見えた。茶色いコートが、見覚えのある灰色の毛布の上から、上半身の部分にかけてある。枕はなく、グスタフには頭を持ち上げるだけの力もないようだ。それでも、目のまわりにやさしい笑みを浮かべて、娘を見上げている。

ゾフィーは、グスタフの寝ているマットレスから二、三歩のところで立ちどまっていた。わたしに背を向けているので表情は見えないが、父親を見下ろしているようだ。数秒の沈黙が続いたあと、ゾフィーが言った。

「パパが学校に来た日を覚えてる？　あたしの水泳用品を持ってきてくれたときのことを？　家に忘れてきちゃったから、その日は朝からずっととても心配してたの。どうすればいいかしらって。するとパパが青いスポーツバッグを持ってきてくれた。紐のついたバッグを持って、つかつかと教室へ入ってきたわ。覚えてる、パパ？」

「このコートのおかげで、これからあたたかく過ごせるよ」グスタフは言った。「ちょうど欲しかったものだ」

「パパは三十分しかお休みがなかったから、ホテルからずっと駆けてきてくれたの。教室に入ってきたのよ、あの青いスポーツバッグを持って」

「わたしはいつもおまえを誇りに思っていた」

「その朝ずっと、とても心配してたの。どうしようって」

「これはとてもあたたかいコートだ。この襟をごらん。それに、このあたりにずっと本革が使ってある」

「失礼」と近くで声がしたので振り返ると、眼鏡をかけ、診察かばんを持って、人垣をかき分け前に出てこようとする青年がいた。すぐ後ろには、ハンガリアン・カフェで見かけた別のポーターが続いていた。二人が部屋に入ると、若い医者はグスタフに駆け寄り、そばにひざまずいて診察を始めた。

ゾフィーは黙って医者を見つめていた。そのあと、いまはもう別の誰かが父親と話すべきだと認めたように、何歩か後ろに下がった。ボリスは彼女のそばに歩み寄り、ほとんどくっつきそうにして立っていたが、ゾフィーのほうはボリスがいることに気づいた様子もなく、かがんだ医者の背中をじっと見つめていた。

そのとき、わたしは急にまた、演奏の前にやらなければならないもろもろのことを思い出した。医者が来たいま、こっそり抜けだすのにこれほどいいタイミングはない。静かに廊下へ出て、さあホフマンを探しにいこうとしたとき、後ろで何かが動く気配がして、乱暴に腕をつかまれた。

「どこへ行くの？」ゾフィーが怒りのこもった低い声で尋ねた。

「すまないが、明らかにきみは分かっていない。わたしにはいま、やることがたくさんあるんだ。電光掲示板やら何やらを使うんだぞ。おそろしくたくさんの人たちが、わたしを頼りにしているんだ」わたしはそう言いながらずっと、彼女から腕を振りほどこうとしていた。

「でもボリスは、あの子は、あなたにここにいてほしいの。あたしたち二人とも、あなたにここにいてほしいの」

「いいかい、明らかにきみはまったく分かっちゃいない！　わたしの両親が来るんだよ、分からないのか？　両親がいまにも来るんだ！　やらなきゃならないことが山ほどある！　なのにきみは分かっちゃいない。明らかに、これっぽっちも分かっちゃいない！」わたしはようやく、彼女から腕を振りほどいた。「いいね、また戻ってくるから」わたしは急いでその場を立ち去りながら、肩ごしに振り返って、なだめるような口調で言った。「できるだけ早く戻ってくるから」

34

急ぎ足で廊下を歩いていると、何人かが壁ぎわに列をつくって立っていた。ちらりと見ると全員が調理師の服を着ていて、どうやらみんな黒いドアの小室によじのぼる順番を待っているらしかった。わたしは気になって歩調をゆるめ、とうとう彼らに近づいていった。いまはっきりと見えてきたその小室は、ほうきをしまっておく物置のようにとても細長く、床から五十センチほどの高さにつくりつけてあった。そこまで何段か短い階段が続いていて、前に並んでいる人たちの様子からすると、おそらくなかにトイレがあるか、でなければ冷水器でも置いてあるのだろう。しかしさらに近づいてみると、いま最上段にいる男がそのなかに上半身をもぐりこませ、尻を廊下側に突きだして、中身をひっかき回しているらしいところが見えた。かたや列をつくっている人たちは、身振り手振り交じりでいらだたしそうに、早く終えろとその男に怒鳴っていた。それから男が出てきて、後ろ向きのままいちばん上の階段に慎重に足をおろそうとしていたとき、並んでいた誰かが叫び声を上げて、わたしを指さした。全員が振り返るや列が崩れ、誰もが通り道を空けてくれた。

小室にもぐりこんでいた男は、大あわてで階段をおりてきてわたしに一礼すると、上がるようにと手ぶりで促した。

「それはどうも」わたしは言った。「しかしまだ、ほかにお待ちの方がいらっしゃるようですから」

すると嵐のように反論が巻き起こり、わたしは何人もの手に押されて、短い階段へと上がらされた。

細長いドアは閉まっていた。それを開けると――ドアは手前に開くので、最上段で慎重にバランスを取らなければならなかった――驚いたことに、わたしはとても高いところからコンサートホールを見下ろしていた。奥の壁はそっくりなく、もしもわたしがそこそこに向こう見ずで、前に身を乗りだして少し伸び上がれば、ホールの天井に頭がつきそうだ。もちろん見晴らしはよかったが、こんなところにこんなものがあるのは、ばかばかしいほど危険なことに思われた。それどころか、全体が前方に傾斜しているので、そそっかしい人なら端までよろけていってしまいかねない。客席の上に転がり落ちない安全策としては、腰くらいの高さに細い綱が一本張ってあるだけだ。わたしには、これがいったい何のためにあるのか、はっきりした理由が分からなかった――唯一考えられるとすれば、それは旗のたぐいをホールの上に掲げるための装置の一部なのかもしれない。

わたしは注意深く足を運んで両足をなかに入れてから、ドアの枠をしっかりとつかんで眼下の光景を見下ろした。

もう客席の四分の三ほどが埋まっていたが、照明はまだ明るく、そこここで客がしゃべったり挨拶をしたりしている。離れた列の客に手を振っている者もいれば、通路に集まって談笑している者もいる。二つのメインドアからはさらにおおぜいの人が入ってきていた。オーケストラ席にはライトを反射するぴかぴかの譜面台が並び、ステージの上では――カーテンは開いていた――一台のグランドピアノが、蓋を開けたままぽつんと出番を待っている。もうすぐ自分の公演のなかでももっとも記念すべきものになるはずの今夜、やがてわたしが弾くこの楽器を見下ろしながら、しいて言えばこれが会場の下見に近いのだという考えが頭に浮かび、この町に着いて以来、自分が時間をどう使ってきたかに、またいらだちを覚えた。

まだホールを見下ろしていると、シュテファン・ホフマンが袖からステージに出てきた。アナウンスもなければ、照明も明るいままだ。おまけにシュテファンの物腰には式次第に従ってこれから演奏するという雰囲気がまったくなく、観客には一瞥もくれずに、何かほかのことを考えているような様子で、さっさとピアノに近づいた。これではホールにいる大半の客が、多少の好奇心を示しただけでおしゃべりや挨拶をやめなかったのも無理はない。もちろん、彼が《ガラスの情熱》の激情的な冒頭部分を弾きだしたときには多少の驚きはあったが、そのときでさえ、客の大半は数秒のうちに、この青年はただピアノか、でなければアンプの具合をチェックしているだけだと判断したようだった。数小節しか弾いていないところで、何かがシュテファンの目に入ったらしく、突然プラグを引き抜かれたかのように、彼の演奏にさっぱり集中力がなくなってしまった。視線は客席を動いていく何かを追い、とうとうピアノから目を離して演奏しはじめた。わたしは、彼が会場から出ようとしているカップルを見つめているのに気づいた。さらにもう少し前に身を乗りだすと、ちょうどホフマンと夫人がわたしの見える角度から姿を消していくのが見えた。シュテファンは演奏を完全にやめてしまい、スツールの上で体を回して、座ったまま両親の姿をじっと見送っていた。この行動に、聴衆はシュテファンが音を調べていたのだと確信を持ったらしかった。実際、彼は、ホールの反対側から技術者の合図が来るのを待っているように見え、とうとうスツールから立ち上がりステージから歩き去っても、誰も気にもとめなかった。

ステージの袖にやってきたところで、彼はやっと襲ってきた怒りに身を震わせた。その一方で、自分がわずか数小節弾いただけで演奏をやめてしまったことには実感がないらしく、木の階段を急いでおりて楽屋のドアがいくつも並ぶ前を通りながら、そのことをほとんど考えてもいなかった。

彼が廊下に出ると、たくさんの裏方や調理関係者が忙しく動き回っていた。シュテファンは両親をつかまえようとロビーへ向かったが、まだそれほど歩かないうちに、父親が一人だけで、心配そうに彼のほうへやってくるのが目に入った。かたや支配人のほうは、危うくぶつかりそうになるまでシュテファンに気づかなかった。ホフマンは立ちどまると、驚いた表情で息子を見つめた。

「どうした？　演奏をしていないのか？」

「父さん、どうしてあんなふうに母さんと二人で席を立ってしまったんだい？　母さんはいまどこ？　気分でも悪いの？」

「母さんはな」ホフマンは深刻なため息をついた。「母さんはあの時点で帰ったほうがいいと思ったんだ。もちろん、わたしは母さんをエスコートしていった……いや、正直に打ち明けるとだな、シュテファン、わたしもどちらかと言えば母さんの考えに賛成だった。反対しなかったんだよ。そんなふうな顔で見ないでくれ、シュテファン。ああ、おまえをがっかりさせたのは分かっている。わたしはおまえにこのチャンスを、この町じゅうの人たち、わたしたちの友人や同僚を前に、演奏する場を与えてやることを約束した。ああ、そうだとも。そう約束したよ。たぶんおまえが自ら頼んできたから、たぶんわたしが上の空でいるときに、おまえがわたしをつかまえたからだろうが、理由など関係ない。そんなことはどうでもいい。要するに、わたしは同意し、約束し、それを破りたくなかった。わたしの責任だ。しかしおまえにも分かってほしいんだよ、シュテファン。わたしたち両親がどんな気持ちか、これを眺めていなければならないのがどんなにつらいか……」

「母さんと話してくる」とシュテファンは言って、歩き去ろうとした。ホフマンは一瞬ぎょっとしたようだったが、すぐに息子の腕を乱暴につかんで、わざとらしく笑った。

「それはいけない、シュテファン。つまりだ、母さんは洗面所へ行っている。ははは。どっちにしても、おまえは母さんに、いわば口だしさせんのがいちばんだろう。だけどシュテファン、おまえはいったいどうした？　本来なら演奏しているはずじゃないか。ああ、でもたぶん、結局はそれがいちばんいいのかもしれない。いくつかばつの悪いことを尋ねられるだろうが、それで終わりだ」

「父さん、ぼくはこれからステージに戻ってピアノを弾くよ。頼むから席に座って。母さんも戻るように、説得して」

「シュテファン、シュテファン」ホフマンは首を振って息子の肩に手をかけた。「分かってほしいんだ。わたしたち二人とも、おまえをとても高く評価している。心から誇りに思っている。だがこの考え、おまえがこれまでずっと持ってきた考え、つまり……音楽についての考えがな。母さんもわたしも、いままで話す勇気がなかったんだ。当然ながら、わたしたちはおまえに夢を持っていてもらいたかった。しかしこれは、このすべては」──ホフマンはホールを指さした──「これはとんでもない間違いだった。わたしたちはこんなことまで許してはいけなかったんだ。いいかね、シュテファン、事実はこうだ。おまえの演奏はとても魅力的だよ。それなりにうまい。わたしたちはいつだっておまえが家で演奏するのを聴いて楽しんできた。だが音楽、真剣な音楽、今夜要求されるような水準の音楽となると……それはなあ、また別問題だ。いやいや、途中で口をはさむな。わたしはおまえにあることを、ずっと前に話しておくべきだったことを、言おうとしているんだ。いいかい、ここは市のコンサートホールだ。コンサートの聴衆は、居間で思いやり深く耳を傾けてくれる友人や親類じゃない。ほんとうのコンサートの聴衆は、基準、つまりプロの基準というものに慣れている。シュテファン、これをどう説明すればいいのか」

「父さん」シュテファンが口をはさんだ。「父さんは分かっていない。ぼくは懸命に練習してきたんだよ。それにぼくがこれから弾く曲は、ぎりぎりになって選んだものだけど、それでも懸命に練習に励んだし、これから席に戻ってくれさえすれば、きっと分かって……」

「シュテファン、シュテファン……」ホフマンはまた首を振った。「もしほんとうに懸命に練習すればいいだけなら、ほんとうにただそれだけでいいならな。だが、才能を持って生まれてこなかった人間もいる。生まれつきの才能がないなら、それは自分で認めなければならんことだ。ひどくつらいんだよ、よりによってこんなときに、しかもこれほど長くおまえを導いてきたというのに、こんなことを言わねばならんのは。わたしたちを許しておくれ。母さんとわたしを。長いあいだずっと弱虫だったんだ。だがわたしたちは、おまえがどんなに楽しんでいるか分かっていたし、口にする勇気がなかった。だからといって言いわけはできん、それは分かっている。ひどくつらくて、いまおまえのことを思うと心が痛むよ、ほんとうだ。わたしたちを許してくれるといいんだが。ひどい間違いだったよ、おまえにここまでやらせるなど。町じゅうの人たちの前で、おまえをステージに上がらせるなど。母さんもわたしも、おまえを心から愛しているから見るにしのびないんだ。ただ見るにしのびないんだ……愛する息子が笑いものになるのを。さあ、わたしは話した。胸の内をすっかり見せた。残酷なことだが、おまえにとうとう言ったぞ。できるかもしれんと思っていたんだよ、つくり笑いや忍び笑いをする連中がいても、あそこに座っていられるだろうと。しかし、いざそのときがきたら、母さんは耐えられないと思ったし、わたしにもできなかった。何だって？　どうしてわたしの言うことを聞かん？　こんなことを言うのがどれほどつらいか、おまえには分からんのか？　これほど率直に話すのは、たやすいことではないんだぞ、たとえ相手が自分の息子でも……」

「父さん、お願いだ。頼むよ。数分でもいいから、席に座って演奏を聴いて、自分の耳で判断してくれないか。それに母さんも。どうかお願いだから、母さんを説得してよ。そうすれば二人とも、きっと……」

「シュテファン、おまえはステージに戻る時間だぞ。名前はプログラムにのっている。おまえは、一度はステージに姿を現した。だから少なくとも、最後までやり遂げなければならん。せめてみんなの前で、自分の持てる最高の力を発揮してみなさい。それがわたしの助言だ。気にするんじゃないよ、忍び笑いをする連中のことなんか。たとえまじめで深遠な曲を弾いているのに、ステージでこっけいなパントマイムをやってるみたいにおおっぴらに笑われたとしても、たとえそうなっても、母さんとわたしは、少なくともおまえが最後まで弾き終える勇気を持っていたことを誇りに思うから。いいね。そうだとも、おまえはもう行って、最後までやり遂げてくるんだ、シュテファン。だが、わたしたちが聴くことだけは勘弁してくれ。おまえを愛しているからこそ、見るにしのびないのさ。いやシュテファン、実際そんなことをすれば、母さんは悲嘆にくれてしまう。さあ行きなさい。もう時間がないよ。さっさと行った行った」

ホフマンはくるりと向きをかえ、偏頭痛のせいでふらふらしているように、ひたいに手をあてると、そのままシュテファンから遠ざかった。それから急にしゃんと身を起こして、息子を振り返った。

「シュテファン」彼は厳しい口調で言った。「おまえはもうステージに戻る時間だ」

シュテファンは父親を見つめていたが、自分の訴えを聴き入れてもらえないと分かると、向きを変えて廊下を歩きだした。

楽屋のドアが並んだ廊下を歩きながら、シュテファンはいろんな考えと感情にとらわれていた。当然ながら、彼は両親に席に戻ってくれるよう説得できなかったことにいらだっていた。さらには自分の心の奥底に、これまで何年か忘れていた恐怖が執拗に目覚めてくるのを感じた――つまり父親が言ったことは正しく、実のところ自分はとんでもない思い違いをしているのではないのか、と。しかしステージの袖に近づくにつれて、みるみる自信が戻ってきた。それとともに、自分がどれだけやれるものか試してやろうという、果敢な闘志もわいてきた。

シュテファンがステージに戻ると、照明は少し落ちていた。しかし会場は暗いと言うにはほど遠く、多くの客がまだ席に着かずに立っている。ホールのあちこちで、誰かが席に座ろうと身をかがめて椅子のあいだを通っていく後ろで、次々に席から立ち上がる人の波が見えた。シュテファンがピアノの前に座ると、ざわめきはほんの少しおさまったが、気持ちが落ち着くのを待っているあいだも、ざわめきはまだ続いていた。それから彼の両手がさっきと同じように荒々しくも精緻なタッチで鍵盤をたたき、《ガラスの情熱》の冒頭に欠かせない、衝撃と昂揚感の相半ばする楽想を弾きだした。

短いプロローグの半ばに差しかかったころ、聴衆はかなり静かになり、第一楽章を弾き終えるころには、場内は完全に沈黙していた。通路で立ち話をしていた者たちはまだ立ったままだったが、凍りついたようにステージを凝視している。席に着いていた者は、みな集中して見守り、耳を傾けている。ある入口の近くには、最後にぞろぞろと入場してきた人たちがその場で立ちどまって、小さなグループになっていた。シュテファンが第二楽章を弾きだしたとき、技術者がホールの照明を完全に暗くしたので、聴衆がよく見えなくなった。しかし全員が驚嘆しているのは疑いようもなく、その驚きがずっと会場内を包んでいた。たしかにこの反応の一部は、聴衆がいま目にしている自分の町の青年に、これほど高度なテクニックがあることに気づいた驚きのせいだった。しかしシュテファンの演奏には、その技術の領域を超えた奇妙に強烈な資質があり、それを無視するのは不可能だった。さらにわたしの印象では、会場にいる者の多くがこの夜の意表をつく始まりに、一種の予兆を見たようだった。これが単なる前奏曲にすぎないなら、あとにどんなことが続くのか？　今夜は、やはりこの町にとって転機となるのだろうか？　そうした問いを、わたしの眼下にいる聴衆の多くの驚いた顔が無言のうちに発しているように思われた。

シュテファンはもの思いにふけるような、かすかに皮肉な解釈のコーダで演奏を終えた。彼が弾き終えてから一、二秒、沈黙が流れたあと、会場内に熱狂的な拍手が巻き起こり、青年はさっと立ち上がってそれに応えた。彼は見るからにうれしそうで、内心では両親が居合わせずこの大成功を目にできないことにいっそうのいらだちを感じていたのかもしれないが、表情には出さなかった。彼は拍手に応えて何度かお辞儀をしてから、たぶん自分の演奏が今夜の全行事のごく一部にすぎないのを思い出したのだろう、急いでステージから姿を消した。

熱狂的な拍手はしばらく続き、やがてそれは興奮したささやきに変わった。そのあと、聴衆がいろんな意見を交わす暇もないうちに、厳しい表情をした白髪の男性がステージの袖から現れた。彼がゆっくりと、いかにも尊大に正面の演壇へ歩いてきたとき、わたしはその男が、わたしがこの町に来た最初の夜にブロッキーのための晩餐会を主催した人物だと分かった。

コンサートホールはたちまち静かになったが、厳しい顔の男性はゆうに三十秒は何も言わず、かすかに嫌悪感をにじませて、ただ聴衆を眺めていた。それからとうとう、うんざりしたようなため息をついて言った。

「今宵はみなさん全員にお楽しみいただきたいのだが、われわれはキャバレーのショーを見るためにいまここに集まっているのではありませんぞ。今夜の催しの裏には、きわめて重要な問題があるのです。お間違えのないように。われわれの未来に関する問題、まさにこの町のアイデンティティーにかかわる問題なのです」

厳しい顔の男性はさらに何分か、同じ趣旨をもったいぶって何度も繰り返し、ときどき長い息継ぎを取っては、しかめっ面で会場内を見渡していた。わたしは興味がうせてきて、この小室を使おうと後ろに列をつくって待っている人たちのことを思い出し、誰かに順番を譲ろうと決心した。しかしこの狭い空間から出ようとしたとき、例の厳しい顔の男が新しいトピックを持ちだした――実際、彼は誰かをステージに呼びだそうとしているところだった。

その人物は「この町の全図書館システムの礎石」であるばかりでなく、「秋の葉の先にとまった露の丸みをとらえる」才能を持ち合わせているらしかった。厳しい顔の男は最後にもう一度、いかにも見下した様子で聴衆を眺め回すと、くだんの人物の名前をつぶやいて、ステージから大股で歩き去った。会場に熱狂的な拍手がわき起こったが、これは明らかに紹介された人物にではなく、厳しい顔の男性に向けられているようだった。実際、紹介された人物は一分ほど姿を現さず、いざ登場したときも、多少のとまどいをもって迎えられた。

男は小柄で、こざっぱりとした身なりをしており、はげ頭で、口ひげを生やしていた。彼はフォルダーを抱えて登場し、演壇の上にそれを置いた。それから何枚かの紙をはさんだクリップをはずすと、原稿をがさごそいじり回すばかりで、顔を上げて客席を見ようともしない。ホールには落ち着かない雰囲気が広がりはじめた。わたしはまた好奇心をそそられて、行列して待っている人たちもあと少しなら文句を言うまいと、慎重に奥近くまでにじり寄った。

はげ頭の男がようやく話しだしたとき、マイクが近すぎたので、声がブーンとひび割れた。

「今夜はわたしの三つの時代から、それぞれいろんな作品を選んでお聴かせしたいと思います。これらの詩の多くは、カフェ・アデールでの朗読会ですでにおなじみでしょうが、みなさんがこのすばらしい機会にもう一度それを耳にすることに、反対はならないと信じています。そしていまから申しあげておきますが、最後にちょっとした意外な贈り物があるのです。それはきっと、みなさんにささやかな喜びをもたらすでしょう」

そう言って彼が原稿を繰りはじめると、客席の何ヵ所かで、聴衆がひそひそ声の会話を始めた。はげ頭の男はやっと心を決めたらしく、マイクに向かって大きく咳ばらいした。会場はまた静かになった。

詩の多くは韻を踏んでいて、比較的短かった。町の公園の魚や、吹雪、子供のころの壊れた窓の思い出についての詩が、どれも奇妙に甲高い呪文のような口調で読みあげられた。わたしの注意力はしばらく散漫になっていたが、そのあとすぐに、わたしの真下にいる聴衆の何人かが、はっきりと聞こえる声で雑談を始めた。

最初その声はかなり遠慮がちだったが、わたしが耳を傾けているあいだにも、だんだん傍若無人になっていくようだった。とうとう、わたしのところまで聞こえてくるそのおしゃべりは――その間、はげ頭の男は、過去に母親が飼っていたいろんな猫についての長い詩を朗読していた――かなり大きなパーティでの普通の雑談のようになった。わたしは危険だと思う気持ちを抑え、いちばん奥まで進みでて、両手で木の枠をつかむと、ホールを見下ろした。

実際、話し声は、わたしの真下に座っているグループから聞こえてきたのだが、その人数は想像していたより少なかった。七、八人がもうあの詩人になどかまうものかと決めたらしく、いまでは楽しそうにおしゃべりに興じていて、席で完全に後ろ向きになって話しこんでいる人もいる。このグループをよく観察しようとしたとき、その何列か後ろにミス・コリンズがいるのが目に入った。

彼女は、わたしが最初の夜の晩餐会で見かけた上品な黒のイブニングドレスを着て、ショールを肩にかけたままだった。こくびをかしげ、あごのあたりに指を一本あてがって、はげ頭の男性をあわれむように眺めている。わたしはしばらく彼女を見ていたが、その様子は完璧に冷静で、落ち着きはらっているとしか思えなかった。

真下にいる騒がしいグループに視線を戻すと、彼らはカードを配ろうとしていた。そのとき初めて、わたしはこのグループの中心になっているのが、あの最初の夜に映画館で会い、ほんの少し前にも廊下ですれ違った酔っぱらいだったことに気づいた。

カード・ゲームはますます騒がしくなり、ついには大半が、どっと喝采やら高笑いやらをするほどになった。それを見て眉をひそめる人たちもいたが、それから客席では、もう少し控えめにしろ、おしゃべりをする人がいちだんと増えていった。

はげ頭の男性は気にとめるそぶりも見せずに、ひたすら次から次へと詩の朗読を続けた。ステージに登場して二十分ほどたったころ、彼は口をつぐみ、何枚かの原稿をひとまとめにして言った。

「さて、次はわたしの第二期に入りましょう。もうご存じの方もおいでのでしょうが、わたしの第二期は、ある重要な出来事がきっかけとなって始まりました。それはわたしがそれまで使っていた道具で創作するのを、もはや不可能にした出来事、つまり、妻の不倫を発見したことです」

彼はその出来事を思い出すといまもまだ悲しいと言わんばかりに、頭をうなだれた。そのとき、真下のグループの一人が叫んだ。

「それなら、あいつは明らかに間違った道具を使ってたってわけだ！」

その言葉に彼の仲間全員が笑ったかと思うと、別の誰かが大声で言った。

「下手な職人は、いつも道具に難癖をつけるのさ」

「あいつの奥さんも、同じくお道具に不満があったようだな」最初の声が言った。

このやり取りは、できるだけおおぜいに聞かせようとしたものだったらしく、かなりの忍び笑いが巻き起こった。ステージにいるはげ頭の男性にどの程度それが聞こえたかは分からなかったが、彼は口をつぐみ、やじを飛ばす者たちを見ようともせずに、また紙を繰った。第二期について紹介するというかたちでさらに何か言うつもりだったのかもしれないが、彼はその考えを捨てて、再び詩の朗読を始めた。

第二期の作品も、第一期とさして変わらず、聴衆はますますざわついてきた。それで数分もすると、酔っ払った男たちの一人が何ごとかを叫び、その内容はわたしには聞き取れなかったが、会場内のかなりの人が相当あからさまに笑い声を上げた。はげ頭の男はこのとき初めて、聴衆が自分の手に負えなくなってきたことに気づいたらしく、文章の途中で顔を上げると、ショックを受けたように、照明のなかで目をぱちくりさせていた。明らかに彼が取るべき道は、ステージから立ち去ることだ。もう少し尊厳ある選択をするなら、さらに三、四篇の詩を読んでから消えればなおよかっただろう。しかしはげ頭の男は、まったく別の手段に出た。予定されたプログラムのすべてをできるだけ早く終えようと思ったのか、パニックに襲われたような早口で、朗読に戻ったのだ。その結果、しどろもどろになってしまったばかりか、みすみす敵に塩を送るようなことになり、敵のほうはいまやこの詩人を完敗させたと思っていた。ますますもってたくさんのやじが飛び交い――わたしの真下にいるグループからだけでなく――そのたびに、会場じゅうから笑いが巻き起こった。

ついにはげ頭の男は、何とか収拾をつけようとした。彼はフォルダーをわきに置き、無言で懇願するように、演壇から客席をじっと見た。笑っていた大半の聴衆は――たぶん反省してというより、むしろ好奇心からだろう――にわかに静かになった。はげ頭の男が口を開いたとき、その声はかなりの威厳を取り戻していた。

「みなさんに思いがけない贈り物をさしあげると、お約束しました」と、彼は言った。「さあ、これです。新しい詩。つい一週間前に、書き上げたんです。とくに今夜のこのすばらしい機会のために、つくりました。題は単純で、『征服者ブロッキー』。それでは」

男はまた原稿を繰ったが、今度は聴衆も黙っていた。彼は前に身を乗りだして、朗読を始めた。数行読んだところですばやく顔を上げ、会場がまだ静まっているのに驚いたようだった。彼はさらに朗読を続け、少しずつ自信を取り戻して、まもなく重要な言葉にくると、強調のために高々と手を振り回した。

わたしはその詩がブロッキーの全般的な人物像を詠んだものだろうと想像していたのだが、もっぱら彼のアルコールとの闘いが題材になっていることがすぐ明白になった。初めの部分のスタンザは、ブロッキーをさまざまな神話上の英雄になぞらえ、攻めてくる敵に向かって丘の上から槍を投げたり、大海蛇と格闘したり、鎖で岩につながれたりといったイメージが描き出された。聴衆はまだ尊敬の念をもって聴き入り、厳かな雰囲気さえ漂っていた。ミス・コリンズをこっそり見てみたが、その物腰に明らかな変化は何も見られず、さっきと同じように一本の指をあごにあてて、興味は持ちながらも一種超然とした様子で、詩人を眺めているだけだった。

数分たつと、詩のトーンが変わった。神話的な英雄譚は終わり、実際にブロッキーにかかわる最近の出来事——おそらく、それらはすでに地元の伝説となっていたのだろう——に焦点が移った。言及される出来事の大半は、もちろんわたしには何のことだか分からなかったが、それでもそれぞれの逸話のなかでブロッキーの役割を再評価し、尊厳を与えようという努力が汲み取れた。文学的な観点から言えば、わたしとしては、詩のこの部分のほうがさっきよりはるかによくなったという印象を受けたのだが、ここにきてそのような具体的で卑近な文脈を持ちだすのは、何にせよ、はげ頭の男がそれまで聴衆を引きつけていた魅力の基盤をぶち壊す結果になった。「バス待合所の悲劇」への言及をきっかけにまた聴衆の忍び笑いが始まり、「数で負け、闘いに敗れた」ブロツキーが「とうとう公衆電話ボックスの陰で降伏を余儀なくされた」というところで、その笑いはますます広がった。しかし会場じゅうが大爆笑に包まれたのは、はげ頭の男が「学校の遠足のときに発揮した輝かしい武勇」のことに触れたときだった。

この時点から、何をもってしてももうあのはげ頭の男を救うことができないのは、明らかだった。ブロツキーがしらふに戻ったことを称える最後のスタンザは、事実上、一行ごとに爆笑の渦で迎えられた。またミス・コリンズを盗み見たとき、彼女があごにあてた指をすばやく撫でるように動かしているのが目に入ったが、それ以外は前と変わらず落ち着きはらっているようだ。はげ頭の男は、笑いとやじにほとんど声がかき消されるなかでとうとう朗読を終え、憤慨した様子で原稿をかき集めると、大股でステージから退場した。聴衆の一部は、事態が度を越してしまったと思ったのか、かなり寛大に拍手を送った。

そのあと数分間、ステージには誰も現れず、聴衆はまたすぐに大声でおしゃべりを始めた。眼下の人たちの表情を眺めてみると、興味深いことに多くは楽しそうに笑顔を交わしていたが、それでもかなりの人が怒っているらしく、会場のほかの人たちに身振り手振りで厳しい合図を送っていた。それからまたステージにスポットライトがあたり、ホフマンが登場した。

ホフマンは怒り狂っているらしく、早足でつかつかと演壇まで歩いてきた。

「みなさん、どうか！」彼は聴衆が静まろうとしていたにもかかわらず叫んだ。「どうか！ 今宵の趣旨を思い出していただきたいのです。フォン・ヴィンターシュタイン氏のお言葉を借りるなら、われわれはキャバレーのショーを見るためにここに集まったのではありませんぞ！」

この剣幕も一部の聴衆には通用せず、わたしの真下のグループから、皮肉のこもった「おおう」という声が上がった。それでも、ホフマンは言葉を続けた。

「とりわけこれほどたくさんの方が、いまだブロッツキー氏にたいしてこのばかばかしく現状にそぐわないイメージを持っておられるのに、ショックを受けました。ジーグラー氏の詩にはいろいろとすばらしい美点がありますが、それはさておき、詩の中心テーマ、つまりブロッツキー氏がかつてご自分にとりついていた悪魔をすべてきっぱりと克服されたことは、疑う余地もありません。たったいま、この点に関するジーグラー氏の感銘深い表現をお笑いになった方がたは、もう間もなく――ええ、数秒後にも！――ご自分を恥ずかしく思うに違いありません。そう、恥ずかしくです！ つい一分前、わたしがこの町の全市民に感じたと同じように、恥ずかしく！」

そう言いながら彼が演壇をドンとたたくと、驚くほど多くの聴衆が自分はさっき笑っていないと言わんばかりの拍手を送った。ホフマンは見るからにほっとした様子だったが、この反応にどう応えればよいのか分からず、何度かぎこちなく礼をした。それから拍手が完全に静まる前に落ち着きを取り戻し、マイクに向かって大声で断言した。

「ブロツキー氏はまぎれもなく、わが町にそびえ立つ人物と呼ばれるにふさわしい！　わが町の若者にとっては、精神と文化の源泉。そしておそらく、われわれのようにもう少し年長の、しかしそれでもなおこの町の歴史の暗い数章にとほうに暮れて絶望した者たちにとっては、ともしびで行く手を照らしだしてくださる案内人。ブロツキー氏は、まさにそう呼ばれるにふさわしいお方です！　さあ、ここにいるわたしを見てください！　わたしはいまみなさんにお話ししていることに、自らの評価、自らの信用を賭けているのです！　しかし、わたしがこんなことを言う必要がありましょうか？　まもなくみなさんはご自分の目と耳で、それをお確かめになるのですから。これはわたしが予定していたご挨拶とはかけ離れておりまして、こんなことを言わざるをえなかったことを後悔しています。しかしこれ以上、進行を遅らせるのはやめましょう。さあ、このステージに評価の高いお客さま、シュッットガルト・ナーゲル財団管弦楽団の面々をお呼びいたしましょう。今宵、彼らを指揮するのは、わが町の代表――レオ・ブロツキー氏です！」

大きな拍手のなかで、ホフマンは袖に引っこんだ。それから数分は何も起こらなかったが、やがてオーケストラ席に照明があたって、楽団員たちが出てきた。またいっせいに拍手が巻き起こったあと、オーケストラのメンバーが席に着き、楽器のチューニングをしたり譜面台をいじったりしているあいだ、張りつめた沈黙が続いた。わたしの真下にいる騒がしいグループでさえ、これから始まることの真剣さを認めたらしく、いまはカードを片づけて緊張して座り、正面をじっと見すえていた。

オーケストラがようやく落ち着くと、ステージの袖に近いあたりにスポットライトがあたった。また一分ほど何も起こらなかったが、やがてステージの裏から、ごとんごとんという音が聞こえてきた。その音はしだいに大きくなり、とうとうブロッキーがスポットライトのなかに現れて、自分の登場に聴衆が気づく時間を与えようと思ったのか、しばし立ちどまった。

もちろん、会場にいた多くの人は、にわかに彼だと分からなかったに違いない。タキシードに、まばゆいばかりの白いドレスシャツ、髪も整えたブロッキーは、たしかに立派な人物に見えた。しかし、まだ松葉杖がわりに使っていたあのみすぼらしいアイロン台が、少しばかりその雰囲気を壊していることも否めない。さらには彼が指揮台へと歩きだしたとき――アイロン台は一歩進むごとに、ごとんごとんと音を立てた――わたしは彼がズボンの空っぽの部分にほどこした手仕事に気づいた。布をひらつかせたくないという気持ちは、十分に理解できた。しかしブロッツキーは、さっきまで切断した脚の下で結んでいたズボンを、ひざ下四、五センチのあたりでぎざぎざに切り落としてあったのだ。たしかに、文句なく上品に見える解決策などありえなかった。それにしてもこの裾のラインは目立ちすぎて、かえって脚の怪我に目がいってしまいそうだ。

　しかし彼がさらにステージを進んでいるとき、ブロッツキーの変わりようについてわたしは大きな思い違いをしていたようだった。というのも、聴衆がブロッツキーの様子にあっと息をのむのをいまかいまかと待っていたのだが、ついぞそのときは来なかったのだ。実際、わたしの見るところ、聴衆はブロッツキーの脚がないことにまったく気づいていないらしく、彼が指揮台にたどり着くのを、ただじっと期待をこめて黙って待っているだけなのだ。

　疲れからか、それとも緊張からか、彼はさっき廊下で見かけたときほど、アイロン台でスムーズに歩くことができないようだ。ひどくよろめきながら歩く姿に、わたしはふと思った。聴衆がまだ彼の怪我に気づいていないのなら、こんな足取りを見て酔っ払っているのではと疑うのではないか。彼は指揮台まで数メートルのところで立ちどまり、不機嫌な顔でアイロン台を見下ろした。その脚は、いまここでまた開こうとしていた。彼はアイロン台を振ってから、また歩きだした。しかし何とか数歩前に進んだところでアイロン台の何かがはずれ、ちょうど彼が体重をかけようとしたときにわきの下で開きはじめて、ブロツキーはアイロン台もろとも倒れてしまった。

この出来事にたいする反応は、奇妙なものだった。観客は危ないと叫ぶこともなく、最初の一、二秒は、不満げに沈黙を守っていた。やがて会場じゅうにざわめきが広がり、縁起でもない兆候にせよ結論はまだおあずけだとでも言うように、全員が「ふーむ」というような声を上げた。同じように、ブロッツキーに手を貸そうと近づいてきた三人の裏方も、驚くほど緊迫感に欠ける様子で、いや、むしろしぶしぶという雰囲気さえ見せながら、彼に近づいていった。どちらにしても、彼らがブロッツキーのそばへ行く前に、アイロン台と格闘していたブロッツキーは床に転がったまま、こっちへ来るなと、腹立たしそうに彼らに怒鳴った。三人の裏方は途中で立ちどまると、怖いもの見たさにも似た好奇心でブロッツキーを見つめていた。

ブロッツキーはしばらくステージの床の上でもがいていた。ときおり立ち上がろうとしているようにも見えたが、それ以上に、アイロン台にはさまってしまった服を引っぱりだそうとしているらしい。そのうちに何度か、おそらくアイロン台に向かって罵声を浴びせ、マイクがそれをすっかり拾って、スピーカーを通じてはっきりと会場内に流れた。もう一度こっそりミス・コリンズを見ると、彼女は席から身を乗りだしていた。しかしブロッツキーが相変わらずもがいているというのに、彼女はゆっくりと座席にもたれかかり、指をあごに持っていった。

それからブロッツキーはついに窮状を脱した。見事にアイロン台をたたんだ状態に戻して、立ち上がったのだ。彼は両手でアイロン台をむんずとつかみ、その上によじのぼらんばかりにひじを突っぱって、誇らしげに片足でそこに立っていた。そしてステージの袖へ引っこんでいく三人の裏方をにらみつけると、今度は客席に視線を向けた。

「分かっている。分かっている」彼は言った。その声は大きくはなかったが、ステージの正面のマイクに拾われて、はっきりと観客に聞こえた。「みんな何を考えているのか分かっているんだ。しかし、おまえさんたちは間違っとる」

彼は足もとを見下ろして、再び自分の窮地に圧倒された。それからもう少し背筋を伸ばすと、まるでアイロン台本来の目的をいまやっと思い出したかのように、パッドのついた台の表面を手で撫ではじめた。彼はもう一度客席を見て言った。

「みんな、そんな考えは頭から追い払ってくれ。あれは」――彼はぐっと頭を前に突きだし、床を見下ろした――「ただの不運な事故だった。それだけだ」

会場内にまたざわめきが広がったが、すぐに沈黙が戻った。

ブロツキーは身じろぎもせずに指揮台を見つめたまま、アイロン台に寄りかかって立っていた。わたしには彼が距離をはかっているのが分かった。そして次の瞬間、彼は指揮台へと歩きだした。まるで歩行器を使うようにアイロン台の枠全体を持ち上げ、ばんと振りおろしては、片脚を引きずりながら前進していく。最初、観客は呆然としたようだったが、ブロツキーが着実に前へ進んでいくのを見て、なかにはサーカスでも見物している気分になったのか、拍手を送りはじめる者もいた。それをきっかけにたちまち会場じゅうに拍手が巻き起こり、ブロッキーはかなりの喝采のなかで、指揮台にたどり着いた。

指揮台に着くと、ブロッキーはアイロン台を放し、まわりを半円形に囲んでいる手すりをつかんで、ゆっくりと指揮する位置に立った。そして手すりにもたれて慎重に体のバランスを取ってから、指揮棒を手にした。

アイロン台を使った歩行への喝采はもうおさまって、会場内には再び期待のこもった沈黙が流れていた。楽団員たちも、若干の不安は感じながらもブロッキーを見守っていた。しかしブロッキーのほうは、長年の空白をおいてまたオーケストラを指揮する立場に復帰した実感をかみしめているらしく、しばらくのあいだほほ笑みを浮かべてあたりを見回していた。それからとうとう、指揮棒を空中に振り上げた。楽団員たちはそれに応えて楽器を構えたが、ブロッキーはまた急に心を変えて指揮棒をおろし、聴衆のほうを振り向くと、おだやかにほほ笑みながら言った。

「みなさんは、わしのことを薄汚い酔いどれだとお思いだろう。しかしわしがただそれだけの人間かどうか、いまからご覧にいれようじゃないか」

いちばん近いマイクでもかなり離れたところにあったので、この言葉はごく一部にしか届かなかったようだった。どちらにしても、もう次の瞬間、彼は再び指揮棒を振り上げていて、オーケストラはマレリーの《垂直性》の荒々しい冒頭部分に飛びこんだ。

　それはこの曲の出だしとして、わたしには特別変わったやり方には思えなかったが、明らかに聴衆が期待していたものとは違っていた。多くの人がはたから見ても分かるほどに座席でびくっとし、長々と響く不協和音が六、七小節続くあいだに、恐怖に近い表情を浮かべる者もいた。楽団員のなかにさえ、指揮者から自分の楽譜へと不安げに視線を移す者がいた。しかしブロツキーの指揮は着実に激しさを増し、その間ずっと、やけに遅いテンポを維持していた。それから彼が十二小節目に入ったときに音が爆発して、はらはらと舞い落ちてきた。聴衆のあいだに一種のため息が広がったと思うと、ほとんど同時に音楽がまた構築されはじめた。

　ブロツキーはときおり自由な手で体を支えていたが、このときにはもうどこか奥深い心の領域に達していて、ごくわずかな支えだけでバランスを維持できるらしかった。体を左右に揺らし、両腕も奔放に空中で振り回している。第一楽章の冒頭部分で、わたしはオーケストラのメンバーのなかに、まるで「ああ、そうなんだ。彼にこうやれと命令されたんだよ！」とでも言いたげに、やましそうに聴衆を見る者がいるのに気づいた。しかしそのあと、楽団員たちは少しずつブロツキーの楽想に引きこまれていった。最初に忘我の境地に入ったのはバイオリンで、そのあとますます多くの楽団員が演奏に没頭していった。ブロツキーがメランコリックな第二楽章を指揮するころには、オーケストラは完全に彼の手兵となったようだった。聴衆もこの時点でさっきまでの不安をかなぐり捨て、魅入られたように座っていた。

ブロッキーは第二楽章のかなり自由な形式を活用して、ますます未知の領域へと音楽を押し進め、わたし自身も——実際マレリーに関しては、あらゆる解釈に精通していたのだが——しだいに魅了されていった。彼は、音楽の外部構造——つまり作曲家が認めた作品の表面を飾る調性と旋律——を、かたくなにと言えるほどに無視して、殻のすぐ下に潜んでいる奇妙な生命体に光をあてるのだった。そこにはかすかないかがわしさというか、どこか露出趣味にも似たところがあり、ブロッキー自身、自分が暴きだしているものの本質にひどくとまどってはいるのだが、なおも先へと進めたい衝動に抵抗できないようだった。

その効果は、狼狽させつつも抗いがたいものだった。

わたしはまた眼下の客たちを観察した。この地方都市の聴衆の感情がブロッキーのとりこになっているのは疑うべくもなく、これならわたしの質疑応答の時間も、恐れていたほど厄介ではないかもしれないと思われてきた。もしブロッキーがこの聴衆をこの演奏で何とか納得させせられたなら、わたしが質問にどう答えるかなど、はるかにささいな問題だ。わたしの責務は基本的に、聴衆がすでにすっかり心を奪われている何かを追認するだけになるのだから——それならたとえ調査が不十分だとしても、ふたことみことそつのない、ときにユーモアを交えた受け答えをすれば、当然ながら十分立派に義務を果たすことができるはずだ。しかし逆にブロッキーが聴衆に混乱とためらいを残すならば、いかにわたしに地位や経験があるとしても、手に余る仕事を抱えることになるだろう。コンサートホールの雰囲気には、まだ不安の影が漂っていた。第三楽章のかき乱される怒りのことを思い出し、わたしはブロツキーがその部分に入ったときに何が起きるだろうかと考えた。ちょうどそのとき、聴衆のなかにいるはずの両親を探そうという考えが浮かんだ。しかし同時に、これまでずっと聴衆を観察してきたのにその姿を見かけなかったのだから、いまさら両親の顔を見つけられそうにないという考えも、頭をよぎった。それでもわたしは、およそ危険も顧みず前に身を乗りだして、会場内を見回した。このホールには、ここからいくら首を伸ばしても見えない場所があった。遅かれ早かれ下におりていかなければなるまい。たとえ両親が見つからなくとも、少なくともホフマンかミス・シュトラットマンを探しだして、両親がどこにいるのか聞きだせばよいのだ。どちらにしてもこれ以上、この高い場所からステージでの出来事を眺めているわけにはいかないので、わたしは注意深く体の向きを変え、外へ出ていこうとした。

再び小さな階段の最上段に出てきたとき、列がはるかに長くなっているのが目に入った。いまや少なくとも二十人が順番を待っていて、自分がこんなに長く居座っていたことにやましさを感じた。列に並んでいる誰もが興奮した口ぶりで話していたが、わたしの姿を認めるや口をつぐんだ。わたしはあいまいな詫びの言葉をつぶやきながら階段をおり、次の番の人が待ちかねたようにのぼっていくのを尻目に、廊下を急いだ。

廊下はさっきよりずっと静かになっていた。それというのも、厨房のスタッフがもう動き回っていないからだった。数メートルごとに料理を満載したワゴンがあり、ときどき調理服姿の男たちがそこに寄りかかって、たばこを吸ったり発泡スチロールのカップから飲み物を飲んだりしている。わたしが足をとめ、そんな一人にホールのなかへ入るいちばんの近道はどこかと尋ねると、彼はただわたしの後方のドアを指さした。礼を言ってそのドアを手前に引くと、わたしは薄暗い階段の吹き抜けを見下ろす場所に立っていた。

わたしは階段をおりた。それから重い両開きのスイングドアを押し開けると、がらんとした舞台裏にふらふらと迷いでた。薄暗い照明のなかで目を凝らすと、背景画――城と月明かりの空と森――を描いた長方形の板が壁に立てかけてあった。頭上には、鉄線が縦横に走っている。オーケストラの演奏はいまやかなりはっきりと聞こえ、わたしは通路にたくさん置いてある箱のような小道具にぶつからないよう細心の注意を払いながら、音楽の聞こえてくる方向へと進んだ。おぼつかない足取りで木の階段をのぼると、ステージの袖に立っていた。それですぐにも引き返そうとしたのだが――目立たないよう、正面の平土間一等席の近くに出ていきたかった――ちょうどそのとき、耳に響いてくる音楽に何かそれまでになかった問題があるような気がして、立ちどまった。

そこに立って一分ほど音楽に耳を傾けてから、わたしは一歩足を踏みだして、目の前のひだのある重厚なカーテンの端からステージをのぞいてみた。もちろん、慎重にそうしたのだが――当然ながら、どんなことがあっても聴衆がわたしの顔を見て拍手喝采の嵐を送ることのないよう願っていた――結果は、ブロッキーとオーケストラを鋭角で眺めることになり、聴衆からはまったく見えそうになかった。

この建物をさまよっていたあいだに、多くの変化が起きていた。ブロッキーは、たぶんやりすぎてしまったのだろう。というのも、指揮者と楽団員とが反目し合っていることを示すあの技術的なためらいが、オーケストラの演奏に入りこんでいたのだ。楽団員たちは――いまやわたしはすぐ近くから、その姿を見ることができた――疑念、苦悩、いや嫌悪の表情さえ浮かべている。それからステージのまぶしいライトに目が慣れてきたとき、オーケストラの向こうに座っている聴衆にじっと目を凝らしてみた。見えるのはいちばん前の数列だけだったが、それでもいまや彼らが心配そうな表情で見交わしたり、不安げに咳ばらいをしたり、首を振ったりしているのは明らかだった。わたしが眺めているあいだにも、一人の女性が席を立って帰ろうとした。ところがブロッキーは相変わらず情熱的に指揮を続け、むしろこの状態をいっそう先に進めたがっているようなのだ。二人のチェリストが視線を交わし、頭を振るのが見えた。それは反乱の明らかな兆候で、ブロッキーも間違いなくそれに気づいた。彼の指揮はいまや躁病的になり、音楽は危険なまでに邪道の領域へと突き進んでいた。

それまで、わたしにはブロツキーの表情がほとんどうかがえなかったが――もっぱら見えていたのは彼の後ろ姿だった――彼がますます体をひねったりよじったりするようになって、その顔がちらりちらりと見えるようになってきた。そのとき初めて、ほかの要因がブロツキーの動作全体に影響を及ぼしていることに気づいた。もう一度よく彼を観察すると、内なるリズムに支配されるかのように、身をよじったり、歯を食いしばったりする様子から、ブロツキーが激しい痛みに、しかもかなり前から襲われているのが見て取れた。彼はいったんそのことに気づくと、それを示すさまざまな兆候は疑いようもなかった。彼はやっとのことで指揮を続けているにすぎず、その顔は情熱を超えた何かに歪んでいる。

何とかしなければという責任を感じて、わたしはただちに現状を分析した。ブロツキーはまだ、過酷な残り一楽章半と、複雑なエピローグを指揮しなければならない。彼が先刻まで聴衆のあいだにつくりだしていた好感は、急速に消えかかっていた。聴衆は、またすぐにも手に負えなくなりそうだ。そのことを考えれば考えるほど、この演奏を終わらせなければならないのが明らかになってきて、わたしは自分がいまステージに出ていって演奏をやめるよう告げるべきかどうか悩みはじめた。実際、このホールのなかで、聴衆にこれは大失敗だったと感じさせることなくそれができるのは、おそらくわたしだけだろう。

しかしそれから数分間、わたしは何の行動も取らずに、具体的にどうすればよいかという問題を考えていた。演奏を中止しろと、両腕を振り回しながら出ていけばいいいだろうか？　それでは差しでがましい感じを与えるばかりか、わたし自身にたいしても一種の反感――ひどく悪い印象を生むかもしれない。たぶんそれよりずっといいのは、アンダンテの部分が始まるのを待って、遠慮がちに、ブロッキーとオーケストラに敬意を表してほほ笑みながら、そのような登場をずいぶん前から取り決めてあったかのように、音楽に合わせて出ていくことだろう。聴衆はきっと拍手で迎えてくれるだろうから、その時点でわたしは――ずっとほほ笑みながら――まずブロッキーに、それから楽団員たちに拍手を送る。それがうまくいけば、ブロッキーには音楽を「フェードアウト」させて何度か礼をするくらいの知恵はあるだろう。わたしがステージに出ていけば、聴衆がブロッキーを困らせる可能性は少ない。実際、わたしのリードで――わたしはその間ずっと、ブロッキーが疑う余地のない美しい演奏をやりきったと言わんばかりに、ほほ笑みながら拍手を送りつづける――彼の前半の指揮の記憶を呼び覚まして、聴衆が彼に好感を抱くよう仕向けられるかもしれない。ブロッキーが何度もお辞儀をしてから立ち去ろうとしたら、わたしは彼が指揮台からおりるのに手を貸して、思いやりある人物だと見なされる。たぶん彼のアイロン台をたたみ、また松葉杖がわりに使えるようにそれを手渡して。そのあと彼をステージの袖まで案内しながら、何度も聴衆を振り返り、さらに拍手を促してもよい。わたしがもしすべてを完璧に正しく判断しているなら、それでこの窮状を救えるはずだ。

しかしそのとき、いつ起こっても不思議はなかった別のことが起こった。ブロッキーは指揮棒を大きく弧を描くように振りながら、同時にもう一方の拳を宙で振り回していたが、それでバランスを失ったらしく、数センチ空中に飛び上がったかと思うと、指揮台の手すり、アイロン台、総譜、譜面台もろとも、ステージの正面でひっくり返ってしまったのだ。

きっと誰かが助けに駆け寄るだろうと思っていたのだが、彼が指揮台から落ちたことへの驚愕は、しだいにばつの悪い沈黙へと変わっていった。そしてブロッキーがまだ身動きもせず、うつぶせになって床に倒れているあいだに、再び会場じゅうに低いざわめきが広がりはじめた。とうとう、バイオリニストの一人が楽器を置いて、ブロッキーのほうへ歩きだした。ほかにも何人か――裏方と楽団員が――すぐ彼のあとに続いた。しかし倒れたブロッキーを取り囲む人たちの様子には、自分が目にしていることがまったく信じられないというような、どこかためらいがちなところがあった。

わたしはこの時点で迷いを捨て――それまでは、自分が姿を現せばどんな衝撃を与えるかが分からず躊躇していたのだが――ブロッキーを助ける人たちに加わろうと、ステージへ飛びだした。わたしが近づいたとき、くだんのバイオリニストが悲鳴を上げ、ひざをついて、改めてこれはたいへんだというようにブロッキーの様子を調べはじめた。それから彼はわたしたちを見上げると、ショックに引きつった声でつぶやいた。「何てことだ、脚がないぞ！　こんなに長いあいだ、どうして気絶せずにいられたんだ！」

驚いて息をのむ音が聞こえ、まわりに集まっていたわたしたち十数人は、互いに顔を見合わせた。どういうわけか、脚がないという事実を外にもらしてはならないという感情がみんなのあいだにはっきりと生まれ、彼の姿が聴衆から見えないよう、体を寄せ合って人垣をつくった。ブロツキーのいちばん近くにいた人たちは、彼をステージから運び去るべきかどうか低い声で話していた。それから誰かが合図を送ると、カーテンが閉まりだした。すぐさま、ブロツキーがちょうどカーテンが引かれる位置に倒れているのが明らかになり、何人かが腕を伸ばして、半ば引きずるように彼をステージの前面から移動させた。ちょうどそのとき、カーテンが閉まった。

この移動はブロツキーに少し意識を取り戻させる効果があり、バイオリニストが彼を仰向けにしたとき、ブロツキーは目を開けて、まわりの人たちの顔を探るように見回した。彼は何よりも眠そうに聞こえる声で言った。

「彼女はどこだ？　どうして彼女はわしを抱いておらん？」

取り巻く人たちはまた視線を交わし、誰かがつぶやいた。

「ミス・コリンズだ。ミス・コリンズのことを言っているに違いない」

この言葉が出るや、わたしたちの背後から小さな咳ばらいが聞こえた。振り返ってみると、カーテンのすぐ内側にミス・コリンズが立っていた。彼女はまだとても冷静に見え、上品に心配そうな表情でわたしたちを見つめていた。胸の前の、普段よりやや上で両手を握りしめていることだけが、心の動揺を表していた。

「彼女はどこだ?」ブロッキーはまた眠そうな声で尋ねると、急にやさしく、ひとりごとのように歌を歌いはじめた。

バイオリニストは顔を上げてわたしたちを見た。「酔っ払っているのか? たしかに酒くさいぞ」

ブロッキーは歌うのをやめ、目を閉じたまま、また言った。「彼女はどこだ? どうして来ていない?」

今度はミス・コリンズが答えた。大きくはなかったが、カーテンのところから、とてもはっきりとした声が聞こえた。「ここにいるわ、レオ」

彼女はやさしいと言ってもよい口調で話しかけたのだが、彼女のためにすぐ通り道ができても、動こうとはしなかった。しかしブロッキーが床に寝ている姿を目にすると、その顔に苦悩の色をにじませた。ブロッキーは目を閉じたまま、またハミングを始めた。

それから彼は目を開け、注意深くまわりを見回した。まずカーテンへと視線を向け——たぶん聴衆の姿を探したのだろう——カーテンが閉まっているのが分かると、もう一度自分を見下ろしている人たちの顔を眺めた。そしてとうとう、彼はミス・コリンズを見た。

「抱き合おう。世界に見せてやろう。カーテンを……」そこでもがきながら少し身を起こすと叫んだ。「もう一度カーテンを開けろ!」そして彼はやさしくミス・コリンズに告げた。「ここへ来てわしを抱いてくれ。わしを抱いてくれ。それからカーテンを開けさせよう。世界に見せてやるんだ」彼はゆっくりと体を横たえ、仰向けになってささやいた。「さあ」

ミス・コリンズはいまにも何か言おうとしていたが、思いとどまった。彼女はカーテンのほうをちらりと見た。その目に、恐れが生まれていた。

「連中に見せてやろう」ブロッキーは言った。「連中に、最後に二人が一緒だったことを見せてやろう。生涯ずっと愛し合っていたことを。連中に見せてやろう。カーテンが開いたら、見せてやろう」

ミス・コリンズはブロッキーを見つめてから、とうとう彼のほうへ歩きだした。まわりの人たちは慎み深く身を遠ざけ、なかにはわざとよそ見をする者までいた。彼女はまだかなり遠くで立ちどまり、かすかに震える声で言った。

「よかったら手を握ってもいいわ」

「いや、だめだ。これが最後だ。きちんと抱き合おう。連中に見せてやろう」

ミス・コリンズは一瞬ためらってから、つかつかと彼に歩み寄ってひざまずいた。目には涙をためているのが、わたしには見えた。

「おまえ」とブロッキーはやさしく言った。「もう一度わしを抱いてくれ。いま傷がひどく痛むんだ」

するとと突然、ミス・コリンズは伸ばしかけていた手を引っこめて立ち上がり、ブロッキーを冷たい視線で見下ろすと、カーテンのほうへさっさと歩いて戻った。

ブロッキーは彼女が離れていったのに気づいていないようだった。天井をじっと見上げて、ミス・コリンズが身を投げかけるのを待つかのように、両腕を広げている。

「どこにいるんだ?」彼は言った。「連中に見せてやろう。カーテンが開いたら。連中に、わしたちが最後に一緒だったことを見せてやろう。どこにいるんだ、おまえ?」

「わたくしは行きませんわ、レオ。あなたがこれからどこへ行くにしろ、お一人で行ってください」

ブロッキーは、彼女の口調が変わったのに気づいたに違いなかった。相変わらず天井を見上げていたが、両腕を体のわきにおろしたのだ。

「あなたの傷」ミス・コリンズは静かに言った。「いつだってあなたの傷」彼女の顔が醜く歪んだ。「ああ、どんなにあなたが憎いか! わたくしに人生を無駄に過ごさせたあなたが、どんなに憎いか! わたくしは絶対にあなたを許しません! あなたの傷、あなたのばかばかしい小さな傷! それがあなたのほんとうの恋人なのよ、レオ。あの傷が、あなたの生涯のただ一人のほんとうの恋人! わたくしにはどうなるか分かっていますわ、たとえ二人が努力しても、たとえ二人が何とか最初からやり直そうとしても。音楽もそう、まったく同じじゃありませんか。たとえ町の人たちが今夜あなたを受け入れても、たとえあなたがこの町の名士になっても、あなたはそんなものをすべて壊して、何もかも壊して、以前と同じようにまわりのものを全部めちゃくちゃにしてしまう。それもすべてが、あの傷のためなの。わたくしにしても音楽にしても、あなたにとっては、ただの慰めを求める妾にすぎません。あなたはいつだって、あなたの唯一の恋人のところへ帰っていく。あの傷のところへ！　そしてあなたは、わたくしがなぜこんなに怒っているのかお分かりかしら？　レオ、わたくしの言葉を聞いてます？　あなたの傷なんて、何も特別なものじゃありませんわ、ちっとも特別なものじゃありません。この町だけにだって、もっともっとひどい傷を持ってる人がたくさんいるのを、わたくしは存じています。それでもあの人たちは一人残らず、あなたよりずっと立派な勇気をもって頑張っていますわ。自分の人生を生きています。何か価値ある存在になっています。なのにレオ、ご自分のことを振り返ってごらんなさい。いつだって自分の傷を気にかけてばかり。あなた、聞いてます？　わたくしの言葉を、ひとことももらさず聞いてちょうだい！　あなたにいまあるのは、あの傷だけよ。わたくしはかつて、あなたにすべてを捧げようとしたこともありましたけど、あなたは興味を示さなかったし、二度目の機会を与えてもくれなかった。どんなにわたくしに人生を無駄に過ごさせたことか！　どんなにあなたが憎いか！　わたくしの言葉が聞こえてます、レオ？　ご自分を振り返ってごらんなさい！　これからあなたはどうなるとお思い？　ええ、言ってあげるわ。あなたはこれからどこか恐ろしいところへ行くのよ。どこか暗くて寂しいところへ。そしてわたくしは、あなたについては行きません。自分一人で行ってちょうだい！　あのばかばかしい小さな傷とご一緒に、一人で行ってちょうだい！」

ブロッキーはずっと空中でゆっくりと片手を振っていた。彼女が口をつぐんだので、ブロッキーは言った。

「わしは……わしはまた指揮者になるかもしれん。さっきの音楽、わしが倒れる前の音楽。あれはよかった。おまえも聴いただろう？　わしはまた、指揮者になるかもしれん……」

「レオ、あなた、わたくしの言葉を聞いてます？　あなたは決して正統派の指揮者にはなれない。昔だって、あのころだって、そうじゃなかった。あなたは絶対に、この町の人たちの期待には応えられない、たとえそう望まれてもね。だってあなたは、あの人たちの生活のことなんかちっとも気にかけていないんですもの。それが真実なのよ。あなたの音楽はいつだって、あのばかばかしい小さな傷のこと。それ以上の何ものにもなりませんわ。とても奥深い何か、ほかの誰にとってもなにがしか価値あるものになど、決してなりません。少なくともわたくしは、自分なりのささやかなかたちで、自分にできることをやってきたと言えますわ。つまりこの町の不幸せな人たちを助けるために、最善を尽くしたと。だけどあなた、ご自分のことを振り返ってごらんなさい。あなたはただ、ずっとあの傷のことを気にかけてきただけ。だからあの当時でさえ、あなたは本物の音楽家じゃなかったの。そしてこれからも、決してそうはならない。レオ、わたくしの言葉を聞いてます？

このことを聞いてほしいの。あなたは大ぼら吹き以外の何ものにもなりません。臆病で、無責任なぺてん師……」

そのとき突然、赤ら顔のがっしりした男性がカーテンのあいだから駆けこんできた。「あなたのアイロン台です、ブロッキーさま！」彼は明るく告げると、それを彼の前に差しだした。それから雰囲気を察して、後ずさりした。

ミス・コリンズはいまやってきた男をじっと見つめてから、最後にもう一度ブロッキーを一瞥すると、カーテンの隙間から走りでていった。

ブロッキーはまだ天井を向いていたが、両目は閉じていた。わたしは前に進みでて彼のそばにひざまずき、心臓の音を聴いた。

「あの水夫たち」彼はつぶやいた。「あの水夫たち。あの酔いどれの水夫たち。連中はいまどこにいる？　おまえはどこだ？　どこにいるんだ？」

「わたしです。ライダーです」わたしは呼びかけた。「ブロッキーさん、大至急あなたに助けを呼んでこなければなりません」

「ライダー」彼は両目を開けて、わたしを見上げた。「ライダー。もしかしたらほんとうかもしれんな。彼女が言ったことは」

「心配いりませんよ、ブロッキーさん。あなたの音楽はすばらしかった。とくに最初の二楽章が……」

「いやいや、ライダー。わしが言いたかったのはそれじゃない。そんなことは、もうどうでもいいんだ。つまり彼女が言ったもう一つのことだ。わしが一人で行くという。どこか暗くて寂しいところへ。ほんとうにそうかもしれんな」彼は急に頭を持ち上げて、わたしの目をのぞきこんだ。「わしは行きたくないよ、ライダー」彼はささやくように言った。「わしは行きたくない」

「ブロッキーさん、わたしが彼女を呼び戻しにいってみましょう。申しあげているように、最初の二つの楽章には、とりわけすばらしい斬新さが見られましたよ。きっと彼女を説得できると思います。では失礼しますが、すぐ戻ってきます」

わたしは彼の手から腕を振りほどくと、カーテンの隙間から急いで出ていった。

35

わたしは会場がすっかり様変わりしているのに驚いた。照明がまた明るくなり、事実上、聴衆はもう一人もいない。客の三分の二ほどはすでに帰り、残っている者も通路で立ち話をしている。しかしミス・コリンズが中央の通路を出口へと向かっている姿を見かけたので、この光景のことは深く考えなかった。ステージから飛びおりると、わたしは人込みのなかを急いで彼女のあとを追いかけ、ちょうど出口に差しかかったとき、呼べば声が届くくらいの距離に近づいた。

「ミス・コリンズ！　待ってください！」

彼女は振り返ってわたしの姿を認めると、鋭い視線でにらみつけた。わたしは少したじろいで、通路の半ばで立ちどまった。彼女に追いついて話をしようという決意がみるみる萎えていき、ふと気づくと、なぜかぎこちなく自分の足もとを見つめていた。もう一度頭を上げたとき、彼女の姿はもうなかった。

これほど安易に彼女をあきらめたのは愚かだったかもしれないと思いながら、わたしはしばらく立ち尽くしていた。しかしそれから、まわりから聞こえてくるさまざまな会話に、少しずつ関心が移っていった。とくに右手に、立ち話をしているグループ――かなり年輩の六、七人――がいて、そのうちの一人がこう言うのが聞こえた。

「シュスター夫人の話じゃ、やっこさんはこの準備を進めているあいだ、一日としてしらふでいたことはなかったらしい。それならいくら才能があるにしても、どうしてそんな男を尊敬できる？　あいつが子供たちにどんな手本を示すというんだ？　冗談じゃない、あまりに勝手にやらせてしまったんだ」

「伯爵夫人の晩餐会のときも」ある女性が言った。「まず間違いなく酔っ払っていましたわ。それをなんとか隠し通せたのは、ひとえに巧妙な工作があったからよ」

「すみませんが」わたしは口をはさんだ。「あなた方はこのことを何もご存じありません。断じて申しあげますが、ひどく間違った情報をお持ちです」

わたしは自分が話しかけたという事実だけでも、この人たちが驚いて沈黙するだろうと思っていた。しかし彼らはわたしのことを陽気にちらりと見ただけで――ご一緒してもよろしいですかと尋ねたにすぎないかのように――また自分たちの会話に戻った。

「誰もまたクリストフを持ち上げようとは思うまい」最初の男性が言った。「しかしついさっきのあの解釈ときたら。おっしゃるように、たしかに悪趣味すれすれのところだった」

「不道徳すれすれ。それですよ。不道徳すれすれ」

「失礼ながら」今度はもう少し強引に割りこみながら、わたしは言った。「わたしはたまたま、ブロッキーさんが倒れるまでおやりになっていたことをとても注意深く聴いていたんですが、わたし自身の評価はあなた方とは違います。わたしの意見では、彼は何か挑戦的で、斬新で、実際この作品の内なる精神に非常に近いものを、聴かせてくれたと思いますが」

わたしは彼ら全員に冷やかな視線を向けた。彼らのほうはまたわたしを陽気に見返して、なかにはわたしが冗談を言ったと思って律儀に笑う者もいた。最初の男性が言った。

「誰もクリストフを擁護すまい。われわれはみな、もう彼を見抜いている。しかしついさっきのような音楽を聴くと、実際、より広い視野から見ざるをえませんな」

「明らかに」もう一人の男が言った。「ブロッキーはマックス・サトラーが正しかったと考えているようだ。そうだとも。事実、彼はきょうほとんど一日じゅう、そう触れ回っていたんだよ。酔ってぼうっとした頭で話していたのは間違いないが、あの男はいつだって酔っ払っているんだから、彼本来の考えだと解釈していいだろう。マックス・サトラー。それでさっき聴いたことの大半が、説明がつく」

「クリストフには、少なくとも構築性の認識があった。よすがとできる何らかの体系がね」

「みなさん」わたしは彼らに向かって怒鳴った。「あなた方は実に不愉快だ！」

しかし誰も振り向きさえしないので、わたしは怒って彼らから離れた。

通路を引き返していると、まわりの誰もかれもが、ついさっき目にしたことを話しているようだった。多くの人たちが、火事や事故に遭ったあとと同じように、自分の体験をぜひとも話したいという欲求にかられていた。ホールの正面までやってくると、二人の女性が泣いていて、三人目が二人をこう言いながら慰めていた。「大丈夫よ、もう終わったんですもの。すべては終わったの」ホールのこのあたりにはコーヒーの香りがたちこめていた。何人かがカップとソーサーを手に、気分を落ち着けようとするかのようにコーヒーを飲んでいる。

そのとき、上へ戻ってグスタフの具合を確かめなければならないのを思い出し、おおぜいの人たちをかき分けながら、非常ドアからホールを出た。

わたしは静まり返った、誰もいない廊下に立っていた。上階と同じようにここもゆるやかなカーブがついているが、この廊下は明らかに観客用のものだ。カーペットが敷きつめてあるし、照明は控えめであたたかみがある。壁には金色の額に入った絵がかかっている。この廊下にこれほど人気がないとは予想もしていなかったので、一瞬、どちらの方向へ行こうか躊躇した。また歩きだしたとき、後ろから誰かが呼ぶ声が聞こえた。

「ライダーさま！」

振り返ると、廊下の先でホフマンが腕を振っていた。彼はもう一度わたしの名を呼んだが、なぜか自分の場所から動こうとしないので、わたしのほうが彼のところへ歩いていかざるをえなかった。

「ホフマンさん」わたしは彼に近づきながら言った。「こんなことになってしまって実に残念です」

「大失敗です。まぎれもない大失敗です」

「ほんとうにとても残念です。しかしホフマンさん、あまりがっかりなさってはいけませんよ。あなたはこの夕べを成功させるために、できるだけのことをなさったんですから。それに申しあげるなら、わたしの出番はこれからです。安心してください。わたしはこの夕べに収拾をつけるために、力の及ぶかぎりのことをやりましょう。実際、当初予定していた質疑応答をなくしてしまうわけにはいかないものかと、考えていたんです。そこで提案なんですが、さっきの出来事を考慮に入れて、ただ何か適当なスピーチをするというのはどうでしょうか。たとえば、ブロッキーさんが倒れる前におやりになっていたすばらしい演奏の意味を忘れるべきではないし、われわれはあの演奏の精神といったものに従って努力すべきだと示唆するようなことを簡単に述べるとか。当然ながら、スピーチは手短にすませます。わたし自身の演奏をブロッキーさんに、あるいはそのときの彼の状態によっては、彼の追悼として、捧げることもできましょう……」

「ライダーさま」ホフマンが深刻な声で言ったので、彼が聴いていなかったことが分かった。まったくの上の空で、ただわたしの話に割りこむチャンスをうかがって見つめていただけのようだ。「ライダーさま、あなたにお話ししたかったことがございます。ちょっとしたことなのですが」

「はあ、何でしょうか、ホフマンさん？」

「ちょっとしたことなのですよ、少なくともあなたにとっては。わたしにとって、いえ、わたしの家内にとっては、かなり重要なことではありますが」彼は急に怒りに顔を歪めて、腕を後ろに振った。彼が殴りかかってくるのかと思ったが、実は彼が後方の、廊下の先を示しているのに気づいた。暗い照明のなかに、背を向けた女性がアルコーブにもたれかかっている姿が、シルエットになって浮かんでいる。アルコーブは鏡張りで、彼女は頭を鏡につけるようにして立っていたので、鏡に映るその姿が斜めに見える。その人物に目を凝らしたとき、ホフマンは最初の動作の意味がわたしに伝わらなかったと思ったのか、もう一度さっと後方に腕を振って言った。

「つまり、家内のアルバムのことなんです」

「奥さまのアルバム。ああ、そうでしたね。ええ、奥さまはご親切に……しかしホフマンさん、いまはとうていそんな時間は……」

「ライダーさま、たしかあなたは、ご覧になってくださるとお約束してくださいましたね。

そして二人で合意していたはずです。あなたのためを思って、ご都合の悪いときにご迷惑をおかけしないようにと――覚えておられませんか？――合図を決めたのです。あなたがアルバムをご覧になれるとお思いになったときに、わたしに送ってくださる合図を。覚えておいででしょうか？」

「もちろんですよ、ホフマンさん。そしてわたしは心から……」

「わたしはとても熱心にあなたを拝見しておりましたが、ライダーさま。あなたがホテルをぶらぶらしているお姿、ロビーをお歩きになったりコーヒーをお飲みになったりしているお姿をお見かけしたとき、いつも思ったものです。『ああ、いま時間がおありのようだ。たぶんいまがそのときかもしれない』と。そしてわたしは合図を待っておりました。細心の注意を払って、あなたに注目しておりましたが、果たしてその合図をお送りくださったでしょうか？　ぷふっ！　そしていまここで、あなたはもうご訪問をほとんど終えられ、あと数時間で飛行機にお乗りになって、次のお約束のためにヘルシンキへ旅立とうとなさっています！　たぶんわたしが見逃したときもあったのでしょう。一瞬目を離したすきに、あなたの合図とかほかの仕草を見逃したのかもしれません。もちろんそうでしたなら、つまりあなたが何度か合図をお送りになってくださったのに、わたしがうっかり見すごしてしまったのなら、当然ながら無条件にお詫びを申しあげます。恥も外聞もなく、あなたの前にひれ伏しましょう。しかし思いますに、あなたは一度もそんな合図をお送りくださらなかった。言い換えますなら、あなたは……あなたは」――彼は廊下の先にいる人物をちらりと振り返って、声をひそめた――「あなたは家内を侮辱なさったのです。さあ、ここにあります！」

そのとき初めて、わたしは彼が二冊の大きなアルバムをわきに抱えているのに気づいた。彼はアルバムをわたしに差しだした。

「これでございますよ。あなたのすばらしい業績への、家内の崇拝の成果です。家内がどれだけあなたを称賛していることか、きっとお分かりでしょう。このページをご覧になってください！」彼はアルバムの一冊をわきに抱えたまま、四苦八苦してもう一冊を開いた。「ご覧ください。名もない雑誌の、小さなちょっとした記事の切り抜きもございます。ちなみにあなたについてのものばかりです。家内がいかにあなたを崇拝しているか、お分かりでしょう。ここをご覧ください！　それにここも、ここも！　なのにあなたは、このアルバムをせめて一目ご覧になるお時間さえ取ってくださらなかった。いま、わたしは家内に何と言えばいいのでしょう？」そう言うと、彼はまた廊下の先にいる人物を腕で示した。

「申しわけありません」と、わたしは切りだした。「ほんとうに申しわけありません。でもお分かりのように、この町でのわたしのスケジュールはとても混乱していたようでしてね。わたしとしては何としても……」わたしはそのとき、今夜これほどの混乱に遭遇しながら、自分が少なくとも冷静な頭を保っていることが分かった。わたしは一瞬口ごもってから、多少強い口調でこう言った。「ホフマンさん、たぶんあなたの奥さまは、わたし自身の口から申しあげれば、心からのお詫びを受け入れてくださりやすいと思うのです。きょうの夕方は、奥さまにお会いできてとても光栄でした。たぶんあなたがいま奥さまのところへ連れていってくださるなら、この問題は早急に解決できるでしょう。そのあともちろんステージに出ていって、ブロツキーさんのことに手短にふれてから、演奏ができるでしょう。何よりわたしの両親が、いまかいまかと待っているでしょうから」

ホフマンはこの言葉に少しとまどったようだった。それから、さっきの怒りを再び燃え上がらせようとして言った。「このアルバムをご覧になってください！　ご覧になってください！」しかしもうその炎はすっかり消えていて、彼は気恥ずかしそうにわたしを見た。「ではまいりましょう」彼はどこか敗北のショックをにじませた低い声で告げた。「まいりましょう」

ところが彼がすぐに動こうとしないので、何かの遠い記憶を思い起こしているのかと思った。それから彼は意を決して夫人のほうへと歩きだし、わたしはその数歩後ろをついていった。

わたしたちが近づくと、ホフマン夫人が振り向いた。わたしは少し離れたところで立ちどまったのだが、彼女はホフマンを無視して、わたしに直接話しかけてきた。

「またお目にかかれてうれしゅうございますわ、ライダーさま。残念ながら今夜はわたしたちみんなの期待どおりに運んでいないようですけれど」

「遺憾ながらそのようです」わたしは答え、一歩前に足を踏みだして言った。「そのうえ奥さま、わたしはどうやらあれやこれやで、とても楽しみにしていたことをなおざりにしてしまったようなのです」

わたしは彼女がこのほのめかしに反応するのを期待していたが、彼女はただ好奇心にかられたまなざしで見ただけで、さらにわたしの言葉を待っていた。ホフマンが咳ばらいをして言った。

「おまえ。わたしは……おまえの願いを知っていたんだ」

ホフマンは弱々しい笑みを浮かべて、手に一冊ずつ持っていたアルバムを持ち上げた。

ホフマン夫人はぞっとした表情で夫を見返した。「そのアルバムを返してちょうだい」彼女は厳しい口調で命令した。「あなたには何の権利もないわ！　返してちょうだい」

「おまえ……」ホフマンは小さく笑って、足もとに視線を落とした。

ホフマン夫人は、まだ怒り狂った顔で手を突きだしている。ホフマンは一冊ずつアルバムを手渡した。夫人はそのたびに、中身を確かめるようにちらりとアルバムを眺めたあと、ひどくばつの悪い思いにかられたようだった。

「ねえおまえ」ホフマンはつぶやいた。「わたしはただ、何の害もないと思っただけなんだ……」彼はまた語尾をにごして笑った。

ホフマン夫人は冷やかな目で彼を見つめてから、わたしのほうを向いて言った。「ほんとうに申しわけございません、ライダーさま。主人がこんなつまらないものを、あなたにわざわざご覧に入れたいなどと。ではごきげんよう」

彼女はアルバムをわきに抱えて立ち去ろうとした。しかし二、三歩も行かないうちに、ホフマンが叫んだ。

「つまらないものだと？　とんでもないぞ！　つまらないものだなどと！　それにどちらも、コスミンスキーのアルバムじゃない。シュテファン・ハラーのアルバムでもない。つまらないものなどではないぞ！　ああ、つまらないものだったら、わたしにそう思えていたなら、どれほどよかったことか！」

ホフマン夫人は立ちどまったが振り返ることはせず、彼女が廊下の薄暗い照明のもとでじっとそこに立っているあいだ、ホフマンとわたしはその背中を見つめていた。ホフマンが何歩か彼女に歩み寄った。

「今夜はめちゃめちゃだ。なのにどうして、そうじゃないように振る舞うんだね？　なぜまだわたしに我慢している？　毎年毎年、失敗に次ぐ失敗を重ねてきたというのに。青少年フェスティバルのあと、わたしにたいするおまえの忍耐は、たしかに終わったはずだ。なのにどうだ、おまえはさらに我慢した。それからあの展示週間だ。それでも、おまえは我慢した。それでもまたチャンスをくれた。ああそうだとも、たしかにわたしはそう頼んだよ。分かっている。あと一度だけチャンスをくれと懇願した。そしておまえは、わたしを拒めなかった。つまり、今夜というものをくれたんだ。そしてわたしに何ができた？　今夜はとんでもない大失敗だ。わたしたちの息子、ただ一人の息子は、居並ぶこの町のお歴々の前で、自分を笑いものにしてしまった。それもわたしの責任だ。ああ、分かっている。わたしが彼に勧めたんだ。土壇場になってもやめさせるべきだったんだが、わたしにはそうするだけの強さがなかった。最後までやらせてしまった。信じておくれ、おまえ、決してそんなつもりじゃなかったんだ。最初から自分に言い聞かせていたんだよ。あすには言おう、あしたこそは、もう少し時間があるときにきちんと話をしよう、と。あしたこそ、あしたこそと、わたしは一日延ばしにしつづけた。ああ、わたしは弱かった、それは認める。今夜だって、わたしは自分に言い聞かせていたんだ。あともう何分かすれば彼に話そうと。しかしどうしてもそれができずに、あいつはやってしまった。ああ、わたしたちのシュテファンは、この全員の前に出て、ピアノを弾いた！　それで笑いものだ！　あはっ、だがそれだけじゃないぞ。誰もかれもが、この町の全員が、今夜の催しに誰が責任を負っていたか、ブロツキーさまの復帰に誰が責任を負っていたのか知っている。いかにも結構、わたしは否定しないよ。わたしは失敗した。彼の復帰を果たせなかった。あの男は酔いどれだ。はなからそんなことがどれだけ無駄か、見抜いてしかるべきだったのさ。こうしてわたしたちが話しているあいだにも、まわりで今夜のすべてが崩壊していく。ここにおいでのライダーさまでさえ、この方でさえ、もう今夜を救えはしない。ただわれわれの当惑を増すだけだ。世界最高のピアニストを、わたしは何のためにここに呼んだんだ？　こんな不名誉に加わっていただくためなのか？　そもそもわたしはなぜ、音楽や美術や文化といった崇高なものの近くに、この不器用な手を置こうなどとしたのか？　おまえは才能ある一族の出だから、誰かほかの男と結婚できたのに。何という間違いをやらかしたんだ。悲劇じゃないか。しかしおまえにとって遅すぎはしない。おまえはまだ美しい。なぜこれ以上待つんだね？　これ以上どんな証拠がいるというんだ？　わたしを捨ててくれ。捨ててくれ。おまえにふさわしい誰かを見つけてくれ。コスミンスキーやハラーやライダーやレオンハルトのような人物を。そもそもいったいどうして、こんな間違いをやらかしたんだ？　わたしを捨ててくれ。頼むから、捨ててくれ。おまえに分かるか、おまえの牢獄に閉じこめられているのが、どれほどぞっとするか？　いや、それどころじゃないぞ。くるぶしに鎖と金属球をつけられているのが？　わたしを捨ててくれ、捨ててくれ」

——ホフマンは急に前かがみになり、拳をひたいのあたりに持っていくと、わたしが今夜もっと早い時間に彼が練習しているところを目にした動作をした。「なあおまえ、おまえ、わたしを捨ててくれ。もうわたしが名士でいるのは不可能だ。今夜で、とうとうわたしの化けの皮がはがれてしまった。もうこの町の全員が、小さな子供までそれを知っている。今夜から、わたしがせかせか仕事で走り回っているのを見れば、市民はいつだって、わたしが何者でもないのが分かる。何の才能も、何の感性も、何の技巧も持ち合わせていないことがな。わたしを捨ててくれ、捨ててくれ。わたしはただの愚鈍な雄牛にすぎん。ただの雄牛、雄牛、雄牛だ！」

ここで彼はもう一度、ひじを奇妙に突きだし、拳でひたいをたたくあの動作をした。それから崩れ落ちるようにしゃがむと、すすり泣きをはじめた。

「めちゃめちゃだ」と、彼はすすり泣きながらつぶやいた。「すべてがめちゃめちゃだ」

ホフマン夫人は後ろを振り向いて、注意深く夫を眺めていた。彼女はこの感情の爆発にもまったく驚いていないらしく、ほとんど憧れにも近い、やさしい表情を目に浮かべていた。彼女はためらいがちに一歩また一歩と、うずくまっているホフマンのほうへと近づいた。それから彼の頭にやさしく触れようとするように、ゆっくりと手を差しだした。その手は一瞬ホフマンの上をさまよったが、ついぞ彼の頭には触れぬまま、彼女は手を引っこめた。次の瞬間、彼女は踵を返して、廊下のかなたに消えていった。

ホフマンは妻の動きを何一つ知らずに、まだ泣きつづけていた。わたしはどうすればよいのか分からず、しばらく彼を見つめていた。それからふと、もうステージに出ていく時間だということに気づいた。そしていろんな感情が洪水のように押し寄せてくるなか、両親がこの建物のどこかにいたというただ一つのあかしさえ見つけられなかったことを思い出した。ホフマンへのわたしの気持ちは、この時点ではまだ同情に近いものだったが、それが急に変化して、わたしは彼に近づきその耳もとで叫んでいた。

「ホフマンさん、あなたは今夜、大混乱を引き起こしたかもしれない。だがわたしは、あなたと一緒に引きずり落とされはしませんよ。ステージに出ていって演奏する決意です。この催しにいくばくかの秩序を取り戻すために、最善を尽くします。しかしまず最初にホフマンさん、今度ばかりは、はっきりと教えていただきたい。わたしの両親はどうなっているんです？」

ホフマンは顔を上げ、夫人がいなくなってしまったことにかすかに驚いたようだった。それから、少しいらだった様子でわたしを見ながら立ち上がった。

「いったい何がお知りになりたいのです？」彼はうんざりしたように尋ねた。

「わたしの両親のことですよ、ホフマンさん。いまどこにいるんです？　あなたは確約したじゃありませんか。二人を丁重に世話してくれると。なのにこれまでわたしが見たかぎりでは、両親は聴衆のなかにはいなかった。わたしはこれからステージに出るんですから、両親に快適に座っていてほしいんです。だからさあ、わたしの質問に答えてください。両親はどこにいるんです？」

「あなたのご両親ですか」ホフマンは深々と息を吸うと、げんなりした様子で髪の毛を手で梳いた。「それでしたら、ミス・シュトラットマンにお尋ねにならなければ。彼女が直接のお世話係ですから。わたしはこの催しの、もっと大きな構成を監督していたにすぎません。それにお分かりのように、その点にかけてはまったくの敗北者ですから、あなたのご質問に答えられるはずもありません……」

「ええ、ええ、ええ」ますますいらだちながらわたしは言った。「ではミス・シュトラットマンはどこにいるんです？」

ホフマンはため息をつくと、わたしの後方を指さした。振り返ると、そこにドアがあった。

「ここに彼女が？」わたしは厳しい口調で尋ねた。

ホフマンはうなずくと、さっきまで夫人が立っていた鏡張りのアルコーブまでよろよろと歩いて、鏡に映った自分の姿に見入った。

わたしはドアを鋭くノックした。返事がないので、ホフマンをとがめる目つきで見た。いま彼はアルコーブの棚の上に頭を垂れている。もう少しで彼への怒りが爆発しそうになったとき、なかからどうぞと答える声が聞こえた。わたしはうなだれたホフマンの姿を最後に一瞥してから、ドアを開けた。

36

わたしが入った広々としたモダンなオフィスは、これまでこの建物で見てきた部屋とはまったく似ても似つかなかった。そこは一種の別館のようになっていて、全体がガラス張りだった。部屋に明かりはついていなかったが、外ではとうとう夜が明けはじめている。ほのかな早朝の光が、いまにも崩れそうな書類の山や、ファイリング・キャビネットや、机の上に放りだされた人名録やフォルダーのところどころを照らしていた。オフィスには全部で三つ机があったが、このときはミス・シュトラットマンしかいなかった。

彼女は忙しそうだったのに、照明器具をつけていなかったのが奇妙に思われた。部屋のなかはほの暗く、とうてい読み書きできるような明るさではなかったのだ。しいて想像するなら、ちょうど一時的に明かりを消して、太陽がはるかかなたの木立ちの向こうからのぼってくる光景を楽しもうとしていたのだろう。実際、わたしが入っていったとき、彼女は机の前に座り、受話器を片手にぼうっと大きなガラス窓を見つめていた。

「おはようございます、ライダーさま。すぐすみますわ」彼女はわたしに言うと、受話器に向かってつぶやいた。「ええ、五分ほどで。ソーセージも。あと数分でいためはじめてね。それからフルーツも。そっちはもう準備できているはずよ」

「ミス・シュトラットマン」わたしは彼女の机に近づきながら言った。「ソーセージをいためる以上に緊急を要する問題があるんです」

彼女はちらりとわたしを見上げて答えた。「すぐすみますわ、ライダーさま」彼女はまた受話器に向かって話しかけ、何かをメモしはじめた。

「ミス・シュトラットマン」と、わたしは声を荒らげた。「どうかその電話を切って、わたしの言いたいことを聞いてください」

「ちょっと待ってね」ミス・シュトラットマンは受話器に告げた。「ここにお相手しなければならない人がいるの。一分ですむわ」彼女は受話器を置くと、わたしをにらみつけた。

「どうなさったんです、ライダーさま？」

「ミス・シュトラットマン。初めてお目にかかったときに、あなたはわたしのこの町への訪問にさいしてはあらゆることを完全にお知らせするとおっしゃいましたね。わたしのスケジュールやいろんな約束の性格について、十分に説明してくださると。頼りにできる方だと思っていたんですが、残念ながらかなり期待はずれだったと申しあげなければなりません」

「ライダーさま、どうしてそんな厳しいお言葉をいただくのか分かりませんわ。何かとくにご不満な点でも?」

「わたしはすべてに不満です、ミス・シュトラットマン。必要なときに、重要な情報を得られなかった。スケジュールの土壇場での変更を知らされなかったし、肝心なときに支援や援助もなかった。その結果、望んだようなかたちで自分の責任を果たす準備ができませんでした。しかしとにかく、そうは言っても、わたしはもうすぐステージに出ていって、あなた方にとって惨憺たる結果になりそうなこの夜を、何とか救う努力をしましょう。ただその前に、一つだけ単純なことをうかがいたい。わたしの両親はいまどこにいるんです? しばらく前に馬車で到着したはずです。でも、さっき会場内で両親を探したときには、見つからなかった。ボックス席にも、正面の貴賓席にも座っていませんでした。そこでもう一度お尋ねしますが、ミス・シュトラットマン、両親はどこにいるんです? どうしてお約束してくださったように丁重にお世話していただいていないんでしょうか?」

ミス・シュトラットマンは夜明けの光のなかで慎重にわたしを観察してから、ため息をついた。

「ライダーさま、このことをかなり前からお話ししようとしていたんですのよ。数カ月前、あなたからご両親がこの町にいらっしゃりたいというお話をうかがったとき、わたしたちはみなとても喜びました。誰もがほんとうにうれしく思いましたわ。でも念のために申しあげますと、ライダーさま、ご両親がこの町を訪問なさるというお話は、あなたから、つまりあなたご自身から、うかがっただけですのよ。この三日間というもの、そしてとくにきょうは、わたしもできるかぎりの手を尽くして、ご両親がどこにいらっしゃるのか確認しようといたしましたわ。何度も空港や鉄道の駅、バス会社、この町のホテルというホテルに電話をかけたのですけれど、お二人の所在は突きとめられませんでした。連絡をもらった者も、お見かけした者もおりませんでした。ですからライダーさま、むしろわたしのほうが、あなたにおうかがいしなければなりませんわ。ご両親がこの町にみえているというのは、ほんとうにたしかなのでしょうか？」

彼女が話しているあいだにいくつかの疑問が頭をよぎり、急に心のなかで何かが崩れはじめた。自分の不安を隠すために、わたしは顔をそむけて、外の夜明けに目を向けた。

「そうですね」わたしは言った。「両親が今度は来ると、わたしは確信していました」

「確信していらっしゃった」ミス・シュトラットマンは、プロとしてのプライドをひどく傷つけられたらしく、いまやとがめるような目つきでわたしを見ていた。「お気づきでしょうか、ライダーさま、この町の誰もが、あなたのご両親の到着を見込んで大騒ぎをしてきたんですのよ。医療班の手配に歓迎会、馬車でのお迎え。地元のある女性グループは何週間もかけて、ご滞在中にご両親をもてなす計画を立てておりましたわ。あなたはお二人がみえると確信していたとおっしゃいましたわね」

「もちろん」わたしは笑いながら答えた。「確信していなければ、人さまにそのようなお手間を取らせることなど、あるわけがありません。しかし実のところ」――わたしは笑いをもらした――「実のところ、今度こそ、とうとう両親が来ると確信していたんです。もちろん、わたしが今回二人がやってくると考えても、おかしくはないでしょう？　何よりも、わたしはいま力のピークにあるんです。あとどれだけこんなふうに旅を続けろと言うんです？　もちろん、どなたかにいらぬご迷惑をおかけしてしまったなら申しわけないが、まずそれはないでしょう。両親はこの町のどこかにいるはずです。それに、わたしは二人が到着するのを聞いたんです。森のなかで車をとめたときに、二人が馬車に乗ってやってくる音が聞こえたんだ。その音を聞いたんですから、両親はここにいるはずです。もちろん、おかしくはないでしょう……」

わたしは近くの椅子に崩れこみ、すすり泣きを始めていた。泣きながら、両親がこの町にやってくる可能性がどれほど小さかったかを思った。それなのにこの件について、最初はホフマンに、そのあとミス・シュトラットマンに、こんなふうに強硬に説明を求めるほど、どうして確信を持てたのか。さらにすすり泣きを続けたあと、ミス・シュトラットマンがそばに立っているのに気づいた。

「ライダーさま、ライダーさま」彼女はやさしく繰り返していた。わたしがどうにか涙を抑えると、彼女は親切な口調で言った。「ライダーさま。たぶんまだこの町のどなたも、あなたにこのことをお話ししていませんでしょう。でも、もう何年も前のことになりますが、あなたのご両親は一度この町にいらしたことがおありなんですのよ」

わたしはすすり泣きをやめ、顔を上げて彼女を見た。彼女はわたしにほほ笑みかけてから、ゆっくりとガラス窓のほうへ歩いていくと、外の夜明けに目を向けた。

「きっとご一緒に休暇をお過ごしになったのでしょう」まだ遠くを見つめながら彼女は言った。「鉄道でおみえになって、町を観光なさるために二、三日ご滞在なさいましたわ。申しあげているように、もうかなり昔のことですし、あなたもまだいまほど著名ではいらっしゃいませんでした。しかしそれにしても、とうてい無名とは言えませんでしたから、おそらく宿泊先のホテルの者でしょう、誰かが、あなたのご親族ですかとうかがったのです。ほら、お名前と、イギリス人だということでね。そんなわけで、このすてきな年配のイギリス人ご夫妻が、あなたのご両親だということが分かったのです。きょうのような大騒ぎはありませんでしたでしょうが、お二人は実際、とてもよいもてなしをお受けになりましたのよ。そのあと何年かのあいだに、あなたの名声が広まるにつれて、市民はそのことを、あなたのご両親がこの町にみえたときのことを、思い出しましたわ。わたし自身は、あまりよく覚えておりません。ご両親がおみえになったころは、まだ幼かったものですから。でも、人が話していたのは思い出すことができますわ」

わたしは注意深く彼女の背中を見た。「ミス・シュトラットマン、あなたはわたしを慰めようとして、こんな話をなさっているんじゃないでしょうね？」

「いえ、いえ、すべてほんとうのことです。誰でもわたしの言っていることを裏づけてくださるでしょう。申しあげているように、わたしはそのころまだ子供でしたが、この町のたくさんの市民が、あなたにその思い出をそっくりお話しできるでしょう。それに、すべては資料によく残っておりますの」

「それで両親は、満足していたのでしょうか？　一緒に笑ったり、休暇を楽しんだりしていたんでしょうか？」

「ええ、きっとそうだと思いますわ、ライダーさま。どなたに聞いても、お二人はこの町でとても楽しく過ごされていました。実際、誰もがお二人を、気持ちのよいご夫婦として記憶しております。お互いに親切で、思いやりがあって」

「しかし……しかしわたしが尋ねているのは、ミス・シュトラットマン、二人がよくもてなしてもらったかどうかなんです。わたしはそれをうかがっているんです……」

「もちろん、お二人はすばらしいもてなしを受けました。それにすっかりお楽しみでしたわ。この町にご滞在中は、とてもご満足なさっていました」

「どうしてあなたがそれを覚えているんです？　さっきご自分で、当時はまだほんの子供だったとおっしゃったのに」

「わたしがお話ししているのは、この町のみんながどう覚えているかですわ」

「あなたのお話のどれかが真実なら、わたしがここに滞在中、どうして誰もそのことを話してくれなかったんです?」

ミス・シュトラットマンは一瞬ためらってから、また木立ちと朝日のほうを向いた。「分かりませんわ」彼女はやさしく答えて、首を振った。「どうしてなのか、分かりませんわ。でも、おっしゃるとおりです。町の者は、あなたがお考えになっているほど頻繁に話すわけではありません。でも、間違いないと保証できます。わたしは子供のころから、はっきりと覚えていますもの」

外から鳥たちのさえずりが聞こえてきた。ミス・シュトラットマンは遠くの木立ちを見つづけていた。おそらく子供時代のほかの思い出でも、心をよぎっていたのだろう。わたしは彼女をしばらく見守ってから言った。

「あなたは、両親がここですばらしいもてなしを受けたとおっしゃる」

「ええ、そうですわ」ミス・シュトラットマンはまだ遠くを見つめながら、ほとんどささやくように答えた。「すばらしいもてなしを受けたと信じています。季節は春だったはずですし、この町の春はとても美しいのです。そしてあの旧市街。あなたもご自分の目で、そこがどんなに魅力的かお確かめになったはずですわ。市民はお二人に、いろんなものを教えてさしあげたでしょう。たまたま通りかかったごく普通の市民が、とくに関心を引くような建物や、工芸美術館や、橋などを。そしてお二人がコーヒーと軽食のためにどこかに立ち寄られ、たぶん言葉の問題から、何を注文すればよいのか迷っていらっしゃったなら、ウエイターかウエイトレスが大いに手助けをしたはずです。ええ、そうです。ご両親はこの町をとても楽しまれたに違いありません」

「しかしさっき、鉄道で来たとおっしゃいましたね。誰かが荷物の世話をしたんでしょうか？」

「ええ、駅のポーターたちがきっとすぐ手助けに駆けつけたでしょう。荷物を全部タクシーまで運んで、そのあとは、タクシーの運転手がお世話したはずです。お二人はホテルまでタクシーを利用なさって、お世話は運転手がしたはずです。きっと荷物のことを考える必要さえ、なかったと思いますわ」

「ホテルは？　どのホテルだったんです？」

「とても快適なホテルですわ、ライダーさま。当時としては最上級の一つです。お二人はきっと気に入られたと思います。ご滞在中の一分一秒を」

「大通りに近すぎる場所じゃなかったでしょうね。母はいつも車の騒音を嫌っていましたから」

「もちろん当時は、交通の問題はとうていいまほどひどくはありませんでした。わたしは子供のころ、友人たちと住宅街の通りで縄とびやボール遊びなどして、よく遊んだものですわ。いまの子供たちにとっては問題外ですけど！　ええ、そうですのよ。わたしたち、よくそんなふうにして遊んでいました。ときには何時間も。でも、あなたのご質問に戻りましょうね、ライダーさま」――ミス・シュトラットマンは懐かしむような笑みを浮かべて、わたしを振り返った――「ご両親が滞在されたホテルは、交通の激しい通りからはとても離れていましたわ。牧歌的なホテルでしたの。いまはもうありませんけど、お望みなら写真をお見せできます。ご覧になりたいですか、ご両親が滞在されたホテルを？」

「ぜひ拝見したいですね、ミス・シュトラットマン」

彼女はまたほほ笑むと、部屋を横切って机へ戻ってきた。わたしは彼女が引き出しを開けようとしているのかと思ったが、最後の瞬間に方向を変えて、オフィス後方の壁のそばへ行った。彼女は手を伸ばしてコードを引き、壁かけ式の図のようなものをおろしはじめた。だがよく見ると、それは図のたぐいではなく、巨大なカラー写真だった。彼女はそれを床につきそうになるくらい引きおろし、ローラーをカチンと鳴らして、固定した。それから自分の机に戻ると、読書用のランプのスイッチを入れて写真へ光を向けた。

わたしたちは二人でしばらく黙って目の前の写真を見ていた。ホテルは、十九世紀の狂気の王たちが建てたおとぎ話のようなお城をさらに小さくしたようで、シダや春の花でおおわれた深い谷を見下ろす断崖の突端に建っていた。写真は谷をはさんだ反対側から晴天の日に撮影したもので、絵葉書やカレンダーにうってつけの、美しい構図になっていた。

「ご両親はこのお部屋にお泊まりになったと思いますわ」ミス・シュトラットマンは言った。彼女はどこからか棒を取りだして、ホテルの小塔の一つにある窓を指していた。「ほら、きっとすばらしい眺めだったでしょうね」

「ええ、ほんとうに」

ミス・シュトラットマンは棒をおろしたが、わたしは相変わらずその窓をじっと見つめながら、どんな眺望だったのか想像しようとした。とりわけ母は、その眺めを大いに気に入ったに違いないのだ。たとえさんざんな一日だったとしても、そして一日中ベッドで過ごさなければならなかったとしても、その眺めにとても慰められただろう。そよ風が谷底を吹き渡り、シダや遠い斜面を這いのぼるよじれた木々の葉をそよがせていくのを、眺めていただろう。それに広大な空が目の前に開けているのも、楽しんだことだろう。それからわたしは写真のいちばん前景に――右手の隅を横ぎるように――カメラマンが撮影したときに立っていたと思われる山道の一部が見えるのに気づいた。母は、ほぼ間違いなく、自分の部屋からこの道路も眺めたはずだ。そして遠くで地もとの人たちが生活を営んでいる光景も、見ただろう。風変わりな車や食料品を積んだトラック、荷馬車さえ行き交い、ときおり農場のトラクターや、子供たちのハイキングの列まで通ったかもしれない。そんな光景は、母をたいそう喜ばせたに違いない。

わたしは窓を眺めながら、とうとうまたすすり泣きを始めた。さっきほど泣きじゃくりはしなかったが、涙が途切れなく目からあふれでて、ほおを伝い落ちていった。ミス・シュトラットマンはわたしの涙に気づいたが、今度はそれをとめなければとは思っていないようだった。彼女はわたしにやさしくほほ笑みかけると、また写真のほうを向いた。

突然ドアをノックする音がした。わたしは驚き、ミス・シュトラットマンもはっとした。彼女は「失礼します、ライダーさま」と言い残して、ドアまで歩いていった。

わたしが椅子に座ったまま振り向くと、白い制服姿の男が料理をのせたワゴンを引いて入ってきた。彼はドアを開けておくようにワゴンを敷居の上でとめると、窓の外の夜明けを眺めた。

「いいお天気になりそうですね」彼はわたしたちにかわるがわるほほ笑みかけながら言った。「朝食をお持ちしました。そちらのお机の上に置きましょうか？」

「朝食ですって？」ミス・シュトラットマンはとまどったようだった。「出すのはまだ三十分ほどあとじゃなかったの」

「フォン・ヴィンターシュタインさまが、いまからお出しするようにと命じられたのです。それにわたしが思いますに、あの方のおっしゃるとおりです。みなさん、いま朝食を召しあがりたいのです」

「そう」ミス・シュトラットマンはまだとまどった様子で、指示を求めるかのようにわたしをちらりと見てから、制服の男性に尋ねた。「そちらはすべて……うまくいってるの？」

「すべて順調です。もちろん、ブロッキーさまがあのように意識を失われたあと、少し騒動になりましたが、いまは誰もが大いに満足して、楽しんでおります。何しろフォン・ヴィンターシュタインさまがついいましがた、この町のすばらしい遺産、わたしたちが誇るべきものすべてについて、ロビーで見事なスピーチをなさいましたからね。彼は長年にわたる市民の数々の功績について述べられ、ほかの町では荒廃の元凶となっているのにこの町ではまったく心配しなくともすむおぞましい問題を指摘されたのです。あれはまさに、われわれに必要なものでした。あなたがお聞きにならなかったのは残念です。おかげでわれわれ全員が、自分たちやわが町にたいしていい気分になり、いまや誰もが楽しんでおります。ほら、いまもそこに何人かの姿が見えますでしょう」彼はガラス窓の向こうを指さした。なるほど外の薄明かりのなかで、数人が体の前で慎重に皿を持って、どこか腰をおろす適当な場所を探しながら、ゆっくりと芝生の上を歩いている。

「失礼します」わたしは立ち上がって言った。「そろそろ行って演奏しなければなりません。遅れてしまいます。ミス・シュトラットマン、あなたにはたいへん感謝します。ご親切や、もろもろのことに。でも、もう失礼しなければ」

わたしは返事も待たずに、朝食のワゴンのわきを通って廊下へ出た。

37

もうほのかな朝の光が、暗い廊下に差しこんでいた。ホフマンを残してきた鏡張りのアルコーブをちらりと見たが、すでに彼の姿はなかった。わたしは金色の額縁の絵の前を通って、ホールへと急いだ。それから朝食用のワゴンを用意した別のウエイターが前かがみになってドアをノックしようとしているのに出くわしたが、それ以外廊下に人影はなかった。

わたしは最初にこの廊下へ出てきた非常ドアを探しながら、急ぎ足で歩きつづけた。いまや一刻も早く演奏をしなければという気持ちに、強くかられていた。たとえ両親のことでさっきどんな失望を味わったとしても、そのことで、わたしがピアノの前で演奏する瞬間を何週間も待っていた人たち全員への責任が減じるわけではない。言い換えれば、今夜、少なくとも自分の普段の水準で演奏するのは、わたしの義務なのだ。それさえできないなら――急にそう強く感じたのだが――何か見知らぬドアを開けて、そこから暗い未知の空間へと突き進んでいくようなものだ。

しばらく歩くと、廊下の様子にますます見覚えがなくなってきた。壁紙は、深いブルーになり、絵のかわりにサイン入りの写真がかかっている。あのドアを見すごしてしまったのだろう。しかし今度は「ステージ」という表示のある、もっとどっしりとした別のドアが近くにあり、そこからなかへ入ることにした。

数秒間、暗闇のなかを手探りで進むと、再びステージの袖にいた。誰もいないステージの中央にピアノが見え、上方からほんの一つか二つだけ、ライトがほのかにピアノを照らしている。カーテンもまだ引いたままだ。わたしは静かにステージに出ていった。

ブロツキーがさっき横たわっていたあたりを見下ろしてみたが、床にはその痕跡すらない。それからわたしは、どう始めたものかと思いながら、ピアノを振り返った。スツールに座ってただ弾きはじめれば、技術係にも、カーテンを開けてスポットライトをつけるくらいの知恵はあるだろう。しかしどういう事態になったのか分からないのだから、技術係がすべていなくなっていて、カーテンすら開かないという可能性も十分にある。さらにわたしが最後に聴衆を目にしたとき、彼らは落ち着かない様子で立ち話をしていた。ならば最善の方法は、カーテンの前に歩みでて宣言し、全員に——聴衆と技術係に——準備をさせるチャンスを与えることだと判断した。わたしは頭のなかで急いで数行の言葉を練習してから、躊躇することなくカーテンの隙間に近づいて、重い布を引いた。

会場がいくらか混乱しているのは覚悟していたのだが、そのとき目にした光景に、わたしは呆然とした。聴衆の姿は一人も見えず、そればかりか座席もすっかり取り払われている。このホールにはたぶん何かの装置が取りつけてあり、レバーを引けばすべての座席が床下に消えるのではないか——そうすれば、ホールをダンスフロアやほかの用途に転用できる——と考えたのだが、この建物の古さを思い出して、そんなことはとうていありえないと判断した。それなら座席が積み重ね式で、いまは火災の用心のためにすべてどこかへ片づけたのだろうというくらいしか、想像がつかなかった。いずれにしても、いまわたしの目の前にあるのは、がらんとした暗い空っぽの空間だった。ライトもすべて消え、かわりに天井のあちこちから大きな長方形の部分が取り払われて、太陽がほのかな光の柱となって床に届いている。

薄暗い光のなかで目を凝らすと、ホールのいちばん後ろに何人かの姿が見えた。彼らは立って打ち合わせをしているらしく——おそらく片づけを終えようとしている裏方なのだろう——やがてそのうちの一人がどこかへ消えていく足音が響いてきた。

わたしはステージの端に立って、これからどうすべきか考えていた。たぶん自分が思った以上に、ミス・シュトラットマンのオフィスで長い時間——もしかしたら一時間も——過ごしてしまい、聴衆はきっとわたしの登場をあきらめてしまったのだ。それでも、もしアナウンスがあれば、聴衆は数分でまたホールに集まってくるかもしれないし、たとえ座席がなくなっていても、十分に満足のいくリサイタルができないわけはない。しかしみんなどこへ行ったか分からないので、まずはホフマンか、それともいま責任者になっている誰かを見つけ、次にやるべきことを話し合わなければ。

わたしはステージからおりて、ホールを突っきろうと歩きだした。しかしまだ半分も行かないうちに暗さのあまり方向感覚を失ってしまい、少し進行方向を変えて、いちばん近い光の柱のほうへと向かった。ちょうどそのとき、真ん前を人がかすめて通った。

「これは、失礼」その人物は言った。「どうもすみません」

シュテファンの声だと分かったので、わたしは告げた。「やあ。少なくとも、きみはまだここにいたんだね」

「おや、ライダーさま。すみません、見えなかったもので」その声は疲れて、意気消沈していた。

「きみはもっと明るい気分でいるべきだよ」わたしは彼に言った。「すばらしい演奏をしたじゃないか。聴衆はとても感動していた」

「ええ。ほんとうに、よく評価してくれたと思います」

「じゃあ、おめでとう。あれだけ懸命に練習したんだ、きみもきっと大満足だろうに」

「ええ、そうだと思います」

わたしたちは並んで暗闇のなかを歩きだした。天井から届く光のせいで、かえってどこへ向かっているのか分からなかったが、シュテファンは自分の方向をしっかりと把握していた。

「ねえ、ライダーさま」彼はしばらくして言った。「ぼくはあなたにとても感謝しているんです。あなたはすばらしく励ましてくださいました。でも実は、今夜のぼくは、擦《かす》るところまでさえいかなかった。とにかく、自分なりの基準では。もちろん、聴衆は大きな拍手をくれましたが、それというのも、とても特別な何かを期待してはいなかったからなんです。ほんとうは、ぼくはまだまだ修業しなければならないと、自分でも分かっています。両親は正しい」

「きみのご両親？　とんでもない、きみはご両親のことを気に病むべきじゃないよ」

「いえいえ、ライダーさま、あなたにはお分かりになっていません。ぼくの両親の基準は、最高に厳しいんです。今夜ここに来た人たち、彼らはとても親切でしたが、ほんとうのところは、こうしたことがよく分かっていない。地元の青年がそこそこの水準で演奏をするのを見て、とても興奮しました。でも、ぼくは本物の基準で評価されたいんです。そして両親もそうだと分かっています。ライダーさま、ぼくは決心しました。よそへ出ていくことにします。どこかもっと大きな町へ行って、ルベッキンとかペルッツィのような人に師事しなければ。ここに、この町にいては自分の望む水準にまで絶対に到達できないと、いまは気づいているんです。あの人たちが、あの《ガラスの情熱》のしょせんひどく月並みな演奏に拍手した様子を、思い出してください。あれがまさにそれを端的に物語っていましたよ。ぼくは以前、そのことをほんとうに分かっていなかったけど。たぶんぼくは井のなかの蛙だったんだ。ぼくはしばらくよそへ出るべきです。自分にほんとうに何ができるのかを見きわめるために」

わたしたちは歩きつづけ、足音がホールのなかにこだましていた。それから、わたしは言った。

「それは賢明なことかもしれない。実際、わたしはきみが正しいと思うよ。もっと大きな町へ行って、もっと大きな課題に取り組む。それはきっときみのためになるだろう。しかし、師事する人物は慎重に選ばなければならないね。きみがよければ、わたしがこの問題を少し考えて、何かお手伝いできるかどうか検討してみよう」

「ライダーさま、あなたがそうしてくださるなら、ぼくは一生感謝します。ええ、ぼくは自分がどこまでやれるのか、知る必要があるんです。それからいつかこの町に帰ってきて、あの人たちに披露する。《ガラスの情熱》をどれだけほんとうに弾きこなせるかを」彼は笑ったが、まだ明るくとはとても言えなかった。

「きみは才能ある青年だ。きみには前途洋々たる未来がある。だからほんとうに、もっと元気を出すべきだよ」

「そうなんでしょうね。たぶんぼくは少しへこんでいるんでしょう。今夜の今夜まで、自分の行く手にまだどれだけ高い山がそびえているのか、気づかなかった。あなたはとてもこっけいに思うでしょうが、実はね、ぼくは今夜、自分のすべてを投入した気がしていたんです。それはつまり、こんな町に住んでいたせいなんだ。考え方が矮小になる。ええ、ぼくは今夜やるべきことをすべてやるぞと意気ごんでいた！　そんな考えがどれほどばかげていたか、お分かりでしょう。ぼくの両親は実に正しい。ぼくにはまだまだたくさん学ぶべきことがあったんだ」

「きみのご両親？　いいかい、わたしの助言は、きみのご両親のことなど、いまからすっかり忘れなさいということだ。失礼ながら、わたしにはまったく理解できないね、どうしてきみのご両親が……」

「ああ、さあここです。こちらです」わたしたちは出入口のようなところへ来ていて、シュテファンはそこにかかっているカーテンを引こうとしていた。「ここから入るんです」

「すまないが、ここからどこへ入るんだ？」

「温室です。ああ、たぶん温室のことをお聞きになっていらっしゃらないんでしょう。とても有名なんですよ。ホールができたあとで、百年前に建てられたんですが、いまでは同じくらいに有名です。みんなここへ朝食を取りにきているんですよ」

わたしたちは廊下に立っていて、その片側には窓がずっと続いていた。近くの窓から淡いブルーの朝の空が見えた。

「ところで」と、二人でまた歩きだしたとき、わたしは言った。「ブロッキーさんのことを考えていたんだ。彼の容体のことを。彼は……お亡くなりになったのかい？」

「ブロッキーさま？　ああ、いえ、とんでもない。大丈夫ですよ、きっと。どこかへ連れていかれましたが。たしか、聖ニコラス施療院へ運ばれたと聞いています」

「聖ニコラス施療院？」

「よるべない人たちを収容するところです。ついさっきも、温室ではもっぱらその話でもちきりでした。そう、あそこが彼のいるべきところだ、彼のような問題にどう対処するか分かっているところだ、と。ほんとうのところ、ぼくは少しショックでした。実際――これは内緒で申しあげますがね、ライダーさま――あの出来事のすべてが、ぼくに決心させるきっかけになったんです。つまりこの町から出ていくという決心のきっかけに。今夜ブロッキーさまが指揮したあの音楽は、ぼくが思うに、このコンサートホールで長年聴いたことのない、最高の演奏でした。もちろん、ぼくが音楽を理解できるようになって以来の。なのにどうなったか、ご覧になったでしょう。市民はそれを望まなかった。驚愕させたのです。それは彼らが期待していたものをはるかに超えていた。それで彼があんなかたちで倒れたことに、実はほっとしているんです。彼らはいま、何か別のものを望んでいることに気がついた。何かもう少し、極端ではないものをね」

「クリストフさんの音楽とさほど違わない何かだろう」

シュテファンはこの言葉を考えていた。「ほんの少し違っているもの。少なくとも、新しい名前です。彼らはいま、クリストフさんがそれじゃないことは分かっている。もっとましな何かを求めている。でも……でもあれじゃない」

　窓ごしに、外の広々とした芝生と、遠くの木立ちの上にのぼってくる太陽が見えた。

「ブロッキーさんはこれからどうなるのかね？」

「ブロッキーさん？　ああ、彼なら、この町でいつもながらの存在に戻るだけでしょう。たぶん町の酔いどれとして、毎日を送るでしょう。市民はもちろん、彼をそれ以外の存在として見なすわけがない。とくに今夜のあとではね。申しあげているように、彼らはブロッキーさんを聖ニコラス施療院に収容したんです。ぼくはこの町で育ったから、いろんな点でまだこの町を愛しています、ライダーさま。でも、もうこの町から出ていきたくてたまりません」

「たぶんわたしは何か話してみるべきだろう。つまり、温室にいるおおぜいの人たちにスピーチをするということだ。ブロッキーさんについて、ふたことみこと話してみる。彼についての正しい見方を、彼らに教える」

　シュテファンは何歩か歩きながらこの言葉を考えてから、首を振って言った。

「そんな価値はありませんよ、ライダーさま」

「しかし、わたしはきみと同じくらい、このことに不満だと言わざるをえない。分からないじゃないか。わたしがふたことみこと話せば……」

「無駄でしょう、ライダーさま。彼らはもう、たとえあなたの言葉にだって聞く耳を持たない。ブロツキーさんのあの演奏のあとではね。あれは、彼らが恐れていたことすべてを思い出させたんです。おまけに温室には、マイクも何もありません。あなたがお立ちになってスピーチできるような演壇さえね。あなたの声はいろんな騒音にかき消されて、きっと聞こえませんよ。何しろとても広くて、コンサートホールそのものと同じくらい広大なんです。隅から隅まで、たぶん……ええ、たとえあなたがまっすぐ対角線状に横切って、途中にあるテーブルやそこに座っている人たちをなぎ倒していくとしても、少なくとも五十メートルの距離があるでしょう。ご覧になれば分かりますが、とても広いんですよ。ライダーさま、ぼくがあなたなら、これからただゆったりとくつろいで、朝食を楽しみますね。何よりも、あなたはヘルシンキのことをお考えにならなくちゃなりませんから」

温室はたしかにとても広大で、いまは朝日をいっぱいに浴びていた。いたるところで市民が陽気におしゃべりし、テーブルについている者もいれば、小さなグループをつくって立ち話をしている人たちもいる。コーヒーやフルーツジュースを飲んだり、皿やボウルで料理を食べている人たちも。わたしたちが人ごみをかき分けて進んでいくあいだに、焼きたてのロールパンやフィッシュボールやベーコンの香りが次々に漂ってきた。ウエイターたちが、皿やコーヒーのポットを持ってせかせかと歩いている。まわりではいろんな人がうれしそうに挨拶を交わしていて、わたしはこの全体の雰囲気がどこか同窓会に似ていると思った。しかしここにいる人たちは、互いにしょっちゅう顔を合わせているのだ。この夜の催しが、彼らに自分や自分の町を何か意味深いかたちで再評価させたらしく、その結果、理由は何であれ、互いに祝福し合うムードが生まれたようだ。

なるほど、シュテファンは正しかった。この群衆にいまさらスピーチなどしようとしても、ほとんど何の意味もない。ましてやわたしのリサイタルのためにコンサートホールに戻ってくれと頼むなど、言うに及ばない。急にどっと疲れを感じて無性に空腹感を覚え、わたしもどこかに座って朝食を取ることにした。しかしあたりを見回しても、空いている椅子はどこにもなかった。おまけに振り返ると、シュテファンはもうそばにはおらず、さっき通りすぎたテーブルにいるグループとの会話に引きずりこまれていた。彼があたたかく迎えられているのを見て、わたしを紹介してくれるのを半ば期待した。しかし彼は会話に熱中してきたらしく、自身もたちまち明るく振る舞いはじめた。

彼をそのまま残しておくことにして、わたしは群衆のなかをさらに歩いた。遅かれ早かれウエイターがわたしを見つけて、皿とコーヒーカップを手に駆けつけ、ひょっとしたら席まで案内してくれるかもしれない。しかし何度かウエイターがわたしのほうへ向かってきたことはあったが、そのたびにわきを通りすぎて誰かほかの人の世話をするのを黙って眺めるしかなかった。

しばらくして、わたしは自分が温室のメインドアの近くに立っていることに気づいた。

誰かがそこを開け放してあったので、おおぜいの客が芝生の上に出ていた。少しだけ外に出てみたとき、空気が肌寒いのに驚いた。しかしここでも、人々はグループになって立ち話に興じ、コーヒーを飲んだり、立ったまま食べたりしている。朝日を仰ぎ見ている人もいれば、運動のために散歩している人もいる。なかには、湿った芝生の上に座りこんで、ピクニックにやってきたように、皿やコーヒー・ポットをまわりに広げているグループまでいた。

そう遠くないところに、料理をのせたワゴンと、その上におおいかぶさるようにして忙しく立ち働いているウエイターを見つけた。空腹感がますますつのってきたので、わたしはワゴンに近づいた。ウエイターの肩をたたこうとしたとき、彼が後ろを振り返り、三つの大皿――そこにはスクランブルエッグ、ソーセージ、マッシュルーム、トマトがのっていた――を持って、わたしのそばを急ぎ足で通りすぎた。わたしは彼が足早に遠ざかるのを見送ってから、彼が戻ってくるまでこのワゴンから離れまいと決意した。

待っているあいだ、わたしはあたりの光景を見回して、この町で持ちかけられるさまざまな求めに対処する自分の能力をあれこれ心配してきたことがいかに無意味だったか、実感した。これまでと同様に、わたしの経験と直観をもってすれば、十二分にやっていけることが分かったのだ。もちろん、わたしはこの夜にある種の失望を感じてはいたが、それでも改めて考えると、そんなふうに思うのは間違いだと納得できた。結局、町がよそ者に指図されずに何らかのかたちで平静さを取り戻すことができるなら、それにこしたことはないのだ。

何分か待ったがウエイターが戻ってこないので——その間ずっと、ワゴンにのせた熱いキャニスターから立ちのぼるいろんな香りに、おあずけをくらっていた——わたしは自ら料理を取り分けて悪い理由はないだろうと判断した。皿を手に取り、かがみこんで下段のナイフやフォークを探していたとき、後ろに何人か人が立っている気配がした。振り返ってみると、それはポーターたちだった。

見たところ、目の前には、病気で倒れたグスタフのベッドのまわりに集まっていた十人あまりのポーターがそろっていた。わたしが振り返ったとき、何人かは目を伏せたが、数人は依然としてわたしをじっと見つめていた。

「おやおや」わたしは自分で朝食をよそおうとしていた事実をせいいっぱい隠しながら言った。「おやおや、どうしたんです？　もちろん、わたしはグスタフがどうしているか、様子をうかがいにいくつもりだったんです。もういまごろは病院へ運ばれただろうと思っていました。つまり、彼はきちんとした看護を受けているだろうと。もちろんうかがおうと思っていましたよ、できるかぎり早急に……」彼らが悲嘆にくれた顔をしているのに気づいて、わたしは口ごもった。

あごひげのポーターが前に歩みでて、ぎこちなく咳ばらいをした。「グスタフは三十分前に息を引き取りました。ここ何年か、ときおり具合が悪くなったりしていましたが、とても元気でしたから、わたしたちにとってはまったく思いがけないことでした。とても思いがけないことで」

「それはまことにお気の毒です」わたしは実際、この知らせに大きな悲しみを覚えた。「ほんとうにお気の毒です。あなた方全員に、とても感謝しています。こんなふうにここまで知らせにきてくださって。ご存じのように、彼と知り合ってほんの数日にしかなりませんが、とても親切にしていただいたのです。荷物やら何やらのお世話を」

あごひげのポーターの同僚はそろって彼を見つめ、何か言うのをいまかいまかと待っている。あごひげのポーターは大きく息を吸った。

「もちろん、ライダーさま」彼は言った。「わたしどもがあなたを探してこちらに来たのは、この知らせを早くお聞きになりたいだろうと分かっていたからです。しかしもう一つ」——彼は急に視線を落とした——「しかしもう一つ、そのう、グスタフは亡くなる前に、しきりと知りたがっていたんです。あなたがもうスピーチをなさったかどうかを。つまり、あなたがわたしどものためにしてくださるちょっとしたスピーチのことです。最後まで、彼はとても知りたがっておりました」

ポーター全員がいまは目を伏せ、わたしの返事を黙って待っていた。

「ああ」わたしは言った。「ではあなた方は、コンサートホールで何があったかご存じないんですね」

「ついいましがたまで、グスタフにつきっきりでしたので」あごひげのポーターが答えた。

「彼はついさっき息を引き取ったばかりです。わたしどもをお許しください、ライダーさま。あなたがスピーチをなさっているとき、その場に居合わせなかったのはたいへん失礼なことでした。とりわけあなたはご親切にも、わたしどもとの小さなお約束を覚えていてくださったというのに……」

「いいですか」わたしはやさしく口をはさんだ。「いろんなことが計画どおりにいかなかったんです。あなた方がお聞きになっていないとは驚きですが、しかしまた、おっしゃるようにこのような状況のもとでは、おそらく……」わたしは口をつぐみ、一呼吸してから、少し厳しい声で言った。「申しわけないんだが、実のところいろんなことが——あなた方のために用意していた短いスピーチだけでなく、たくさんのことが、計画どおりに進まなかったんです」

「つまりあなたがおっしゃっているのは……」あごひげのポーターは口ごもると、落胆して頭を垂れた。じっとわたしを見つめていたほかのポーターたちも、一人ずつまた視線を落とした。そのときグループの後方にいた一人が、突然、怒りを込めて叫んだ。

「グスタフはずっと尋ねていたんだ。最後まで彼は尋ねていた。『ライダーさまのニュースはまだか?』と、ずっとそればかり尋ねていたんだ」

何人かの同僚があわてて彼をなだめ、長い沈黙が流れた。とうとう、あごひげのポーターが芝生を見下ろしたまま言った。

「どちらにしても変わりはありません。みんなが、ただこれまでと同じように努力を続けるだけです。いや、これからはもっと懸命に努力するでしょう。グスタフを失望させるわけにはまいりません。彼はいつもわれわれにインスピレーションを与えてくれましたし、亡くなったいまとて、それに何ら変わりはありません。われわれは、これまで苦労して上り坂を上がってきました。ずっとそうでした。それは分かっています。そしてこれからも、決して楽にはなりますまい。しかし、われわれは基準をゆるめたりはいたしません。たとえほんのわずかでも。グスタフを思い出し、根気よく続けます。もちろん、あなたの短いスピーチが、それが可能でしたなら、おそらく……おそらくわたしどもの助けになったでしょう。そのことに疑問の余地はありません。しかしもちろん、そのときあなたが不適当だと思われたのなら……」

「いいですか」と、わたしは忍耐力を失いはじめて言った。「みなさんにももうすぐ、何が起きたか分かるでしょう。実のところわたしには、あなた方が自分の町のもっと大きな問題について、よく知ろうとしないというのが驚きです。おまけにあなた方は、わたしがどんな生活を送らなければならないか、全然お分かりになっていないようだ。わたしが果たさなければならない大きな責任のことを。ここに立ってあなた方と話しているこのいまでさえ、わたしはヘルシンキでの次の約束のことを考えなければならないんです。あなた方にとって、何もかもが計画どおりに進まなかったのなら、それはお気の毒です。しかしあなた方には、こんなふうにやってきてわたしをわずらわせる権利など、まったくない……」

あとの言葉は、口のなかで消えていった。右手の遠くに、コンサートホールからまわりの木立ちへと続く小道があった。わたしはしばらく前から、建物から出てきた人の流れが木々の向こうに消えていくのに気づいていた——これから家に帰り、おそらく新しい日が始まる前に二、三時間の休息を取るのだろう。いまそのなかに、小道を決然とした足取りで歩いているゾフィーとボリスの姿を見つけた。男の子はいまも母親を支えるように腕を彼女の体に回していたが、それ以外には、たまたまこの二人を見かけた人たちに彼らの悲嘆を感じさせるようなところは、まったくなかった。わたしは二人の表情をうかがおうとしたが、そうするには遠すぎたし、次の瞬間、二人とも木々の向こうに姿を消してしまった。

「申しわけないんだが」わたしはポーターたちを振り返り、努めておだやかな口調で言った。「みなさん、わたしはこれで失礼しなければなりません」

「わたしたちは基準をゆるめたりいたしません」と、あごひげのポーターが目を伏せたまま静かに言った。「いつかきっとやりますよ。見ていてください」

「失礼します」

ちょうどわたしがその場を離れようとしたとき、ウェイターがかけ戻ってきて、年配の男たちを押し退けてワゴンに近づいた。わたしはまだ背後に皿を隠し持っていたことを思い出し、ウェイターにそれを突きだした。

「けさの料理サービスはぞっとするほどひどかった」と冷たく言い放つと、わたしは急いでその場を立ち去った。

38

小道は木立ちのなかを真っ直ぐに抜けていたので、はるかかなたの高い鉄の門がはっきりと見えた。ゾフィーとボリスはもう驚くほど先に行っていて、できるかぎり早足で歩いたのだが、数分たっても距離はほとんど縮まらなかった。そのうえすぐ前を歩いている若者たちのグループがずっと邪魔をして、わたしが追い越そうとするたびに、ペースを上げたり、道幅いっぱいに広がったりするのだった。ゾフィーとボリスがもうすぐ道路に出ようとするのが見えたとき、わたしはとうとう駆けだして、前の若者たちを突き退けながら前に進んだ。自分がどんなふうに思われるかなどに、もうかまってはいられなかった。

ずっと小走りで追いかけたのだが、ゾフィーとボリスが門を通り抜けたときは、まだ呼んでも聞こえないほど遠かった。わたし自身が門にたどり着いたころには息があがって、少し休まなければならなかった。

わたしは町の中心部に近い大通りの一つに出ていた。朝日が、反対側の歩道を明るく照らしている。店はまだ閉まっているが、もうかなりの人が歩いていて、きょうの仕事に出かけようとしている。左手に路面電車に乗りこもうとしている人たちの列が見え、その最後部にゾフィーとボリスがいた。わたしはまた小走りになったが、電車までの距離が考えていた以上に遠かったのだろう、かなりのペースで走ったにもかかわらず、やっとたどり着いたときには、列に並んでいた人たち全員が乗りこんで、電車は発車寸前だった。必死で腕を振ったおかげで運転手がやっと発車を遅らせてくれ、わたしはもがくように電車に乗りこんだ。

中央の通路をよろよろ歩いていると、電車ががたんと前に動きだした。ひどく息がきれていて、車両に半分ほど人が乗っているなと、ぼんやり意識しただけだった。後部に近い席に崩れこむように座ったとき、初めて、ゾフィーとボリスのそばを通りすぎてしまったに違いないと思った。まだあえぎながら、わたしは身を乗りだして通路の前方を眺めた。

車内は、中央の出入口付近ではっきりと二つの部分に分かれていた。前方部分には、車両の両側に長い座席が対面式にすえつけてあり、ゾフィーとボリスが運転席からそう遠くない、日のあたる席に並んで座っているのが見えた。出入口の近くで吊り革にぶら下がっている乗客にさえぎられて、二人の姿がよく見えない。わたしはさらに通路に身を乗りだした。そのとき、向かいに座っていた男が――わたしのいた後部は、二人がけの座席が二組ずつ向かい合って並んでいる――ひざをたたいて言った。

「どうやら、きょうもまたいい天気になりそうだ」

彼は質素ながらこざっぱりした身なりをしていて、ジッパーのついた丈の短い上着を着ている、きっと何かの熟練労働者――おそらくは電気技師――だろう。わたしがすばやくほほ笑みかけると、彼は自分や同僚たちがここ何日か働いている建物のことを話しだした。ときおり笑みを浮かべたり、相づちを打ったりしながら、わたしはぼうっと彼の話を聞いていた。そのあいだに立った乗客で出入口付近がいっそう混んできたので、ゾフィーとボリスの姿はますます見えにくくなった。

電車がとまり、乗客がおりていくと、少し見通しがよくなった。ボリスは相変わらず落ち着きはらっているように見え、ゾフィーの肩に片方の手をかけて、ほかの乗客が母親を脅かそうとでもしているかのように、疑い深い目で彼らを眺めていた。ゾフィーの表情は、まだわたしからは見えなかった。しかしまわりを飛び回っている虫でもいるのか、数秒ごとに、いらだたしそうに手で振り払う動作をするのが見えた。

もう一度姿勢を直そうとしたとき、電気技師がなぜか自分の両親のことを話しはじめた。二人とももう八十代になっていて、できるかぎり一日一度は訪ねようとするのだが、いまの仕事の関係で、それがますますむずかしくなっているという。そのとき突然、ある考えがひらめいて、わたしは彼をこうさえぎった。

「失礼ながらご両親と言えば、わたしの両親が何年か前にこの町にやってきたことがあるらしいんです。観光客としてですがね。もう何年も昔のことでしょう。ですからわたしにそれを教えてくれた人は、当時まだほんの子供だったので、はっきりした記憶がないんです。ちなみにどうでしょう。ちょうどいまご両親のことを話していたので、そのう、ぶしつけながらお尋ねすると、あなたはもう、ゆうに五十代だとお見受けしますが、もしかしたら何かわたしの両親の訪問のことをご存じないでしょうか」

「その可能性は十分あるが」電気技師は答えた。「ちょっと特徴を説明してもらわないと」

「ええ、わたしの母はかなりの長身です。髪は黒く、肩くらいの長さ。鼻はやや鳥に似ています。ですからそのつもりでないときでも、少し厳しい女性に見えるんです」

電気技師は窓の外の町並みを眺めながら、しばらく考えていた。「ああ」彼はうなずきながら答えた。「ああ、まさにそんなご婦人に見覚えがある気がするよ。ほんの数日だったね。名所を観光して回ったりして」

「それです。では覚えていらっしゃるんですね？」

「ああ、とても気持ちのいい人だった。あれはそう、少なくとも十三、四年前になるだろう。いや、もっと前かもしれんな」

わたしは熱っぽくうなずいた。「それならミス・シュトラットマンのお話と合致します。ええ、それはきっとわたしの母でした。教えてください。母はこの町で楽しんでいるように見えたでしょうか？」

電気技師は必死に記憶をたぐろうとして答えた。「わたしの記憶では、ああ、この町が気に入ったようだったな。いや」――彼はそこで心配そうなわたしの表情に気づいた――「いや、たしかに気に入っていたと思うよ」彼は手を伸ばし、いたわるようにわたしのひざをぽんとたたいた。「楽しんでいたのは、ほんとうにたしかだ。いいかい、ちょっと考えてみればいい。楽しかったに決まってる、そうだろう？」

「そうでしょうね」とわたしは答えて、窓のほうを向いた。太陽は、いま電車のなかを移動していた。「そうでしょうね。ただ……」わたしは深いため息をついた。「ただ、そのときに知っていたかった。誰かが、わたしに知らせようと思ってくれていたら。では父のほうはどうです？ 父は楽しんでいたようでしたか？」

「お父さんね。ふむ」電気技師は腕組みをして、かすかに顔をしかめた。

「そのころ、父はとてもやせていたはずです。髪は白髪が増えてきて。お気に入りの上着があったんですよ。ツイードの淡いグリーンで、革のひじあてがついていた」

電気技師は考えた末に首を振って答えた。「すまないね。お父さんのことは覚えていない」

「しかし、そんなはずはありません。ミス・シュトラットマンはわたしに、たしかに二人そろってここに来たと言ったんです」

「彼女の言葉はほんとうだろう。ただ、わたしがお父さんのことを思い出せないだけなんだ。お母さんのほうは、覚えている。しかしお父さんのほうは……」彼はまた首を振った。

「でも、そんなばかな！　母は一人で、ここで何をしていたんでしょう？」

「お父さんが一緒じゃなかったと言ってるわけじゃない。ただ、わたしが覚えていないだけなんだ。いいかね、そんなに取り乱しなさんな。おまえさんがこんなにうろたえるなんて分かっていたら、これほど正直に言わなかったんだよ。わたしはもの忘れがひどい。誰もがそう言うのさ。ついきのうも工具箱を、昼飯を食べた義理の兄の家に忘れてきちまった。そいつを取りに戻るのに、四十分も無駄にしたんだ。あの工具箱を！」彼は笑い声を上げた。「いいかね、わたしはもの忘れがひどいんだ。そんな大事なことを尋ねるにゃ、とても頼りにならんのさ。お父さんは、きっとお母さんと一緒にここに来ていたはずだ。ましてやほかの人がそう言うのなら。ほんとうに、わたしなど頼りにならん」

しかしわたしは彼から顔をそむけ、再び電車の前部を眺めていた。ボリスがとうとうこらえきれなくなって、いまは母親に抱かれ、すすり泣きながら両肩を震わせている。突然、いま彼のそばへ行く以上に重要なことはないように思えて、わたしは電気技師に短く断りを言うと、立ち上がって通路を前方へ歩きだした。

二人のすぐそばまで来たとき電車が急カーブを曲がり、倒れないよう、近くのポールをつかまなければならなかった。もう一度二人を見ると、こんなに近くに立っているというのに、ゾフィーとボリスは相変わらずわたしにまったく気づいていない。二人は目を閉じて、まだしっかりと抱き合っている。日光がまだらになって、二人の腕や肩の上を漂っている。その瞬間、互いに慰め合う二人の姿にどこか人を寄せつけない気配を感じて、声をかけることさえ不可能に思われた。そしてゾフィーとボリスをずっと見つめながら、二人が見るからに悲嘆にくれているというのに、奇妙な嫉妬を覚えはじめた。わたしは二人に歩み寄り、抱き合っている手触りさえ分かるくらいに、そばにきた。

ゾフィーがようやく目を開けた。彼女はわたしを無表情で見つめ、ボリスは彼女の胸のなかでまだ泣きつづけている。

「すまなかったね」わたしはやっと彼女に言った。「何もかも、ほんとうにすまなかった。お父さんのことをついさっき聞いたばかりなんだ。もちろん、知らせを聞くなり、すぐきみたちを追いかけてきたんだが……」

ゾフィーの表情の何かに、わたしは口をつぐんだ。彼女はわたしを冷たく見つめてから、うんざりしたように言った。

「放っておいて。あなたはいつだって、あたしたちの愛情の外にいたじゃない。いまだって自分を振り返ってみてよ。あなたはあたしたちの悲しみの外にいる。放っておいて。消えてちょうだい」

ボリスは母親の腕を振りほどいて、わたしのほうを向くと、母親に言った。「いやだ、いやだ。ぼくたち一緒にいなくちゃ」

ゾフィーは首を振った。「いいえ、そんなこと無駄よ。彼はいまのままにしておくの、ボリス。世界じゅうを旅しながら、技と知恵を分け与える。そうさせておくの。そうしなきゃならないのよ。だからいまはただ、そうさせておきましょう」

ボリスはとまどった顔でわたしを見つめてから、母親を振り返った。何か言おうとしたのかもしれないが、そのときゾフィーが立ち上がった。

「いらっしゃい、ボリス。あたしたち、ここでおりなきゃ。ボリス、いらっしゃい」

実際、電車はスピードを落とし、ほかの乗客も座席から立ち上がろうとしていた。何人かがわたしを押し退けてそばを通りすぎ、ゾフィーとボリスもわたしを押しやって通っていった。わたしはポールにつかまりながら、ボリスが通路を出口のほうへ歩いていくのを見ていた。それから彼がわたしを振り返り、こう言うのが聞こえた。

「だけど、ぼくたち一緒にいなきゃ。一緒にいなきゃ」

彼の後ろで、ゾフィーが奇妙によそよそしくわたしを見つめ、こう言うのが聞こえた。

「彼は絶対にわたしたちの一員にはならないの。それが分からなくちゃ、ボリス。彼は決してほんとうのお父さんのようにあなたを愛してはくれないわ」

さらにおおぜいの乗客が、わたしを押し退けていった。わたしは手を振り上げた。

「ボリス！」わたしは叫んだ。

少年は人ごみのなかでためらいながら、もう一度わたしを見た。

「ボリス！　バスに乗ったときのことを覚えているかい？　バスで人造湖へ行ったときのことだ。覚えているかいボリス、どんなに楽しかったか？　バスのなかで誰もがどんなに親切にしてくれたか？　みんながくれたちっちゃなプレゼントや歌を、覚えているかい、ボリス？」

乗客はもう電車からおりはじめていた。ボリスは最後にもう一度わたしを振り返ってから、姿が見えなくなった。さらに何人もの乗客がわたしを押し退けておりていったあと、電車はまた動きだした。

わたしは踵を返してさっきの座席へ戻った。また電気技師の向かいに腰をおろすと、彼は陽気に笑いかけてきた。それからふと気づくと、彼が身を乗りだしてわたしの肩をたたき、わたしはすすり泣いていた。

「なあ。いつも最悪に思えるのは、それが起きているときさ。だが過ぎ去ってみれば、何であれ思っていたほど悪くはないものだ。元気を出しなさい」わたしが相変わらずすすり泣いているそばで、彼はしばらくそんなただの慰めにすぎない言葉を口にしつづけていた。それから、彼がこう言った。「さあ、朝食でも取ってきたらどうだい。何か食えばいいんだよ、わたしたちと同じように。そうすればきっと気分がよくなる。さあ。行って何か食べ物を取ってきな」

ふと顔を上げると、電気技師はひざの上に皿を持ち、その上に食べかけのクロワッサンと小さなバターのかたまりがのっていた。ひざの上はパンくずだらけだ。

「ああ」わたしは体を起こし、気を取り直しながら尋ねた。「どこから取ってきたんです？」

　電気技師はわたしの後方を指さした。振り返ると、電車の最後部におおぜいの乗客が立っていて、そこにビュッフェのようなものが並べられていた。おまけにいつのまにかこの電車の後ろ半分がとても混んできて、まわりにいる乗客全員が飲み食いしているのだった。電気技師の朝食は、ほかの乗客の食事に比べればいちばん慎ましく、みんな大きな皿にのせた卵やベーコン、トマト、ソーセージをがっつこうとしていた。

「さあ」電気技師が促した。「おまえさんも行って、何か朝食を取ってきな。それから悩みをすっかり話し合おう。いやそれより、そんなことはすっぱり忘れて、おまえさんの好きなこと、何か元気が出そうなことを話したっていいんだ。サッカーでも、映画でも。何でもおまえさんの好きなことを。だが、まずは朝食を取ってくることだ。ずいぶん食っていないような顔をしてるぞ」

「おっしゃるとおりだ」わたしは答えた。「いま考えると、わたしはずいぶん長いこと食事をしていない。でも、どうか教えてください。この電車はどこへ行くんです？　ホテルに帰って荷造りをしなきゃならないんです。何しろ、けさヘルシンキ行きの飛行機に乗るのでね。もうすぐホテルへ帰らなければ」

「ああ、この電車は、この町でおまえさんが行きたいところなら、たいていどこへでも連れていってくれるよ。これは朝の循環と呼ばれているんだ。それから夜の循環ってやつもある。一日に二回、こうやって町じゅうを回る電車があるんだ。ああ、そうとも、この電車に乗っていれば、どこへでも行ける。夕方もまた同じだが、雰囲気はかなり違うね。ああ、そうとも、これはすばらしい電車さ」

「何とすばらしい。それなら、ちょっと失礼。わたしもあなたのお勧めに従って、朝食を取ってこよう。実際、あなたのおっしゃるとおりだ。朝食のことを考えただけで、もう気分がよくなってきた」

「その調子だ」と電気技師は言って、敬礼するようにクロワッサンをかざした。

わたしは席を立ち、電車の後部へ歩いていった。いろんな香りが漂ってきた。何人かの乗客は自分で料理を皿に取り分けていた。肩ごしにのぞくと、電車のいちばん後ろの窓のすぐ下に、半円形に大きなビュッフェテーブルが用意されていた。そこにはスクランブルエッグ、目玉焼き、いろんなコールドミートやソーセージ、炒めたジャガイモ、マッシュルーム、調理したトマトなど、お望みのものがほとんど何でも並んでいる。ニシンの巻いたものや魚料理ののった大きな盛り皿、クロワッサンや各種のロールパンでいっぱいになった二つの巨大な籠、生の果物の入ったガラスのボウル、コーヒーやジュースのポットもたくさんあった。ビュッフェのまわりの誰もかれもが、必死で料理を取ろうとしているようだが、にもかかわらず雰囲気はとてもなごやかで、互いに料理をまわしたり、陽気な会話を交わしたりしている。

わたしは皿を手に取り、顔を上げて後ろの窓から遠ざかっていく町の光景を眺めながら、いっそう元気がわいてくるのを感じた。結局、事態はさほど悪くはならなかった。たとえこの町でどんな失望を味わったとしても、わたしの訪問が大いに感謝されたことは疑いようがない——まさにわたしがこれまで訪れたほかの町でと同じように。そしていまここで、もうすぐこの滞在が終わろうとしているときに、目の前には実に感動的なビュッフェが並び、わたしが朝食に食べたいと思ったほとんどありとあらゆるものを提供してくれている。クロワッサンはとりわけおいしそうだった。実際、電車じゅうの乗客がクロワッサンにかぶりついている様子から、それがさっき焼き上がったばかりで、味のほうも最高だというのが見て取れた。そしてまた、目にするものはどれもこれも、クロワッサンに劣らずおいしそうだった。

わたしはあれやこれやを少しずつ取り分けはじめた。そのあいだに、自分がもう座席に戻ってあの電気技師と楽しく会話をし、食べ物を口いっぱいほおばって早朝の通りを眺めている場面を思い浮かべた。電気技師はいろんな意味で、いまのわたしの話し相手として理想的だ。いかにも心やさしい人物だが、同時にでしゃばらないだけの慎ましさを持っている。いま見てみると彼はまだクロワッサンを口にしており、おりるのを急ぐ気配はない。

実際、彼はこれからまだ長い時間、あの席に腰を落ち着けるつもりらしい。この電車は循環して走りつづけるのだから、わたしたちの会話が楽しければ、彼は次に自分の停留所がめぐってくるまで、おりるのを延ばしてくれるに違いない。ビュッフェもまだしばらくはここに残っているようだから、ときどき話を中断しては、また食べ物を取ってくることができるだろう。わたしは彼を相手に、もっと取ってきたらと何度も勧め合っている場面すら、思い浮かべることができた。「いいじゃないか！　ソーセージをあと一つだけ！　さあ、皿を渡しなさい。わたしが取ってきてあげよう」と。わたしたちは一緒にそこに座って、食べながらサッカーや、そのほか何でも気が向いた話題について意見を交わし、そのあいだに外では太陽が空高くのぼって、通りと電車の座席を明るく照らす。そしてわたしたちがすべてを終えたとき、食べたいかぎりのものを食べ、話したいかぎりのことを話したとき、電気技師は腕時計に目をやってため息をつき、ホテルへ帰るなら停留所が近づいてきたよと、教えてくれるかもしれない。わたしのほうもため息をついて、少し名残り惜しい気がしながらも立ち上がり、ひざの上に落ちたパンくずを振り払う。わたしたちは握手をして、互いにいい日をと挨拶し――彼もまた、もうすぐ自分もおりなければならないと、わたしに告げる――わたしは出口付近に集まっているおおぜいの陽気な乗客に加わるために、席を立つ。電車がとまると、わたしはおそらく電気技師に最後にもう一度手を振って電車をおりる。そのときには誇りと自信をもって、ヘルシンキ行きが楽しみになっているだろう。

わたしはコーヒーカップをなみなみと満たした。それから片手でそれを注意深く持ち、もう一方の手にはたっぷり料理をのせた皿を持って、自分の座席へ戻ろうと歩きだした。

訳者あとがき

本書はカズオ・イシグロの *The Unconsoled* (Faber and Faber 一九九五年) の全訳である。

ご存じのようにイシグロは、長篇第一作『遠い山なみの光』(一九八二年) で王立文学協会賞、第二作『浮世の画家』(一九八六年) でウィットブレッド賞、第三作『日の名残り』(一九八九年) で権威あるブッカー賞を受賞し、デビュー以来わずか十年足らずで、一気にイギリス文壇の最高峰にまでのぼりつめた。前三作はいずれも抑制のきいた端正な文体と繊細な雰囲気を持つ作品であり、最初の二作は自らの内なる日本のイメージを巧みに小説世界に焼きつけることで、また三作目はイギリスの社会や文化をくっきりと背景に浮かび上がらせることで、世界中の読者から好評を博した。長崎に生まれ、五歳からイギリスに居住するイシグロにとって、それらは日英の戦後という状況を借りて自らのアイデンティティーを模索する作品だったと言えよう。

しかしもうお分かりのように、六年ぶりに満を持して発表された本作では、がらりと作風が変わっている。原著で五〇〇ページを超える大作のうえ、内容もシュールで実験的な作品であるためか、欧米の批評家もいささかとまどったらしく、評価は二分。なぜ『日の名残り』パート2のような小説を書かなかったのか、とにかく長すぎる、退屈だといった批判から、勇気ある挑戦、これまでで最高の傑作といった称賛まで、さまざまだった。しかしいくつかのインタビュー記事によればイシグロ本人は超然としたもので、ブッカー賞受賞によってようやくほんとうに書きたいことが書ける自由を獲得したいま、この第四作こそが最高の自信作だと言いきっている。その言葉からは、年齢的にも四十代を迎え、いっそう充実した創作の「中期」に入るのだという自負と決意がうかがえる。

イシグロはこれまで日英の文化や歴史を語るエキスパートと見なされてきたことが不本意だったらしく、今回は中欧の架空の町を舞台に、特定の国の情緒や風景といった具体性をいっさいはぎとってしまった。小説の時間も空間も大きく歪み、その地理的な設定にふさわしく旧東西両陣営の入り乱れた多彩な登場人物がとうとうと語りかける言葉は冗漫、なかで起きる出来事は荒唐無稽にして、夢とも現実ともつかない。ちなみにこの作品はブラック・コメディーとして書いたもので、リアリズムの小説家とは二度と呼ばれたくないというのが、本人の弁である。読者はともすれば彼の完璧なまでにコントロールされた文章や美しい叙情性に目を向けがちだったが、実はイシグロは一貫して人間の独善性や自己正当化といったテーマを追求してきた作家だけに、その独創性と力量を純粋に評価してほしいということなのだろう。

しかし作風は変わっても、聞こえてくるのは、まぎれもなくイシグロの「声」である。著名なピアニストである語り手のライダーは、危機に陥っているという閉鎖的な小さな町に、いわば救世主として（あるいは外界からの使者として）やってくる。コンサートと講演のために初めて訪れたはずのその町で、彼の目の前に過去の記憶や人物が次々に立ち現れ、ライダーは奇妙な既視感とともに、永久に目的地にたどりつけないカフカ的悪夢の世界に迷いこむ。

登場人物の何人か——たとえばボリス、シュテファン、クリストフ、ブロツキー——は、まるで入れ子細工のように、つまりロシアのこけしマトリョーシカをぱっかり割るとなかから次々に同じ人形が出てくるように、どうやら少年時代から青年、熟年、老年期までの語り手の姿が、「他人のかたち」で出てきてしまったものらしいのだ。この登場人物とそれぞれが語るエピソードの相似形、他人とも見え、しかしライダーの分身とも思える不可解なキャラクターに読者がおやっと気づいたところで、物語はがぜん面白くなってくる。主人公が誰かとどこかの扉や通路を抜けると、そこはさっきの世界と並行したもう一つの世界。言うなれば、つねに奇妙なズレがつきまとうライダーのパラレル・ワールドだ。

彼が出会う人物は、誰もかれもが自分の人生の過ちや失敗を長々と嘆息し、慇懃無礼に何やかやと勝手な頼みごとを持ちかけてくる。ライダーはきつねにつままれた思いのまま、表面上は平静を装い、律義に個々の要望に応えようとするのだが、いつの間にか事態が手に負えなくなりそうな焦燥感から急に感情が爆発し、怒りの声を上げている。そして次の瞬間にはまた狼狽を抑え、冷静さと慇懃さの鎧を着るのである（あの、感情に拘束衣をつけた『日の名残り』の執事のように）。そのような態度はほかの登場人物もおおむね同様で、感情を高ぶらせて語るそれぞれのエピソードは悲喜劇的だが、すべては夢のベールに包まれたようなもの言いのためか、読者は泣けばいいのか笑えばいいのか分からない。町じゅうの市民は音楽による癒しを求めているのだが、最後まで啓示は見えず、救済（あるいはカタルシス）も訪れない。傷は永久に癒えず、音楽（と食事）はいっときの慰め。あるのはただ、混乱のあとで取り戻すかりそめの均衡と平穏のみである。

これは語り手の不安や自責の念が引き寄せた現実なのか、それともそれらが投影された夢なのか？　あるいはベルリンの壁が崩壊し、イデオロギーをはじめ絶対的な価値観が消えて、すべてが相対化したこの二十世紀末の状況――混迷した社会は先が見えず、歩けど歩けど目的地にたどりつけないこの時代の不安と閉塞感（それを示唆するかのように建物の多くは円形、物語は循環的だ）を象徴的にとらえたメタファーなのか？　それとも作中で繰り返される親子や夫婦間の不毛なコミュニケーションと、破綻に直面しながらも何とか日常を取りつくろい、自らの体面と威厳を守って心の平衡を保とうとする人間のあがき

か？　ざっと心に浮かんでくる疑問を挙げてみるだけでも、これはおそらく読者によって
どのような読みも可能な、興味の尽きない小説である。
『日の名残り』のあとイシグロは、今度は荒けずりなごつごつした手触りのものを書きたいと語り、過去の作品よりはるかに早い段階で執筆に取りかかったらしいが（これまでは綿密に準備を進め、書きだしたときにはもう全体が完璧に決まっていたという）、結果的にできあがった作品は、ご覧のように前作に劣らず、いや小説の構造という点からすれば前作以上にはるかに精巧に入り組んだ、驚嘆すべき小宇宙である。こんな力業を知性でもってやってのけられる作家は、洋の東西を問わずめったにいないのではなかろうか。イシグロは今後もこのような傾向の作品を書くと言っており、現在は、上海を舞台にした探偵小説に取りかかっている。どのような内容かは分からないが、アガサ・クリスティーのような小説でないことだけは確かだろう。
訳出にあたっては、まず語り手のライダーに最後までいわゆる「顔」がなく（ファーストネームもなければ、彼の容貌や体つきを連想させる記述もゼロである）、耳に届く言葉だけが頼りだったため、イメージをつかむのに苦労した。そのうえほかの人物との関係が相対的なので、語りの口調、とりわけ敬語にてこずった。イシグロは常に unreliable narrator（信頼できない語り手）を起用し、実は語られていることよりも「語られていな

いこと」のほうに意味があるという皮肉を好む作家である。そのニュアンスは一見ごく普通の会話のなかでもともと微妙なうえに、日本語にするとこぼれ落ちてしまいがちで、まったく訳者泣かせだ。くわえて言いまわしそのものが、“Will you come, won't you?”がほんとうは来ないでくれという意味だったり、“Very understandable”がとうてい許しがたいという気持ちを伝えるという(!)イギリス中流階級のものなので(「タイムズ文芸誌」)、そのような日常会話の外にいる者は、真正面から受け取ってしまう危険がある。過去の作品でイシグロはそういったアイロニーの手法を実に巧みに駆使してきたのだが、その点では、本書がこれまでに「語られていないこと」を最もストレートに語ったきわめつきの皮肉な作品だったことが、せめてもの救いだった。それにしても、筋の展開に脈絡がなく、そろいもそろってひとくせもふたくせもある登場人物の語り口だけで感情の揺れをとらえることがすべてとさえ言えるこの作品で、自分の英語力、日本語力の至らなさを痛感させられた。

ともあれ、イシグロの小説巧者ぶりには、またもや敬服するばかりである。

一九九七年七月　　古賀林　幸

文庫版あとがき

イシグロのこの大作を訳してから、ちょうど十年になる。このたび早川書房から文庫版での再刊のお話をいただき、改めて原書と訳文とを照合する作業に取り組んだことで、久しぶりに薄暮か薄明のようなイシグロの世界をさまようスリルを楽しむ一方、以来すっかり忘れていた初訳当時の苦労をもう一度味わうはめにもなった。これは言い訳にすぎないが、本作品は長いというだけでも相当な忍耐力を求められるうえ、前回の訳者あとがきにも書いたように「すべてが夢のベールに包まれたようなもの言い」ゆえに、ほんとうに訳者泣かせなのである。

十年ぶりに拙訳に手を入れるにあたっては、なんとかもう少しだけ「読者にやさしい」訳を心掛けた。基本的に訳はほとんど変わっていないが、日本語としていかにも回りくどい表現や接続詞（イシグロは、登場人物の一瞬のとまどいや、何かしたあと次の行動を取るまでに生じる時間のラプスを表現するため、then や for a moment を多用している）は、読者が感じとれるぎりぎりのところまで切り詰めたり、省略したりした。またライダー自身の語りも、自発的、意志的によどみなく出来事を語るというより、闇雲に何かに動かされ、振り回されているうちに遭遇したことを描写しているので、一種の間接的表現が頻出する。それはこの小説全体に漂う夢想とも現実ともつかない曖昧さの表現だと考え、忠実にたどっていたのだが、この点でも読者に分かると思われる範囲で、できるだけ直接的な表現にした。そのため、多少明瞭すぎるかと思われる箇所もなくはない。しかしただでさえ長い作品を少しでも楽に読んでいただくには必要なことだろう。もちろん、十年前には力及ばず、ぎこちないまま残っていた表現や、改めて気づいた微妙なニュアンスのずれや誤訳は、原文の意図に近づけるよう努めた。時代の流れにより陳腐化した感のある日本語の再検討も行った。

読み直してみると、作中人物のなかにも、自分が感情移入できる人物、はっきりと像を結べる人物と、そうでない人物とがいて、それが読者に伝わってしまうのではないかと、いささか不安がよぎったのだが、果たしてどうだろうか。十年前は人間の独善性と自己正当化にまず目が向いたが、今回は各人物の「思いのずれ」が強く印象に残った。登場人物の相似形も、ますます際立って感じられた。今度また同じ訳業の見直しをすることがあれば、作品をどう読み取ることになるのか、自分でも興味深いところである。

この貴重な見直しの機会を与えてくださった早川書房と、普通の小説のゆうに三倍はある長い訳文全体に、辛抱強く適切な助言をいただいた編集部の山口晶氏に、心から感謝の意を表したい。

二〇〇七年五月

古賀林　幸

本書は、一九九七年七月に中央公論社より単行本として
刊行された作品を文庫化したものです。

日の名残り

The Remains of the Day

カズオ・イシグロ
土屋政雄訳

人生の黄昏どきを迎えた老執事が、旅路で回想する古き良き時代の英国。長年仕えた先代の主人への敬慕、女中頭への淡い想い……忘れられぬ日々を胸に、彼は美しい田園風景の中を旅する。すべては過ぎさり、取り戻せないがゆえに一層せつない輝きを帯びた思い出となる。執事のあるべき姿を求め続けた男の生き方を通して、英国の真髄を情感豊かに描いたブッカー賞受賞作。

ハヤカワepi文庫

わたしたちが孤児だったころ

When We Were Orphans

カズオ・イシグロ
入江真佐子訳

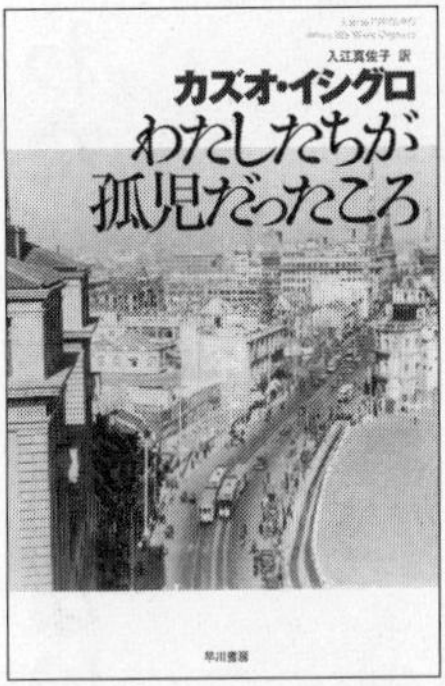

上海の租界に暮らしていたクリストファー・バンクスは十歳で孤児となった。貿易会社勤めの父と美しい母が相次いで謎の失踪を遂げたのだ。ロンドンに帰され寄宿学校に学んだバンクスは、両親の行方を突き止めるため探偵を志す。やがて幾多の難事件を解決し社交界でも名声を得た彼は、上海へと舞い戻る……現代英国最高の作家が渾身の力で描く、記憶と過去をめぐる冒険譚

ハヤカワepi文庫

わたしを離さないで

Never Let Me Go

カズオ・イシグロ
土屋政雄訳

優秀な介護人キャシー・Hは「提供者」と呼ばれる人々の世話をしている。育った施設ヘールシャムの親友トミーやルースも「提供者」だった。図画工作に力を入れた授業、毎週の健康診断、教師たちのぎこちない態度――キャシーの回想はヘールシャムの残酷な真実を明かしていく。運命に翻弄される若者たちの一生を感動的に描くブッカー賞作家の新たな傑作。解説／柴田元幸

ハヤカワepi文庫

夜想曲集

音楽と夕暮れをめぐる五つの物語

Nocturnes

カズオ・イシグロ

土屋政雄訳

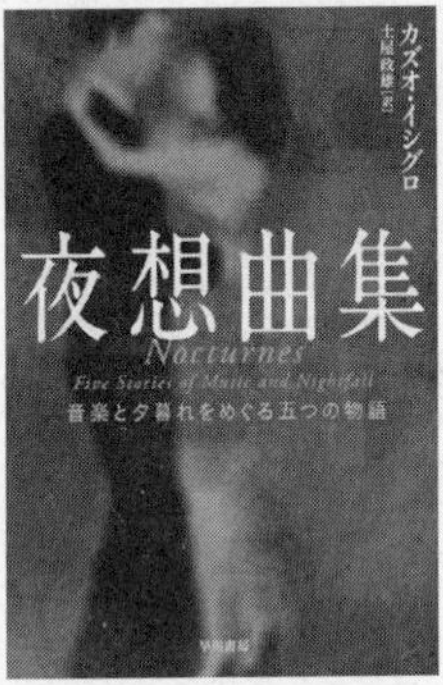

ベネチアのサンマルコ広場で演奏する流しのギタリストが垣間見た、アメリカの大物シンガーの生き方を描く「老歌手」。芽の出ないサックス奏者が、一流ホテルの秘密階でセレブリティと過ごした数夜を回想する「夜想曲」など、書き下ろしの連作五篇を収録。人生の夕暮れに直面した人々の悲哀と揺れる心を、切なくユーモラスに描きだした著者初の短篇集。解説／中島京子

ハヤカワepi文庫

生は彼方に

La vie est ailleurs

ミラン・クンデラ
西永良成訳

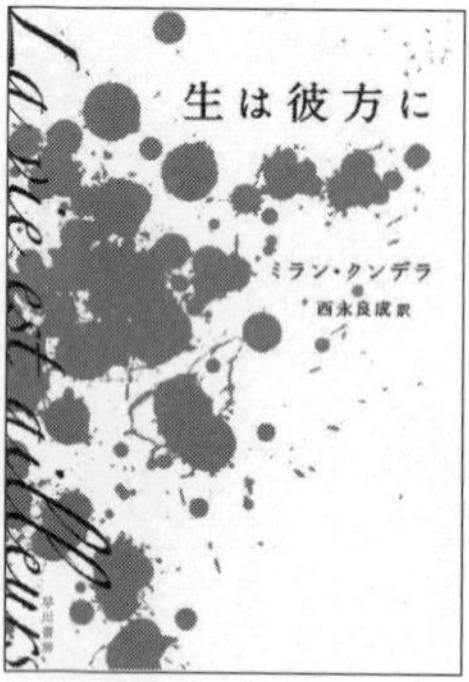

第二次大戦後、プラハは混乱期にあった。母親に溺愛されて育ったヤロミールは、自分の言葉が持つ影響力に気づき、幼い頃から詩を書き始める。やがて彼は、体制に抗う画家の影響で、芸術と革命活動に身を挺する……絶対的な愛を渇望する少年詩人の熾烈な生と死を鋭い感性で描く。祖国に対する失望と希望の間で揺れる想いを投影したクンデラの原点。仏メディシス賞受賞作

ヘビトンボの季節に自殺した五人姉妹

The Virgin Suicides

ジェフリー・ユージェニデス
佐々田雅子訳

リズボン家の姉妹は自殺した。あの夏、何を心に抱えていたのか、五人は次々と命を散らしていった。美しく個性的で謎めいた存在にぼくらは心を奪われ、姉妹のことなら何でも知ろうとした。やがてある事件が厳格な両親の怒りを買い、姉妹は自由を奪われてしまう。ぼくらは懸命に救出しようとするが、その想いが姉妹に伝わることはなかった……残酷で美しい異色の青春小説

第三の男

The Third Man

グレアム・グリーン
小津次郎訳

作家のロロ・マーティンズは、友人のハリー・ライムに招かれて、第二次大戦終結直後のウィーンを訪れた。だが、彼が到着した日に、ハリーの葬儀が行なわれていた。交通事故で死亡したというのだ。ハリーは悪辣な闇商人で、警察が追っていたという話も聞かされた。納得のいかないマーティンズは、独自に調査を開始するが……20世紀文学の巨匠が生んだ、名作映画の原作。

ハヤカワ epi 文庫は、すぐれた文芸の発信源（epicentre）です。

訳者略歴　津田塾大学英文科卒，ボストン大学大学院修士課程修了，英米文学翻訳家，恵泉女学園大学特任教授
訳書『成りあがり者』ウルフ，『郊外のブッダ』クレイシ，『仕事場の芸術家たち』カクタニ他多数

充《み》たされざる者《もの》

〈epi 41〉

二〇〇七年五月二十五日　発行
二〇一七年十月　十五日　六刷
（定価はカバーに表示してあります）

著者　カズオ・イシグロ
訳者　古《こ》賀《が》林《ばやし》幸《さち》
発行者　早川浩
発行所　株式会社　早川書房
東京都千代田区神田多町二ノ二
郵便番号一〇一 - 〇〇四六
電話　〇三 - 三二五二 - 三一一一（大代表）
振替　〇〇一六〇 - 三 - 四七七九九
http://www.hayakawa-online.co.jp
乱丁・落丁本は小社制作部宛お送り下さい。
送料小社負担にてお取りかえいたします。

印刷・三松堂株式会社　製本・株式会社明光社
Printed and bound in Japan
ISBN978-4-15-120041-0 C0197

本書は活字が大きく読みやすい〈トールサイズ〉です。